ID1002528

PROMESSE

Né en 1950 à Copenhague, Jussi Adler-Olsen a étudié à l'université des domaines aussi variés que la médecine, la sociologie, le cinéma ou la politique. Ancien éditeur de littérature et de comics, il se consacre désormais exclusivement à l'écriture. *Miséricorde*, son premier livre, a reçu le Grand Prix des lectrices de *Elle* 2012 et le Prix des lecteurs du Livre de Poche 2013 dans la catégorie « Polar ». Jussi Adler-Olsen a reçu pour l'ensemble de la série du *Département V* le Prix Boréales en 2014. Véritable phénomène au Danemark, son œuvre est aujourd'hui traduite dans une quarantaine de pays et s'est déjà vendue à plus de treize millions d'exemplaires dans le monde.

Paru au Livre de Poche :

JUSSI ADLER-OLSEN

Promesse

La sixième enquête du Département V

ROMAN TRADUIT DU DANOIS PAR CAROLINE BERG

ALBIN MICHEL

Titre original :

DEN GRAENSELØSE
Publié chez Politikens Forlag, Copenhague, en 2014.

*Ce livre est dédié à Vibsen et Elisabeth,
deux femmes courageuses.*

Prologue

Du gris, partout. Ombres flottantes et obscurité feutrée l'enveloppaient comme une couverture et lui tenaient chaud.

Dans son rêve, elle sortait de son corps, planait comme un oiseau – non, mieux, comme un papillon. Comme une œuvre d'art multicolore réalisée dans l'unique but de susciter plaisir et étonnement. Un être évanescent circulant entre ciel et terre, dispensant l'amour absolu et la joie éternelle en répandant d'un battement d'ailes sa poussière magique.

Elle sourit à cette idée. Belle et pure.

Une obscurité infinie flottait au-dessus de sa tête, animée de clignotements à peine perceptibles, telles des étoiles anciennes. C'était bon, comme un pouls rythmant le sifflement du vent dans les arbres.

Elle ne pouvait plus bouger et c'était bien ainsi. Elle n'en avait nulle envie. Elle ne voulait pas se réveiller, car si elle se réveillait, le rêve deviendrait réalité, et avec la réalité viendrait la douleur. Qui l'aurait souhaité ?

À présent défilaient dans sa tête une multitude d'images venant d'un temps où la vie était encore pleine de promesses. Elle et son frère sautant dans les dunes, leurs parents leur criant d'arrêter, d'arrêter…

Pourquoi fallait-il toujours arrêter ? N'était-ce pas dans ces dunes qu'elle s'était sentie vraiment libre pour la première fois de sa vie ?

De jolies bulles de lumière glissèrent sous elle comme des courants phosphorescents et cela la fit sourire. Elle n'en avait jamais vu, à vrai dire, mais c'était ainsi qu'elle se les imaginait. Courants fluorescents ou or liquide dans une vallée profonde.

Où est-ce qu'elle en était, déjà ?

Ah oui… la liberté. Elle ne s'était jamais sentie aussi libre qu'en ce moment. Elle était un papillon et pouvait faire tout ce qu'elle voulait. Voleter de-ci, de-là, au milieu de personnes merveilleuses qui ne passaient pas leur temps à lui faire des reproches. Entourée et choyée par des mains d'artiste qui lui enseignaient de nouvelles choses et ne lui voulaient que du bien. Lui enseignaient des chansons qu'elle n'avait jamais entendues et qui la transportaient ailleurs.

Elle soupira et sourit à nouveau. Laissa ses pensées l'emporter un peu partout et nulle part à la fois.

Puis elle se rappela la bicyclette et l'école, le matin froid et ses dents qui claquaient.

À l'instant où la réalité reprit ses droits et où son cœur renonça enfin, elle se souvint du choc quand la voiture l'avait percutée, du bruit des os brisés, des branches de l'arbre qui la retenaient prisonnière, du rendez-vous qu'elle…

1

« Hé, chef, réveillez-vous. Votre téléphone n'arrête pas de sonner. »

Carl leva un regard las vers Assad. Ce matin encore, sa combinaison de peintre était blanche. À le voir jaune des pieds à la tête, lui plutôt noir en temps normal, c'était à se demander comment la peinture avait malgré tout atterri sur le mur.

« Tu viens de m'interrompre dans un processus de réflexion compliqué, Assad, riposta Carl en retirant à contrecœur ses pieds de la table.

— OK ! Désolé ! » Deux fossettes surgirent dans la jungle des poils de barbe de son assistant. Carl se demanda ce qui brillait dans les deux billes noires et joviales de ses yeux. Une lueur d'ironie, peut-être ?

« Je sais que la soirée d'hier a été dure, alors, chef, reprit Assad. Mais c'est à cause de Rose, vous comprenez. Ce téléphone qui sonne sans arrêt la rend cinglée. Vous voulez bien décrocher la prochaine fois, s'il vous plaît ? »

Carl se tourna vers la lumière du jour aveuglante qui entrait par le soupirail. Aïe ! Un peu de fumée de cigarette devrait tamiser ça, se dit-il en tendant la main vers son paquet et en remettant les pieds sur son bureau. Le téléphone recommença à sonner.

Assad tendit un index autoritaire vers l'appareil, jeta à Carl un regard insistant et s'éclipsa. Ses deux collaborateurs lui donnaient parfois l'impression d'être un majeur sous tutelle.

« Carl Mørck, j'écoute, répondit-il mollement, laissant le combiné posé sur la table.

— Allô ! » dit une voix lointaine.

Il souleva le combiné comme s'il pesait une tonne et le porta à son oreille.

« Qui est à l'appareil ?

— Vous êtes bien l'inspecteur Mørck ? » lui répondit-on avec l'accent chantant de l'île de Bornholm. Carl était quant à lui insensible au charme de ce dialecte : du mauvais suédois truffé d'erreurs grammaticales, tout juste bon pour cette contrée minuscule.

« Absolument. C'est le nom que je vous ai donné, il me semble. »

Il entendit un soupir au bout du fil. On aurait presque dit du soulagement.

« Je m'appelle Christian Habersaat. Nous nous sommes rencontrés il y a longtemps, mais je doute que vous vous souveniez de moi. »

Habersaat ? songea Carl. De Bornholm ?

« Si... euh... il me semble bien que..., répondit-il d'une voix hésitante.

12

— J'étais de service au commissariat de Nexø un jour où vous et l'un de vos supérieurs étiez venus chercher un détenu pour le ramener à Copenhague. »

Carl se creusait les méninges. Il se souvenait du transport de prisonnier mais le nom de Habersaat ne lui disait rien.

« Ouiii… je me rappelle maintenant…, dit-il, extirpant une cigarette de son paquet.

— Pardon, je vous dérange certainement, mais si vous pouviez me consacrer un petit moment ? J'ai lu que vous veniez de résoudre cette enquête difficile au cirque de Bellahøj. Je vous félicite. Même si ça doit être frustrant pour un policier quand le coupable se suicide avant d'avoir été traduit en justice. »

Carl haussa les épaules. Ça avait contrarié Rose mais Carl s'en foutait complètement. Tant qu'il y avait un salopard de moins sur cette terre…

« Ce n'est pas à cause de cette affaire que vous m'appelez ? » Il alluma sa cigarette et bascula la tête en arrière. Il n'était qu'une heure et demie de l'après-midi, un peu trop tôt pour avoir déjà fumé son quota journalier. Il se dit qu'il devrait peut-être s'en accorder quelques-unes de plus, finalement.

« Oui et non. J'appelle à cause de cette affaire et de toutes celles que vous avez élucidées de manière admirable ces dernières années. Comme je vous l'ai dit, je fais partie de la police de Bornholm, plus précisément du commissariat de Rønne. Grâce à Dieu, je pars à la retraite demain. » L'homme hasarda un petit rire qui semblait légèrement forcé. « Les temps ont changé et le métier est devenu plus difficile, aujourd'hui. Je suppose que c'est pareil pour tout le monde, mais il y a dix ans, je savais tout ce qui se passait, du cœur de l'île à la côte est. C'est pour ça que je vous appelle. »

Carl laissa retomber son menton sur sa poitrine. Si le gars appelait pour leur refiler une affaire, Carl se dépêcherait de botter en touche. Il n'avait nullement l'intention d'aller mener une enquête sur une île dont l'unique spécialité était le hareng fumé, et qui se trouvait plus près de la Pologne, de la Suède et de l'Allemagne que du Danemark.

« Vous appelez pour qu'on vous donne un coup de main sur une affaire ? Parce que dans ce cas, je crains de devoir vous renvoyer à mes collègues du deuxième étage. Ici, au département V, nous sommes débordés. »

Un long silence lui répondit. Et son interlocuteur raccrocha.

Carl regarda le combiné, quelque peu interloqué, avant de le reposer sur son socle avec humeur. Si ce con était aussi facile à intimider, il ne pouvait s'en prendre qu'à lui-même.

Il secoua la tête et se prépara à reprendre sa sieste mais il avait à peine eu le temps de refermer les paupières que le téléphone sonna à nouveau.

Carl inspira profondément. Il y avait vraiment des gens qui avaient la comprenette difficile.

« OUI ! hurla-t-il dans le téléphone, espérant pousser le gars à raccrocher de terreur.

— Euh, Carl ? C'est toi ? demanda la dernière personne au monde qu'il s'attendait à avoir au bout du fil.

— Maman ? s'enquit-il prudemment en fronçant les sourcils.

— Tu me fais mourir de peur, chéri, quand tu hurles comme ça. Tu as mal à la gorge, mon trésor ? »

Carl soupira. Il y avait maintenant trente ans qu'il était parti de chez lui. Depuis, il avait eu affaire à des assassins, des proxénètes, des pyromanes, des braqueurs et à un nombre incalculable de cadavres dans divers états de décomposition. On lui avait tiré dessus. On avait brisé sa mâchoire, son poignet, sa vie privée et tous les espoirs que son village natal avait fondés en lui. Voilà trente années qu'il avait sorti la paille de ses sabots, trente années qu'il s'était convaincu une fois pour toutes qu'il était maître de son destin et que les parents on pouvait les mettre de côté ou les prendre en compte, selon son bon vouloir. Comment faisait-elle pour le renvoyer, en une seule phrase, à l'état de petit garçon ?

Carl se frotta les yeux et se redressa légèrement dans son fauteuil. Ça allait être une longue, très longue journée.

« Non, ça va, maman. C'est à cause des travaux, on ne s'entend plus, ici.

— Bon. Écoute, je t'appelle parce que j'ai une mauvaise nouvelle à t'annoncer. »

Carl pinça les lèvres. Il tenta d'analyser sur quel ton elle avait dit ça. Est-ce qu'elle avait du chagrin ? Était-elle sur le point de lui annoncer la mort de son père ? Il y avait plus d'un an qu'il n'était pas allé les voir.

« C'est papa ? demanda-t-il.

« — Dieu du Ciel, non ! Ha-ha. Il est là, à côté de moi, en train de boire son café. Il arrive de l'étable où il a castré les porcelets. C'est ton cousin Ronny. »

Carl retira ses pieds de la table.

« Ronny est mort ? Comment est-ce arrivé ?

— Il est parti d'un seul coup, pendant qu'on lui faisait un massage, en Thaïlande. N'est-ce pas épouvantable d'apprendre une nouvelle pareille par une aussi belle journée de printemps ? »

En Thaïlande ? Pendant un massage ! C'est tout lui, ça, se dit Carl.

Il chercha une phrase de circonstance. Ce qui était loin d'être évident.

« Épouvantable, en effet, acquiesça-t-il finalement, en s'efforçant de refouler l'image du corps répugnant de son cousin au moment de son trépas, plutôt agréable s'il en est.

— Sammy part demain en avion pour récupérer son corps et ses affaires. Il préfère y aller avant que les choses disparaissent on ne sait où, expliqua-t-elle. Sammy est un garçon tellement organisé. »

Carl hocha la tête. Si Sammy s'occupait de ça, l'affaire promettait d'être un parfait exemple de tri à la jutlandaise. L'ivraie à la poubelle et le bon grain dans sa poche.

Il revit en pensée la fidèle petite épouse de Ronny. Une brave Thaïlandaise qui aurait mérité mieux que ça. Après le passage de Sammy, il ne resterait plus à la pauvre femme que le caleçon à motifs de dragons que son défunt mari avait sur le derrière en mourant. Ainsi va la vie.

16

« Ronny était marié, maman. Je ne pense pas que Sammy puisse se permettre de tout accaparer comme ça.

— Tu connais Sammy, il va se débrouiller, dit-elle en riant. Il a prévu d'y passer une dizaine de jours. Quitte à faire un aussi long voyage, autant aller se dorer la pilule ! Je le cite. Il a bien raison, je trouve. C'est un malin, ton cousin Sammy. »

Carl hocha la tête. La seule différence significative entre Ronny et son petit frère Sammy était une voyelle et trois consonnes. Personne au nord du Limfjord n'aurait pu mettre en doute leur appartenance à la même fratrie, car ils se ressemblaient comme deux gouttes de morve. Si un producteur de cinéma avait un jour besoin d'un prétentieux, imbu de lui-même et de mauvaise foi, affublé d'une improbable chemise bariolée, à défaut d'engager Ronny, il pourrait se rabattre sur Sammy.

« On l'enterre ici, à Brønderslev, le 10 mai. C'est un samedi. Ça nous fera plaisir de te revoir, mon garçon », continua sa mère. Et pendant qu'elle lui infligeait l'inévitable remise à jour des petites préoccupations d'une famille de paysans de la région de Vendelbo, au nord du Jutland, allant de l'élevage porcin à l'arthrose de la hanche de son père, en passant par les mesures idiotes proposées par les incompétents pensionnaires de Christiansborg et autres sujets déprimants, Carl se remémorait le dernier mail de Ronny.

Il s'agissait purement et simplement d'un mail de menace et, sur le moment, son contenu avait considérablement inquiété et agacé Carl. Par la suite, il s'était demandé si son cousin n'avait pas voulu le faire chanter. C'était le genre de chose qu'il était capable de faire, le pauvre type étant perpétuellement fauché.

Carl n'aimait pas ça du tout. Allait-il de nouveau être confronté à cette histoire ridicule ? Elle n'avait aucun fond de vérité, bien entendu, mais quand on vivait au pays de H.C. Andersen, on savait aussi à quelle vitesse une petite plume pouvait se transformer en cinq poules[1]. Et ces cinq poules-là, au poste qui était le sien et avec un patron comme Lars Bjørn, seraient des plus malvenues.

Où cet emmerdeur de Ronny avait-il la tête ? En plusieurs occasions, il était allé se vanter d'avoir assassiné son père, ce qui était déjà assez grave en soi. Mais le pire dans l'histoire, c'était qu'il avait impliqué Carl dans son scénario débile, expliquant devant témoins que celui-ci l'avait aidé à le tuer pendant une partie de pêche. Dans le mail en question, il annonçait à son cousin qu'il avait consigné toute l'histoire dans un roman pour lequel il était en train de chercher un éditeur.

Carl n'en avait plus entendu parler, mais cette affaire était tout de même fort désagréable et il espérait bien que la mort de Ronny aurait au moins pour avantage d'y mettre fin une bonne fois pour toutes.

Il tâtonna fébrilement à la recherche de ses cigarettes. Il serait évidemment présent à cet enterrement. Ne serait-ce que pour voir si Sammy avait réussi à pri-

---

1. Allusion au conte d'Andersen intitulé « C'est tout à fait sûr ». *(N.d.l.T.)*

ver la veuve de son héritage. Il avait entendu dire que là-bas, en Orient, les successions se réglaient parfois dans un bain de sang. Avec un peu de chance, ce serait le cas cette fois-ci, et connaissant la petite Ding Dong Ding, ou quel que soit le nom de la femme miniature de Ronny, elle n'était pas du genre à se laisser intimider. Elle saurait défendre son dû, conserver ce qui avait de la valeur et laisser Sammy repartir avec les miettes. Entre autres, sans doute, la production littéraire de feu son mari.

Non, décidément, Carl ne serait pas du tout étonné que Sammy rapporte ces écrits dans sa valise. Il s'agissait donc pour lui de remettre la main dessus avant qu'ils fassent le tour de la famille.

« Ronny était devenu assez riche sur la fin. Tu étais au courant, Carl ? » gazouillait sa mère quelque part, très loin.

Carl haussa les sourcils.

« Ah bon ? Il était devenu trafiquant de drogue ? Tu es certaine qu'il n'a pas fini pendu quelque part derrière les épais murs d'une prison thaïlandaise ? »

Elle pouffa.

« Carl ! Tu es incorrigible. Tout petit déjà, tu me faisais mourir de rire. »

Vingt minutes plus tard, Rose se plantait sur le pas de la porte du bureau de Carl, dispersant la fumée d'une main dédaigneuse, avec une grimace de dégoût démonstrative.

« Avez-vous eu au téléphone un certain brigadier Habersaat, Carl ? »

Il haussa les épaules. Son entretien avec le policier de Bornholm était le cadet de ses soucis. Qu'est-ce que Ronny avait bien pu écrire sur lui ?

« Regardez ça, dit-elle en plaquant sous le nez de Carl une feuille de papier. J'ai reçu ce mail il y a deux minutes. Vous ne croyez pas que vous feriez mieux de le rappeler ? »

La transcription ne comportait que deux phrases mais elles suffirent à plomber l'ambiance du bureau pour le restant de la journée :

Le département V était mon ultime espoir. Je n'en peux plus.
C. Habersaat

Carl leva les yeux vers Rose qui secouait la tête comme la mégère de Shakespeare quand elle refuse d'épouser Petruccio. Son attitude l'agaçait, mais il préférait encore être giflé par une Rose muette que d'écouter ses reproches et ses doléances.

Et au fond, c'était une bonne fille. Et une assistante de choc. Même s'il fallait parfois creuser pour atteindre le fond.

« Je vois ! Mais puisque c'est toi qui l'as reçu, ce mail, je suggère que tu te charges de contacter son expéditeur. Tu me raconteras ! »

Elle fronça le nez au point de faire craquer son épaisse couche de fond de teint ultra-pâle.

« Comme si je ne savais pas que vous alliez me dire ça, Carl ! J'ai bien sûr rappelé ce monsieur immédiatement, mais je suis tombée sur le répondeur.

— Hmm. Je suppose que tu lui as laissé un message ? »

Un nuage noir se forma au-dessus de sa tête tandis qu'elle confirmait à Carl que c'était évidemment le cas.

Elle avait essayé cinq fois de suite, sans succès.

2

Mercredi 30 avril 2014

En général, les pots de départ du personnel se tenaient au commissariat de Rønne, mais Habersaat n'avait pas eu envie de faire le sien là-bas. Depuis la réforme de la police, il n'avait plus vraiment de relations de proximité avec les habitants ni de connaissance approfondie de tout ce qui arrivait sur la côte est de l'île. La réforme avait engendré d'incessants allers-retours entre l'est et l'ouest, et d'interminables tergiversations dans le processus de décision qui retardaient l'ouverture d'une instruction digne de ce nom après un acte criminel. Résultat, on perdait du temps, les traces étaient effacées et l'auteur du crime échappait à la justice.

« C'est une époque bénie pour les contrevenants », disait-il souvent. Mais tout le monde se fichait de son avis.

Habersaat haïssait le changement, tant d'un point de vue général que d'un point de vue local, et pour son départ à la retraite, il refusait d'avoir sous les yeux un troupeau de moutons bêlants qui, tout collègues qu'ils fussent, ignoraient tout de ses quarante années de bons et loyaux services et l'applaudiraient par convenance.

Il décida donc de faire ses adieux définitifs en comité très restreint, dans la salle communale de Listed, à six cents mètres de chez lui.

Étant donné ce qu'il avait prévu pour l'occasion, ce choix paraissait plus convenable.

Il resta quelques instants devant le miroir à admirer son uniforme d'apparat, remarquant au passage les plis que de nombreuses années passées sur une étagère au fond du placard avaient laissés dans le tissu.

Tout en repassant assez maladroitement le pantalon sur une planche qu'il utilisait pour la première fois, il parcourut des yeux ce qui avait jadis été le salon chaleureux et vivant de sa famille.

Presque vingt ans s'étaient écoulés depuis, et le passé errait maintenant comme un animal entre les meubles sans valeur et les objets qui n'intéressaient plus personne.

Habersaat secoua la tête. Avec le recul, il ne se comprenait pas lui-même. Pourquoi avoir laissé ces classeurs de toutes les couleurs prendre la place de bons romans dans la bibliothèque ? Pourquoi la moindre surface horizontale de cette pièce était-elle encombrée de photocopies et de coupures de journaux ? Pourquoi avait-il consacré sa vie entière à son travail, au lieu de s'occuper des gens qui l'aimaient ?

En fait, il le savait très bien.

Il inclina la tête et laissa libre cours au sentiment qui l'animait. Pourtant ses larmes refusaient de couler – il en avait déjà trop versé. Évidemment qu'il savait pourquoi les choses s'étaient passées de cette façon. Il ne pouvait pas en être autrement.

Il inspira profondément, étala l'uniforme sur la table, souleva un vieux cadre et caressa tendrement le portrait, comme il l'avait fait des centaines de fois. Il aurait tant aimé rattraper le temps perdu. Il aurait tant aimé pouvoir changer sa nature profonde, revenir sur ses décisions et une dernière fois sentir la présence de sa chère épouse et de son grand garçon.

Il poussa un long soupir. Dans cette pièce, sur ce canapé, il avait fait l'amour à sa femme. Sur ce tapis, il avait joué avec son fils tout petit. Les disputes avaient commencé dans ce salon, et c'était là aussi que sa mélancolie était devenue un fait établi et qu'elle avait grandi d'année en année.

C'est dans ce séjour que sa femme lui avait un jour craché au visage et qu'elle l'avait planté là, une bonne fois pour toutes. Parfaitement conscient du fait qu'une banale enquête avait détruit son bonheur à jamais.

Peu après, il était tombé dans une sorte de dépression qui ne l'avait cependant pas empêché de continuer son enquête. C'était comme ça, il n'y pouvait rien et il avait d'excellentes raisons pour avoir agi ainsi.

Il posa presque affectueusement la main sur un tas de notes, vida son cendrier et alla jeter à la poubelle les boîtes de conserve vides de la semaine. Enfin, il fouilla dans sa poche intérieure pour s'assurer qu'il n'avait rien oublié et vérifia une dernière fois dans la glace l'allure de son uniforme.

Puis il sortit et referma derrière lui la porte de sa maison.

Habersaat avait tout de même espéré un peu plus de monde à son pot de départ. Il attendait au moins ceux qu'il avait eu l'occasion d'aider par le passé, quand ils avaient eu des moments difficiles, et peut-être aussi ceux pour lesquels il avait réparé une injustice ou à qui il avait évité une sanction absurde. Il s'attendait à y voir quelques anciens collègues retraités de la police municipale de Nexø et aussi quelques notables locaux. Quand il vit que seuls le premier adjoint au maire, le trésorier, le directeur de la police, ses plus proches collaborateurs et le représentant du syndicat de la police s'étaient donné la peine de venir, en plus des cinq ou six personnes qu'il avait lui-même invitées, il laissa tomber le long discours qu'il avait prévu de tenir et décida d'improviser.

« Merci de vous être déplacés par cette radieuse matinée », dit-il en faisant signe à son voisin Sam de commencer à filmer. Il alla ensuite remplir de vin blanc les gobelets en plastique posés sur le buffet et versa des cacahuètes et des chips dans les barquettes en aluminium. Personne ne proposa de lui donner un coup de main.

Puis il se tourna vers ses convives et les invita à aller se chercher un verre. Tandis qu'ils revenaient se placer devant lui en arc de cercle, il glissa discrètement la main dans sa poche et enleva la sécurité de son arme.

« À votre santé, mesdames et messieurs, dit-il en les saluant de la tête l'un après l'autre. Il est bon d'avoir devant soi tant de visages amis en ces dernières heures, continua-t-il, souriant. Je vous remercie d'être venus malgré tout. Vous savez tous ce que j'ai traversé et aussi que j'ai jadis été un homme respectable et un policier respecté. Je suis sûr que la plupart d'entre vous se souviennent encore de moi comme d'un type tranquille, capable de convaincre un pêcheur un peu énervé de lâcher la bouteille cassée qu'il tient à la main. Pas vrai ? »

Sam leva un pouce au-dessus de sa caméra mais une seule personne dans l'assemblée acquiesça. D'autres marquèrent leur assentiment par quelques grognements inaudibles, les yeux baissés.

« Je suis bien sûr désolé qu'on ne se souvienne de moi à présent que comme du gars qui a brûlé la chandelle par les deux bouts à cause d'une affaire insoluble à laquelle il a sacrifié sa famille, ses amis et sa joie de vivre. Je voudrais vous demander pardon pour cela comme je voudrais que vous me pardonniez la mauvaise humeur que je vous ai fait subir toutes ces années. J'aurais dû m'arrêter à temps. Pardon à tous de n'avoir pas su le faire. »

Il se tourna vers ses supérieurs, son sourire s'effaça tandis que ses doigts se resserraient sur la crosse de son pistolet. « À vous, mes jeunes collègues, je tiens à dire que vous n'êtes pour rien dans mes tribulations passées. Vous faites votre métier de façon irréprochable, c'est-à-dire comme nos politiciens incompétents vous demandent de le faire. Mais plusieurs de vos aînés et de vos prédécesseurs, par leur inconséquence et leur légèreté, m'ont trahi et abandonné et, ce qui est plus grave, ils ont trahi et abandonné une très jeune femme. À cette trahison, je réponds aujourd'hui par mon total mépris pour ce système dont vous êtes les otages, un système qui nous rend incapables d'assumer correctement le travail policier qui nous a été confié. Aujourd'hui, il n'est plus question que de statistiques. Tout le monde se fout de savoir si nous avons mené une enquête jusqu'au bout. Alors je vous le dis : que le diable m'emporte si j'accepte un jour de manger de ce pain-là. »

Quelques timides protestations se firent entendre du côté où se tenait le représentant du syndicat, puisque c'était son rôle, et une personne dans l'auditoire fit remarquer à Habersaat que le moment était mal choisi pour ce genre de diatribe.

Le policier hocha la tête. Ils avaient raison. Son discours n'était pas bienvenu, pas plus que tout ce dont il leur avait rebattu les oreilles pendant presque vingt ans. Il était temps d'en finir. Temps de mettre un point final et de donner un exemple qui resterait dans les annales de la police. Et bien qu'il n'ait pas particulièrement envie de faire ce qu'il allait faire, l'heure était maintenant venue de passer à l'acte.

D'un geste brusque, il brandit l'arme, ce qui fit instantanément disparaître de son champ de vision le premier rang de son auditoire.

L'espace d'une seconde, il vit l'horreur et l'angoisse dans les yeux de ses supérieurs tandis qu'il braquait son pistolet sur eux.

Et ce qui devait arriver arriva.

3

La nuit avait été ce que ses nuits étaient en général, mauvaise, et Carl commença sa journée les pieds sur son bureau dans l'espoir de rattraper un peu de sommeil. À la résolution des affaires de ces derniers mois avait succédé une période confuse empreinte de sentiments mitigés. Ça avait été de longs mois d'hiver, gris et tristes sur le plan personnel, et sur le plan professionnel, sa répugnance à se soumettre à l'autorité de Lars Bjørn depuis bientôt trois ans allait grandissant. Et puis il y avait cette histoire avec Ronny et l'incertitude autour de son foutu roman. Tout cela ne favorisait pas le sommeil et pourrissait les lendemains de ses nuits de gamberge. Il fallait que quelque chose change de manière radicale dans son existence.

Il prit un stylo sur la table et posa sur ses genoux le premier dossier de la pile qui était devant lui. L'entraînement aidant et après avoir essayé plusieurs positions différentes, il arrivait maintenant à piquer un roupillon sans rien faire tomber. Quand Rose le réveilla de sa voix de harpie, seul le stylo tomba.

Il regarda mollement sa montre et vit qu'il avait tout de même réussi à grappiller presque une heure de sommeil.

Avec une certaine satisfaction, il s'étira, ignorant le regard acide de Rose.

« Je viens d'avoir la police de Rønne au téléphone, annonça-t-elle, et vous n'allez pas aimer ce qu'elle avait à me dire.

— Vraiment ? répliqua-t-il en jetant sur son bureau la chemise cartonnée qui était sur ses genoux avant de ramasser le stylo sur le sol.

— Il y a une heure, le brigadier Christian Habersaat a participé au pot d'adieu organisé pour son départ à la retraite dans la salle communale de Listed. Et il y a cinquante minutes exactement, il s'est tiré une balle dans la tête devant dix spectateurs qui n'en sont pas encore remis. » Elle hocha gravement la tête en voyant Carl hausser les sourcils. « Sale affaire, pas vrai mon vieux Carl ? ajouta-t-elle cruellement. J'en saurai plus quand le directeur de la police de Rønne sera de retour dans son bureau. Il a été témoin de l'épisode. En attendant, je réserve des billets pour le prochain avion.

— Je suis désolé de ce que tu m'apprends. Mais je ne comprends pas cette histoire de billets d'avion. Tu pars en voyage, Rose ? » Carl faisait son possible pour feindre une réelle incompréhension, mais il n'était pas dupe, ça n'allait pas marcher. « Je te jure que ça me fait de la peine pour ce Haber-machin mais si tu crois que tu vas me faire monter dans une de ces boîtes à sardines qui transportent les gens sur l'île de Born-holm, tu te fourres le doigt dans l'œil. Et d'ailleurs…

— Si vous avez peur en avion, Carl, le coupa Rose, nous n'avons qu'à nous dépêcher de prendre le ferry express d'Ystad à Rønne qui part à 12 h 30. Et moi je vais appeler le directeur de la police. C'est votre faute si nous en sommes là, alors je vous laisse vous débrouiller. Ce n'est pas ce que vous me dites d'habitude ? Je vais prévenir Assad qu'il peut arrêter son barbouillage et se préparer à venir avec nous. »

Carl battit des paupières.

Il se demanda soudain s'il n'était pas encore en train de dormir.

Ni le trajet de l'hôtel de police au port d'Ystad à travers la Scanie en tenue de printemps, ni la traversée en bateau d'une heure et demie environ jusqu'à Bornholm ne parvinrent à calmer la colère de Rose.

Carl se regarda dans le rétroviseur. S'il ne faisait pas attention, il ressemblerait bientôt à son grand-père, le regard vitreux et le teint terreux.

Il changea l'orientation du miroir et tomba à la place sur le faciès grognon de son assistante.

« Pourquoi avez-vous refusé de l'écouter, Carl ? » continuait-elle à lui demander sans répit depuis la banquette arrière, sur un ton qui semblait vouloir explorer toutes les nuances du reproche. S'il y avait eu une vitre de séparation dans la voiture, il l'aurait fermée depuis belle lurette.

Par les hublots du restaurant, à bord du gigantesque catamaran qui les emmenait dans l'île, Carl regardait les crêtes blanches au sommet des vagues sculptées par le vent, un spectacle qu'Assad contemplait d'un air particulièrement inquiet. Mais le vent de Sibérie était une tiède brise comparé au regard glacial de Rose. Elle était triste avec acharnement.

« Je ne sais pas comment vous appelleriez ça, Carl. Mais dans certains pays moins tolérants que le nôtre, un fonctionnaire de police serait licencié pour faute grave pour ce que vous avez fait à Habersaat… »

Carl tenta de l'ignorer. Après tout, Rose serait toujours Rose et on ne la changerait pas. Mais quand elle enfonça le clou en disant : « … ou pire, d'homicide par négligence », il finit tout de même par perdre son calme.

« Rose, ça suffit, maintenant ! » gueula-t-il en abattant le poing sur la table à faire s'entrechoquer les bouteilles et les verres.

Ce ne furent pas les éclairs lancés par les yeux de Rose qui l'arrêtèrent mais le regard d'Assad qui attira son attention sur les autres consommateurs, figés, tournés vers leur table, bouche bée, un morceau de gâteau en suspens au bout de leur fourchette.

« Ce sont des acteurs ! s'excusa Assad auprès des autres clients. Ils répètent une pièce de théâtre. Je vous promets qu'ils ne révéleront pas la fin. »

Certains des passagers eurent l'air de se demander dans quels films ils les avaient déjà vus jouer.

Carl se pencha vers Rose au-dessus de la table. Ce n'était pas une mauvaise fille quand on se donnait la peine de la connaître. N'avait-elle pas été là pour lui et pour Assad toutes ces dernières années ? Il n'était pas près d'oublier la façon dont elle s'était occupée de lui, alors qu'il était à la limite du burn-out pendant l'affaire Marco, trois ans auparavant. Il fallait juste lui ficher la paix et ne pas s'arrêter à ses bizarreries. C'est vrai qu'elle était parfois instable, mais si on voulait l'aider à rentrer dans le rang, il valait mieux mettre de l'eau dans son vin que de laisser la situation s'envenimer.

Il inspira longuement.

« Écoute, Rose. Ne crois pas que ce qui est arrivé à Habersaat m'indiffère. Mais je voudrais tout de même signaler que c'était sa décision. Il aurait aussi pu rappeler. Il aurait pu décrocher quand tu as essayé de le joindre. S'il nous avait envoyé une lettre ou un mail pour nous dire ce qu'il attendait de nous, nous n'en serions pas là. Tu vois où je veux en venir, madame Plus-royaliste-que-la-reine ? »

Il lui fit un sourire lénifiant, mais quelque chose lui dit qu'il aurait dû garder pour lui sa dernière phrase.

Heureusement, Assad intervint.

« Je comprends ce que tu ressens, Rose. Mais Habersaat s'est suicidé et il n'y a rien que nous puissions faire maintenant pour réparer ça. » Il s'interrompit brusquement et posa un regard infiniment triste sur l'océan moutonneux. « Tu ne crois pas que nous devrions plutôt essayer de comprendre pourquoi il a fait ça ? poursuivit-il, sur un ton neutre. Est-ce que ce n'est pas pour cette raison que nous sommes en route pour Bornholm sur cet étrange bateau ? »

Rose sourit et de minuscules fossettes se creusèrent sur ses joues. Carl devait admettre que c'était du grand art.

Il retomba au fond de son siège. Remerciant Assad du regard, il vit soudain la peau de ce dernier virer en un dixième de seconde au verdâtre. Le pauvre ! Mais que pouvait-on attendre d'un homme qui a le mal de mer sur un matelas pneumatique dans une piscine ?

« Je n'aime pas beaucoup être sur l'eau, dit-il d'une voix si ténue qu'il y avait de quoi se faire du souci.

— Il y a des sacs à vomi dans les toilettes », l'informa Rose sèchement en ouvrant le dépliant informatif sur l'île de Bornholm.

Assad secoua la tête.

« Non, non. Ça va aller. Je l'ai décidé, alors. »

Avec ces deux-là, on ne s'ennuyait jamais.

La police de Bornholm appartenait au plus petit district du Danemark et avait son propre directeur et une soixantaine de fonctionnaires. Depuis la réforme il ne restait qu'un seul commissariat pour toute l'île, opérationnel nuit et jour. Il devait assurer l'ordre pour les quarante-cinq mille résidents permanents mais également pour les six cent mille touristes qui chaque année venaient découvrir ce microcosme d'à peine six cents kilomètres carrés, avec sa terre arable noire, ses falaises et ses rochers, et un nombre incalculable d'attractions que l'office de tourisme local s'évertuait à mettre en avant. La plus grande église ronde, la plus petite, la mieux préservée, la plus ancienne ou la plus haute. Chaque village qui se respectait se vantait de posséder *la* chose qui rendait l'île si incroyablement spéciale.

Les policiers entre deux âges qui les accueillirent leur demandèrent de patienter. Apparemment, un véhicule scandaleusement en surcharge avait fait la traversée sur le ferry avec eux et tout le monde était sur le pied de guerre pour coordonner les opérations.

Un crime aussi odieux se doit d'être traité comme une priorité absolue, songeait Carl, ironique, au moment où l'un d'eux se leva et montra du doigt la porte derrière laquelle ils étaient attendus.

Le directeur de police les reçut sur son trente et un, dans une salle de réunion au premier étage, avec un festin de viennoiseries fraîches et un nombre délirant de tasses à café. Au moins, ici, on ne pouvait pas se tromper en matière de hiérarchie et, en dépit de la gravité des circonstances, l'accueil qui leur avait été réservé prouvait que leur venue à Bornholm intriguait les autorités locales.

« Vous êtes bien loin du bercail », dit-il. Ce qu'il fallait sans doute comprendre comme *trop* loin.

« Eh oui, notre collègue Habersaat s'est malheureusement suicidé, une façon assez laide de tirer sa révérence, si vous voulez mon avis », poursuivit-il, l'air un peu secoué. Carl avait déjà vu ça. Un policier qui a suivi la voie académique, comme c'est le cas pour tous les directeurs de police au Danemark, n'a pas suffisamment l'occasion de se salir les mains et, n'étant pas armé, ne peut voir sans frémir la cervelle d'un de ses collaborateurs étalée sur un mur.

Carl acquiesça.

« Christian Habersaat et moi-même avons eu un très court entretien téléphonique hier après-midi. J'ai seulement eu le temps de comprendre qu'il me demandait de l'aide dans le cadre d'une enquête. Il semble que je ne lui aie pas accordé toute mon attention sur le moment et c'est la raison de notre présence ici. Je pense que cela ne dérangera pas votre travail si nous jetons un coup d'œil à l'affaire concernée. J'espère ne pas me tromper. »

Si les yeux plissés et les commissures tombantes signifiaient « oui » dans la langue des habitants de Bornholm, l'affaire était entendue.

« Peut-être pourriez-vous m'expliquer ce que votre défunt collègue a voulu dire dans son mail quand il a écrit que le département V était son dernier espoir. »

Le directeur de la police secoua la tête. Il pouvait sans doute mais il ne voulait pas. Il avait des gens pour le faire à sa place.

Il fit venir d'un geste de la main un agent en uniforme.

« Je vous présente le commissaire John Birkedal. Il est né à Bornholm et il a connu Habersaat bien avant mon arrivée. John, le représentant du syndicat de la police locale et moi-même étions les seuls fonctionnaires de police présents à la réception de Habersaat. »

Assad tendit la main le premier.

« Mes condoléances », dit-il.

Birkedal prit la main tendue d'un air un peu surpris, avant de tourner vers Carl un regard qui lui sembla familier.

« Salut, Carl. Ça fait un bail », dit-il tandis que ce dernier s'efforçait de ne pas froncer les sourcils de façon trop visible.

L'homme qui venait de s'adresser à lui avait la petite cinquantaine, c'est-à-dire à peu près le même âge que Carl et, malgré la moustache et des paupières qu'il semblait avoir le plus grand mal à soulever,

Carl avait le sentiment de le reconnaître. Où diable l'avait-il rencontré ?

Birkedal se mit à rigoler. « C'est normal que vous ne me reconnaissiez pas, j'étais une classe en dessous de vous à l'école de police d'Amager. On a joué au tennis ensemble, je vous ai battu trois fois de suite et vous n'avez plus voulu continuer. »

Carl avait la désagréable impression que Rose était en train de ricaner derrière son dos. Il espéra pour elle qu'il se trompait.

« Ça me dit quelque chose, oui… » Carl hasarda un sourire. « Voilà, ça me revient. Je m'étais fait mal à la cheville, non ? » essaya-t-il à tout hasard, alors qu'il ne se souvenait de rien du tout. Si vraiment il avait joué au tennis un jour, alors ce moment d'égarement s'était heureusement effacé de sa mémoire.

« Ça nous a mis un sacré coup, cette histoire avec Christian, reprit heureusement l'inspecteur, changeant lui-même de sujet. Il y avait plusieurs années qu'il était déprimé, il paraît, même si nous ne l'avons pas trop ressenti, ici, au commissariat. Il n'y avait rien à lui reprocher dans son travail à la police municipale, n'est-ce pas, Peter ? »

Le directeur fit signe que non.

« Mais chez lui, à Listed, il était devenu un autre homme. Christian était divorcé, il vivait seul et ruminait une vieille enquête qu'il s'était mis en tête de résoudre, alors qu'il ne faisait même pas partie de la brigade criminelle. D'aucuns vous diront qu'il s'agissait d'une banale affaire de délit de fuite, mais qui avait coûté la vie à une jeune fille, alors je suppose qu'elle n'était pas aussi banale que cela.

— Un délit de fuite, vraiment ? » Carl se tourna vers la fenêtre. Il connaissait ce genre d'affaires. Soit on les résolvait rapidement, soit on les classait sans suite. Leur séjour sur cette île ne serait pas long.

« Et on n'a jamais pu mettre la main sur le conducteur du véhicule, je suppose ? » demanda Rose en tendant la main à son tour.

« C'est exact. Si on l'avait trouvé, Christian serait encore parmi nous. Je regrette mais je vais devoir vous laisser. Vous devez vous douter qu'avec ce qui s'est passé aujourd'hui nous avons un certain nombre de formalités à remplir, sans parler de la presse dont il va d'abord falloir nous débarrasser. Est-ce que je ne pourrais pas passer à votre hôtel un peu plus tard dans la journée et répondre à vos questions plus tranquillement ? »

« C'est vous qui êtes de la police de Copenhague », constata la réceptionniste de l'hôtel Sverres, avec une totale indifférence, tout en choisissant mécaniquement les clés de ce qui devait probablement être les chambres les moins luxueuses de l'établissement. Rose avait dû marchander, comme d'habitude.

Ils retrouvèrent un peu plus tard le commissaire Birkedal, dans le petit salon jouxtant la salle à manger, assis dans un fauteuil en similicuir. La pièce, située au premier étage, offrait une vue dégagée sur le port industriel et sur l'arrière du supermarché Brugsen, ce qui n'était pas joli à voir. Il ne manquait plus qu'une ou deux autoroutes pour que l'impression d'ensemble soit déprimante à souhait. Cet hôtel n'était pas le meilleur endroit pour écrire un guide touristique sur cette île, si merveilleuse au demeurant.

« Je vais être franc avec vous. Je ne pouvais pas souffrir ce Habersaat, dit Birkedal en guise d'entrée en matière. Mais voir un de ses collègues se tirer une balle dans la tête parce qu'il a le sentiment de ne pas avoir été à la hauteur de sa tâche, c'est quand même un truc qui fait mal. J'ai vu beaucoup de choses dans ma carrière de policier, mais j'ai bien peur que cette expérience-là me marque pour toujours. Je n'ai pas honte de vous avouer que c'était horrible.

— Oui, je m'en doute, dit tout à coup Assad, mais pardonnez-moi de vous poser cette question, car j'aimerais comprendre. Nous savons qu'il s'est tiré une balle dans la tête avec un pistolet. Ce n'était pas son arme de service, alors, quand même ? »

Birkedal secoua la tête. « Non, son arme de service, il l'avait laissée à l'armurerie avant de rendre son badge et les clés du commissariat, conformément au règlement. Nous n'avons pas encore de certitude quant à la provenance de ce pistolet. C'est un 9 mm, un Beretta 92. Une belle saloperie si je peux me permettre. Mais je suppose que vous savez à quoi ça ressemble ? Vous avez dû voir ça dans *L'Arme fatale* avec Mel Gibson ? »

Personne ne répondit.

« Bref, c'est un engin assez lourd que j'ai d'abord pris pour un faux quand il l'a soudain braqué sur le directeur et moi. Il n'avait pas de permis pour une arme de ce type. Nous savons, en revanche, qu'un pistolet de ce type a disparu de l'inventaire d'un homme décédé à Aakirkeby il y a cinq ou six ans. Nous n'avons pas moyen de savoir s'il s'agit de la même arme car l'ancien propriétaire ne l'avait pas déclarée.

— Un homme décédé ? En 2009 ? » répéta Rose en minaudant. Elle faisait du gringue à Birkedal, ou quoi ?

« Oui. Un professeur de l'école de formation pour adultes est mort au cours de son stage. D'après le médecin légiste, sa mort était d'origine naturelle et due à un cœur fragile. En dépit de ces conclusions, Habersaat a paru particulièrement intéressé lorsqu'il s'est agi de perquisitionner au domicile du défunt. D'après ses anciens élèves et collègues, Jakob Swiatek – c'est comme ça qu'il s'appelait – était passionné par les armes de poing et il leur avait montré un pistolet qui d'après la description pourrait correspondre à celui utilisé par Habersaat ce matin.

— On n'a pas tous les jours l'occasion de voir un semi-automatique comme celui-là, dit Assad. J'ai encore une question, alors. C'était le modèle de base, un 92S ou un 92SB ? Ou alors un 92F ? FG ? FS, peut-être ? Évidemment, ça ne pouvait pas être un 92A1 puisque cette série date de 2010. »

Carl n'en revenait pas. Son assistant était-il aussi spécialiste en Beretta ?

Birkedal secoua la tête avec une lenteur étudiée. Il n'y connaissait visiblement rien du tout. Mais Carl ne doutait pas qu'il aurait trouvé la réponse avant que le soleil se couche sur le port de Rønne.

« Hmm, je devrais peut-être résumer un peu le parcours de Habersaat et ce qu'il a traversé, reprit Birkedal. Je vous laisserai les clés de chez lui et ensuite vous pourrez vous débrouiller tout seuls. Je vous les ferai déposer à la réception dans la soirée. Nous en avons parlé avec le directeur et nous pensons vous laisser plus ou moins le champ libre. Je crois d'ailleurs que les collègues ont déjà terminé dans la maison et qu'ils sont prêts à vous céder la place. Nous avons fait un premier inventaire après décès. Il aurait pu laisser une lettre ou un indice expliquant les raisons qui l'ont conduit à cette fin radicale. Mais vous savez tout cela, bien sûr. Vous avez bien plus d'expérience que nous dans ce domaine. »

Assad l'écoutait en dodelinant du chef. À ce stade du monologue, il leva un doigt pour parler, mais Carl l'arrêta du regard. Quelle importance que l'imbécile se soit fait sauter le caisson avec une arme ou avec une autre ? Carl n'était pas venu dans cet endroit paumé pour élucider les raisons qui avaient poussé Habersaat à se suicider, mais pour faire comprendre à Rose que cette enquête qu'elle voulait absolument le voir reprendre, en mémoire du brigadier Christian Habersaat, ne les regardait pas.

Pour les cinquante stagiaires de dix-huit ans et plus inscrits au semestre hivernal de l'école de formation pour adultes de Bornholm afin d'y étudier la musique, le soufflage de verre, l'aquarelle ou la poterie, le 20 novembre 1997 avait été une journée comme les autres, pleine d'enthousiasme et d'insouciance, expliqua Birkedal. Ils formaient un groupe relativement homogène, composé de jeunes gens sympathiques qui passaient un moment formidable ensemble.

Ils ignoraient encore qu'Alberte, la fille la plus douce, la plus jolie et aussi la plus populaire de l'école, avait été renversée par une voiture ce matin-là.

Il se passa plus de vingt-quatre heures avant qu'on la retrouve suspendue dans un arbre au bord de la route, si haut qu'il était presque impossible de la voir. Et pour son malheur, l'homme qui par hasard avait levé les yeux au moment où il était passé à cet endroit au volant de sa voiture était l'agent Christian Habersaat de la police municipale de Nexø.

La vision de ce corps mince et sans vie accroché à une branche, le regard indéchiffrable qui s'était à jamais figé sur le visage de la jeune fille furent dès cet instant gravés dans la mémoire du policier.

Malgré le peu d'indices qu'on put trouver sur les lieux, il fut admis qu'elle avait été propulsée dans l'arbre suite à un violent accident de la route. Un épisode tragique sans équivalent de mémoire d'habitant de Bornholm.

Il n'y avait aucune trace de freinage sur la route. On avait cherché en vain des restes de peinture de carrosserie sur la jeune fille. Le mystérieux véhicule semblait l'avoir percutée sans en laisser aucune. On avait interrogé les riverains. Rien ni personne ne put fournir le moindre indice à la police. Des gens se souvenaient seulement d'avoir entendu une voiture s'éloigner à vive allure en direction de la nationale.

Dans les jours qui suivirent, en partie parce que cette mort avait quelque chose de suspect, ou simplement par oisiveté, on se lança dans la traque systématique des engins motorisés qui présentaient une bosse à l'avant dont les propriétaires ne pouvaient pas expliquer l'origine. Probablement vingt-quatre heures trop tard, on se mit à surveiller avec attention, pendant une semaine, toutes les voitures en partance sur les ferries à destination de la Suède et de Copenhague, et les vingt mille véhicules immatriculés sur l'île furent scrupuleusement examinés dans les centres de contrôle technique de Nexø et de Rønne.

La population se montra étonnamment coopérative et compréhensive malgré les désagréments, et aucun touriste ne pouvait circuler sur l'île sans que des regards attentifs se posent sur son pare-chocs avant.

Birkedal haussa les épaules. La somme de tous ces efforts avait donné un résultat égal à zéro.

L'ensemble de l'équipe du département V regardait le commissaire, l'œil torve. Qui aurait envie de se lancer dans une opération vouée à l'échec ?

« On est sûr qu'elle a été tuée par une voiture, au moins ? demanda Carl. Elle n'a pas pu mourir autrement ? Que dit le rapport d'autopsie ? Quel genre de lésions avait-elle sur le corps ? Est-ce que les experts ont trouvé quelque chose dans la zone de la découverte ?

— Il semble qu'elle soit restée en vie un certain temps après avoir été envoyée dans l'arbre. Sinon, le rapport parle juste de multiples fractures, d'hémorragie interne et externe, comme d'habitude, quoi. Nous avons également retrouvé dans les buissons, assez loin du lieu de l'impact, le vélo sur lequel roulait Alberte, sérieusement amoché.

— Elle était à bicyclette ? dit Rose. Vous l'avez encore, ce vélo ? »

Le commissaire Birkedal haussa les épaules. « Cette histoire s'est passée il y a dix-sept ans et bien avant mon temps. Je n'en sais rien. Je ne pense pas.

— Vous me rendriez un grand service et je vous serais reconnaissante de vérifier », dit-elle, les yeux baissés, d'une voix aguicheuse.

Birkedal tiqua. Un homme a beau être marié et respectable, il n'en remarque pas moins quand la couche de glace devient moins épaisse.

« Et pourquoi est-on tellement certain qu'elle a été projetée dans cet arbre ? demanda Assad, comme pour lui-même. Est-ce qu'on ne pourrait pas imaginer qu'elle a été hissée là-haut, plutôt ? Est-ce qu'on a cherché des traces sur les branches au-dessus de la victime indiquant la présence d'un filin ? Est-ce qu'on aurait pu utiliser un palan, par exemple ? »

Assad en train de parler de filins et de palans, c'était surréaliste !

Birkedal hocha la tête. La question n'était pas idiote. « Non. La police scientifique n'a rien trouvé de ce genre. »

« Il y a du café dans le thermos sur le buffet de la salle à manger. Vous vous servez ! » lança l'hôtelière depuis le pas de la porte.

Un dixième de seconde après cette invitation, Assad avait une tasse de café très noir à la main et ne lésinait pas sur le sucre. Comment ses papilles gustatives résistaient-elles aux étranges défis auxquels il les soumettait ?

Les autres secouèrent la tête lorsqu'il leur proposa de les servir.

« Comment se fait-il que l'accident n'ait laissé aucune trace sur la route ? s'étonna-t-il en remuant la cuillère dans sa tasse. Il aurait dû y avoir des marques de pneus sur l'asphalte. Vous savez s'il pleuvait, le jour où c'est arrivé ?

— Non, pas à ma connaissance, répondit Birkedal. Le rapport indique que la chaussée était à peu près sèche.

— Que pouvez-vous me dire sur la trajectoire du corps ? poursuivit Carl. L'a-t-on soigneusement étudiée ? A-t-on observé des branches cassées dans l'axe où la victime a été projetée. A-t-on pu déduire quoi que ce soit de la position du cadavre sur la branche ou de celle du vélo dans les fourrés ?

— D'après le témoignage d'un couple de personnes âgées qui habitait une ferme dans un virage un peu plus bas, un véhicule arrivant de l'ouest à vive allure serait passé devant leur maison de bonne heure. Ni le mari ni la femme n'ont vu la voiture mais tous les deux l'ont entendue accélérer de façon inconsidérée devant la ferme et continuer sa route à fond de train vers le virage qui précède l'endroit où se trouve l'arbre. Nous sommes à peu près convaincus que c'est notre chauffard que le couple a entendu, et que la fille a été percutée de face à la hauteur des arbres, après quoi le véhicule a continué vers le croisement de la départementale avec la nationale, sans ralentir.

— Qu'est-ce qui vous fait croire ça ?

— Le témoignage des fermiers et l'expérience qu'avaient les experts de cas similaires.

— Je vois. » Carl secoua la tête. Il y avait tant d'éléments connus et inconnus qui entraient dans cette équation. Il était fatigué rien que d'y penser. Son bureau dans la cave de l'hôtel de police lui manqua terriblement, tout à coup. « Qui était la jeune fille ?

— Alberte Goldschmid. Malgré son patronyme assez pompeux, une jeune fille tout ce qu'il y a de plus normale. Une postadolescente qui découvre soudain la liberté, loin de ses parents, et qui en profite autant qu'elle peut. Je n'irais pas jusqu'à dire que c'était une fille légère, mais cette liberté toute neuve lui avait sans doute donné envie de faire toutes sortes d'expériences. Il semble qu'elle ait vécu assez intensément les quelques semaines qu'elle a passées ici.

— Intensément ? demanda Rose.

— Je veux dire qu'elle a eu quelques petits amis, par-ci par-là.

— D'accord. Enceinte ?

— Le rapport d'autopsie dit que non.

— Et je suppose qu'il est inutile d'espérer une trace d'ADN sur le cadavre, poursuivit-elle.

— L'affaire remonte à 1997, est-il besoin d'en dire plus ? Cela s'est passé trois ans avant la création du fichier national des empreintes génétiques. Je ne crois pas qu'on ait beaucoup cherché. En tout cas il n'y avait ni sperme ni peau sous ses ongles susceptibles d'appartenir à un éventuel agresseur. Elle était aussi propre qu'en sortant de sa douche, ce qui était vraisemblablement le cas, vu qu'elle est partie sur son vélo avant l'heure où les élèves se rassemblaient habituellement pour le petit déjeuner.

— Si je résume, vous ne savez rien du tout. Vous êtes en plein mystère de la chambre jaune et Christian Habersaat est votre Rouletabille local qui pour une fois a été pris en défaut. »

Birkedal haussa à nouveau les épaules. Il ne savait pas non plus comment répondre à cette question-là.

« Bon, dit Assad en finissant d'une traite sa tasse de café brûlant, je pense qu'il est temps de lever le camp. »

Est-ce qu'il avait vraiment dit ça, et de cette manière-là ?

Rose se tourna vers Birkedal, l'air de n'avoir rien entendu et toujours avec ce regard sucré. « Je propose qu'on aille s'installer dans un endroit tranquille pour lire tous les procès-verbaux que vous nous avez apportés, ce qui devrait nous prendre une heure ou deux. Quand nous aurons fini, nous irons nous renseigner sur l'enquête menée par le brigadier Habersaat, sa vie et sa mort. »

Deux fossettes creusèrent le masque stoïque de Birkedal. Visiblement, en ce qui le concernait, ils pouvaient faire ce qu'ils voulaient, du moment qu'ils le laissaient en dehors de ça.

« Vous croyez qu'on a une chance de découvrir quelque chose après si longtemps ? Quelque chose qui nous permette d'élucider le mystère ? dit-elle avec passion.

— Je n'en sais rien, mais je l'espère. Fondamentalement, ce qu'il faut retenir, c'est que pour Habersaat la mort d'Alberte n'était ni un meurtre sans préméditation ni un simple délit de fuite. Pour lui c'était un assassinat. Il a consacré toute son énergie à le prouver et à découvrir le meurtrier. Je ne sais pas sur quoi il fondait cette conviction mais d'autres policiers pourront peut-être vous le dire, sans parler de son épouse. »

Un étui en plastique fut glissé sur la table. « Je dois retourner au commissariat maintenant mais je vous invite à visionner ce DVD. Vous saurez tout ce qu'il y a à savoir sur sa mort. La scène a été filmée par un de ses amis, invité à la réception. Il s'appelle Villy mais on le surnomme Oncle Sam. Je suppose que vous avez apporté vos propres ordinateurs. Je vous souhaite bien du plaisir, si j'ose dire », conclut-il avant de se lever brusquement.

Carl remarqua le regard de Rose scotché sur le cul musclé de l'inspecteur tandis qu'il sortait de la pièce.

La femme de Birkedal n'aurait pas aimé ce regard.

L'épouse de Habersaat avait tellement rompu avec le passé qu'elle avait renoncé à porter le nom de famille de son mari et décidé qu'elle ne voulait plus entendre parler de lui, ce qu'elle ne chercha nullement à dissimuler à Carl au téléphone.

« Et si vous croyez que sous prétexte qu'il est mort, j'ai l'intention d'étaler nos difficultés de couple devant n'importe qui, vous vous fourrez le doigt dans l'œil. Christian nous a abandonnés alors que nous avions besoin de lui, aussi bien moi que son fils, et il vient de se suicider lâchement sous prétexte de prouver qu'il assumait les conséquences de ses erreurs. Alors je vous le dis franchement, si vous cherchez quelqu'un pour vous parler de la grande passion de sa vie, ce ne sera pas moi. »

Carl se tourna vers Rose et Assad qui lui firent signe d'insister. Évidemment qu'il allait insister, ils le prenaient pour qui ?

« Vous pensez qu'il était obsédé par l'affaire Alberte, ou peut-être par la victime elle-même ?

— Vous n'abandonnez jamais, vous, les flics, hein ? Je viens de vous dire de me laisser tranquille. Bonsoir. » Un clic et l'entretien fut terminé.

« Elle a compris qu'elle était sur haut-parleur, dit Assad. On aurait dû aller la voir chez elle comme je vous l'avais dit, alors. »

Carl haussa les épaules. Il avait probablement raison, mais d'une part il était tard et d'autre part, à ses yeux, il y avait deux sortes de témoins à éviter à tout prix, ceux qui en disent trop et ceux qui se taisent.

Rose tapota son calepin. « J'ai l'adresse du fils de Habersaat, Bjarke. Il loue une chambre dans le nord de Rønne. On peut y être dans dix minutes. C'est parti ? »

La chose était décidée et Rose déjà debout.

4

La maison était un peu en retrait de la rue Sand-
flugtsvej. Elle avait un balcon à la française et un air
propret. Tout contribuait à produire l'impression d'une
demeure entretenue. Le marteau de porte, la plaque
en laiton rutilante et la pelouse bien tondue. Dans ce
quartier, les résidents roulaient dans des Polo Volkswagen fraîchement lavées, des voitures françaises et
des SUV, parce que c'est pratique. On y affichait les
signes extérieurs de richesse de la petite bourgeoisie
émigrée en proche banlieue.

Il y avait un seul nom sur la porte, celui de Nelly
Rasmussen.

« Oui, Bjarke Habersaat habite bien ici », dit-elle,
appuyée au chambranle, le chiffon à poussière enfoncé
dans le décolleté et une cigarette fumante fichée entre
deux doigts dressés. Elle avait mis une chaleur particulière dans sa voix de cougar pour prononcer le prénom
de Bjarke. « Mais je ne pense pas qu'il ait envie de
vous parler », ajouta-t-elle avec l'air d'une logeuse qui
prend son métier au sérieux et un regard indifférent au
badge de Carl. Il lui donnait cinquante-cinq ans. Elle
avait une blouse d'intérieur bleue, des cheveux per-

manentés qu'elle teignait elle-même, avec des pointes plus claires et affreusement abîmées. Autour de son poignet s'enroulait un tatouage dont elle espérait sans doute qu'il la rende plus sexy.

« Vous devriez montrer un peu d'égards et le laisser se remettre du choc. Il y a quelques heures seulement que son père, Dieu lui pardonne, s'est suicidé. »

Assad s'avança. « Nous sommes très touchés de votre délicatesse envers votre locataire. Mais que diriez-vous si nous étions là pour lui apporter une dernière lettre de son père ? Ce ne serait pas dommage qu'il ne puisse pas la lire, alors ? Et imaginez que sa mère se soit suicidée, elle aussi ? Est-ce que vous croyez que nous serions autorisés à vous le dire ? Et si en réalité nous étions là pour arrêter Bjarke parce qu'il a mis le feu quelque part ? Trouveriez-vous toujours normal de faire obstruction à l'intervention de policiers dans l'exercice de leurs fonctions, du haut de vos talons aiguilles ? »

Elle fit une drôle de tête et on aurait dit qu'elle comptait les rides sur le visage de son interlocuteur pendant qu'elle réfléchissait à ce qu'il venait de dire. Elle fut encore plus décontenancée quand Assad lui tapota affectueusement le bras en lui assurant qu'il comprenait son émotion devant le chagrin de son locataire. Pour finir, elle lâcha la porte et Carl put la pousser de la pointe de sa chaussure.

« Bjaaaarke ! cria-t-elle à contrecœur du bas de l'escalier. Tu as de la visite ! » Puis, se tournant vers eux, elle ajouta : « Restez dans le vestibule une minute avant de monter. Une fois là-haut, vous frapperez à sa porte et vous attendrez qu'il vienne vous ouvrir, d'accord ? Bjarke peut parfois être très mal disposé mais vous voudrez bien l'en excuser, vu les circonstances. Moi c'est ce que je fais, même si je ne devrais pas. »

L'indisposition de Bjarke se sentait déjà à mi-hauteur de l'escalier. On se serait cru dans un coffee shop au nord de Nørrebro un jeudi soir de versement de l'aide sociale.

« C'est de la skunk, commenta Assad. Parfum puissant et subtil à la fois. Moins acide que le haschich. »

Carl fronça les sourcils. Qu'est-ce que c'était que ce professeur qu'il trimbalait avec lui ? Skunk ou haschich, pour Carl l'odeur de la déchéance était toujours lamentable.

« Pensez à frapper avant », dit la logeuse depuis le rez-de-chaussée.

Le matériel auditif d'Assad devait laisser à désirer car il entra sans frapper.

Il eut un mouvement de recul et se figea. Carl lui avait emboîté le pas et comprit tout de suite. « Attends une petite seconde, Rose », dit-il en se retournant pour l'empêcher d'entrer.

Affalé dans un gros fauteuil usé, Bjarke gisait, nu comme un ver, les jambes repliées sous ses fesses et une bouteille de trichloréthylène à la main.

Malgré les rayons du soleil qui parvenaient à peine à percer l'épais brouillard de fumée de haschich qui emplissait la chambre, il n'y avait pas besoin d'avoir fait médecine pour constater que Bjarke, en plus d'être nu, était aussi extrêmement mort. Il avait fini son existence les veines des deux poignets tranchées et une expression rêveuse dans ses yeux mi-clos. Sa mort avait dû être douce.

« Ce n'est pas la skunk que tu sentais, Assad, mais un mélange de haschich et de solvant.

— Laissez-moi passer, vociféra Rose derrière eux en essayant de forcer le passage.

— N'entre pas, Rose. Ce n'est pas beau à voir. Bjarke est mort. Il y a du sang partout parce qu'il s'est tranché les veines. Je crois que dans ma longue carrière, je n'ai jamais vu autant de sang provenant d'une seule personne. »

Assad hocha longuement la tête. « Alors j'ai dû voir plus d'horreurs que vous, chef. »

La police scientifique et le médecin légiste mirent un certain temps à arriver et la logeuse eut tout loisir de se lamenter sur l'épaule des membres du département V. Comment allait-elle se faire rembourser le tapis et le fauteuil alors qu'elle n'avait plus les factures ?

Quand elle réalisa finalement que le jeune homme au premier étage était mort au-dessus de sa tête pendant qu'elle faisait la poussière, elle dut s'asseoir pour éviter d'hyperventiler.

« Si ça se trouve, il a été assassiné, murmurait-elle encore et encore.

— Je ne crois pas que vous ayez à vous inquiéter de cela, sauf bien sûr si vous avez entendu quelque chose d'inhabituel. Avez-vous eu de la visite ces deux dernières heures ? Est-ce qu'on peut accéder à la chambre par l'arrière de la maison ? »

Elle secoua la tête.

« Et je présume que ce n'est pas vous qui l'avez tué ? » poursuivit Carl.

Les yeux de la femme roulèrent dans leurs orbites et elle recommença à haleter.

« Alors tout va bien, dit Carl. C'est sûrement lui qui s'est ouvert les veines. En tout cas, dans l'état dans lequel il était, il pouvait faire à peu près n'importe quoi sans même s'en rendre compte. »

Elle pinça les lèvres et essaya de se ressaisir tout en marmonnant des paroles incompréhensibles. Elle commençait enfin à réaliser qu'elle allait peut-être avoir des ennuis pour avoir loué une chambre à quelqu'un qui faisait pousser des champignons hallucinogènes sur le rebord de sa fenêtre et ne respirait pratiquement qu'à travers un chillum.

Carl la laissa sous la garde de ses deux collègues et sortit fumer une cigarette.

La fouille de la chambre de Bjarke, la saisie de son ordinateur et du couteau dont il s'était servi pour se taillader les poignets, la prise d'empreintes, la levée du corps et le transfert du cadavre dans l'ambulance se firent en un temps record et Carl n'en était qu'à sa cinquième cigarette quand Birkedal, un collègue inspecteur et un technicien vinrent brandir sous son nez un petit mot manuscrit dans une pochette plastique.

Carl lut à haute voix : « "Pardon, papa."

— Bizarre », dit Assad.

Carl était de son avis. Le texte était émouvant dans sa concision et sa simplicité. Mais pourquoi Bjarke n'avait-il pas écrit : « Pardon, maman » ? Elle au moins aurait pu lire le message.

Carl se tourna vers Rose. « Quel âge avait Bjarke ?

— Trente-cinq ans.

— Il avait donc dix-huit ans en 1997, au moment où son père a commencé à se passionner pour l'affaire. Hmm.

— Vous avez pu interroger June Habersaat ? demanda Birkedal, interrompant Carl dans ses pensées.

— Pas vraiment. On ne peut pas dire qu'elle se soit montrée très accueillante, répondit-il.

— Alors je vais vous fournir une chance de réessayer.

— Mais encore ?

— Je vous propose d'aller la voir à Aakirkeby pour lui annoncer la mort de son fils, qu'en dites-vous ? Cela vous donnera une occasion de lui poser toutes les questions que vous voulez, et nous, cela nous laissera plus de temps pour mettre les scellés sur la chambre et préparer l'expédition du corps à l'institut de médecine légale de Copenhague. »

Carl secoua la tête. Combien de temps est-ce qu'il faut pour mettre des scellés et envoyer un cadavre à la morgue !

Dix minutes, à tout casser !

5

Wanda Phinn s'était mariée avec un joueur de cricket britannique venu en Jamaïque pour enseigner aux locaux ce qu'il faisait le mieux : jouer au cricket et marquer des points. Chris McCullum, c'était son nom, tenait mieux sur ses deux jambes que la plupart des joueurs en tenue blanche et ce fut grâce à ce talent qu'on l'engagea pour une durée de six mois, avec pour unique tâche d'amener l'équipe jamaïcaine à améliorer ses scores de dix pour cent.

Et c'est pour obtenir ce résultat que ledit McCullum resta de mars à septembre à suer comme un bœuf sur une pelouse grillée.

Pendant un entraînement, il aperçut du coin de l'œil une femme en train de courir sur la piste avec ses longues jambes musclées et sa peau luisante : c'était trop beau pour être vrai.

Wanda savait très bien ce que les gens ressentaient en la voyant. On la bassinait avec ça depuis sa puberté et elle avait appris à se déplacer sur la piste comme une gazelle au galop.

« Êtes-vous Merlene Ottey ? » alla lui demander McCullum de but en blanc après la fin du match.

Wanda dévoila ses dents blanches et ses gencives sombres en un grand sourire. Ce n'était pas la première fois qu'on lui posait cette question et elle la prenait comme un compliment bien que Merlene Ottey ait au moins vingt ans de plus qu'elle. Car Merlene Ottey, qui était depuis des années la championne incontestée du sprint en Jamaïque, avait également un physique de déesse.

Elle minauda un peu, coquette, donna une petite tape sur l'épaule de McCullum pour le remercier du compliment. Il la ramena en Angleterre.

Wanda adorait les hommes blancs. Non pas qu'elle les trouvât particulièrement sensuels. Dans les veines des hommes de la Jamaïque coule du feu et les Blancs ne peuvent pas rivaliser. Mais, aussi insipides qu'ils puissent être physiquement, ils ont l'avantage de savoir qui ils sont, et surtout ce qu'ils veulent faire de leur vie. À leurs côtés on peut espérer trouver un avenir qui n'a rien d'acquis à Tivoli Gardens, le bidonville de West Kingston dans lequel Wanda avait grandi. Pour quelqu'un qui vivait au milieu des fusillades et du trafic de cocaïne, la demande en mariage de Chris McCullum ressemblait à un conte de fées et Wanda ne mit pas plus de quelques millièmes de seconde à dire oui.

Le couple s'installa dans une minuscule maison mitoyenne à Romford, dans la banlieue de Londres. Wanda faillit y périr d'ennui jusqu'au jour où McCullum se cassa la cheville, arrêta le cricket et fut non seulement obligé de vendre la maison mais aussi de divorcer. En effet, s'il voulait continuer de mener le train de vie auquel il estimait avoir droit, il allait devoir trouver une femme qui puisse l'entretenir.

Après deux années de sécurité, Wanda ne pouvait plus compter que sur elle-même pour garder la tête hors de l'eau.

Wanda n'avait jamais fait d'études, n'avait droit à aucune aide et n'avait aucun autre talent que celui de courir vite. Et comme son père disait souvent pour plaisanter, celui-là ne la mènerait pas très loin. Une place de vigile dans une grosse entreprise du Strand à Londres représenta non seulement une bouée de sauvetage mais l'unique alternative à un retour à la case départ, aux cabanes de tôle ondulée de Kingston et à un corps usé avant l'âge de quarante ans.

Comme un lion en cage, elle veillait à ce que des gens importants passent sans anicroche les portes vitrées d'un bâtiment immense, elle les saluait d'un signe de tête et ils allaient se présenter à une femme mieux vêtue qu'elle qui avait le privilège de relever leur identité et de presser des touches sur un clavier pour leur permettre de continuer leur chemin dans le building.

Elle était là, seule, enfermée dans un sas entre la liberté d'un côté et la richesse de l'autre, tel un sphinx, protégeant des secrets dont elle ignorait tout.

Pour faire passer le temps, elle pensait à ce qui se passait dehors, elle pensait à la vie qui s'écoulait pendant qu'elle était coincée dans ce *no man's land*.

Jour après jour, elle voyait à travers cette porte vitrée, de l'autre côté de Savoy Place, le mur d'enceinte du parc de Victoria Embankment.

La vraie vie est derrière ce mur, se disait-elle. Et le rire des gens qui se doraient au soleil allongés dans des chaises longues à rayures ou s'achetaient des glaces avec de l'argent qui ne viendrait jamais à manquer lui vrillait le cœur sans que quiconque s'en souciât.

C'est ainsi que se forgea sa nouvelle identité.

Elle devint la femme qui regarde les murs.

Pendant toutes ces heures que son travail quotidien lui volait, les ombres du passé revinrent la hanter. Car Wanda savait que les hasards et les rencontres qui avaient conduit à sa naissance contenaient de plus grandes promesses pour sa vie qu'un emploi subalterne sur le Strand. Comme son père, adepte du mouvement rastafari, le disait avec fierté, il coulait dans les veines de Wanda du sang d'Indienne Arawak de la Dominique, du sang nigérien et chrétien et une pincée de poudre à canon rastafari. Quant à sa mère, elle lui conseillait en riant d'oublier tout cela et de garder la tête froide.

Garder la tête froide ! C'était le plus dur dans sa morne et grise existence. Comment admettre qu'avec tous ses atouts et la richesse de son héritage, elle finisse sa vie dans un uniforme grisâtre et mal coupé, ses cheveux cachés sous une casquette ?

Et pourtant, en dépit du caractère désespéré de sa situation et des ternes perspectives qui étaient les siennes, Wanda redressait le dos en regardant passer les usagers du parc, mieux lotis qu'elle, et elle fouillait dans son âme pour y trouver la force de faire tomber ce mur.

Le destin voulut que Shirley, sa seule amie, la fille qui habitait à deux portes de la sienne dans le HLM où elle vivait, l'invitât un jour à une réunion d'initiation à la « naturabsorption ».

Shirley se passionnait pour les sciences occultes et partageait volontiers ses idées et ses aspirations avec son entourage. Elle écoutait de la musique d'inspiration mystique, croyait à l'astrologie tahitienne et consultait les cartes et les tarots avant de prendre la moindre décision. Elle avait rencontré tant de guides spirituels dans son existence qu'elle était convaincue d'avoir atteint la Connaissance. Wanda n'avait jamais compris de quelle connaissance il s'agissait au juste, mais elle ne posait pas la question car Shirley était la seule personne qui lui redonnait le sourire.

Ce jour-là, elle avait décidé de présenter Wanda à Atu Abanshamash qui, sur son site Internet, apparaissait comme un bel esprit solaire venu de la mystérieuse et lointaine Scandinavie pour dispenser aux Londoniens un enseignement nouveau, destiné à balayer les autres croyances et apporter la cohésion parfaite de toutes les énergies et de toutes les idées de l'humanité.

Shirley débordait d'enthousiasme et le prix de la conférence n'était pas exorbitant. Son amie avait même proposé à Wanda de lui payer sa place si elle acceptait de l'accompagner.

Elle argua pour finir que ce serait amusant pour elles de vivre une expérience commune.

Atu Abanshamash ne ressemblait pas aux autres gourous que Wanda avait eu l'occasion de voir à la télévision ou dans les nombreuses brochures que lisait Shirley. Il n'était pas assis en état de profonde paix intérieure dans la position du lotus sur un tabouret de bois sculpté, il n'était pas pontifiant et il n'était ni obèse ni ascétique. Atu Abanshamash était un homme de chair et de sang qui leur expliqua avec un sourire dans la voix et dans les yeux comment la naturabsorption pouvait les faire renaître de façon si miraculeuse qu'ils finiraient par avoir le sentiment que chaque cellule de leur cerveau était devenue capable de repousser n'importe quelle attaque, et que leur corps se fondait avec l'Univers.

L'Univers et la puissance de l'astre solaire étaient les deux leitmotive d'Atu Abanshamash. Dans cet appartement simple et lumineux du quartier de Bayswater où la filiale londonienne de l'Académie de naturabsorption avait élu domicile, Atu se déplaçait de l'une à l'autre des personnes assises à même le sol, il les regardait de ses yeux pleins de magie et leur gorge rougissait, leurs épaules tombaient et ils sentaient un bien-être les envahir.

« Abanshamash, Abanshamash, Abanshamash », scandait-il comme une litanie de sa voix grave, les invitant à faire de même.

Après avoir passé un moment les yeux fermés à répéter ce mantra, Wanda n'était plus très sûre de savoir où elle était et surtout, elle n'avait pas la moindre envie de revenir à la réalité.

« À présent ouvrez les yeux et regardez-moi, dit soudain Atu à son auditoire. Abanshamash, Abanshamash, murmura-t-il en tendant les bras devant lui, faisant flotter les manches légères de sa tunique jaune comme les ailes d'un ange. Je vous vois, continua-t-il.

Je vous vois pour la première fois, et vous êtes beaux. Vos âmes s'adressent à moi. Vous êtes prêts. »

« Tu es beau comme le soleil, dit-il ensuite à chacun des hommes présents dans la pièce tandis qu'il marchait parmi eux. Tu es belle comme le soleil », dit-il à chacune des femmes.

Lorsqu'il arriva près de Wanda, il s'arrêta et se tint immobile devant elle, plongeant son regard dans celui de la jeune femme.

« Tu es belle comme le soleil. Belle comme le soleil, dit-il deux fois de suite. Mais n'écoute personne. Même pas moi. N'écoute que ton propre *atman*, ton propre esprit, et lâche prise. »

Comme si elle était sous l'emprise de quelque substance hallucinogène, les mots d'Atu se gravèrent en Wanda comme une révélation longtemps attendue. Perdant tout contrôle d'elle-même, elle écarquilla les yeux, la peau brûlante, ses mains se crispèrent subitement comme si elle avait un orgasme.

Penché sur elle, il lui caressa la joue, et dix minutes plus tard, il revint vers elle et plaça les paumes de ses mains à quelques centimètres de son front.

« Du calme, ma fleur, tu viens de faire ton premier voyage dans les fugitifs abysses de l'extase et de la renaissance. Tu es prête, à présent », lui annonça-t-il.

Et elle s'évanouit.

6

Mercredi 30 avril 2014

Ils restèrent un instant devant l'horrible bâtisse blanche, sans conteste la maison la plus mal entretenue de la Jernbanegade, une rue très bien située au demeurant, en plein cœur d'Aakirkeby.

Comme dans de nombreuses bourgades au Danemark, ce genre de rue était un parfait exemple de l'ascension sociale de la classe ouvrière qui possédait maintenant ses propres maisons en briques entourées de petits jardins. Une rue comme celle-ci représentait jadis un véritable fonds de commerce pour les maçons et les charpentiers locaux, mais il y avait visiblement longtemps que ces derniers n'étaient pas intervenus dans le secteur. Cette ville appelée la Ville des fleurs en été et la Ville de Noël en hiver, la Jernbanegade faisait pâle figure : nulle trace bucolique ou festive en cette saison.

À travers la fente de la boîte aux lettres, l'ex-Mme Habersaat avait dû sentir le badge de policier de Carl avant d'ouvrir la porte.

« Virez ce pied de là, ordonna-t-elle à Assad quand il essaya de pousser la porte. Vous n'avez rien à faire ici.

— Écoutez, madame Habersaat, nous…, commença Carl.

— Vous ne savez pas lire ? Vous ne voyez pas que c'est écrit Kofoed, là ? » Elle posa un doigt vindicatif sur la plaque de la boîte aux lettres et tenta de refermer la porte. « Il n'y a pas de Habersaat ici.

— Madame Kofoed, dit doucement Rose. Nous sommes porteurs de mauvaises nouvelles. Votre fils… »

Les cinq secondes qui suivirent semblèrent durer une éternité. Tout d'abord le regard inexpressif de la femme passa sur leurs trois visages pétrifiés. Puis la vérité atteignit son système nerveux et le neutralisa. La phrase qui n'avait pas été dite était plus qu'elle ne pouvait supporter. Toute lumière s'éteignit dans ses yeux et ses jambes cessèrent de la porter.

Elle ne resta pas longtemps inconsciente, assez cependant pour perdre la notion du temps et pour se demander en reprenant connaissance ce qu'elle faisait allongée sur le canapé de son salon à l'aménagement particulièrement spartiate. Elle était encore en état de choc.

Ils examinèrent la pièce dans laquelle ils se trouvaient. Elle ne risquait pas de figurer un jour dans un magazine de décoration. Une liasse d'enveloppes à fenêtre que personne n'avait pris la peine d'ouvrir jetées pêle-mêle dans un saladier, une montagne de CD de variété danoise couverts de poussière, quelques meubles bon marché, d'affreux cendriers et des vases en céramique écaillée. Ils la laissèrent retrouver ses esprits, le regard éteint rivé au plafond, tandis qu'ils visitaient la cuisine où un horrible carrelage marron des années soixante absorbait toute la luminosité de ce que beaucoup de Danois considèrent comme la pièce la plus importante de la maison – mais pas la propriétaire des lieux, visiblement.

« Il va falloir y aller doucement, chuchota Rose. On devrait peut-être la laisser tranquille ce soir et revenir l'interroger demain. »

Assad n'était pas de cet avis.

« Vous pouvez venir ? les appela June Kofoed d'une voix faible.

— C'est vous qui avez démarré tout ça, Carl, alors je trouve que c'est à vous de lui parler. Les faits, rien que les faits, d'accord ? » lui dit Rose.

Carl s'apprêtait à rétorquer, mais Assad posa la main sur son bras pour le calmer. Carl se rendit donc dans le salon, regarda la femme droit dans les yeux.

« Nous sommes venus vous informer du décès de votre fils, June. Malheureusement, ce n'est pas tout. Je suis également désolé de vous apprendre qu'il s'est suicidé. D'après le médecin, ça s'est passé aujourd'hui vers quatre heures de l'après-midi.

— Quatre heures ? murmura-t-elle en se frottant un bras. Mon Dieu, alors c'était juste après que je l'ai appelé pour lui dire… pour son père. » Elle déglutit plusieurs fois, posa une main sur sa gorge et se tut.

Ils restèrent près d'elle en silence. Au bout d'une demi-heure, Carl fit signe à Rose qu'il était temps de s'en aller.

Ils n'avaient pas traversé la moitié du salon qu'Assad faisait demi-tour et retournait près du canapé.

64

« Est-ce que je peux juste vous poser une question avant qu'on s'en aille, alors ? Pourquoi n'êtes-vous pas allée voir votre fils pour lui parler de son père, June ? Vous détestiez vraiment votre mari au point que vous ne vous êtes pas demandé si votre fils ressentait de la peine ? Vous pensiez qu'il se fichait de savoir si son père était mort ou vivant ? J'aimerais bien le savoir. »

Rose devança Carl et alla saisir durement son collègue par le bras. Qu'est-ce qu'il lui avait pris, tout à coup ? Assad était plutôt un gentil garçon d'habitude.

June tremblait. Elle semblait avoir une furieuse envie d'étrangler Assad.

« En quoi est-ce que ça te regarde, espèce de singe hideux ? gronda-t-elle d'une voix sourde. Est-ce que c'est ta vie que ce salaud de Christian a volée ? Jette un coup d'œil autour de toi, tu veux ? Tu crois que c'est à ça que j'ai dit oui quand le beau gars qu'il était à l'époque s'est mis à genoux devant moi au milieu d'une clairière en pleine forêt d'Almindingen ? »

Assad prit son menton bleu de barbe naissante dans la main. Peut-être pour remonter sa mâchoire tombée de surprise sous l'injure, peut-être pour lui montrer qu'il était prêt à essuyer la deuxième salve, si cela pouvait faire avancer l'enquête.

« Vous allez me répondre, oui ou non ? » hurla la veuve, le visage haineux.

Assad s'arracha à l'emprise de Rose et s'approcha du canapé. Sa voix, pour une fois, manquait de fermeté.

« J'ai vu dans ma vie des maisons bien pires que celle-ci, June. Et aussi des gens qui auraient donné leurs bras et leurs jambes pour avoir votre vieux toit fatigué au-dessus de leur tête et dans leur estomac la triste nourriture précuisinée que vous conservez dans votre réfrigérateur. J'ai aussi connu des gens qui auraient tué pour la robe que vous portez et le demi-paquet de cigarettes posé sur cette table. Mais puisque vous me posez la question : eh bien, non. Je ne crois pas que c'est ce dont vous rêviez. Mais il faut se battre pour réaliser ses rêves. Je ne pense pas que ce soit uniquement la faute de Christian Habersaat si vous êtes ici et votre fils à la morgue. Il y a un truc qui ne colle pas dans votre histoire. Pourquoi votre fils a-t-il écrit « Pardon, papa » dans sa lettre d'adieu ? Pourquoi n'est-ce pas à vous qu'il demande pardon ? Ou à tous les deux ? »

Cette fois, ce fut Carl qui l'attrapa par la manche. « Mais qu'est-ce qui te prend, Assad ? Viens, on s'en va, maintenant. »

June s'assit et leva une main vers eux. De toute évidence, le contenu de la lettre d'adieu de son fils l'avait abasourdie, elle refusait d'y croire.

« Ce que vous dites est faux, sale petit menteur, ça ne peut pas être vrai. »

Rose lui confirma d'un signe de tête que ça l'était pendant que Carl entraînait Assad dehors.

Quand ils furent près de la voiture, garée le long du trottoir d'en face, Carl et Rose regardèrent leur collègue d'un air perplexe.

« Tu peux nous expliquer, Assad ? lui demanda son chef. Ça t'a avancé à quoi, ce cirque ?

— Tu es dingue ! » fut le seul commentaire de Rose. Cela avait le mérite d'être remarquablement concis.

Tous les trois se retournèrent en même temps quand ils entendirent June Kofoed Habersaat ouvrir sa porte d'entrée avec fracas.

« Je vais te répondre, sale petite merde ! cria-t-elle en traversant la route à grandes enjambées. Bjarke n'avait aucune raison de me demander pardon, puisque vous voulez le savoir », cracha-t-elle à Assad.

Puis elle s'adressa à Carl et à Rose, les larmes dégoulinant sur ses joues, le visage dur. « Nous avions une belle vie, sans Christian. Comment voulez-vous que je sache ce que Bjarke a voulu dire avec ce mot d'adieu ? Il est d'une nature mélancolique. » Elle s'interrompit et se reprit. « *Était* d'une nature mélancolique », corrigea-t-elle, les lèvres tremblantes.

Elle saisit Rose par le bras. « Vous ne connaissez pas l'histoire d'Alberte, bien sûr ? »

Rose hocha la tête. Si, elle connaissait l'histoire d'Alberte.

June eut l'air surpris et elle lui lâcha le bras. « Alors il n'y a rien d'autre à dire. » Elle s'essuya les yeux avec le dos de la main. « Mon mari était complètement obsédé par cette fille. Dès le jour où il a trouvé son cadavre, nous avons cessé d'exister pour lui. Et il est devenu odieux, cruel et répugnant. Il me donnait envie de vomir. Voilà. Vous êtes contents ? Vous avez eu ce que vous vouliez ? »

Elle se tourna à nouveau vers Assad. « Quant à toi, je vais te dire une bonne chose : tu peux dire tout ce que tu veux, tu ne sais rien de mes rêves et tu ignores tout de ce que j'ai pu faire pour qu'ils se réalisent. »

Quelque chose se passa en elle à cet instant. Ce fut comme si elle se rendait compte qu'elle ne le savait pas non plus. Comme si le fait de se retrouver debout sur ce trottoir dans la nuit tombante l'avait calmée brusquement.

Carl la vit pour la première fois comme elle était. Pas seulement une femme d'une soixantaine d'années laissée pour compte, mais une femme à qui tout un pan de sa vie avait été arraché. À cet instant, elle eut l'air de se réveiller dans un monde où Carl se dit qu'il aimerait bien pouvoir se réfugier de temps en temps.

Elle pointa le doigt vers Assad et prit quelques secondes pour se ressaisir avant de recommencer à parler.

« Si seulement il y avait un fleuve sur lequel je pouvais patiner, dit-elle presque en chantant. Mais il ne neige pas, ici, tout est toujours vert… » Ils crurent qu'elle allait continuer mais elle s'arrêta brusquement. Son visage changea et reprit l'expression d'aversion profonde qu'elle semblait nourrir à l'égard de l'homme à la peau sombre en face d'elle.

« Et toi tu ne me parles plus de mes rêves, dit-elle en laissant retomber sa main. En plus tu oses me demander pourquoi je ne suis pas allée personnellement annoncer la mort de son père à mon fils au lieu de l'appeler. Tu tiens vraiment à le savoir ? »

Assad acquiesça.

« Eh bien tu vois, c'est exactement pour ça que je ne vais pas te le dire. »

Et elle retraversa la rue en marche arrière en les regardant à tour de rôle avec le plus profond mépris. « Et maintenant vous pouvez foutre le camp d'ici, dit-elle. Et s'il vous prenait l'envie de revenir, sachez que je ne vous ouvrirai pas, au cas où vous ne l'auriez pas encore compris ! »

Ils s'installèrent dans la salle à manger de l'hôtel devant l'ordinateur portable de Rose. La nuit était tombée et ils décidèrent d'attendre le lendemain pour aller voir la trésorière du conseil municipal de Listed. Pour l'instant, ils avaient besoin de discuter et d'échanger leurs impressions. Cette femme qui apprenait la mort de son mari et celle de son fils le même jour et qui parvenait encore à tenir debout sur ses jambes les intriguait.

« Pourquoi est-ce qu'elle s'est tout à coup mise à parler de ce fleuve sur lequel elle voulait patiner ? demanda Assad. Quelqu'un sait si elle a déjà fait un séjour chez les tarbés ?

— Les chtarbés, Assad. Chtarbés, le corrigea Rose. C'est plutôt toi qui dois être un peu chtarbé, à voir la façon dont tu t'es comporté tout à l'heure.

— N'empêche que ça a marché, alors ! Qu'est-ce qu'on sait sur elle ?

— Elle a travaillé plusieurs années à Brænde-gårdshaven. Maintenant le parc d'attractions s'appelle Joboland, comprenne qui pourra. L'hiver, elle est serveuse ici et là. Je ne vois pas de trou dans son

CV qui puisse faire penser à un séjour en hôpital psychiatrique.

— Quand on sera à Listed demain pour visiter la maison de Christian Habersaat et la salle communale, il y aura peut-être quelqu'un pour nous aider à mieux comprendre la famille. En attendant, si on visionnait ce DVD ? » dit Carl. S'adressant à Rose, il ajouta : « Tu es bien sûre de vouloir voir ça ? »

Elle se vexa. « Pourquoi est-ce que je ne voudrais pas voir ça ? J'ai fait l'école de police comme vous ! J'ai déjà vu des photos de cadavres.

— Sauf que là, ce ne sont pas des photos. Si j'ai bien compris, il s'agit d'un film en haute définition d'un type en train de se tirer une balle dans la tempe. Ce n'est pas tout à fait la même chose.

— Je suis d'accord avec Carl, Rose, dit Assad. Il vaut mieux faire attention, on peut tomber malade quand on voit ce genre d'images pour la première fois. »

Carl hocha la tête. « Assad a raison, Rose. »

La diatribe de plusieurs minutes pendant laquelle elle déversa tout ce qu'elle pensait de l'étendue de leur connerie à tous les deux lui fit comprendre une bonne fois pour toutes qu'il était stupide de sa part de vouloir ménager sa sensibilité.

Il appuya sur « play ».

« Selon le rapport très succinct dont nous disposons actuellement, l'enregistrement a été réalisé par une connaissance de Habersaat qui habite dans la même rue, dit Carl. Un homme que tous les habitants de l'île appellent Oncle Sam. D'après ce que je sais, la caméra utilisée appartenait à Christian Habersaat et, à en croire la maladresse avec laquelle sont filmées les premières minutes, l'information doit être exacte. »

Effectivement, le DVD commençait par un plan panoramique de la salle aussi rapide qu'une course de lévriers et aussi tremblé qu'un film du Dogme 95 de Lars von Trier. Un style de cinéma qu'il vaut mieux déconseiller aux personnes souffrant de mal de mer.

La salle était presque déserte. D'après la liste qu'ils avaient sous les yeux, étaient présents : la présidente du conseil municipal et sa trésorière, qui s'étaient occupées des détails de la réception. Le directeur de la police, le représentant local du syndicat des policiers, le commissaire Birkedal, Oncle Sam, le fameux voisin, un sacristain retraité de la paroisse de Nexø, un retraité de la police, le garde champêtre du village et une autre personne qui s'était trouvée mal et avait quitté la réception.

« Ça ne fait pas beaucoup de monde pour un pot de départ, grommela Assad. C'est peut-être pour ça qu'il s'est fait sauter le caisson !

— Il s'est suicidé parce que Carl n'a pas voulu l'écouter, dit sèchement Rose, derrière lui.

— Merci, Rose. On a compris. Mais le fait est qu'on n'en sait rien du tout. On peut continuer ? »

Au bout de quelques minutes, Habersaat avait fini de remplir les gobelets de vin blanc et Oncle Sam commençait à maîtriser le matériel vidéo. Il fit un lent panoramique dans un local haut de plafond et un peu vétuste, avec d'un côté deux portes donnant sur des pièces plus petites et de l'autre un passe-plats communiquant sans doute avec une cuisine. La caméra balaya ensuite les autres murs, ornés de tableaux de tailles et de couleurs hétéroclites.

Au fond de la pièce, devant les fenêtres qui, pour autant que Carl pût en juger, devaient donner sur Hans Thygesens Vej et sur la mer un peu plus loin, se tenait Habersaat dans toute sa splendeur. Certes, son uniforme d'apparat n'était pas du dernier cri mais si on allait par là, celui de Carl ne l'était pas non plus. Dans leur branche, on n'avait pas souvent l'occasion de se mettre sur son trente et un.

« Merci d'être venus », dit Habersaat en préambule. Il semblait étonnamment calme, comme s'il ne pensait pas du tout à ce qu'il était sur le point de faire.

Carl regarda la barre de contrôle de l'enregistrement. Moins de quatre minutes avant le geste fatal.

Il jeta un coup d'œil furtif à Rose. Elle aussi semblait surveiller la progression du curseur car elle avait déjà les yeux à demi fermés, et ce n'était pas lui qui allait lui en tenir rigueur.

Habersaat levait son verre, trinquait avec ses invités, leur parlait tranquillement tandis que le caméraman filmait les visages dénués d'expression. Il évoqua le bon vieux temps où il était encore garde champêtre et s'excusa de ne pas être resté l'homme qu'il était à cette époque. Oncle Sam avait fait un gros plan sur le regard douloureux de Christian Habersaat pendant qu'il faisait officiellement et dignement son mea culpa pour la façon dont il avait laissé l'affaire Alberte phagocyter son existence entière. Ensuite Habersaat s'adressait à ses collègues de la police et exprimait son regret et sa honte de n'avoir pas su trouver le coupable.

« Ce serait bien qu'il élargisse le cadre, maintenant, pour qu'on puisse voir ce qui se passe », dit Assad.

Rose se contenta de hocher la tête.

On entendit les protestations d'un homme qui devait être le représentant du syndicat des policiers, une réaction qui laissa Habersaat indifférent. En revanche, elle amena Oncle Sam à prendre du recul, ce qui leur permit de voir Habersaat en pied.

Rose sursauta en le voyant sortir brusquement le pistolet de sa poche et braquer le canon de l'arme sur les deux notables debout devant le caméraman. Ils devaient être tous les deux ceinture noire au judo ou dans un art martial, car ils se jetèrent au sol sans la moindre hésitation avec une souplesse qui n'avait rien à envier à celle d'un acrobate de cirque. Le témoignage de Birkedal selon lequel il aurait d'abord pensé que l'arme était un jouet venait de prendre un coup dans l'aile.

« C'est maintenant », grommela Assad une seconde avant que Habersaat lève le pistolet jusqu'à sa tempe sans la moindre hésitation et appuie sur la détente.

On avait juste le temps de voir la tête du retraité projetée de côté et une indéfinissable masse rouge et blanc gicler vers la gauche, avant que l'homme s'écroule et que la caméra tombe par terre.

Carl se tourna vers Rose, qui n'était plus là.

« Où est-ce qu'elle est passée ? »

Assad leva un pouce au-dessus de son épaule en direction de l'escalier.

C'était quand même un peu trop pour elle, finalement.

« Tiens, tiens, dit Assad, nullement affecté par ce
qu'il venait de voir. Habersaat était gaucher. »

Comment faisait-il pour garder un esprit analytique
après des images aussi dramatiques ?

7

À en juger par le tremblement dans sa voix, l'homme qu'elle avait au bout du fil n'était pas seulement nerveux, il était très perturbé et n'avait aucune confiance en lui. Pirjo le perçut immédiatement.

Un type comme lui valait de l'or.

« Vous vous appelez Lionel. C'est un joli prénom, dit-elle. Que puis-je faire pour vous, Lionel ?

— Alors voilà. Je m'appelle Lionel et je voudrais devenir chanteur. »

Pirjo sourit. Encore un. Bingo.

« Je sais que j'ai une belle voix, mais chaque fois que j'essaye de chanter en public, elle reste coincée dans ma gorge. C'est pour ça que je vous appelle. »

Il se tut quelques instants, il devait avoir besoin d'un peu de temps pour rassembler son courage.

Pirjo se dit que celui-là, il était inutile de lui conseiller d'aller chercher la petite voix enfouie au fond de chacun d'entre nous qui dit : « Je veux. »

« Avez-vous déjà essayé de chasser de votre esprit le monde extérieur, Lionel ? De trouver la Nature qui est en vous et de vous laisser entraîner par votre force archaïque afin de ne plus ressentir que votre paix intérieure, votre concentration et votre joie de chanter ?

— Je ne sais pas trop...

— J'ai entendu cela si souvent. Mais vous savez, Lionel, quand on désire quelque chose aussi fort que vous désirez chanter, il arrive que l'on soit comme déphasé, comme si on faisait masse contre sa propre énergie. Je crois que c'est ça qui vous arrive quand votre voix se bloque. Est-ce que vous manquez autant de confiance en vous dans d'autres domaines, Lionel ? Parce que si ce n'est pas le cas, je crois que je vais vous conseiller les soins bio-acoustiques, ou peut-être la neutralisation des champs électriques corporels. Je vous propose que nous décidions ensemble de ce qui sera le mieux et le plus efficace pour vous.

— Ça m'a l'air un peu compliqué, mais si ça marche...

— Écoutez-moi, Lionel. Le développement spirituel est une chose difficile à atteindre mais il existe des méthodes pour y parvenir et pour se faire un bon karma, en se tournant vers les autres. Cela demande un gros travail, bien sûr, mais il suffit de se rappeler le vœu du Bodhisattva : "Je ne trouverai pas le repos avant que tout être vivant soit libéré de sa souffrance." Il en sera ainsi pour vous aussi. Je suis sûre qu'avec notre aide, vous trouverez le chemin. »

Un long soupir ponctua sa tirade, elle avait pris Lionel dans ses filets. Et ça allait lui coûter très cher.

C'était dans ce rôle-là, assise, immobile comme une vestale devant le feu éternel, veillant sur la destinée des êtres faibles et vulnérables, que Pirjo se sentait le mieux. Son éducation, quoique brève et sommaire, lui avait appris qu'il ne fallait pas se moquer des gens, mais pourquoi s'encombrer de scrupules alors qu'en trichant un peu elle réussissait à les convaincre que leur existence allait être plus belle s'ils lui faisaient confiance ?

Ils l'appelaient pour lui demander la voie vers un meilleur avenir, pourquoi leur refuserait-elle ses conseils ? Ils l'abreuvaient d'informations sur leur médiocre existence, leurs rêves ennuyeux et leurs tristes espérances, et si elle interprétait tout cela à sa façon et leur inventait une vie, quel mal à cela, du moment qu'ils étaient d'accord ? Elle avait plusieurs fois eu l'occasion de voir le résultat. Il suffisait de leur donner un but. Il y avait sur cette terre des personnes plus douées que d'autres pour prédire l'avenir et façonner le destin. Elle avait ce talent. Atu l'en avait convaincue depuis longtemps.

Pirjo sourit. Ces conseils par téléphone étaient une idée simple, géniale et lucrative. Le lundi, elle était psychologue et le mercredi, elle endossait le rôle de psychothérapeute sur une autre ligne dont elle communiquait le numéro à ceux à qui elle avait parlé sur la première et à qui elle avait conseillé d'approfondir les résultats du premier entretien. Un modulateur de voix lui donnait un timbre clair et éthéré le lundi et une voix grave et autoritaire le mercredi. Il y avait fort peu de chances que qui que ce soit apprenne un jour à quel jeu elle jouait. Personne en tout cas ne risquait de reconnaître sa voix.

Les appels sur ces deux lignes téléphoniques, qu'elle avait respectivement appelées la Lumière de l'oracle et la Chaîne holistique, étaient facturés trente couronnes la minute et Pirjo les considérait comme un plan d'épargne retraite. Elle était d'ailleurs la seule au centre de naturabsorption qu'Atu autorisait à garder une activité professionnelle extérieure à celles de l'académie.

Pirjo s'était octroyé un certain nombre d'autres privilèges qu'elle estimait parfaitement mérités, sachant qu'Atu lui devait beaucoup.

« Une dernière chose, Lionel : à quoi pensez-vous employer vos talents de chanteur ? »

Il hésita un instant et Pirjo en profita pour continuer :

« Vous voulez faire de la musique parce qu'elle fait partie de vous, n'est-ce pas ?

— Oui. En quelque sorte. »

D'accord. Elle était encore tombée sur un de ceux-là.

« Vous aimeriez être célèbre, peut-être ?

— Oui, je crois. Qui ne le voudrait pas ? »

Elle secoua la tête. Ces temps-ci, on en avait treize à la douzaine de ce genre de types.

« Et que comptez-vous faire de la célébrité ? Gagner beaucoup d'argent ?

— Oui, ce serait super. Mais c'est surtout pour les filles, je crois. On dit souvent que les chanteurs en ont autant qu'ils veulent. »

OK. De mieux en mieux. Celui-là allait lui rapporter gros.

« Si j'ai bien compris, ce n'est pas très facile pour vous avec le sexe opposé, avança-t-elle en mettant autant de compassion que possible dans sa voix. Vous vivez seul, Lionel ? »

Pourquoi sa question le faisait-elle pouffer de rire ?

« Non, je suis marié. »

Pirjo sursauta comme s'il venait de presser un bouton directement relié à un faisceau nerveux dans sa moelle épinière. Une égale mesure de dégoût et de haine viscérale. Elle avait mis des années à tenter de combattre cette vulnérabilité mais dernièrement elle avait constaté des signes flagrants de rechute.

« Vous êtes marié ?

— Depuis dix ans, oui.

— Et votre femme est au courant de l'envergure du projet dans lequel vous vous lancez ?

— L'envergure du projet ! Non, certainement pas. Elle aime juste m'entendre chanter. »

Pirjo resta quelques secondes à regarder ses bras. Parfois elle avait la chair de poule, parfois ils se couvraient de plaques rouges comme si elle faisait une crise d'allergie. Aujourd'hui, les deux phénomènes se produisaient en même temps.

Il fallait que cet imbécile sorte de sa vie immédiatement.

« Lionel, je suis désolée, mais je viens de réaliser que je ne vais pas pouvoir vous aider.

— Pardon ? Je viens de payer trente couronnes la minute pour parler avec vous ! Vous êtes obligée de m'aider. C'est ce que vous dites sur votre site Internet.

— D'accord, Lionel, vous avez raison. Je vais vous en donner pour votre argent. Vous connaissez la chanson des Beatles, *Yesterday* ? »

Elle pouvait presque l'entendre acquiescer au bout du fil.

« Alors chantez-moi le premier couplet. »

En une minute, c'était terminé. Elle n'avait rien écouté. Le verdict était déjà tombé.

« Je regrette pour votre épouse que vous soyez un tel salaud, Lionel, et vous avez beaucoup de chance qu'elle vous encourage à continuer de chanter car vous n'avez pas le moindre talent. J'ai des animaux de compagnie qui chantent plus juste que vous, et des amis sourds-muets qui maîtrisent mieux l'anglais. Vous pouvez me remercier de vous épargner le plus retentissant des échecs, car quoi qu'il arrive, vos braiments pathétiques ne contribueraient qu'à faire fuir davantage les femmes. »

Puis elle raccrocha, tout doucement, respirant lentement par la bouche. Elle avait dépassé les bornes, cette fois, mais d'un autre côté, le type ne risquait pas d'aller se plaindre.

Pirjo se retourna brusquement sur son siège.

Elle avait entendu ce petit clic familier derrière elle qui lui faisait immédiatement pincer les lèvres. Elle ferma les yeux et sentit la sueur couler de ses aisselles et son pouls battre plus fort à la base du cou.

Elle avait beau se l'interdire, c'était ainsi qu'elle réagissait chaque fois qu'Atu fermait la porte entre son bureau et l'atrium afin de ne pas être dérangé en compagnie de sa dernière conquête.

Chaque fois. Elle avait souvent pensé à déménager son bureau ailleurs, elle avait même failli lui demander d'installer ses appartements dans une autre partie de l'académie, mais les choses n'avaient pas bougé.

« C'est plus pratique comme ça, chère Pirjo. Décisions, actions et logistique regroupées dans la même maison. Quelques pas entre l'administration, toi et moi. Tout à portée de main. Ne changeons rien. »

Elle regarda à nouveau vers la porte de l'atrium en se frottant les bras. Elle ignora la sonnerie du téléphone. Ne répondit pas aux disciples qui passaient dans la cour devant sa fenêtre et agitaient la main pour lui dire bonjour. Et surtout, elle s'efforça de faire abstraction de l'image de celui dont elle était follement amoureuse depuis des années et qui en ce moment caressait une autre femme dans la pièce voisine.

Mais le clic de la porte, Pirjo ne pouvait l'ignorer, et elle le haïssait. Il la mettait hors d'elle. Cet horrible bruit qui voulait dire que dans quelques instants, il serait allongé auprès d'une autre, qu'il ferait l'amour à une autre ou, pire encore, qu'il rouvrirait le verrou parce qu'il avait fini. Sa paix intérieure se muait d'une seconde à l'autre en une révolte sauvage et elle avait ses propres réactions en horreur.

Pourquoi ne pouvait-elle pas simplement l'accepter ? Il y avait si longtemps maintenant qu'elle entendait ce bruit. Atu n'avait jamais essayé de se cacher. Mais elle se demandait quand même s'il avait conscience de l'effet qu'il avait sur elle, cet infâme bruit de rejet, d'exclusion et de mépris ? Ce bruit infime et dégradant. Et quand bien même il le saurait, essaierait-il de le lui épargner ? Elle avait tendance à en douter.

Alors elle se contentait de se boucher les oreilles et de prier pour retrouver son équilibre.

« Horus, né d'une vierge, commença-t-elle. Berger des douze disciples, ressuscité le troisième jour, soulage ma peine, guéris-moi de ma jalousie, taris la source de mes tentations et je sacrifierai à ta gloire le cristal qui décompose la lumière du soleil en toutes les couleurs de l'arc-en-ciel. »

L'incantation terminée, elle respira profondément, faisant entrer l'air jusqu'à son estomac secoué de spasmes. Quand les crampes commencèrent à céder, elle plongea une main dans sa poche et la referma sur l'une des petites pierres qu'elle y gardait, s'approcha d'une fenêtre tout au fond de la pièce qui ouvrait sur la mer Baltique et l'île de Gotland, et jeta le cristal poli aussi loin qu'elle pouvait.

Au fil des années, un nombre incalculable de cristaux avaient été ramenés sur le sable blanc par les marées.

Il y avait quatre ans maintenant que l'école d'Atu Abanshamash Dumuzi pour l'enseignement de la naturabsorption avait installé son siège sur la longiligne île d'Öland, au large de la partie la plus méridionale de la côte est de la Suède, un site qui convenait parfaitement à Pirjo. Au milieu de ce paysage paisible, elle pouvait presque tout contrôler, car il ne s'y passait rien d'autre que ce que le destin et l'univers voulaient bien décider. L'esprit d'Atu n'était pas dérangé et c'était tout ce qui importait.

Les choses étaient bien différentes quand il partait recruter de nouveaux clients dans leurs bureaux de Barcelone, de Venise ou de Londres et qu'il rencontrait toutes ces femmes. Quand, gémissantes, elles le recevaient comme un oracle, un docteur des âmes venu du Nord à travers le grand océan des énergies cosmiques. Quand il pénétrait à l'intérieur de leurs rêves brisés, de leurs frustrations et de leur manque de repères, et qu'il les soulevait vers le soleil sur un nuage léger comme le duvet.

Partout ailleurs qu'ici, Pirjo se sentait encore plus seule, encore plus jalouse et prisonnière de sa propre insignifiance.

Bien sûr, Atu la traitait comme celle qu'elle s'était battue pour devenir : son bras droit et sa conseillère, sa biographe, son administratrice et sa coordinatrice. Mais il ne la regardait pas de la façon dont elle l'aurait voulu.

Il ne la regardait pas comme il regardait les autres femmes.

Pirjo était la seule des disciples d'Atu Abanshamash Dumuzi à l'avoir accompagné depuis l'époque où il s'appelait encore Frank et où sa vie était très différente. Mais malgré cela, et en dépit de leur collaboration et de leur complicité, bien que ce fût depuis toujours son vœu le plus cher, Atu n'avait jamais aimé Pirjo de façon charnelle.

« Toi et moi partageons un amour spirituel, mon amie, lui disait-il régulièrement. Tu me donnes mes orgasmes les plus importants, chère Pirjo. La douceur de ton âme et ta grande sagesse sont les sources dans lesquelles je puise l'essentiel de mon énergie. »

Elle détestait Atu quand il disait ce genre de choses, car elle n'était ni douce, ni chaste. Cependant, elle le comprenait et avec les années, ils étaient devenus frère et sœur dans l'âme. Mais leurs rapports étaient à des lieues de ce à quoi elle aspirait. Elle voulait le toucher comme les autres femmes le touchaient. Se sentir devenir molle et humide et transpercée par son désir et sa passion. Si seulement il était venu une seule fois, durant toutes ces années, s'allonger à ses côtés et la prendre avec passion, tout aurait été différent. Une seule étreinte et elle aurait cessé de penser à l'impossible.

Mais pour Atu, elle était la vestale, l'intouchable, l'incarnation de la vierge veillant sur lui, sur son entreprise et sur tout. Mais c'était lui qui en avait décidé ainsi, pas elle.

En un sens elle était donc toujours vierge. À l'âge de trente-neuf ans. En tout cas dans sa relation avec Atu. Et si elle devait faire l'amour avec lui et porter son enfant, ce qu'elle désirait plus que tout, il fallait que ce soit bientôt, très bientôt.

Elle serra les dents et pensa à la femme dans l'atrium. Atu l'avait ramassée à Paris quelques mois plus tôt. La dénommée Malena Michel s'était plantée devant lui dans sa jupe blanche et virginale qui épousait ses formes et, perchée sur ses talons de dix centimètres, lui avait parlé de ses parents italiens émigrés en France quand elle avait six ans. Tout son passé, toutes ses racines lui avaient été rendus à travers les mots dont Atu savait si bien se servir. Et du jour au lendemain, elle avait compris qu'elle était née uniquement pour lui, et que désormais elle vivrait pour le servir et accomplir ses moindres désirs.

Personne ne sut combien Pirjo souffrit de le voir succomber à un discours aussi sirupeux, ni combien elle trouva cela injuste. Et ça l'était, en effet, il faut bien l'avouer.

Et à présent, cette Malena était à ses côtés, ne s'éloignant jamais de plus d'un mètre ou deux, prisonnière de son charisme. Ce n'était pas la première fois qu'il y avait une femme comme elle parmi les disciples d'Atu. Ça arrivait même de plus en plus souvent et Pirjo commençait à en avoir assez.

Il y a quelques semaines à peine, ils étaient allés recruter des disciples et des participants à leur session d'automne, et une femme noire ravissante s'était évanouie pendant une séance.

Avec une insistance qui ne lui était pas habituelle, Atu avait demandé à Pirjo d'emmener cette femme se reposer dans ses appartements privés. Elle ne pouvait que deviner ce qui s'était passé derrière la porte mais, quoi qu'il en soit, dans l'avion du retour, il y avait dans le regard d'Atu une expression nouvelle qui inquiéta autant sa conquête parisienne que Pirjo.

Et voilà que Pirjo avait sous les yeux une lettre envoyée par cette même femme, dans laquelle elle annonçait son souhait de participer au prochain stage d'initiation à la naturabsorption sur l'île d'Öland, qui d'après leur site Internet démarrait dans une semaine.

Ce n'était pas une bonne nouvelle. La seule chose positive là-dedans, aux yeux de Pirjo, était que la petite groupie française allait, de ce fait, glisser hors de la sphère intime d'Atu.

En dehors de ça, l'instinct de Pirjo lui disait que cette fois, ça allait mal se terminer. Elle avait remarqué la forte impression que la femme noire avait faite à Atu, et il y avait très, très longtemps que personne n'avait eu sur lui cet effet-là. Pirjo y avait veillé.

Il ne faisait aucun doute que cette femelle allait prendre trop de pouvoir sur Atu si on lui en laissait la possibilité.

Pirjo était donc sur ses gardes.

Sur ses gardes et beaucoup plus que cela.

8

Jeudi 1ᵉʳ mai 2014

La table du petit déjeuner était dressée pour trois personnes à côté de la fenêtre avec vue sur le port et Rose avait déjà les yeux perdus quelque part au large, vers un lieu que le regard n'atteint jamais tout à fait.

« Bonjour, tenta Assad, bravement. Tu es drôlement pâle aujourd'hui, Rose. Mais au moins on avance, comme le chameau dit au dromadaire qui se plaignait de son cavalier qui lui donnait des coups de cravache. »

Rose secoua la tête en repoussant son assiette.

« Tu veux que j'aille te chercher quelque chose à la pharmacie ? » lui proposa Assad.

Elle secoua à nouveau la tête.

« On sait qu'on n'aurait pas dû la laisser regarder cette vidéo, chef », grommela Assad.

Si seulement il pouvait la fermer jusqu'à ce qu'ils aient fini le petit déjeuner. Il ne voyait donc pas qu'elle était dans le même état qu'avant d'aller se coucher hier soir ? songea Carl en acquiesçant distraitement.

« Ce n'est pas à cause du film, répliqua Rose. C'était horrible, mais ça ne m'a pas dérangée.

— Ah bon, alors c'est à cause de quoi ? » demanda Assad en empilant des Wasa sur son assiette. À nouveau, le regard de Rose se perdit sur la ligne grise de l'horizon.

« Laisse Rose tranquille et passe-moi le beurre, Assad. » Carl regarda le beurrier vide. « Enfin, donne-moi un peu de celui qui te reste et dont tu penses pouvoir te passer sans dépérir. »

Assad fit la sourde oreille. « Tu sais quoi, Rose ? Ce serait peut-être une bonne chose, alors, que tu nous dises ce qui te tracasse », articula-t-il tant bien que mal, la bouche pleine. Heureusement qu'ils ne prenaient pas le petit déjeuner ensemble tous les jours.

Assad fixa un instant son attention sur un groupe de manifestants armés de banderoles en train de se regrouper sur le parking du supermarché Brugsen pour le défilé du 1er Mai. « Plus forts ensemble », disait un des slogans.

« Est-ce que vous croyez que Bjarke était homo ? dit-il brusquement sans détourner le regard des manifestants. Moi, j'en suis sûr. »

Carl fronça les sourcils. « Qu'est-ce qui te fait penser ça ? Quelqu'un te l'a dit ?

— Non, c'est une idée qui m'est venue parce que je trouvais sa logeuse plutôt appétissante, pas vous ? »

Appétissante ! Il ne manquait plus que ça !

« Je ne sais pas, peut-être, mais où veux-tu en venir ?

— Il avait trente-cinq ans. C'était un jeune homme et visiblement il ne déplaisait pas à la dame. S'il avait dit oui, elle n'aurait pas dit non, si vous voulez mon avis. » Assad se tourna vers Carl comme s'il venait de fourrer le nez dans un nid de guêpes sans se faire piquer, relativement satisfait de lui-même, donc.

« Je ne comprends rien à ce que tu racontes, Assad.

— Je veux dire, chef, que si Bjarke et elle avaient eu une histoire ensemble, sa chambre n'aurait pas été dans cet état. Sa maîtresse l'aurait bichonné, elle aurait aéré sa couette et vidé ses cendriers et elle se serait occupée de son linge pour mettre un peu d'ordre et de tendresse dans sa vie.

— Oui, c'est une hypothèse intéressante. Mais ils auraient aussi tout simplement pu s'envoyer en l'air dans d'autres endroits de la maison. L'état de la chambre de Bjarke ne prouve rien du tout, Assad. Tu as trop d'imagination. »

Assad regarda son boss, dubitatif. « D'accord, admettons. Mais ça ne vous dérangerait pas, vous, de faire des galipettes au milieu des photos de famille et des napperons brodés ?

— Non, je ne vois pas pourquoi ça me dérangerait. Et en quoi la sexualité de Bjarke aurait-elle une quelconque importance, au fait ?

— Je crois qu'il était homosexuel parce qu'il avait des tas de magazines sous son lit avec des hommes en pantalon très serré et des casquettes en cuir sur la tête. Et puis aussi à cause des posters de David Beckham sur les murs.

— Ah oui, évidemment, vu sous cet angle. Mais encore une fois, je ne vois pas ce que ça change, on s'en fout, non ?

— Nous, oui. Mais je crois que sa mère ne s'en fichait pas. Et je crois que c'est pour ça qu'elle n'aimait pas lui rendre visite. Bjarke n'était pas un gentil petit gay qui vénérait sa mère comme une déesse et adorait faire du shopping avec elle, c'était plutôt un homo tendance dure, vous voyez ? »

Carl fit la moue et hocha la tête. C'était une possibilité, même s'il ignorait à quoi cela allait leur être utile. En ce qui le concernait, Bjarke pouvait aimer les jumelles andalouses monozygotes de plus de soixante-cinq ans, si ça lui faisait plaisir. Il s'en fichait d'autant plus à l'instant présent que les croissants venaient d'arriver, tout chauds, sur le buffet.

Assad se tourna vers Rose. « Qu'est-ce qui t'a cloué le bec ? D'habitude, tu as un avis sur tout. Allez, Rose, dis-nous ce qui ne va pas, parce que je sens qu'il y a quelque chose. Si ce n'est pas le suicide en images, c'est quoi qui t'a mise dans cet état, alors ? »

Elle tourna lentement vers eux un regard aussi douloureux que celui qu'avait eu June Habersaat la veille. Mais Rose ne pleurait pas, au contraire, elle semblait étrangement froide et concentrée. Ses yeux disaient juste qu'elle avait besoin d'être seule et qu'elle leur en voulait de l'en empêcher.

« Je vais vous le dire, mais je n'ai pas envie d'en discuter, d'accord ? C'était très dur pour moi de regarder cette vidéo parce que Christian Habersaat ressemble énormément à mon père », déclara-t-elle, puis elle se leva de table et partit.

Carl baissa les yeux, réfléchit un moment et dit : « Je crois qu'il vaut mieux la laisser tranquille, Assad.

— D'accord. Mais c'est quoi le problème avec son père ?

— Juste qu'il a été transformé en steak haché dans l'usine de Frederiksværk pratiquement sous les yeux de Rose. C'est tout. »

Sans surprise, la salle communale était située à mi-hauteur de la rue principale de Listed. Une rue qui coupait la ville en deux moitiés, les maisons des pêcheurs qui vivaient là depuis des lustres côté mer et celles des habitants arrivés plus récemment côté terre.

« Maison communale de Listed », était-il écrit en gros sur la façade peinte en jaune. Au moins, on ne risquait pas de se tromper.

Sur un grand panneau d'affichage laid et mal placé on pouvait lire que le troisième âge avait eu droit récemment à un spectacle de funambule, à une parade de majorettes et à un tournoi de pétanque. Les enfants, eux, avaient pu se réunir autour d'un feu de camp et de chamallows grillés, participer à un match de base-ball et à un atelier de découpage de citrouilles pour Halloween. Un court procès-verbal du dernier conseil municipal, faisant état des problèmes et des espoirs de la commune, était également affiché. Fallait-il transformer toutes les maisons du village en résidences à l'année ? N'était-il pas temps de changer le banc installé sur la promenade du Champ de la Mère ? La ville avait-elle les moyens de construire un nouveau ponton sur la plage publique ?

Il ne s'agissait que de questions locales et il n'y avait rien de prévu officiellement pour la fête du Travail, ni là ni ailleurs sur l'île. Le seul divertissement prévu pour l'occasion était le château gonflable installé pour les enfants par le syndicat Metal Bornholm dans un endroit appelé la « Mère Poule », quelque part dans la forêt d'Almindingen.

Dans la salle communale de cette petite parcelle de paradis, les habitants se réunissaient à chaque occasion, grande ou petite, et c'était également là que l'un de leurs concitoyens avait choisi, moins de vingt-quatre heures plus tôt, une solution définitive aux problèmes de son existence.

Carl reconnut les femmes qui les accueillirent pour les avoir vues dans la vidéo.

« Bolette Elleboe, se présenta la première dans un dialecte de Bornholm presque compréhensible. Je suis trésorière suppléante et j'habite juste derrière. C'est pour ça que c'est moi qui ai les clés. » Elle fanfaronnait un peu, pas très à l'aise. La deuxième se présenta comme Maren, présidente du conseil municipal, et ses yeux affligés disaient clairement qu'elle aurait volontiers confié son rôle à quelqu'un d'autre en la circonstance.

« Connaissiez-vous Habersaat personnellement ? leur demanda Carl pendant que les deux femmes serraient la main à Rose et à Assad.

— Bien sûr, répondit Bolette Elleboe. Trop, à mon goût.

— Qu'entendez-vous par là ? »

Elle haussa les épaules et les conduisit à l'intérieur de la salle, un local lumineux, orné de diplômes encadrés et de peintures répartis un peu n'importe comment sur les murs blancs. Deux baies vitrées ouvraient sur le jardin potager de la maison de Bolette. Elle les conduisit à une table en mélaminé sur laquelle le café était déjà servi.

« Nous aurions dû nous douter que ça allait arriver un jour, dit d'une petite voix douce la présidente du conseil municipal. Pourtant, je n'arrive pas à me faire à l'idée que ça s'est finalement produit. C'est épouvantable. Je suis encore sous le choc. Je crois que Christian a fait ça pour punir les habitants de la commune de ne pas être venus à sa réception.

— Tu dis des bêtises, Maren, intervint Bolette avant de s'adresser à Carl. C'est typique de la part de Maren. Elle est beaucoup trop impressionnable. Habersaat s'est tiré une balle dans la tête parce qu'il n'aimait pas l'homme qu'il était devenu. C'est aussi simple que ça.

— Vous n'avez pas l'air particulièrement émue. Je peux vous demander pourquoi ? Ça a dû être un moment assez pénible, non ? lui dit Rose.

— Vous savez, ma belle, répliqua Bolette Elleboe, j'ai été assistante sociale au fin fond du Groenland pendant cinq ans et il en faut plus pour m'ébranler. Les fusils, ça me connaît. Évidemment que cet événement m'a secouée, mais la vie continue, n'est-ce pas ? »

Rose la regarda en silence quelques instants puis elle se leva et alla se poster devant les fenêtres donnant sur la rue. Elle se retourna vers la petite assemblée, posa l'index de sa main gauche sur sa tempe, fit mine d'appuyer sur une détente et se mit à tituber.

Rose regarda Bolette Elleboe droit dans les yeux. « C'est là et de cette façon que ça s'est passé ?

— Il me semble, oui. Mais vous n'avez qu'à regarder par terre, il doit rester des traces. Moi en tout cas, j'ai assez donné. Je vais appeler une société de nettoyage.

— Tout cela a l'air de vous énerver, Bolette. C'est parce qu'il l'a fait ici ? demanda Assad, faisant fondre le sucre dans sa tasse en versant dessus quelques gouttes du café contenu dans le thermos.

— Énervée ? Oui, je suis énervée parce que c'est un mauvais karma qu'il se soit tué dans cette pièce. Il aurait au moins pu avoir la décence d'aller se suicider chez lui, ou depuis une falaise. Je trouve que c'est manquer de respect à notre petite salle communale d'avoir fait ça ici.

— Mauvais karma ? » Assad secoua sa tête frisée avec l'air de ne pas comprendre.

« Vous croyez que ce sera rigolo de se retrouver en réunion dans cette salle, ou pour déjeuner en revoyant la scène qu'il nous a imposée hier ?

— Vous parlez pour vous deux. À part vous, personne de cette ville n'est venu à cette réception, que je sache ! fit remarquer Rose, acide.

— Vous avez raison. N'empêche qu'il y a toujours un trou dans un tableau et un mur éclaté derrière, non ? »

Décidément, Bolette Elleboe avait toujours le dernier mot.

« L'avantage, c'est que maintenant on va enfin pouvoir refaire le mur, grâce à l'énorme trou que la police scientifique a fait pour sortir la balle. Il y a un moment que j'essaye de faire voter ça, alors à quelque chose malheur est bon. Vous avez vu comme il est moche, ce mur ? C'est du béton cellulaire, vous vous rendez compte ? C'est affreux ! Merci Habersaat, tu auras quand même été un peu utile ! »

Le cynisme semblait être de mise dans ces contrées reculées.

« Ne l'écoutez pas, dit la présidente, presque en chuchotant, Bolette est aussi bouleversée que moi par cette histoire. C'est juste que nous avons chacune notre manière de gérer la situation.

— Tu ne veux pas essayer de te remettre comme tu étais tout à l'heure, Rose ? dit soudain Assad, se levant pour la rejoindre et se mettre face à elle. On va dire que je suis spectateur et que toi, tu es Habersaat. Je voudrais que tu… »

Mais Rose ne l'écoutait pas. Elle regardait le tableau que la balle avait troué et qui était loin d'être un chef-d'œuvre. Il représentait un soleil, quelques branches et un oiseau en plein vol.

« Vous avez vu, il a tiré sur l'oiseau. En plein dans le mille. C'est drôle qu'il ne soit pas tombé, plaisanta

Bolette. Enfin, tant mieux, on va être débarrassés de cette croûte.

— Ah, vous n'aimez pas non plus le tableau, alors ? dit Assad en allant le regarder de plus près. Il est beau pourtant, même s'il est un peu moins joli que la peinture d'à côté, avec la plage.

— Il va falloir aller me nettoyer ces lentilles de contact, camarade, répliqua-t-elle. Ce n'est pas un peintre qui a commis ça, c'est un faussaire. Il peut en peindre dix comme ça en une journée. »

Rose sortit de sa contemplation du mur. « Je vais prendre l'air », annonça-t-elle subitement.

Autour de l'orifice de la balle, mélangés aux plumes de l'oiseau, il restait des débris de crâne et des bouts de la cervelle de l'homme qui lui faisait penser à son père. Sa réaction était assez compréhensible.

« C'est une bien jeune femme pour un travail aussi dur, fit remarquer la présidente du conseil municipal avec sympathie.

— Mouais, riposta Carl. Vous ne devriez sous-estimer ni son âge, ni l'acier liquide qui coule dans ses veines. Dites-moi plutôt ce que vous savez sur Habersaat.

— Pour moi, Christian était un type bien, répondit la présidente. C'est juste qu'il voulait toujours en faire trop et que sa famille en a fait les frais. Il faisait partie de la police municipale, pas de la police judiciaire, alors on se demande pourquoi il s'est obstiné comme ça. J'avoue que je n'ai jamais compris. » Son regard devint flou et pensif. « C'est Bjarke qui en a le plus souffert, je crois. Pauvre garçon. Ça ne doit pas être simple pour lui de vivre avec une mère comme la sienne. »

Elles ne savent pas qu'il est mort, se dit Carl en intimant du regard à Assad de se taire. Avec un peu de chance, ils avaient encore le temps de prendre le dernier ferry pour rentrer. La mort de Bjarke concernait la police de Bornholm et pour ce qui était du reste, ils auraient beau creuser, c'était certainement sans espoir. Ils avaient fait leur boulot, Rose avait eu ce qu'elle voulait, et de toute façon, maintenant, elle avait décroché. Rien ne s'opposait donc à ce qu'ils prennent le bac ce soir.

« C'est peut-être à cause de sa mère que Bjarke s'est suicidé, alors, dit Assad malgré la mise en garde de Carl.

— Ce n'est pas possible ! » s'exclama la présidente, horrifiée.

Carl les mit au courant du drame. Assad et ses gaffes…

« Ils ne s'entendaient pas très bien, d'après ce qu'on m'a dit. Bjarke était homosexuel et ça ne plaisait pas du tout à sa mère. Hmrf ! Comme si elle était une sainte dans ce domaine », s'offusqua Bolette Elleboe.

Vous voyez, chef, que j'ai bien fait, disait la figure d'Assad.

Carl rétorqua : « Vous dites que ce n'était pas une sainte, mais elle était séparée de son mari, non ? Et il n'y a pas de mal à se faire du bien ! »

Les deux femmes échangèrent un regard entendu. June Habersaat devait faire l'objet de rumeurs nombreuses et croustillantes.

« Elle butinait déjà comme une petite abeille alors qu'elle vivait encore avec Christian », dit la présidente, perfide. Sous son apparente douceur, elle avait la dent dure.

« Comment les gens le savaient-ils ? Elle s'affichait en public ?

— Non, ce n'est pas ça, répondit Bolette Elleboe. Elle était assez discrète, mais elle a changé. Tout à coup, on l'a vue devenir rêveuse. On sait ce que ça cache, en général.

— Vous voulez dire qu'elle était tombée amoureuse ? »

La trésorière ricana. La question l'amusait. « Amoureuse ? Non. Sexuellement comblée, plutôt. Orgasmes à répétition, à mon avis. Et je ne pense pas qu'elle les devait à son mari. Ses collègues de travail prétendaient qu'elle avait pris un amant à cause de ses interminables pauses déjeuner. On a aussi vu sa voiture garée à plusieurs reprises devant la maison de sa sœur à Aakirkeby. Quand la sœur n'était pas là, soit dit en passant. Je sais de source sûre qu'elle retrouvait un homme là-bas et, au vu de la description, il ne s'agissait pas de Habersaat. Celui-là était beaucoup plus jeune. » Bolette Elleboe rit pour elle-même quelques instants puis son expression changea. « Elle n'y a pas mis du sien pour ramener son mari au bercail, si vous voulez mon avis. Je crois qu'on peut dire que les torts étaient partagés. L'affaire Alberte a bon dos. Moi, je pense qu'elle l'aurait quitté de toute façon.

— C'est une terrible nouvelle que vous nous annoncez à propos de Bjarke, dit la présidente tristement.

— Oui, ce n'est pas très gai, confirma Assad. Et cette Alberte qui s'est fait écraser, qu'est-ce que vous pouvez nous dire sur elle, alors ? Vous n'auriez pas une information qui ne serait pas dans nos notes, par hasard ? »

Elles haussèrent les épaules.

« Nous ignorons ce que contiennent vos notes, mais c'est une petite île et nous savons des choses, forcément. Les gens parlent quand il arrive un événement comme celui-là.

— Mais encore ? » Assad remit une pelletée de sucre dans son café. À se demander comment tout ça tenait dans la tasse.

« Je crois que c'était une gentille fille à qui on avait laissé un peu trop de liberté. Il n'y a pas grand-chose à raconter, mais il paraît que les jeunes s'en donnaient à cœur joie, là-bas, à l'école. Il faut dire qu'ils ne sont pas très surveillés, alors vous savez ce que c'est, se mit à raconter Bolette. Quoi qu'il en soit, on disait qu'elle avait eu plusieurs petits amis en très peu de temps.

— Qui, "on" ? gronda la voix d'Assad, du fond de sa tasse.

— Mon neveu, qui est le concierge de l'école, prétendait qu'elle voyait plusieurs garçons. Rien de bien grave, je crois. Des promenades main dans la main, dans la Vallée des Échos qui est tout près de l'établissement. Ce genre de choses.

— Cela me paraît assez innocent, constata Carl. Il y a quelque chose dans le rapport à ce sujet, Assad ? »

Son assistant acquiesça. « Oui. Elle a eu un petit ami parmi les élèves. C'était juste un flirt, mais elle a aussi eu une histoire avec quelqu'un en dehors de l'école, qui a duré un certain temps. »

Carl se tourna vers les deux femmes. « Vous le connaissiez ? »

Elles firent signe que non.

« Que dit le rapport sur lui, Assad ?

— Seulement qu'on a essayé de savoir qui il était mais qu'on n'y est pas parvenu. Une fille de l'école dit que ce n'était pas un élève et qu'après l'avoir rencontré, Alberte passait des heures à rêvasser en pensant à lui au lieu d'écouter les cours, comme si tout le reste lui était devenu égal.

— Vous savez si l'enquête de Habersaat a donné des résultats en ce qui concerne l'identité de ce type ? »

Les deux femmes et Assad secouèrent la tête simultanément.

« Bon, on verra ça. Donc, si je résume, Christian Habersaat s'investit corps et âme dans une enquête qui n'est pas la sienne. Sa femme le quitte, emmenant leur fils avec elle, et les gens de cette ville ne le soutiennent pas. Un chauffard, un délit de fuite et la mort d'une jeune fille mettent sa vie sens dessus dessous, ce que, je vous l'avoue, le policier que je suis a un peu de mal à comprendre. Nous avons essayé de parler avec June Habersaat mais elle refuse de nous dire quoi que ce soit et semble très remontée contre son mari.

Vous semblez bien la connaître, Bolette, est-ce que vous vous voyez de temps en temps ?

— Dieu du Ciel, non ! Nous étions bonnes amies à une époque. Le couple vivait deux cents mètres plus bas dans la rue. Quand elle a quitté Habersaat, nous avons cessé de nous voir – c'est lui qui avait gardé la maison. Enfin, je la croise parfois à Brændegårdshaven, le parc d'attractions où elle vend des billets, des glaces et où elle travaille comme collaboratrice polyvalente, mais je ne lui ai pas parlé depuis des années. Elle est devenue bizarre après l'histoire qu'elle a eue avec cet homme et avec l'affaire Alberte. Peut-être que sa sœur Karin pourrait vous en dire plus. Elle, June et Bjarke ont vécu ensemble dans la maison de Jernbanegade à Aakirkeby. À l'origine c'était celle de leurs parents. Apparemment Karin a fini par en avoir marre. Je crois qu'elle habite à Rønne maintenant. Vous pourriez aussi aller voir Oncle Sam au numéro 21. C'est lui qui a eu le plus de contacts avec Habersaat ces dernières années. »

Carl jeta un coup d'œil à Assad qui griffonnait ces informations comme un forcené. Bientôt, ils allaient pouvoir faire un classement vertical avec toutes ces notes, du moins il l'espérait. « Encore un détail, dit-il. Sur le film qui a été tourné hier, on voit une personne qui quitte la salle tout de suite après que Habersaat se suicide. Vous pouvez me dire de qui il s'agit ?

— Oh, c'est seulement Hans, dit Bolette. L'idiot du village qui rend des petits services à droite à gauche. Il vient ici chaque fois qu'il y a quelque chose à manger et à boire. Je doute que vous en tiriez grand-chose.

— Vous savez où on peut le trouver ?

— À cette heure-ci ? Essayez le banc derrière le fumoir à harengs. Il vous suffit de traverser la route et de prendre le chemin de la plage sur votre droite. Vous trouverez un bâtiment gris avec une toiture plate et deux fours à fumer au bout. Le banc est dans le jardin qui se trouve à l'arrière. Il doit être là-bas en train de sculpter des morceaux de bois ou de boire des bières. C'est ce qu'il fait, en général. »

Quand ils furent sur le chemin de la plage, ils aperçurent la silhouette de Rose au loin. Elle était debout sur des rochers plats qui émergeaient à peine à la surface de l'eau. Elle avait l'air étrangement perdue, comme si, tout à coup, le monde était devenu un peu trop grand pour elle.

Ils s'arrêtèrent pour la regarder. Ils avaient du mal à reconnaître la Rose forte et combative qu'ils connaissaient.

« Il y a combien de temps que le père de Rose est mort, alors ? demanda Assad.

— Assez longtemps. Mais je n'ai pas le sentiment qu'elle soit encore en paix avec ça.

— On va la renvoyer à Copenhague ?

— Mais non. Normalement, on va reprendre le bateau ce soir, tous les trois ensemble. Les autres interrogatoires que nous devons faire, la sœur et peut-être une ou deux personnes de l'école, on les fera par téléphone.

102

— Ce soir ? Déjà ? Vous ne voulez pas rester sur l'île pour continuer l'enquête ?

— Pourquoi ferions-nous une chose pareille ? Les experts ont fouillé la maison de Habersaat de fond en comble et je n'attends rien d'extraordinaire de ce côté-là. Entre hier et aujourd'hui nous n'avons pas obtenu quoi que ce soit de concret qui nous permette de relancer cette enquête. N'oublie pas que Habersaat a consacré sa vie à la résoudre sans y parvenir. Comment un jour ou deux de plus ici pourraient-ils faire avancer ce dossier ? On parle d'une histoire survenue il y a bientôt vingt ans, Assad.

— Ah ! Voilà l'homme dont on nous a parlé, chef ! » l'interrompit Assad, désignant une silhouette recroquevillée sur un banc de couleur blanche posé derrière les cheminées des fours à fumer le poisson. Une grande quantité de cadavres de bière gisait à ses pieds. Apparemment, on ne pouvait pas faire grand-chose dans cette petite communauté sans que tout le monde le sache.

« Salut ! lança Assad gaiement en passant le portillon du jardin. Te voilà, Hans. Exactement à l'endroit où Bolette nous l'a dit, alors ! »

C'était bien essayé de la part du policier mais le gars ne daigna même pas lever les yeux sur lui.

« Tu es drôlement bien ici. Et tu as une belle vue, en plus. »

Toujours pas de réaction.

« D'accord, tu n'as pas envie de me parler maintenant, tant pis pour toi. Moi ça m'arrange, figure-toi. » Il fit un signe de tête à Carl et ouvrit le robinet du tuyau d'arrosage pour se laver les mains. Carl regarda sa montre. C'était l'heure de la prière.

« Vous n'avez qu'à aller chercher Rose, chef. J'en ai pour dix minutes », dit Assad, tout sourire.

Carl secoua la tête. « Je préfère la laisser tranquille pour le moment. Je vais faire un tour et réfléchir à tout ça. Mais honnêtement, tu crois vraiment que l'endroit est bien choisi pour faire ta prière ? Tout le monde peut te voir.

— S'ils n'ont jamais vu un musulman en train de prier, il serait peut-être temps, chef. L'herbe est douce et ce type n'a pas envie de me parler, alors. Je ne vois pas où est le problème.

— OK, à ta guise, Assad. Tu veux que j'aille te chercher ton tapis ?

— C'est gentil, mais je vais me servir de ma veste. En pleine nature, elle devrait faire l'affaire », dit-il en retirant ses chaussettes.

Carl n'avait pas fait vingt mètres sur le sentier qu'Assad était déjà prosterné et en pleine prière. La scène était belle et cadrait parfaitement avec le décor. Carl se dit qu'il ne serait probablement jamais aussi proche de Dieu.

Il se tourna vers la silhouette sur les rochers, immobile comme un sphinx, les nuages dansant au-dessus de sa tête. Pourquoi est-ce qu'elle reste là ? se demandait-il. À quoi pense-t-elle ? Est-ce qu'elle est triste ou bien sa tête est-elle si pleine de secrets qu'il n'y a presque plus de place pour autre chose dedans ? Est-ce à l'affaire Alberte et Habersaat qu'elle réfléchit ?

Carl eut tout à coup une étrange sensation. Deux jours plus tôt, il était chez lui et n'avait jamais entendu parler ni d'Alberte ni de Christian Habersaat. Il se fichait royalement de Svaneke, de Listed ou de Rønne, et voilà qu'il se retrouvait ici, envahi par un sentiment de solitude et d'abandon. Et c'est dans cet endroit reculé du Danemark qu'il prenait brusquement conscience du fait qu'un homme ne peut pas échapper à ce qu'il est, où qu'il se trouve. Ce fichu Jiminy Cricket était toujours du voyage, et chaque être était seul responsable de ce qu'il était.

Il secoua la tête. Tout cela lui parut soudain tellement pathétique. Est-ce qu'il s'imaginait vraiment qu'il pourrait un jour s'oublier et faire abstraction de tout ce qui avait fait de lui l'homme qu'il était aujourd'hui ?

Mais n'était-ce pas le lot de la plupart des gens ? Le monde ne passait-il pas son temps à osciller entre l'abnégation et la glorification de l'ego ? Quand on n'aimait plus sa vie, il suffisait de s'enfuir. De tourner le dos à ses opinions, à son mariage, à son pays, à ses valeurs, bref, à tout ce qui la veille encore était vous. Le problème étant qu'une fois établi dans sa nouvelle vie, on n'y trouvait rien de ce qu'on cherchait au départ, car elle avait déjà perdu l'attrait de la nouveauté. On passait son temps à poursuivre en vain ses propres fantômes et on devenait pathétique.

Lamentable. Est-ce que, vraiment, il ne valait pas mieux que ça ?

Tu es un con, Carl, se dit-il en aspirant jusqu'au fond de ses poumons la puissante odeur d'iode et d'algues en décomposition, tandis que ses pensées continuaient de se bousculer dans sa tête. Pourquoi était-il dans cet état ? Et pourquoi ne parvenait-il pas à avoir une relation amoureuse stable ? Lisbeth n'avait-elle pas été à la fois gentille et compréhensive après sa rupture avec Mona ? C'était une femme tout à fait merveilleuse, non ? Et lui, avait-il été assez gentil avec elle ? Non, il l'avait trahie et il lui avait tourné le dos à la seconde où il l'avait rencontrée. Elle aurait pu s'en plaindre et le lui reprocher. Et elle n'en avait rien fait. Alors finalement, qui avait trahi qui dans cette histoire ?

Et maintenant, où en était-il ? Il y avait eu d'autres Lisbeth dans sa vie, depuis. Y avait-il une femme au monde qui aurait envie de retenir quelqu'un comme lui ?

Enfin, j'ai toujours Morten et Hardy, n'est-ce pas ? se consola-t-il. Et Jesper ? Peut-être Assad et la fille là-bas sur les rochers aussi. Mais seraient-ils encore là demain ? Méritait-il seulement qu'on s'attache à lui ?

Carl contempla le flux et le reflux des vagues pendant quelques minutes encore, puis, décidé, sortit son mobile de sa poche et fit défiler les numéros de son répertoire.

Celui de Mona s'y trouvait encore. Trois ans sans lui parler alors qu'il pouvait l'atteindre par une simple pression sur l'écran de son portable.

Son index hésita une seconde de plus et il se posa sur le prénom de Mona.

Moins de dix secondes plus tard, sa voix à elle prononçait son prénom à lui. Son numéro était encore mémorisé dans son répertoire, donc. Devait-il prendre cela comme un signe encourageant ?

« C'est toi ? Allô, Carl, je ne t'entends pas, dit-elle si naturellement que cela le paralysa. Allez, Carl, je le vois que c'est toi qui m'as appelée. Tu as fait une erreur de numéro ? »

Sa réponse vint enfin, très doucement : « Non, ce n'est pas une erreur, j'avais simplement envie d'entendre ta voix.

— D'accord.

— Ça va te paraître un peu bizarre mais en ce moment, je me trouve à Listed, près de Svaneke, sur l'île de Bornholm, en train de regarder la mer et je ne pense qu'à une chose, c'est t'avoir près de moi.

— Svaneke ! Amusant, parce que moi je suis exactement à l'autre bout du Danemark, à Esbjerg pour être exacte, et, ne serait-ce que pour cette raison, ça va être un peu compliqué. »

Elle avait dit : « ne serait-ce que pour cette raison ». Est-ce qu'elle aurait dit ça si elle avait été contente de l'entendre ?

« Je vois. Ce n'est pas très important. Je voulais juste que tu le saches. On se verra peut-être à Copenhague à mon retour.

— C'est ça. On s'appelle, d'accord ! Mais fais attention à toi, Carl. Ne tombe pas dans la Baltique, surtout. Il paraît que l'eau est particulièrement froide. »

L'adjectif convenait parfaitement à leur conversation et ce n'était pas pour le réjouir.

Quand il revint près de son assistant, celui-ci était assis sur le banc, en pleine conversation avec Hans.

« Il est fou celui-là, gloussait ce dernier d'une voix d'enfant. Il s'est couché par terre, les fesses en l'air, et il a dit des trucs auxquels on ne comprenait rien du tout. »

Assad rigola. « Figurez-vous que Hans ici présent croyait que je voulais lui taper une bière. Maintenant, il a compris qu'un gars comme moi ne ferait jamais ça, alors.

— Il ne boit pas du tout, vous vous rendez compte ? Même pas le 1er Mai. Vous allez défiler à Rønne ? Moi, j'y suis allé une fois mais depuis je me suis mis à voter pour le Danmarkspartiet[1] parce que je connais quelqu'un qui vote pour ce parti-là et qu'on habite tous au Danemark. Même ce drôle de gars, là, qui ne boit pas du tout. J'ai raison ou pas ? dit-il, hilare.

— Hans dit qu'il connaît tout le monde dans cette ville. Il n'a pas du tout aimé ce que Habersaat s'est fait à lui-même hier. C'est pour ça qu'il s'est sauvé, mais il n'aimait pas Habersaat, de toute façon.

— Habersaat ! Il était fou. Je suis deux fois plus intelligent que lui. Au moins deux fois plus.

— Qu'est-ce qui vous fait dire ça ? demanda Carl.

— Sa femme était tellement belle. Ah ça oui, elle était belle. Je n'ai jamais rien vu d'aussi beau, rien. Et il l'a laissée filer, cet idiot stupide. Je l'ai vue, moi, traîner en ville avec des pêcheurs, et une autre fois sur

1. Danmarkspartiet : littéralement « le Parti du Danemark », l'équivalent du Front national en France.

108

la colline de Knarhøj avec un autre. Habersaat était un idiot. Ils lui faisaient tous des bisous partout. » Il tendit le cou. « Hé ! La fille que vous attendez, elle arrive ! Attention, elle est là. »

Il descendit la moitié de sa bière en pointant le doigt vers Rose qui lui répondit par un salut de la tête et les rejoignit, les joues rouges et les cheveux ébouriffés, visiblement déterminée à interrompre leur conversation.

« Attends une seconde, Rose. Assad tient quelque chose, là, la prévint Carl en se tournant vers l'homme sur le banc.

— Bonjour, Hans. Moi c'est Carl, je suis l'ami d'Assad. Je suis un très gentil garçon, mais un peu curieux, aussi. Ces pêcheurs dont tu parles et qui lui faisaient des bisous, tu les connais ? Tu crois qu'il y en aurait un qui voudrait bien parler avec moi ?

— Il n'y en a plus dans la ville, des pêcheurs. Pas des comme ceux dont je vous parle.

— Et l'homme que June Habersaat a rencontré sur la colline de… c'était quoi le nom déjà ? Knarhøj ? Lui, tu connais son nom ? Il y a moyen de l'interroger ? »

Un flot de bière déborda des commissures du gars quand il éclata de rire. « Il n'y a pas moyen. Je ne sais pas comment il s'appelait. Il n'était pas d'ici. Tu n'as qu'à demander à Bjarke, le garçon à qui j'ai appris à sculpter des morceaux de bois. Il avait l'air bête dans ses habits de scout et sa culotte courte quand ils creusaient ensemble, là-haut, à Knarhøj, ou je ne sais pas trop ce qu'ils fichaient.

« — Pourquoi dites-vous qu'il avait l'air bête ?

— Ben parce que c'était presque un adulte.

— Il était peut-être chef de troupe. »

L'homme s'illumina. On aurait dit que quelqu'un avait subitement rebranché ses connexions cérébrales. « Voilà, c'est ça !

— D'accord, Hans. Alors vous me dites que vous avez vu Bjarke en train de parler à l'homme que sa mère fréquentait ?

— Oui. Elle est même venue un jour où son fils et le gars étaient là-haut. Pile à l'endroit où il y a un labyrinthe, maintenant. C'est comme ça que ça s'appelle, n'est-ce pas ? J'ai vu des panneaux où on avait écrit ce mot. Parce que je sais lire. Vous ne le saviez pas, ça, hein ? »

Ils le laissèrent sur son banc après lui avoir donné un billet de vingt couronnes. « Avec ça, j'en ai pour toute la journée », leur avait-il dit. Assez pour trois bières. Peut-être encore plus.

Lui au moins, il n'attendait pas de l'existence qu'elle lui donne l'impossible.

« Écoutez-moi, vous deux ! » s'exclama brusquement Rose sur le chemin pour revenir à la voiture. Ses yeux lançaient des étincelles et son cerveau était un carrefour d'impulsions électriques. Elle devait être arrivée à une conclusion. « Pendant que j'étais sur mon rocher, là-bas, j'ai réfléchi et réfléchi. Qui était Habersaat et pourquoi a-t-il fait ce qu'il a fait ? Pourquoi cette affaire l'a-t-elle fasciné à ce point ?

— Peut-être que c'était pour compenser le fait que ça n'allait pas très bien chez lui. Tu as entendu ce que disaient les deux bonnes femmes et aussi le gars de tout à l'heure ? Ou alors c'était son orgueil de flic qui était en jeu, suggéra Carl.

— C'est possible. Je suis sûre que c'était un bon flic, dit-elle. Il poursuivait un but, il n'a pas réussi à l'atteindre et il s'est tué. La question est de savoir s'il l'a fait juste parce qu'il n'en pouvait plus. »

Carl haussa les épaules. « C'est possible.

— C'est ce que tu crois, Rose ? demanda Assad gentiment.

— Je le croyais, mais plus maintenant. Je crois qu'il s'est tué pour prouver à quel point cette affaire était importante à ses yeux. Et tu sais pourquoi je pense ça ? Hein, Assad ?

— En tout cas, elle était assez importante pour qu'il se tire une balle dans la tête.

— Très drôle, Assad. Habersaat s'est suicidé pour nous obliger à continuer ce qu'il avait commencé. J'en suis absolument convaincue. Et il avait besoin d'aide justement parce qu'il n'était plus dans le brouillard.

— Ce n'est pas l'inverse que tu veux dire ? suggéra Carl.

— Non. Ce serait bien sûr le plus logique, mais moi je crois qu'il avait fini par découvrir l'identité de la personne qui avait percuté Alberte en voiture et l'avait tuée. Mais il ne pouvait pas le prouver. » Elle secoua la tête. « Ou alors il n'arrivait pas à mettre la main dessus. Ou les deux. Voilà ce que je crois, et aussi que ça le rendait cinglé. Si nous fouillons soigneusement sa maison, je suis certaine que nous y trouverons une réponse.

— Je t'arrête, Rose. Je sais que tu es déjà impliquée dans cette affaire, mais j'ai tout de même une question : est-ce qu'il n'aurait pas été plus logique de noter le nom de la personne qu'il soupçonnait sur une feuille de papier ? Ça nous aurait quand même facilité la tâche ! Si son suicide était à ce point prémédité et calculé dans les moindres détails, comment expliques-tu qu'il ne nous ait pas laissé un message ?

— Ce n'est pas ainsi que je vois les choses. Peut-être qu'il nous a laissé un mot quelque part, mais que nous ne l'avons pas encore trouvé, je n'en sais rien. Ou alors, il n'a rien écrit. » Elle secoua à nouveau la tête. Elle était plantée au milieu d'un carrefour d'hypothèses et elle n'arrivait pas à en choisir une. « Peut-être qu'il n'avait pas encore la réponse mais qu'il pressentait qu'elle était juste sous son nez. C'est pourquoi il avait besoin de nos yeux pour la trouver à sa place. » Elle hocha la tête, satisfaite. « Voilà, je pense que c'est ça. »

Elle braqua sur Carl un regard étincelant. C'était frappant de voir à quel point le regard de Rose pouvait être intense et persuasif.

« Vous savez quoi ? Il nous a choisis pour y voir plus clair et nous devons en être fiers. Il savait que nous serions obligés de faire le voyage s'il mettait fin à ses jours. Il avait compris qu'il devait faire le sacrifice de sa propre vie pour que le monde comprenne que cette enquête devait être ouverte à nouveau. J'en ai l'intime conviction. »

Carl hochait la tête en regardant son autre assistant du coin de l'œil.

« On l'a perdue, là », disait ses yeux.

Assad n'était pas loin de partager son avis.

9

Septembre 2013

Wanda Phinn ne démissionna pas, elle partit, voilà tout. Elle jeta sa casquette par terre, dit « Salut » à la femme au contrôle et franchit la porte.

Ce fut comme une libération, totale et définitive, et le mur du parc de Victoria Embankment s'effaça devant elle sans l'aide du moindre sortilège, ses regrets du temps gaspillé s'évanouirent et elle oublia les bruits du parc. Devant elle s'ouvraient le monde, sa vie, et un destin réservé à de rares élus.

Car Wanda avait un plan. Depuis l'instant où Atu Abanshamash Dumuzi lui avait caressé la joue et l'avait appelée sa fleur, depuis ce moment où le sang avait quitté son visage et où elle s'était évanouie, depuis la seconde où elle avait repris connaissance et croisé, fascinée, son regard envoûtant et senti ses lèvres sur le dos de sa main, elle avait su qu'Atu Abanshamash incarnait l'avenir dont elle rêvait.

Quand elle fit part à Shirley de son projet, celle-ci la gratifia d'un interminable discours, essayant de la mettre en garde. De quoi se mêlait-elle ?

« C'est vrai qu'en photo, sur le site, tout cela a l'air merveilleux. De beaux bâtiments, des rituels extraordinaires, la mer juste à côté. Mais quand tu seras là-bas, Wanda, tu risques de découvrir que ce n'était que de la poudre aux yeux et que tu as entrepris ce voyage pour rien, la prévint-elle. Atu Abanshamash peut avoir toutes les femmes qu'il veut. Regarde tout ce qu'il sait faire et le physique qu'il a. » Ses yeux s'étaient presque retournés dans ses orbites quand elle avait dit ça. Elle aussi mettrait du temps à se remettre du charme envoûtant d'Atu Abanshamash.

« Il y a longtemps que tu n'as pas couché avec un homme. Ne me dis pas le contraire, je le sais. Il est possible que tu sois simplement excitée par lui. Tu es peut-être sur un petit nuage parce que tu te crois amoureuse. Mais moi, je crois que tu es juste frustrée. Tu sais, Wanda, il y a un tas d'hommes ici à Londres qui seraient ravis de baiser avec toi sans te faire plus de mal que tu ne les y autoriserais. »

Wanda secoua la tête. Tout était si banal dans la bouche de son amie.

« Je ne crois pas que tu comprennes ce que je veux te dire, Shirley. Je serai l'élue d'Atu Abanshamash. Je vivrai selon ses préceptes et je porterai ses enfants. C'est à cela que je suis destinée depuis ma naissance.

— Son élue ? » Elle faillit éclater de rire mais s'abstint en voyant la gravité qu'il y avait dans le regard de son amie. « Wanda, tu n'as pas remarqué les regards incendiaires que t'envoyait la femme qui était auprès de lui ? Son assistante ? Je peux t'assurer que tu ne parviendras jamais à évincer cette femme-là.

— Elle était vieille.

— Merci beaucoup, répliqua Shirley, vexée. Elle devait avoir à peu près mon âge. »

Wanda détourna les yeux. De la fenêtre de sa chambre de bonne, sa vue sur le monde était un autre mur qui semblait être là dans l'unique but d'occulter toute lumière et de l'empêcher de rêver. Et derrière ce mur vivaient d'autres gens et leurs espérances déçues. Chaque jour, ce mur devenait plus gris que le jour précédent. Dans ce quartier l'avenir ne se nourrissait que de rêves. Les garçons se voyaient footballeurs ou musiciens de rock et les filles seraient leurs épouses qu'ils feraient vivre dans un luxe indécent. Dans ce quartier on passait ses journées à regarder des émissions de téléréalité et des jeux stupides en mangeant de la junkfood. Dans ce quartier, les statisticiens n'avaient aucun mal à affirmer que zéro virgule zéro pour mille de ces enfants atteindrait le pays merveilleux où le succès, l'argent et le bonheur éternel étaient monnaie courante. Elle était bien placée pour le savoir.

« Excuse-moi, Shirley, dit-elle en voyant que son amie fulminait dans son coin. Ce n'est pas ce que j'ai voulu dire. C'est juste que moi, je suis jeune et que je n'ai pas encore enfanté et que mon corps et mon âme sont prêts pour tout ça. Et puis, pour ta gouverne, sache qu'Atu ne partage pas sa couche avec la femme qui l'assiste. Crois-moi, je sens ce genre de choses.

— Tu seras déçue, Wanda, tu seras malheureuse, et en plus tu vas dépenser toutes tes économies dans un projet sans avenir. De quoi vivras-tu quand tu reviendras ? Où habiteras-tu ? Tu sais bien que ma chambre est trop petite pour qu'on y vive à deux.

— Je reviendrai pour te rendre visite et j'irai à l'hôtel. Mais ce jour-là, je serai une autre femme, tu peux en être sûre. »

La bouche de Shirley se crispa. « Qui va me tenir compagnie, si tu n'es plus là ? Avec qui est-ce que je vais pouvoir papoter en rentrant du boulot, où je m'ennuie à mourir ? » Elle se mit à pleurer. « Tu ne vas pas me laisser toute seule dans cet endroit pourri, si ? »

Wanda ne répondit pas. Elle prit son amie par les épaules, l'attira vers elle et la serra fort.

« Au moins, promets-moi de m'envoyer des mails régulièrement pour me dire comment tu vas. Tu veux bien ? S'il te plaît, Wanda ? lui dit-elle en ravalant ses larmes.

— Tu peux compter sur moi. Je t'écrirai tous les jours si je peux.

— Tu dis ça, mais tu ne le feras pas.

— Je te le promets, Shirley. Et tu sais que je tiens toujours mes promesses. »

Elle envoya un mail à l'Académie de naturabsorption sur l'île d'Öland en Suède pour les prévenir qu'elle avait fixé sa date de départ et qu'elle serait contente qu'on vienne la chercher à la gare de Kalmar le lendemain. Elle écrivait aussi qu'elle avait l'intention de participer à d'autres stages à l'académie que celui auquel elle s'était inscrite, et que si c'était possible, elle aimerait bien ensuite continuer à vivre chez

eux et prêcher la parole et l'idéologie d'Atu Abanshamash Dumuzi sans attendre de salaire en retour.

Wanda était convaincue que les choses se passe-
raient comme elle l'espérait. Atu Abanshamash avait
montré qu'il la désirait et il aurait pu l'avoir ce jour-là,
à Londres, s'il n'avait pas été occupé par son cours, ils
le savaient tous les deux. Elle ne faisait que corriger
un petit problème de timing. Ils allaient pouvoir poursuivre là où ils en étaient restés.

L'heure était venue.

Deux jours s'écoulèrent avant qu'elle ne reçoive un
mail lui indiquant que les cours étaient complets mais
qu'on la tiendrait informée des disponibilités dans les
prochaines sessions. Elle ne devait cependant pas s'attendre à ce qu'il y ait une place pour elle cette année.

Wanda se refusa à le croire. Dès qu'Atu Abanshamash la verrait, les choses se dessineraient différemment. Il suffisait qu'elle soit parfaitement préparée. Elle
remarqua l'identité de l'expéditrice, Pirjo Abanshamash Dumuzi.

Shirley avait raison. Il allait y avoir une lutte de
pouvoir entre elles deux, cela ne faisait aucun doute.
Une lutte sanglante et sans merci.

Elle se mit à passer jour et nuit à se documenter
sur les énergies alternatives de l'univers et apprit par
cœur les préceptes qu'Atu enseignait au sein de l'Académie de naturabsorption. Elle ne voulait être prise en
défaut ni sur ses connaissances, ni sur sa motivation.
Wanda apprenait avec facilité car tout ce que disait
Atu Abanshamash Dumuzi lui apparaissait comme
juste et évident. On aurait dit que l'idéologie d'Atu

englobait toutes les croyances du monde et tout ce que l'humanité avait de meilleur en une seule loi pure et raffinée par laquelle elle se laissait emporter sans résistance. Au fur et à mesure qu'elle lisait, qu'elle essayait de saisir les fils conducteurs et de comprendre son chemin spirituel vers une vie plus pure, elle sentait s'envoler la laideur et la stupidité de sa vie profane.

Un jour qu'elle étudiait à son bureau, elle se redressa et sentit une grande paix envahir son âme. Il n'y avait plus de bouteille de Coca sur la table, plus d'écran de télévision diffusant des images de sitcom dans son champ de vision, plus de bruit dans sa tête. Ses derniers doutes quant à la viabilité de son projet s'évanouirent. Elle était calme et plus motivée que jamais.

Elle était désormais prête à se présenter devant Atu Abanshamash. Il allait être bouleversé par sa sensualité et la connaissance qu'elle avait de son enseignement et comprendrait immédiatement qu'il avait trouvé en Wanda une femme digne de lui à tous points de vue.

Et l'autre, cette femme qui se croyait invulnérable et qui essayait de lui barrer la route, n'aurait plus qu'à s'en aller.

10

Villy Kure, le capitaine de navire que tout le monde appelait Oncle Sam, habitait dans une petite maison jaune à colombages avec son propre fumoir, sur Mosedalsvej, à deux maisons au nord de celle de Habersaat. Le long de cette route de campagne qui reliait Sandvig à Snogebæk, des maisons de styles divers se dressaient les unes après les autres, à deux mètres au-dessus du niveau de la chaussée, jouissant d'une vue imprenable sur les cabanes de pêcheur, le port et la mer. Cet endroit aurait été un véritable paradis si un habitant de la commune n'avait pas eu le mauvais goût de se faire sauter la cervelle quelques jours auparavant.

Ils frappèrent à la porte d'entrée et comme personne ne venait leur ouvrir, ils contournèrent la maison par une allée qui passait devant un fumoir à poisson, et ils se rendirent dans la cour, à l'arrière, où ils trouvèrent un pick-up garé.

Carl posa la main sur le radiateur. Il était froid.

La porte de derrière ne donna pas plus de résultat. Un cycliste qui passait par là fut en mesure de leur expliquer pourquoi lorsqu'ils revinrent tranquillement à leur voiture.

« Oncle Sam est en mer. Il est capitaine d'un bateau de pêche qui fait actuellement office de bateau de surveillance. Vous n'êtes pas près de le voir chez lui.

— Un bateau de surveillance ?

— Oui, c'est ce que j'ai dit. Quand ces foutus commandants russkoffs ne remontent pas correctement leurs ancres, elles raclent le fond et entraînent les câbles électriques avec elles. Et là, ça recommence. À Noël, l'an passé, tout le courant venant de Suède a été coupé à cause de ça. Heureusement, les dégâts étaient moins importants cette fois-ci. Chaque fois qu'il arrive un incident de ce genre, Sam reste au large sur son bateau pour protéger le navire câblier qui répare le réseau électrique endommagé.

— Je vois. C'est dommage. Nous aurions bien aimé parler avec lui de Christian Habersaat. Ils se connaissaient bien, je crois.

— Sacré Habersaat ! » Il renifla avec mépris. « Oui, ils étaient amis, dans la mesure où on pouvait être ami avec Habersaat. Ils jouaient aux cartes ensemble. Je crois que c'est à peu près tout ce qu'ils faisaient ces dernières années.

— Donc, vous ne pensez pas que Habersaat ait fait des confidences à Oncle Sam sur cette affaire qui l'occupait tellement ?

— Il a dû le bassiner avec ça les dix premières années, mais je vais vous dire le fond de ma pensée : même un type comme l'Oncle Sam peut finir par se lasser, vous voyez ? Difficile de faire plus gentil que cet homme-là, mais il y a des limites. Non, si vous voulez mon avis, ils jouaient aux cartes ensemble de temps en temps, mais c'est tout.

— Alors d'après vous, Oncle Sam ne savait pas que Christian Habersaat était au bout du rouleau ?

— Comment l'aurait-il su ? Il passait sa vie en mer et Habersaat n'était pas du genre à montrer ses sentiments, vous voyez ? Pourquoi est-ce que vous ne lui passez pas un coup de fil ? Vous pensez peut-être que nous n'avons pas le téléphone à Bornholm ? »

Il rigola un bon coup à sa propre blague, mais finit quand même par leur donner le numéro, qui sonna occupé.

La très ordinaire maison de briques rouges de Habersaat dégageait une atmosphère étrangement désolée. Pas vraiment hantée, mais plutôt comme si elle était habitée par quelque chose qui n'allait jamais se réveiller. Un château où une Belle au bois dormant, triste et abandonnée, attendrait pour l'éternité le baiser qui viendrait la réveiller et la libérer de son sortilège.

« Cette maison n'est jamais revenue à la vie après que la famille a éclaté. Vous le sentez ? » dit Rose en insérant la clé dans la serrure.

L'odeur sure et rance qui leur sauta aux narines vint confirmer sa remarque.

« Beurk, les experts auraient au moins pu se donner la peine d'aérer », poursuivit-elle.

Ce genre de puanteur pouvait être due aux poubelles et autres détritus restés sur place. Aux légumes en train de pourrir au fond de quelque tiroir. Aux boîtes de conserve à moitié vides dont le contenu avait fermenté. À la vaisselle sale, oubliée dans l'évier depuis plusieurs mois. Mais ce n'était pas de là que venait l'odeur dans la maison de Habersaat. Ce qui sautait aux yeux en y entrant, c'était la masse de papiers empilés partout, dans le chaos le plus total. Et pourtant, en y regardant de plus près, tous ces papiers semblaient soigneusement triés, rangés et judicieusement classés. La cuisine était impeccable, presque rutilante, l'aspirateur avait visiblement été passé dans le salon et la pièce avait été épousssetée partout où c'était humainement possible.

« Ça sent le tabac et la frustration, dit Assad, debout à côté d'une montagne de dossiers haute d'un mètre qui menaçait de s'écrouler.

— Je dirais que ça sent la cellulose et le renfermé. On n'a pas dû ouvrir les fenêtres depuis plusieurs années ! corrigea Carl.

— Vous croyez que la police scientifique a épluché tout ça, chef ? » demanda Assad, englobant la pièce et les montagnes de papiers de ses bras écartés.

Carl respira profondément avant de répondre. « Non, je ne pense pas.

— Par où on commence ? soupira Rose.

— Bonne question, dit Carl. Je comprends pourquoi il s'est découragé et pourquoi la police de Rønne n'a pas hésité à nous donner la clé de la maison et à nous laisser prendre possession du matériel rassemblé par le défunt. Merci, Rose. Écoute, je crois qu'Assad et moi on va rentrer à Copenhague ce soir et toi, tu vas rester ici, d'accord ? Avec ton talent pour la systémati-sation, tu vas nous organiser tout ça par ordre alpha-bétique, chronologique et thématique en, disons… un mois ou deux. »

Carl était assez content de lui, mais son humour glissa sur la donzelle.

« Il y a quelque part ici un renseignement qui va nous permettre de faire avancer cette enquête, je le sens. Je suis sûre que nous pouvons aller plus loin que Habersaat, si nous le voulons vraiment », répliqua Rose avec fermeté.

Elle avait probablement raison, mais il aurait fallu mobiliser une armée de gens pendant des semaines pour venir à bout de tout ce matériel. Il y avait de quoi décourager n'importe qui. À première vue, il semblait que Habersaat avait ratissé chaque mètre carré de l'île pendant les jours qui avaient suivi l'accident, puis exploré quelques centaines de pistes au fil des années. Il y avait apparemment un tas pour chaque nouvelle piste.

Dans quel tas se trouvait la clé de l'énigme ? Là était la question.

« On va tout emporter avec nous à Copenhague », déclara Rose.

Carl fit la grimace.

« Moi vivant, cela n'arrivera pas. Il n'y a pas la place. Où t'imagines-tu que tu vas édifier ce mausolée de papier ?

— Nous aménagerons une pièce spéciale dans le local qu'Assad est en train de peindre.

— Dans ce cas, j'arrête de peindre, alors, leur lança-t-il.

— Une petite seconde, vous deux ! Ce bureau était supposé être celui de Gordon, maintenant qu'il a son diplôme ! Que va dire notre cher patron, Lars Bjørn, s'il n'y a plus de place pour son petit protégé ?

— Je croyais que vous vous fichiez de l'opinion de Lars Bjørn, Carl », risposta Rose.

Carl sourit. Bien sûr qu'il s'en fichait. C'était *lui* le patron du département V et pas Lars Bjørn, contrairement à ce qu'il prétendait. En outre, il ne se gênait pas pour piocher dans les subventions qui auraient normalement dû tomber dans l'escarcelle dudit département, et s'il avait quelque chose à dire, Carl ne se gênerait pas pour aller le dénoncer. Bjørn avait intérêt à la fermer. Mais la question n'était pas là. Carl n'avait pas envie d'encombrer les locaux du sous-sol qui abritaient son service avec des monceaux de paperasse et de bric-à-brac, voilà tout.

« Je peux partager mon bureau avec Gordon le temps qu'on termine l'enquête, proposa Assad. J'aime bien avoir un peu de compagnie, alors. »

Carl n'en revenait pas. Il avait l'air de parler sérieusement.

« Vous ne deviez pas appeler ce monsieur Oncle Sam, au fait ?

— Tu n'as qu'à le faire, Assad », grogna Carl. C'était de bonne guerre après tout. « Ma batterie est presque vide », dit-il en guise d'explication.

« Vous pouvez vous servir du téléphone fixe qui est là », répliqua le petit Arabe en désignant une antiquité nordique, posée au sommet d'un énième tas de coupures de journaux, au milieu de la table.

Carl soupira. Il commençait vraiment à se demander s'il était encore le patron. Bon Dieu ! Il n'avait même pas encore décidé d'ouvrir cette enquête.

Pendant un instant, il envisagea de s'insurger, mais au nom de sa tranquillité, il y renonça et composa le numéro.

Il y eut un murmure, un souffle, puis une voix bouleversée à l'autre bout du fil.

« C'est franchement sinistre de m'appeler du téléphone de Christian, je trouve ! » hurla l'Oncle Sam quand Carl se fut présenté et lui eut exposé la raison de son appel.

Il y avait un grésillement sur la ligne et le grondement d'un moteur en bruit de fond, et Carl dut se boucher l'autre oreille pour entendre.

« Je disais que ça m'a fait un choc quand j'ai vu d'où venait l'appel. Mais oui, je confirme, Christian et moi jouions aux cartes quelquefois, on s'était vus la veille du jour où il s'est tué. Je ne vais pas pouvoir rester très longtemps, parce qu'au moment où je vous parle, il y a un connard de porte-conteneurs estonien de la MSC qui veut passer là où nous sommes en train de travailler, alors papa va devoir partir au large pour élever la voix un petit peu.

— Je ne serai pas long. Donc, vous avez passé la soirée ensemble la veille de sa mort. Vous me l'apprenez. Pourquoi la police n'est-elle pas au courant ?

— Peut-être parce qu'elle ne me l'a pas demandé. Je suis allé chez lui pour recevoir quelques consignes.

Il fallait bien qu'il me montre comment me servir de cette foutue caméra, n'est-ce pas ?

— Comment était-il à ce moment-là ? Il allait bien ? Il ne vous a pas semblé étrange ?

— Il était un peu ivre. Un petit shot d'aquavit et une ou deux bières ont vite fait de vous mettre la larme à l'œil, pas vrai ? Au fil de la soirée, il est devenu sentimental, mais ça lui arrivait souvent, alors je n'y ai pas fait plus attention que ça.

— Sentimental comment ?

— Il a pleuré. Il s'est mis à tripoter des objets qui avaient appartenu à son fils. Une écharpe bleue et un petit personnage en bois que Bjarke avait sculpté.

— Il était déprimé, alors.

— Pas du tout. Il m'a battu aux cartes, ha-ha. Non. Il était juste un peu triste. Mais pas plus que d'habitude.

— Et ça lui arrivait souvent de pleurer dans ce genre de situation ?

— Ça a dû arriver une fois ou deux, je ne me rappelle pas. Mais pas souvent, non. Il était peut-être un peu plus saoul qu'à l'accoutumée et il s'est mis à remuer le passé. "Tu te souviens de ci, tu te souviens de ça ?" m'a-t-il dit à plusieurs reprises en me parlant de choses qu'il avait faites avec sa famille. Mais ça m'a paru naturel, ce soir-là. Il était tellement seul, le pauvre homme. Évidemment, à la lumière des événements récents, je comprends mieux ce qui lui est passé par la tête. C'était une soirée étrange. Ça me fait de la peine d'y repenser. Enfin, qu'est-ce que vous voulez ? C'est comme ça, on n'y peut plus rien.

Et d'ailleurs ce con d'Estonien approche par bâbord maintenant et ça, c'est totalement impossible. Il faut que je raccroche avant que ce rafiot provoque des conneries. Rappelez-moi quand vous voudrez. Malheureusement, je crains de ne pas vous être d'une grande utilité. »

Carl raccrocha lentement le téléphone. Il n'aimait pas ça du tout. Cette affaire était en train de se rapprocher un peu trop à son goût. Il commençait à se sentir piégé.

« Qu'est-ce qu'il a dit ? » s'enquit Rose, tout en feuilletant des documents posés sur la table basse.

Carl se leva. Les verres à schnaps utilisés par Habersaat pendant son ultime soirée de beuverie n'étaient plus là, mais l'écharpe et la figurine en bois y étaient toujours. Elle représentait un homme. Elle était de facture maladroite, le travail d'un gamin, et pourtant elle était touchante et expressive.

« Il m'a dit que Habersaat était triste, et qu'il pleurait quand il a passé la soirée avec lui, la veille. En y réfléchissant après coup, il admet qu'il n'était pas tout à fait dans son état normal.

— Ce qui signifie que son geste était prémédité, je vous l'avais dit. Il savait déjà qu'il allait se tirer une balle dans la tête. Peut-être même qu'il l'avait décidé depuis longtemps.

— Peut-être, mais ce qui est sûr, c'est que ce n'est pas ma faute, on est d'accord ? » Carl les regarda tour à tour, glissant la figurine dans sa poche. De toute évidence, il y avait un système dans le désordre des papiers. Les tas qui se trouvaient à droite de la pièce et sur le buffet étaient assez anciens – le papier avait jauni –, alors que ceux qui formaient une travée conduisant à la pièce voisine étaient encore blancs. Des classeurs étaient alignés par ordre alphabétique et triés par thème, et sur les rebords des fenêtres s'empilaient des cassettes vidéo et divers catalogues.

Carl entra dans la pièce suivante où Assad regardait un panneau d'affichage couvert de photos de toutes tailles.

« Qu'est-ce que c'est que ça ? lui demanda-t-il.

— Ce sont des photos de fourgons. »

Il le croyait aveugle, ou quoi ?

Carl approcha.

« Oui, des cakes. Toutes ces photos représentent des vieux cakes Volkswagen.

— Ce ne sont pas des cakes, chef !

— C'est comme ça qu'on appelait ce genre de camionnettes à l'époque, à cause de leur forme.

— Ah, d'accord ! Vous ne trouvez pas bizarre qu'ils soient tous photographiés de face ?

— Si. Et qu'ils soient aussi différents les uns des autres. Il n'y en a pas deux pareils. »

Assad hocha la tête. « Je ne savais pas qu'il y en avait des rouges, des orange, des bleus, des verts, des blancs, il y en a de toutes les couleurs.

— Et de toutes les formes. Celui-là avec sa roue de secours à l'avant est très ancien. Certains ont des vitres sur les côtés, d'autres non. Tu les as comptés ?

— Oui. Il y en a cent trente-deux. »

Bien sûr qu'il les avait comptés.

« Alors ? Quelle était la théorie de Habersaat ?

— Qu'Alberte avait été tuée par un pain Volkswagen.

— Un cake, Assad ! Exactement. Je suis de ton
avis !

— Et probablement un de ceux avec une croix.

— Où ça, une croix ? »

Assad montra à Carl cinq photos sur lesquelles on
avait effectivement tracé une petite croix, en haut dans
l'angle.

« Et vous avez remarqué, sur chacune, c'est une
voiture bleue.

— Et c'est bien dommage, parce que ce sont aussi
les plus courantes, expliqua Carl. Dans les années
soixante et soixante-dix, on en voyait à tous les coins
de rues.

— Mais toutes les photos représentant des cakes
bleus n'ont pas de croix, chef. Seulement celles avec
un pare-brise en deux parties et pas de fenêtre à l'arrière.

— Ce qui, autant que je me souvienne, correspond
aussi au modèle le plus courant. Au départ le cake
Volkswagen était un fourgon de marchandises tout à
fait ordinaire, et il a subi quelques modifications au
fil du temps.

— Il y a une trace de graisse sur cette photo-là, dit
Assad. On dirait que quelqu'un a posé le doigt très
souvent sur ce pare-chocs, comme pour dire : c'est
toi. »

Carl se pencha pour mieux voir. Assad avait raison. Et le fourgon était une version un peu particulière
du modèle, avec un pare-buffle constitué de plusieurs

barres parallèles en acier sur lesquelles étaient soudées deux ailes verticales.

« De tous les véhicules marqués d'une croix, c'est le seul qui ait un pare-chocs renforcé, Assad. C'était bien vu.

— Regardez là-bas, Carl. C'est la même voiture. »

Assad montrait la cloison entre la pièce dans laquelle ils se trouvaient et une autre chambre.

Un grand poster était affiché au mur avec de l'adhésif de peintre entre deux tableaux, qui portaient d'ailleurs la même signature que le paysage de plage qu'ils avaient vu plus tôt sur le mur de la salle communale. Il devait s'agir d'un artiste local.

La photocopie du combi VW avec son pare-buffle était floue. On ne distinguait ni les numéros de la plaque minéralogique, ni le visage de l'homme qui sortait du côté conducteur au moment où avait été pris le cliché. On avait dû agrandir autant qu'il était possible une simple photo amateur et le résultat était médiocre.

« Regardez ce qui est écrit en dessous, chef. BMV/BR CI B14G27, 5 juillet 1997. C'est quatre mois et demi avant l'accident, alors », fit remarquer Assad.

Carl ne répondit pas.

D'un enchevêtrement confus de branches d'arbres grisâtres en haut de la photo partait une flèche presque invisible dirigée droit sur la tête du conducteur de la voiture. Une flèche de dix centimètres le long de laquelle étaient griffonnés quelques mots.

Carl sursauta quand il les eut déchiffrés.

« Voilà notre homme, Carl Mørck », était-il écrit au crayon à papier.

« Qu'est-ce que vous regardez, chef ? » demanda Assad avant de pousser une exclamation. Il venait de voir ce que Carl regardait d'un œil torve.

« Nom de Dieu, il me met la pression, soupira Carl. Et évidemment, il ne me donne pas le nom du type.

— Vous croyez qu'on pourrait rendre le visage de l'homme plus net, alors, si les techniciens à la maison nous donnent un coup de main ?

— Pas à partir de ce qu'on a là. » Tourné vers la porte, Carl cria : « Rose, tu peux venir s'il te plaît ? » Entre le moment où sa silhouette se découpa dans la porte et celui où elle comprit ce qu'ils avaient découvert, il se passa moins de quinze secondes.

« Allez, c'est parti », dit-elle, hochant la tête plusieurs fois de suite.

Carl pinça les lèvres.

« On ne peut plus faire machine arrière », renchérit Assad.

Carl resta un long moment à regarder l'agrandissement, puis il prit une profonde inspiration. Plus moyen de reculer, alors ? Non, il semblait que non. Il s'adressa à Rose :

« Je dois admettre qu'un certain nombre de choses laissent à penser que tu avais raison en ce qui concerne Habersaat. Il doit avoir des soupçons sur cet homme depuis plusieurs années, sans jamais avoir réussi à mettre la main dessus. Il devait être arrivé au bout du rouleau. Il avait besoin que quelqu'un prenne le relais, besoin de se sortir cette affaire de la tête parce

132

qu'il avait compris qu'il ne la résoudrait pas tout seul. Il ne s'est pas fait sauter le caisson seulement pour se sortir l'enquête de la cervelle, mais aussi pour être sûr qu'elle continue. C'est pourquoi j'ai tendance à penser, comme toi, qu'il était convaincu que nous prendrions le ferry et que nous viendrions reprendre son investigation. Son suicide était notre billet aller.

— Et il ne nous a pas donné de billet de retour, conclut Assad. Je me demande ce que BMV/BR CI B14G27 veut dire ?

— Ce sont peut-être les initiales de celui qui a pris la photo, ou un numéro de dossier. Tu as commencé à jeter un coup d'œil à tous ces documents, Rose ? »

Elle acquiesça.

« Ces chiffres et ces lettres ne t'évoquent rien ?

— Non. Le système de classement est assez élémentaire et, à vrai dire, il n'y a pas grand-chose dans ces dossiers. Ils sont pratiquement vides.

— Qu'est-ce qu'on fait maintenant, chef ? » demanda Assad.

Bonne question. Carl regarda ses équipiers. Ils travaillaient ensemble depuis sept ans, ils avaient résolu un nombre incalculable d'affaires et malgré cela, leurs yeux continuaient à briller d'enthousiasme. Parfois, il lui suffisait de les regarder pour recharger ses propres batteries, parfois, il avait un peu plus de mal. Aujourd'hui, sa carapace était un peu trop épaisse et il lui fallut puiser loin au fond de lui pour trouver l'énergie.

Il pianotait sur le mur à quelques centimètres de l'immense reproduction. Assad l'avait dit : faire machine arrière était exclu.

« OK ! Toi, Rose, tu t'occupes de réserver deux nuits supplémentaires à l'hôtel. Toi, Assad, tu restes avec moi. On va faire le tour de la maison pour se faire une idée de ce qu'on doit faire rapatrier, et on va noter à peu près l'ordre dans lequel les diverses pièces sont rangées actuellement. »

11

Septembre 2013

C'était la dixième fois que Pirjo lisait le dernier mail de Wanda Phinn annonçant son arrivée prochaine et la nouvelle la rendait malade au sens propre du terme. Les *mauvais feelings* n'avaient pas leur place dans l'enseignement de la naturabsorption, mais dans le monde d'où Pirjo venait, on avait appris à les prendre au sérieux.

Et cette fois son intuition ne lui disait rien qui vaille. À chaque nouvelle lecture, elle imaginait un nouveau scénario, et les conséquences probables de l'entrée en scène de cette Wanda Phinn. La fin était toujours la même : quel que soit le point de vue où elle se plaçait, ce que cette femme insinuait entre les lignes de son mail était une catastrophe. Elle avait ignoré le mail dans lequel Pirjo refusait de l'intégrer à la prochaine session de cours, expliquant froidement qu'elle venait en conquérante sur ce qu'elle considérait comme *son* territoire, et ça, Pirjo ne le tolérerait pas. Surtout maintenant que son horloge biologique se manifestait de façon aussi pressante.

Heureusement que je suis la seule à traiter ce genre de demandes, se dit Pirjo. Si Atu l'avait lue, sa curiosité et sa libido auraient sans aucun doute été piquées. Pirjo connaissait ses faiblesses mieux que quiconque. Jamais ! Elle ne laisserait jamais cette femme s'approcher de l'Académie de naturabsorption, car alors elle n'aurait plus aucun contrôle sur la suite des événements.

Elle regarda l'heure et réfléchit. Dans une heure cette femme allait arriver à la gare centrale de Kalmar avec sa jeunesse et ses nombreux talents, s'attendant à ce que Pirjo lui fasse allégeance.

Mais elle se trompait.

Je vais improviser, j'ai toujours été douée pour ça, se dit-elle.

Ça va aller.

Pirjo prit son scooter sur la place devant le ponton.

Elle resta un petit moment à regarder les planches pourries au-dessus de l'eau et les algues qui clapotaient au pied des poteaux. Il n'y avait pas de spectacle plus apaisant que celui-là et pourtant, il suscita en elle des associations d'idées qui ne la surprirent pas. En effet, l'existence de Pirjo s'était déjà trouvée gravement menacée et, la dernière fois, les choses s'étaient terminées précisément ici.

Ce jour-là, elle s'était accrochée avec l'une des disciples d'Atu en passe de devenir une sérieuse rivale. La dispute avait dégénéré : cris, bousculade, coups. La bagarre avait été violente. Cette femme avait pris ses quartiers dans les appartements d'Atu depuis plusieurs semaines, et elle avait commencé à vouloir reprendre certaines des tâches qui incombaient à Pirjo, et à elle seule.

Et en faisant cela, elle avait franchi une limite impardonnable.

Si l'issue de la confrontation fut un dramatique accident, il fallait reconnaître que cela arrangeait bien les affaires de Pirjo.

L'histoire remontait à quelques années, et maintenant voilà que débarquait cette Wanda Phinn.

Pirjo jeta un coup d'œil vers l'école et choisit de prendre le sentier qui contournait les bâtiments et traversait la pinède. C'était un détour, par rapport au chemin habituel pour rejoindre la nationale, mais le sentier était peu fréquenté et personne ne saurait où elle était allée, ni à quelle heure elle était partie.

Si quelqu'un lui posait des questions par la suite, elle répondrait qu'elle était allée au nord de l'île pour prendre l'air et se changer les idées. Elle dirait qu'elle avait eu besoin de calme pour réfléchir à un nouveau projet dans le cadre de ses consultations par téléphone.

Il était essentiel que son absence soit justifiée et crédible, et comme elle n'avait jamais mentionné le nom de Wanda Phinn, cette femme n'existerait pour personne.

Quand cette journée serait terminée et l'intruse neutralisée et éliminée, ce serait au tour de Malena de disparaître.

Elle ne savait pas encore comment elle allait se débarrasser d'elle sans qu'Atu sache ce qui s'était passé, mais si cela n'arrivait pas très bientôt, ça allait mal se terminer.

Pour Wanda, le voyage n'avait réellement commencé qu'au moment où elle était montée à bord du train à Copenhague. Le trajet en avion avait ressemblé à n'importe quel trajet en avion, mais ce dernier bout de route en train à travers des paysages comme elle n'en avait jamais vu avait été tout simplement féerique. Même la langue qui résonnait autour d'elle semblait appartenir à l'univers des contes. Elle était magique, excitante et venue d'un autre temps.

Des champs et des prairies immenses succédaient à des terrains rocailleux. Des murets en pierres sèches sur lesquels des hommes s'étaient écorché les mains il y a des siècles s'étendaient sur plusieurs kilomètres. Et puis soudain des maisons de bois peintes en rouge et des pinèdes à perte de vue. Et c'était dans cette étrange et très exotique campagne suédoise qu'elle allait bâtir son royaume et monter sur son trône. C'était dans ce pays qu'elle allait effacer sa personnalité et son passé et vivre aux côtés d'Atu jusqu'à la fin de ses jours. De toute sa vie, jamais elle n'avait eu plus grande certitude.

Wanda s'était bien préparée. Sachant qu'elle venait sans invitation, elle s'attendait à rencontrer une opposition et une malveillance destinées à freiner ses projets. Mais même si c'était le cas, elle n'avait pas l'intention de reculer. Elle avait prévenu dans son dernier mail de l'heure de son arrivée, et si quelqu'un venait la chercher à la gare, ce serait parfait, mais à tout hasard, elle avait réservé une chambre d'hôtel et elle disposait d'assez d'argent pour se débrouiller pendant plusieurs semaines. D'ici là, on lui aurait accordé une audience, elle en était convaincue.

« C'est votre premier séjour en Suède ? » lui demanda l'homme assis en face d'elle dans le compartiment. Ils venaient de passer Karlskrona, et dans une demi-heure, ils seraient arrivés à Kalmar.

Elle acquiesça.

Il lui sourit. « Et où allez-vous, comme ça ?

— Je vais sur l'île d'Öland. Je vais retrouver mon fiancé », dit-elle sans réfléchir.

Une ombre de déception passa sur le visage de son interlocuteur. « Il a bien de la chance. Je peux vous demander qui est l'heureux élu ? »

Elle fut surprise de sentir qu'elle rougissait. « Il s'appelle Atu Abanshamash Dumuzi. »

L'homme fronça les sourcils, hocha la tête et tourna le visage vers la brume lumineuse qui avait maintenant envahi le paysage.

Lorsqu'ils furent arrivés à destination, il l'aida à descendre son bagage du train.

« Vous êtes sûre de savoir ce que vous faites ? lui demanda-t-il en posant la valise à ses pieds.

— Pourquoi me demandez-vous ça ? » riposta-t-elle. Il devait faire partie de ces gens pleins de préjugés qui ne voyaient le monde qu'à travers des œillères.

« Je suis journaliste et je travaille ici, à Kalmar. J'ai eu l'occasion de me rendre à l'académie, sur l'île d'Öland, pour interviewer le gourou. J'avoue que ça a été une expérience particulière. Je suis désolé d'avoir à vous le dire, ce n'est qu'un avis subjectif, mais je n'ai vu dans cet endroit que manipulation et escroquerie. Dumuzi aurait bien aimé réussir à m'endoctriner, mais il était très loin d'y parvenir. Si je comprends bien, vous êtes sûre de faire le bon choix ? »

Elle acquiesça.

Oui, elle était sûre. Plus que jamais.

« Merci pour votre aide », dit-elle sans autre commentaire avant de s'éloigner vers le parking de la gare.

Elle attendit un petit moment, appuyée à un mât de drapeau, les yeux à demi clos et le visage tourné vers le soleil. Comme elle s'y attendait, personne n'était venu à sa rencontre.

Tant pis. Je vais aller déposer ma valise à l'hôtel, se dit-elle. Ils me trouveront bien un taxi pour aller là-bas.

Elle y serait dans à peu près trois quarts d'heure.

Alors qu'elle se baissait pour saisir la poignée de sa valise, une femme juchée sur un scooter jaune apparut à vive allure à l'angle d'une rue donnant sur la place. Elle était tout de blanc vêtue et son visage était renfrogné et hargneux.

C'est à son expression que Wanda la reconnut. Et cette expression lui fit serrer les poings, instinctivement.

12

Dans un premier temps, la maison de Habersaat leur était apparue comme un endroit extrêmement désordonné. La règle étant, apparemment, que partout où il y avait de la place, y compris sur le sol, on pouvait empiler des papiers. Et partout où une surface murale était libre, on pouvait coller des coupures de journaux ou des photos. Il n'y avait plus dans cette maison la moindre trace indiquant qu'un jour une famille y avait vécu, aucun objet personnel en dehors de quelques portraits dans des cadres. Seuls de rares initiés devaient avoir accès à cette partie de la vie de Habersaat, une vie qui lui prenait visiblement beaucoup plus de temps que la routine de son métier de policier à Rønne.

En revanche, quand on étudiait de plus près l'apparent chaos qui avait sonné le glas d'une vie normale, on découvrait un ordre dans le désordre, des règles strictes régissaient chaque partie de la maison, méticuleusement définies.

Il y avait là les résultats laborieusement édifiés de presque deux décennies de recherches sur la seule chose à laquelle Habersaat avait jugé utile de consacrer son temps : la fin tragique d'Alberte.

Si l'on observait ce capharnaüm à travers la lorgnette d'un policier, on voyait tout de suite que la salle de séjour de Habersaat était la gare de triage où arrivaient toutes les nouvelles informations avant d'être réparties par genre dans les autres pièces de la maison. Dans la chambre où ils se trouvaient actuellement, les documents étaient classés par ordre chronologique en plusieurs tas distincts, et les classeurs sur les étagères contenaient des index qui répertoriaient l'ensemble des informations rassemblées dans la maison. La salle à manger était le terminus dans lequel échouaient les pistes les plus plausibles et les conclusions irréfutables, le reste de la maison abritant les pistes annexes. Dans la souillarde, étaient regroupés les éléments de l'enquête menée par la police en parallèle avec l'investigation de Habersaat – si on pouvait appeler ça une enquête. Dans un petit réduit à l'arrière, on avait entassé tous les procès-verbaux des interrogatoires effectués auprès des autochtones pendant les semaines qui avaient suivi l'accident. Dans la chambre de garçon au premier étage étaient stockés des procès-verbaux qui avaient trait à d'autres délits de fuite, récupérés par Habersaat auprès de la police nationale, et il y avait une bibliothèque entière simplement baptisée « Alberte » où on trouvait toutes sortes d'informations sur la jeune fille et sa vie. Il y avait même des dossiers sur les amis, filles et garçons, qu'elle avait eus avant son séjour à l'école d'enseignement pour adultes.

La chambre à coucher de Habersaat, également située au premier étage, était la pièce la plus encombrée de la maison. La fenêtre avait depuis longtemps été occultée, et c'eût été un euphémisme de dire qu'elle sentait le renfermé.

« Vous avez déjà marché contre le vent derrière un chameau qui a la colique, chef ? » demanda Assad après avoir reniflé l'air ambiant.

Carl secoua la tête mais il savait de quoi il voulait parler. Dans cette chambre, un homme avait vécu dans son jus et lâché ses gaz pendant plusieurs décennies.

Il regarda autour de lui. Hormis un lit, fait au carré, et une étroite bande de plancher entre celui-ci et l'armoire, la chambre était entièrement encombrée de matériel d'enquête. Sous le cadre de la fenêtre étaient fixées deux étagères sur lesquelles se trouvaient plusieurs dépliants de l'école et bien sûr les dossiers de tous les élèves et professeurs qui s'y trouvaient en même temps qu'Alberte.

C'est aussi dans la chambre de Habersaat qu'Assad et Carl tombèrent sur quelque chose qui détonnait avec le reste.

« Qu'est-ce que tout ça fait là, à votre avis, chef ? » dit Assad en montrant le sol.

Le regard de Carl glissa sur une collection de brochures informatives et d'impressions de pages Internet sur les sciences occultes, le tout bien aligné au pied du lit. Pas une seule pratique ésotérique ne semblait avoir été oubliée : spiritisme, aromathérapie, astrologie, lecture d'aura, auratransformation, fleurs de Bach, clairvoyance, interprétation des rêves, techniques de

libération émotionnelle, psycho-énergétique, médecine alternative sous toutes ses formes, feng-shui, etc.
Des dizaines de domaines, disposés par ordre alpha-
bétique, ayant tous en commun une pensée, un mode
de vie ou une méthode de soins alternatifs.

« Vous croyez qu'il cherchait un soutien moral dans
l'une de ces méthodes, chef ? »

Carl secoua la tête, perplexe. « Je ne sais pas. Mais
je ne crois pas. Je n'ai rien vu d'autre de ce genre
dans la maison. Tu as vu quelque chose, toi ? Un jeu
de tarot, par exemple ? Un pendule, une carte du ciel ?
Des flacons d'huiles essentielles ?

— Peut-être dans la salle de bains du rez-de-
chaussée ? On n'est pas entrés dedans. »

Il redescendirent dans le corridor qui était aménagé
de manière classique, avec d'un côté plusieurs patères
sur lesquelles étaient accrochés manteaux et blousons
et de l'autre une étagère sur laquelle s'alignaient plusieurs paires de souliers éculés. En dessous de l'étagère,
un crochet auquel était suspendu un chausse-pieds en
corne. Une porte donnait sur un vestibule dans lequel
se trouvaient l'inévitable porte-parapluies posé dans
l'angle et quatre autres portes : celle du salon, celle
de la cuisine et deux portes plus étroites derrière lesquelles l'esprit de déduction de Carl l'incita à imaginer la présence des W-C et de la salle de bains.

Il passa la tête dans la cuisine, où Rose se lavait
soigneusement les mains avec une expression pensive
qui ne lui était pas habituelle. Elle n'était vraiment pas
dans son assiette ces temps-ci.

144

Elle sentit le regard de Carl et se retourna brusquement. « On ne fera pas entrer tout ça dans le nouveau bureau de Gordon au sous-sol, Carl, dit-elle. Mais si nous y ajoutons le mur du couloir, ça devrait aller. En posant une étagère par-ci par-là, on va y arriver. Si nous prenons un déménageur, il pourrait peut-être emporter quelques-unes des bibliothèques de Habersaat, à condition que June Habersaat n'y voie pas d'inconvénient, bien sûr. » Elle s'essuya les mains sur son jean. « Parce que je suppose que c'est elle qui va hériter maintenant. Techniquement, Bjarke était l'héritier de son père mais maintenant que lui aussi est mort, ça doit être sa mère qui récupère le tout. Qu'en pensez-vous ?

— J'en pense que tu as bien calculé, Rose. Alors je te fais confiance. Mais si j'étais toi, je prendrais ces bibliothèques sans rien dire à personne. »

Elle le regarda, étonnée. « Je ne m'attendais pas à ce que vous cédiez aussi facilement.

— Il y a beaucoup de choses ici auxquelles ni toi ni moi ne nous attendions.

— Ni moi, alors », ajouta Assad qui les avait rejoints. Il avait ouvert en grand les deux portes étroites, mais seule l'une des deux pièces qui se trouvaient derrière était éclairée.

« Les toilettes sont dans la salle de bains et je n'y ai rien trouvé de spécial. L'autre porte donne sur un couloir étroit qui mène au garage et à la cave. Il y a un escalier. »

Au diable les caves et les garages et toutes les merdes qu'on y entrepose, songea Carl.

Ils allèrent ouvrir la porte du garage. L'odeur de goudron, les émanations d'essence et le faible éclairage diffusé au travers des deux fenêtres poussiéreuses ne laissaient aucun doute sur l'usage qui était fait de ce local. On voyait encore des traces de pneus dans le sable répandu au sol, mais la voiture n'était plus là. Elle n'était pas non plus restée près de la salle communale. La police avait dû la prendre et la garer sur le parking du commissariat.

« Les garages sont des endroits lugubres, chef », dit Assad, les poings serrés au bout de ses bras ballants. Il avait l'air réellement mal à l'aise.

« Pourquoi ? À cause des toiles d'araignées ? » Carl constata qu'il y en avait un nombre incroyable autour de lui. Il pensa à sa cousine, la rouquine, qui tomberait certainement dans le coma si on l'obligeait à rester ici. Il avait renoncé à compter le nombre de fois où, pendant les vacances d'été qu'elle venait passer dans la ferme de son enfance, elle avait traversé la maison au pas de charge en massacrant des araignées, ou en criant comme une folle quand celles-ci étaient trop grosses. Bref, rien dans ce garage ne sortait de l'ordinaire. Quelques étagères encombrées de reliques d'une époque révolue. Patins à roulettes et bouées canard raplapla, pots de peinture aux couvercles convexes et toutes sortes de désherbants probablement retirés du marché depuis des lustres. Au-dessus des poutres étaient entreposés la voile d'un windsurf, des skis et des bâtons. Rien de bien intéressant, à son avis.

« Cet endroit en dit long sur le temps passé et les heures mal employées, philosopha Assad.

« — Mal employées ?

— Je parle des heures où ces objets auraient dû servir et où ils n'ont pas servi.

— On n'en sait rien, Assad. Et pourquoi lugubre ? Triste plutôt, non ? »

Il haussa les épaules. « Et puis les garages sont séparés de la maison et des pièces où on vit. Quand j'entre dans un garage, je ne peux pas m'empêcher de penser à la mort, alors.

— Je ne comprends pas ce que tu veux dire.

— Vous n'avez pas besoin de comprendre, chef. Les gens sont tous différents.

— Le suicide, c'est à ça que tu penses ?

— Le suicide aussi.

— Hmm. Bon, en tout cas, ici, il n'y a rien à voir. Pas de cartons contenant des objets mystérieux, pas de Post-it sur les murs. Pas de pyramides magiques, de cristaux ou d'objets ésotériques dans le genre de ceux que nous avons vus dans la chambre à coucher. Nous sommes d'accord ? »

Assad jeta un regard circulaire au garage. Il avait l'air d'accord.

La cave leur parut de prime abord sans surprise. Elle était ordonnée et dégagée, composée d'une buanderie sans linge, d'une conserverie sans conserves et de ce qu'il fallait bien appeler un atelier, mais qui en l'occurrence ne contenait pas un seul outil. En revanche, ils découvrirent une grosse photocopieuse de fabrication récente et un équipement de laboratoire pour photos argentiques suffisamment ancien pour que peu de Danois d'aujourd'hui soient capables de l'utiliser.

« Il avait carrément installé une chambre noire dans sa cave ! s'exclama Carl. Par contre je ne vois pas de révélateur ni aucun produit de ce genre.

— C'est peut-être un hobby qu'il avait quand il était plus jeune, chef. Moi je crois qu'il se servait surtout de ça, dit-il avec une petite tape sur la photocopieuse. Ça doit être là-dessus qu'il a fait l'agrandissement du cake.

— Probablement. »

Carl souleva la corbeille à papier posée à côté de la photocopieuse et en extirpa plusieurs documents froissés qu'il étala sur l'établi. Il n'était pas difficile de comprendre comment Habersaat avait travaillé sur la photo. Il avait commencé par faire une photocopie du tirage dans un format correspondant au quart d'une feuille A4 qu'il avait agrandie deux fois puis ramenée au format A4 et enfin au format A3. Une méthode qui avait peu de chances de garantir une bonne qualité.

« Regarde le premier tirage. On voit au premier plan le capot d'une voiture. Vu tout le chrome qu'il y a dessus, je pense que c'est un modèle assez ancien. Loin, très loin derrière, on voit l'homme sortant de la voiture. J'ai l'impression que la photo a été prise sur un parking, qu'est-ce que tu en penses ?

— Il y a de l'herbe. Elle peut avoir été prise ailleurs.

— C'est vrai, tu as raison. Mais tu remarqueras que dans le coin de l'agrandissement, on devine un bout d'une autre photo. Qu'est-ce que ça nous dit ?

— Qu'il y avait plusieurs photos sur la même page.

— Exactement. Cette photo doit provenir d'un album. Ce que confirme la qualité du papier sur lequel sont collés les clichés. C'est souvent un papier avec un grain assez gros, presque cartonné. Je crois qu'elle a été prise avec un Instamatic Kodak, à cause de la forme carrée des photos.

— Je parie que l'original est encore dans la photocopieuse », dit Assad en soulevant le couvercle. Malheureusement, il se trompait.

Son assistant frotta sa barbe rêche, produisant un son semblable à celui d'une planche à laver dans un orchestre de jazz à La Nouvelle-Orléans. « Si seulement on pouvait voir le reste de l'album photo, on pourrait savoir où la photo a été prise. Peut-être même découvrir l'identité de celui qui l'a prise.

— Habersaat n'était pas inspecteur de la police judiciaire, il ne faut pas s'attendre à ce qu'il ait eu ce genre de logique. Et pourtant, j'ai l'impression qu'il a dû noter quelque part où il a trouvé cette photo. Il faudrait aller regarder dans les classeurs en haut.

— Regardez, chef. Il y a une autre pile de photocopies. » Assad sortit une liasse de feuilles d'une caisse en bois que Habersaat avait accrochée au mur et la tendit à Carl avec un sourire ravi. « C'est peut-être là-dessus qu'il travaillait avant de décider de nous refiler l'enquête.

— Très drôle, Assad », commenta Carl en jetant sur la table les photos d'une femme posant nue dans des positions plutôt acrobatiques. Le papier était complètement jauni. Il devait y avoir de nombreuses années que Habersaat ne s'était pas distrait de cette façon.

« J'ai réussi à cracker le mot de passe de son ordinateur, Carl, annonça Rose lorsqu'ils remontèrent. C'était "Alberte", évidemment, pas la peine de chercher plus loin ! » Rose sourit, ironique. « Tous les index sur les éléments qui sont dans les dossiers se trouvent également dans l'ordinateur, à la différence que, parfois, dans les pochettes plastique, a été glissée une coupure de journal où autre chose qui illustre l'entrée en question. J'ai jeté un coup d'œil, rien de particulier. On dirait même que Habersaat a fini par abandonner le système des classeurs et qu'il est revenu à son rangement en tas, mais bien sûr, je peux faire erreur. »

Elle pouvait faire erreur ! Est-ce qu'elle avait vraiment dit ça ?

« Est-ce que tu as vu quoi que ce soit qui fasse référence à la photo du combi Volkswagen ? »

Carl posa un petit tirage devant Rose.

« On ne voit pas grand-chose ! C'est une photocopie ? »

Assad le lui confirma.

« Oui. Ça paraît évident. Je ne vois pas comment il aurait pu avoir un scanner. Je suppose qu'il ne possédait que la petite imprimante qui est là. » Elle désignait une imprimante à jet d'encre en dessous d'un gros tas de papiers. « Mais ne vous faites pas de souci, monsieur Mørck. Je vais éplucher l'ordinateur et peut-être que je trouverai d'où vient cette photo. Après tout, il n'y a que soixante mégabits de mémoire sur cette guimbarde, la tâche n'est pas insurmontable. »

Ah, enfin, le sarcasme de Rose était de retour.

Elle se tourna vers l'écran avec un soupir, déjà hors d'atteinte. C'était à nouveau la Rose qu'ils connaissaient.

« Vous pouvez venir, chef ? » l'appela Assad.

Il était en train de regarder le poster, l'air froissé.

« Qu'est-ce qu'il y a ?

— Passez votre main ici. » Il prit la main de Carl et la posa au milieu de l'affiche.

« Oui, et alors ?

— Appuyez plus fort, vous ne sentez rien ? »

Cette fois, Carl comprit de quoi Assad voulait parler.

« On dirait qu'il y a un truc derrière ce poster. » Assad hocha la tête. « Habersaat a évidemment pensé que nous allions emporter la photo avec nous, chef, c'est évident. Je crois que nous avons trouvé l'épingle dans le tas de paille, comme il le voulait.

— On dit l'aiguille dans la botte de foin, Assad. » Carl détacha l'affiche du mur.

« Bongo ! » s'exclama Assad, et il avait raison, même si le terme était approximatif. À l'envers de l'agrandissement, ils trouvèrent la page de l'album d'où l'image provenait, avec ses quatre photos.

« Il y a peut-être écrit quelque part quand elles ont été prises », dit Assad en retournant la page d'album.

Mais bien sûr, ce n'était pas le cas.

Carl prit la page cartonnée. Les quatre photos faisaient partie d'une série représentant toutes des voitures de collection qui avaient dû être prises lors d'un festival quelconque.

Carl sentit son cœur manquer un battement. Cela lui arrivait de temps en temps quand une enquête prenait soudain un tournant décisif. Il sourit. C'était le genre de sensations qui donnaient du sens à l'existence.

« Voilà notre client, dit-il, contrôlant son excitation en montrant un morceau de l'une des photographies qui ne devait pas faire plus de dix ou quinze millimètres carrés. Là, tout à fait au fond de la place, tu le vois ? Il regarde vers la voiture avec ce capot extraordinaire. C'est un modèle de collection magnifique, je dois dire.

— Aïe, chef ! On n'obtiendra jamais mieux que Habersaat avec ce petit bout de photo minuscule. Même si on essayait pendant cent ans. »

Il avait raison. Tout bien pesé, Habersaat avait fait son possible.

« Sous la photo, c'est écrit CI B14G27, et sur le côté, BMV/BR. Et regardez ce qui est écrit au-dessus de la voiture noire sur la photo d'à côté : TH A20. Et les deux en dessous : WIKN 27, WIKN 28. Vous ne croyez pas que ça a un rapport avec les voitures, chef ? Vous vous y connaissez en voitures anciennes, en dehors de la poubelle dans laquelle vous nous transportez ? »

Carl secoua la tête.

« La seule marque de voiture que je connaisse et qui commence par CI, c'est la Citroën. Les autres, THA et WIKN, ne me disent rien.

— On va trouver ça sur Internet », proposa Assad.

Rose n'eut même pas le temps de protester quand le petit frisé vint écarter son fauteuil de bureau à roulettes et prit sa place devant l'écran.

« On va t'expliquer dans une seconde », dit Carl tandis qu'Assad tapait « Citroën B14G27 » dans la barre de recherche.

Aucun résultat. Et maintenant ?

« Vous n'êtes pas très malins, j'ai l'impression, dit Rose un peu grognon après avoir jeté un rapide coup d'œil à la planche photo. Ce sont des voitures anciennes, c'est ça ? Très anciennes, même. Des années vingt, je dirais. Plus précisément de 1920, 1927 et 1928 d'après ce que je vois. »

Carl fronça les sourcils. Quelle honte de ne pas avoir eu cette idée-là tout de suite.

« D'accord. Alors essaye de taper "Citroën B14G 1927", Assad, s'il te plaît. »

Rose avait raison. Une seconde plus tard, une page entière d'exemples rutilants de ce que l'industrie automobile et les chaînes de montage avaient produit de plus beau pendant l'entre-deux-guerres surgit à l'écran. Des voitures magnifiques, de toutes les couleurs.

« C'est fantastique. Qu'est-ce qu'on connaît comme marques avec TH et WIKN ou peut-être WI KN ? Tu peux chercher, Assad ?

— Allez, pousse-toi. Laisse-moi faire », intervint Rose en percutant la hanche d'Assad avec l'accoudoir du fauteuil.

Au bout d'une minute de pianotage, elle avait fait apparaître une Thulin A 1920 et deux Willys-Knight respectivement de 1927 et 1928.

Assad avait l'air d'un gamin en train d'ouvrir ses cadeaux de Noël. « Ça y est, c'est maintenant, chef, on va avoir la réponse ! » dit-il quand Rose regroupa tous ces véhicules dans une même recherche Google.

« Youpi ! » s'écria Assad avec un sourire jusqu'aux oreilles.

Cette recherche si complexe n'avait donné que trois petites réponses et la première était probablement la bonne :

Tour de Bornholm 1997 (photos)
http://www.bornholmsmotorveteraner.dk

Il n'y avait plus de doute sur ce que voulait dire BMV/BR. Les initiales signifiaient tout simplement : « Bornholm Motor Veteraner/Bornholm Rundt[1] ».

Assad faisait des bonds sur place tellement il était content, un spectacle assez surréaliste si l'on prenait en considération son âge et sa corpulence.

« Calme-toi, Assad. Il faut d'abord savoir où cette photo a été prise, qui a prêté cette page d'album à Habersaat, qui est l'homme sur cette photo, en admettant que quelqu'un soit capable de répondre à cette question, et enfin, dans le cas où il serait notre coupable, où il se trouve actuellement et comment Habersaat… »

Assad s'arrêta de sautiller.

« Stop ! dit Rose. Je vais voir si l'imprimante de Habersaat fonctionne et si c'est le cas, je vais impri-

---

1. Club rétromobile de Bornholm/Tour de Bornholm.

mer tout ce que je trouve sur ce club rétromobile, OK ? Après on verra. »

Carl sortit son portable de sa poche et constata une fois de plus que sa batterie était pratiquement à plat. Il appela le commissaire Birkedal.

« Carl Mørck à l'appareil. J'ai deux choses à vous dire, annonça-t-il sans préambule. Nous allons emporter tout les éléments d'enquête de Habersaat à Copenhague, ça ne vous pose pas de problème ?

— Je pense que les héritiers en seront ravis. Mais pourquoi ?

— Cette affaire a éveillé notre curiosité. Il faut bien que quelqu'un le soit, curieux, n'est-ce pas ? La deuxième chose, c'est que…

— Si ça concerne l'enquête, Carl Mørck, le coupa Birkedal, je préfère que vous en parliez avec le gars qui s'en est occupé à l'époque. C'est un brave gars, alors épargnez-lui vos vacheries, d'accord ? Il bosse dur et il fait bien son boulot. Je vous le passe. Il s'appelle John Ravnå.

— Juste une dernière question. Avez-vous trouvé quelque chose chez Bjarke Habersaat qui puisse nous intéresser ? Une explication sur les raisons de son acte, par exemple.

— Non, rien du tout. Son ordinateur était bourré de photos porno à caractère homosexuel et de vieux jeux vidéo.

— Vous nous le ferez parvenir quand vous en aurez terminé, d'accord ?

— Vous l'aurez voulu. Je vous transfère à Ravnå. »

Une voix lasse se manifesta au bout du fil et elle le devint plus encore quand Carl lui eut expliqué la raison de son appel.

« Croyez-moi si vous voulez, mais j'aurais bien aimé pouvoir aider Christian Habersaat, dit l'homme au bout du fil. Mais l'enquête ne semblait mener nulle part, et puis il y avait toutes les autres affaires dont il fallait s'occuper en même temps, et celles qui sont venues ensuite. Cette histoire remonte tout de même à une vingtaine d'années. »

Carl hocha la tête. Il connaissait le problème mieux que personne. Mais s'il y avait une chose dont on pouvait être absolument sûr dans ce domaine, c'était qu'un criminel ne cessait jamais d'être un criminel.

« Habersaat semble s'être intéressé tout particulièrement au conducteur d'un combi Volkswagen qu'il avait localisé dans un album photo de 1997. Savez-vous d'où vient cette photo et vous avait-il fait part de ses soupçons ?

— Christian et moi n'avons plus parlé de l'affaire ces cinq ou six dernières années. Je lui ai tout simplement interdit de m'en parler, à moins qu'un élément nouveau et décisif apparaisse subitement, et je lui ai demandé de se concentrer sur son travail à la police municipale. J'en déduis que ce dont vous me parlez est beaucoup plus récent.

— Et vous ? Vous avez quelque chose à nous dire qui puisse nous éclairer ? Comment voyez-vous les choses, aujourd'hui ?

— J'ai ma propre idée, bien sûr.

— Mais encore ?

156

— Si c'était un accident, le conducteur devait être sous l'emprise de l'alcool ou d'une drogue quelconque. Sinon, il y aurait eu des traces de freinage sur la route. Et s'il s'agit d'un assassinat, il nous manque le mobile. Elle n'était pas enceinte et elle était très appréciée, pourquoi en vouloir à sa vie ? Il peut s'agir d'un crime sadique. Le meurtrier était peut-être un malade qui a agi sans motif particulier. Mais ça ne tient pas non plus. Alberte devait bien avoir une raison pour prendre son vélo et se rendre à cet endroit d'aussi bon matin, et cette raison, nous ne la connaissons pas avec certitude. Avait-elle rendez-vous avec quelqu'un ? Pourquoi là, précisément ? Car nous devons supposer qu'elle était descendue de sa bicyclette. Elle avait dû la poser un peu plus loin, sinon son corps aurait été écorché par les pièces métalliques. Il n'y avait aucune trace de tissus humains dessus. Je pense qu'elle est arrivée en avance et qu'elle a tourné un peu en rond en attendant celui qui est peut-être son assassin.

— Une idée de l'identité de cette personne ? Le propriétaire du fourgon ?

— Là est la question. Nous savons seulement qu'elle avait un amoureux, ce qui est d'ailleurs écrit dans mon rapport. Nous savons qu'il séjournait sur l'île mais nous ignorons s'il l'a quittée avant ou après l'accident.

— Vous connaissez son nom et son adresse ici ?

— Nous n'avons pas pu obtenir son nom, mais d'après ce que nous savons, il habitait avec d'autres hippies sur les terres d'un agriculteur d'Ølene. Le fermier leur avait loué son terrain sans leur faire de contrat. Il leur a juste demandé cinq mille couronnes pour la période. Il a même déclaré la somme au fisc.

— Vous avez dit : "d'après ce que nous savons". Comment l'avez-vous su ? Ce n'est pas dans le rapport.

— Honnêtement, je ne me rappelle pas. Je suppose que c'est Habersaat qui a déniché ces informations quelque part. Il fouillait partout, vingt-quatre heures sur vingt-quatre.

— Hmm. Et l'argent que le fermier a touché, c'était pour quelle période ?

— De juin à novembre 1997. Six mois.

— On a une description du locataire ?

— Oui. La bonne vingtaine. Bel homme, cheveux longs, bruns, vêtements de style hippie. Veste militaire avec des écussons cousus dessus. "Énergie atomique, non merci !", ce genre de choses.

— Et c'est tout ?

— Oui. C'est tout.

— C'est maigre. Et vous êtes sûr que ce fermier vous a dit tout ce qu'il savait ?

— C'est à souhaiter, parce qu'il est mort il y a trois ans. »

Carl secoua la tête et mit fin à la communication. On ne devrait jamais laisser une enquête traîner aussi longtemps.

« Il y a un petit détail dont je dois vous informer, Carl, mais je ne crois pas que vous allez être content », dit Rose. Pourquoi disait-elle ça avec ce petit sourire amusé, alors ?

158

« Je nous ai réservé deux nuits supplémentaires à l'hôtel.

— Parfait. Où est le problème ?

— Ce n'est pas vraiment un problème, sauf que vos chambres, à Assad et vous, avaient déjà été relouées.

— Ah bon, alors on va déménager dans un autre hôtel ? » s'enquit Assad, un peu inquiet.

Bizarre, songea Carl. Il a réagi plus vite que moi, cette fois.

Rose les regarda d'un air affligé. Pas d'autre hôtel, donc.

« On va aller dans d'autres chambres, alors ? insista Assad.

— Exactement. À part qu'il n'y avait plus de chambres simples. Mais ce n'est pas grave, je vous ai réservé une chambre double avec lit matrimonial, couette pour deux personnes et tout le confort. Vous allez être comme des coqs en pâte ! »

13

Octobre 2013

La femme à la valise et à la taille beaucoup trop fine attendait sur la place devant le bâtiment jaune de la gare, appuyée contre un mât, hiératique. Trônant dans toute sa splendeur avec sa peau noire et lumineuse, elle était une insulte aux gènes qui avaient tant bien que mal réussi à vaincre l'obscurité dans ces contrées septentrionales. Une injure aux vingt années pendant lesquelles Pirjo avait consacré sa vie à Atu et à son œuvre, à espérer qu'un jour elle parviendrait à gagner son amour. Car cette femme était trop belle, trop gracieuse, trop athlétique, menaçante dans sa différence et terriblement exotique.

Pirjo resta un instant assise sur son scooter à se demander si elle allait faire demi-tour. Mais cela aurait été une décision insensée. Maintenant que cette fille était arrivée jusque-là, rien au monde ne saurait l'empêcher de trouver son chemin pour venir au centre par ses propres moyens. Pirjo écumait de rage à cette idée.

Cependant, avant d'en finir avec elle une bonne fois pour toutes – elle savait à présent que c'était indispensable –, elle tenait à examiner toutes les autres options.

Elle descendit du scooter et cria : « Salut », avec autant de gaîté et de naturel que possible en traversant la place pour rejoindre la jeune femme. « Je suis Pirjo. Nous avons correspondu par mail. Je vois que vous avez décidé de venir quand même. C'est vraiment dommage parce que, comme je vous l'ai écrit, vous êtes venue pour rien. »

Pirjo gratifia Wanda d'un sourire condescendant qui en avait déjà désarmé plus d'une.

« Mais puisque vous êtes là, à cause sans doute d'un malentendu dont j'assume l'entière responsabilité, nous nous proposons de vous offrir votre billet de retour pour Londres. Éventuellement, vous pourriez revenir une autre fois…

— Bonjour Pirjo, contente de vous voir ! la coupa la jeune femme, comme si elle n'avait pas entendu. Je suis Wanda Phinn. » Elle lui tendit la main avec un sourire innocent mais Pirjo n'était pas dupe. Elle lisait dans ses yeux et dans son sourire que cette femme, avec son menton de guerrière, ne céderait pas avant d'avoir rencontré Atu.

« Ravie de faire votre connaissance, Wanda, mais vous ne semblez pas avoir compris ce que je viens de vous dire. Je vous informais que nous vous avions pris un billet de retour.

— J'ai bien compris et je vous remercie de cette attention délicate. Mais je suis venue pour voir Atu Abanshamash Dumuzi et je ne repartirai pas avant de

161

l'avoir rencontré. Je sais qu'il n'y avait plus de place pour cette session, mais je dois quand même le voir. »

Pirjo hocha la tête. « Je comprends, mais malheureusement, Atu n'est pas au centre, actuellement. »

La femme eut l'air déçu l'espace d'un instant mais, très vite, elle se ressaisit. « D'accord ! Alors je vais l'attendre. Il y a un hôtel qui s'appelle l'hôtel des Francs-Maçons. Il paraît qu'il est à deux minutes d'ici à pied. Je me suis assurée avant de partir qu'ils avaient des chambres libres et cela ne me dérange pas d'y rester quelques jours. Je vais y aller et vous n'aurez qu'à m'appeler dès qu'Atu sera rentré. Vous avez mon numéro de portable, il est dans mon dernier mail. »

Avant d'attaquer, un prédateur passe par un long moment de concentration et d'attente patiente. Le serpent reste aussi immobile que s'il était mort, le félin s'aplatit au sol, l'aigle vole sur place avant de plonger brusquement. Avec son regard d'un calme absolu, cette femme donnait le même sentiment de totale détermination. Elle semblait avoir parfaitement conscience qu'on allait s'opposer à sa venue. Savoir à quoi elle s'attaquait et avoir déjà calculé les faiblesses de son adversaire. Elle avait deviné à quel point Atu était influençable et aussi la précarité de la position de Pirjo. Forte de toutes ces informations, elle n'attendait que le bon moment pour frapper.

Mais elle se trompait. Car même si Pirjo n'allait pas bien en ce moment, elle était loin d'être aussi faible et vulnérable que le croyait son adversaire. Elle avait simplement eu un moment d'hésitation quant à la suite des événements, mais à présent, c'était clair. Elle avait

162

déjà eu à prendre des mesures drastiques dans des situations similaires et, jusqu'ici, elle avait toujours eu la chance de son côté et jamais le moindre scrupule.

Après tout, c'était Wanda qui avait jeté les dés la première, et elle allait le regretter amèrement.

« L'hôtel des Francs-Maçons ? s'exclama Pirjo. Non. Je ne veux pas que vous dépensiez vos économies dans une chambre d'hôtel. Je vais tâcher de vous organiser une courte entrevue avec Atu avant votre départ. Je ne serais pas étonnée qu'il se promène en ce moment dans le sud de l'île ou bien peut-être dans la lande à l'intérieur des terres, dans ce que nous appelons l'Alvar. Il y va souvent pour méditer. Il n'aime pas beaucoup être dérangé mais puisque vous insistez, je propose que nous essayions de le trouver. »

L'étrangère semblait avoir mordu à l'hameçon. Au prix d'un effort considérable, Pirjo lui fit un grand sourire.

« Mais je préfère vous le dire tout de suite, Wanda, pour que vous ne soyez pas trop déçue ensuite. Il ne se passera rien de plus cette fois-ci. Je vous conduis jusqu'à lui et je vous ramène à la gare. Votre vol pour Londres ne part de Copenhague que demain matin, nous avons encore un peu de temps devant nous. »

La femme jeta un regard au porte-bagages chétif du scooter, aux deux casques et à la pelle de brousse. « Et ma valise ? demanda-t-elle. Il n'y a pas de place pour ma valise.

— Non, vous avez raison. On va la mettre à la consigne. On sera de retour dans deux heures de toute façon. »

La jeune femme acquiesça. Elle avait l'air de se dire qu'en temps voulu, sa valise irait exactement là où elle souhaitait qu'elle aille.

« Vous avez déjà circulé à scooter, Wanda ?

— Là d'où je viens, on ne se déplace que comme ça, répondit-elle.

— Parfait. Il va falloir que vous remontiez un peu votre jupe. Accrochez-vous à ma veste, s'il vous plaît. Je n'aime pas beaucoup qu'on me prenne par la taille. »

Pirjo se montra aussi charmante que possible. Il était essentiel que Wanda Phinn ne se doute de rien, qu'elle profite de la balade et du paysage et qu'elle soit persuadée que la première phase de son plan pour conquérir Atu Abanshamash se déroulait sans encombre.

« Öland est un endroit féerique, vous savez ? Quand vous reviendrez, une prochaine fois, je vous ferai une visite guidée, mais je peux déjà vous montrer quelques-unes des curiosités touristiques de l'île, en chemin », cria Pirjo à sa passagère.

Wanda s'accrochait d'une main légère à la veste de Pirjo, les yeux rivés sur la mer et sur l'île enchantée qu'elle distinguait au loin. De part et d'autre du pont qui enjambe le détroit de Kalmar, les vagues fouettaient l'eau en écume, le vent de terre avait tourné et s'était transformé en un vent d'est plus froid que frais.

Quand nous arriverons aux moulins, sur la crête, je trouverai un endroit pour me débarrasser d'elle, songeait Pirjo. Il faudra que je roule vite et qu'elle chute

164

brutalement pour qu'on pense qu'elle s'est tuée en tombant. Sinon, je vais devoir l'aider un peu.

« Il y a des tas de moulins sur l'île, continua Pirjo. Les gens n'ont jamais voulu se les partager, alors ils ont divisé les terres et chaque famille a construit son propre moulin. Mais ensuite, ils ont continué à diviser les propriétés, y compris au sein d'une même famille et, pour finir, les exploitations sont devenues trop petites pour qu'on puisse en vivre. Les habitants ont dû quitter l'île petit à petit pour ne pas mourir de faim. » Wanda hochait la tête dans son dos mais elle se fichait complètement de l'histoire de l'île d'Öland, c'était clair. Tant mieux. Elle allait pouvoir se concentrer sur ce qu'elle avait à faire et sur le vent qui soufflait de côté à présent, ce qui allait servir son dessein.

Malgré l'heure et la saison, la circulation était dense, sans doute à cause des nombreux artistes qui s'étaient installés entre Vickleby et Kastlösa et qui groupaient leurs expositions et leurs vernissages sur cette période de l'année. Tous les ans, une importante clientèle arrivait du continent pour faire la tournée des artistes peintres et des souffleurs de verre de l'île d'Öland. Il y eut un peu moins de voitures sur la route une fois passés ces deux villages, mais l'endroit était aussi moins propice à ce que Pirjo projetait de faire.

Elles avaient dépassé plusieurs panneaux indiquant des routes vers l'Alvar et Wanda lui demanda pourquoi elles ne tournaient pas.

« Pas encore ! cria Pirjo. Atu aime aller plus au sud. Les fouilles archéologiques sont plus intéressantes là-bas.

— Ah ! Alors c'est à ça que sert la bêche »,
répondit-elle, parlant contre le vent elle aussi.

Pirjo acquiesça et se concentra sur la route. La solution se trouvait peut-être au cimetière viking de Gettlinge. Le ravin y était très abrupt, en tout cas.

Pirjo sentait monter l'excitation mais elle n'avait
pas peur. Si cela avait été la première fois qu'elle éliminait une rivale, elle aurait sûrement ressenti un peu
d'appréhension, mais ce n'était pas le cas.

« Nous allons nous arrêter à Gettlinge. C'est l'un
des sites qu'Atu préfère. Je ne peux pas vous assurer à
cent pour cent qu'il y sera aujourd'hui, mais au moins,
vous aurez vu l'endroit. »

Wanda descendit du scooter en souriant. Elle fit
quelques remarques aimables, remercia Pirjo de sa
gentillesse et de toutes les informations passionnantes
qu'elle lui avait données.

« Zut, je ne le vois pas, comme c'est dommage,
dit Pirjo. Surtout, prenez votre temps pour admirer
le paysage, c'est un lieu très spécial, poursuivit-elle,
montrant d'un geste circulaire l'exceptionnel décor de
monolithes disposés en forme de drakkar.

— Impressionnant, confirma Wanda. C'est une
sorte de Stonehenge mais en plus petit, en fait ? Et
en plus, il y a un autre de ces vieux moulins, là-bas.
C'était dans ce genre d'endroits que les Vikings enter-
raient leurs morts ? »

Pirjo acquiesça et regarda autour d'elle. Le lieu était
aride et plat et, surtout, il était désert. Derrière elle,
de l'autre côté de la route, s'étendait la lande fertile
du grand Alvar. Il n'y avait personne là-bas non plus.

De ce côté, derrière le tertre funéraire, se trouvait la falaise. Elle fut surprise de voir qu'il y avait dans la pente plus d'arbres et de buissons que dans son souvenir, mais cela pouvait se révéler être un avantage. Elle n'aurait pas besoin de déplacer le cadavre tout de suite puisqu'il serait dissimulé par les broussailles. Et même si on trouvait le corps, comment ferait-on le lien entre ce cadavre et une femme appelée Wanda Phinn ? Sans parler de faire le rapprochement avec elle !

Elle décida donc que l'endroit était parfait et jeta un dernier coup d'œil alentour pour s'assurer qu'il n'y avait aucun véhicule sur le tronçon de route qui séparait la lande du cimetière viking.

« Venez voir ici, Wanda, lança-t-elle à la jeune femme en prenant soin d'adopter un ton aussi naturel que possible. D'ici on voit parfaitement la forme de l'île et on comprend pourquoi ses habitants l'ont quittée. »

Elle montra à Wanda, de part et d'autre d'une étendue d'eau scintillante, les champs cultivés dans les basses terres, en contrebas, et les maisons en front de mer, sur la rive du détroit de Kalmar à l'ouest.

« De l'autre côté du Sund, c'est la ville de Kalmar, où vous êtes arrivée tout à l'heure, jacassait-elle. Les paysans ont habité ici, dans les hautes terres, jusque dans les années vingt, et divisé et redivisé leurs propriétés à n'en plus finir, comme je vous l'ai raconté tout à l'heure. »

Elle attira Wanda vers le bord du ravin, la prit par les épaules et la tourna dos au vide, le cœur battant plus fort. « Regardez là-bas, de l'autre côté de la route, c'est le grand Alvar, où doit se trouver Atu en ce moment. Il y a moins d'un siècle, il y avait sur cette lande des terres agricoles fertiles et des pâturages, mais les paysans les ont exploités de manière trop intensive et les bêtes ont détruit le sol. »

Soudain, elle prit Wanda par le bras.

« Vous ne croyez pas que les gens auraient dû avoir assez de bon sens pour s'entraider et faire en sorte de survivre dans un endroit aussi fertile ? »

Wanda secoua la tête. Elle était calme et détendue. C'était maintenant qu'il fallait agir, tant que la route était déserte.

« On devrait rebaptiser Öland l'île de l'égocentrisme. Quand on voit que presque tous ses habitants ont dû déménager pour ne pas mourir de faim juste parce qu'ils n'étaient pas capables de travailler ensemble », conclut-elle en attirant brutalement Wanda à elle avant de la pousser dans le vide d'un violent coup de hanche.

Dans un premier temps, les choses se passèrent exactement comme prévu. Wanda bascula en arrière en battant l'air de son bras libre. Elle recula d'un pas sans parvenir à retrouver son équilibre. Normalement, elle aurait dû tomber dans le ravin. Dévaler la pente, freinée seulement par les buissons, les souches et les gros rochers. Une vilaine chute qui avait toutes les chances d'être mortelle. Et si ce n'était pas le cas, il y avait toujours la pelle pliante pour terminer le boulot.

Wanda tomba, en effet, mais ce qui n'était pas prévu, c'est qu'elle ne tomba pas toute seule, car à l'instant où elle perdit l'équilibre, elle s'accrocha par réflexe à la taille de Pirjo.

Le résultat, inévitable, fut qu'elles roulèrent toutes les deux dans le ravin, enlacées, et que ce furent deux paires de jambes qui heurtèrent les troncs des arbres dans la descente.

Comme deux corps ont plus de volume qu'un seul, elles furent stoppées avant que la pente devienne vraiment raide et elles se retrouvèrent l'une sur l'autre, couvertes de brindilles et de feuilles en décomposition, à se fixer mutuellement, les yeux exorbités.

« Mais qu'est-ce qui vous a pris ? » siffla Wanda Phinn tout en levant une main pour s'accrocher à des branches basses.

Pirjo était sonnée. Wanda allait être sur ses gardes désormais.

« Je suis épileptique, improvisa-t-elle en ânonnant pour donner le change, le visage enfoui dans le sol, en faisant semblant de trembler de tous ses membres. Je suis terriblement désolée. En général, je sens arriver mes crises. Mais là, je n'ai rien senti du tout. Je suis tellement confuse, Wanda. Nous l'avons vraiment échappé belle. »

Elle essaya de faire couler quelques larmes, mais en vain. À défaut de pouvoir pleurer, elle rassembla un peu de salive et la fit couler au coin de sa bouche.

Wanda parvint à les faire remonter toutes les deux mais ses gestes étaient plus empreints de méfiance que de compassion.

Pirjo tournait en rond. La situation lui avait échappé et elle ne contrôlait plus rien.

Elle n'était plus elle-même.

Mon Dieu, elle va prendre ma place, j'en suis sûre, songeait-elle. Elle va porter les enfants d'Atu et je ne serai plus qu'une vulgaire servante, peut-être moins que cela, même.

C'était à devenir folle. Pourquoi n'avait-elle pas pu empêcher cela ? Pourquoi ne s'était-elle pas contentée de discréditer la fille auprès d'Atu ? Pourquoi avait-elle répondu à sa requête ? Pourquoi ? Pourquoi ?

« Si vous n'êtes pas bien, il vaut mieux que je conduise le reste du chemin », entendit-elle Wanda proposer dans son dos.

Pirjo se retourna vers la femme aux vêtements déchirés qui tendait la main vers elle.

« Les clés, s'il vous plaît », ordonna-t-elle avec un regard qui en disait long. Elle se méfiait, à juste titre.

« Dans quelle direction ? » demanda Wanda, enclenchant une vitesse.

Pirjo tendit le bras. « Il faut retourner sur la route et prendre la direction de Resmo, puis tourner à droite et traverser l'Alvar. Nous y serons dans une dizaine de minutes. »

Elle allait devoir lui régler son compte quelque part dans la lande. Elle ne savait pas encore comment, mais elle savait que c'était sa dernière chance.

14

Vendredi 2 mai 2014

La nuit passée dans le même lit qu'Assad fut une expérience assez baroque.

Qu'un homme aussi petit puisse produire une telle variété de sons restait pour Carl une énigme. En tout cas, il n'avait encore jamais entendu un être humain capable de passer d'un ronflement supersonique à un sifflement plaintif digne d'un vieil orgue d'église. Le soliste était aussi infatigable qu'impossible à réveiller. Carl, épuisé et assez déprimé aux petites heures du matin, se dit qu'Assad ne dormait pas seulement comme une pierre, mais comme une montagne. Ou plus exactement comme un volcan sur le point d'entrer en éruption.

Quand le ronflement se tut enfin, Carl eut à peine le temps de pousser un soupir de soulagement qu'un gargouillement tout aussi incompréhensible que les bruits inarticulés qui avaient animé sa nuit se déversa de la bouche grande ouverte d'Assad.

Assad avait beau être endormi, il ne faisait aucun doute que c'était bien des mots qui sortaient de sa

bouche. De l'arabe ou du danois ? Impossible à dire. Carl se réveilla tout à fait.

Assad ne venait-il pas de dire « tuer » ? Et ensuite « Je n'oublie jamais rien » en se tordant sur le drap ? Les mots n'étaient pas clairs mais une chose l'était, Assad divaguait. Ce qui était parfaitement clair aussi, c'est qu'à ce stade, Carl ne fermerait plus l'œil de la nuit.

C'est pourquoi, mort de fatigue, il fut incapable, avec la meilleure volonté du monde, de rendre à Assad son sourire, quand celui-ci ouvrit enfin les yeux.

« C'est incroyable ce que tu peux être bavard quand tu dors, Assad », fut tout ce qu'il eut le temps de lui dire avant que quelqu'un, une femme, se mette à brailler dans la rue.

Carl tendit le cou. Elle devait se tenir tout contre la porte de l'hôtel. En tout cas il n'arrivait pas à l'apercevoir.

Derrière lui, d'une voix très basse, Assad demanda : « J'ai parlé ? Qu'est-ce que j'ai dit ? »

Carl allait répondre par une blague mais se ravisa en voyant l'air sévère qu'arborait son assistant.

« Rien de spécial, Assad. Je n'ai rien compris. Mais tu parlais danois et tu n'avais pas l'air de bonne humeur. Tu as fait un cauchemar ? »

Assad fronça ses épais sourcils et s'apprêtait à répondre, mais la femme dans la rue se remit à gueuler.

« Je sais que tu es là-dedans, John, cria-t-elle. On t'a vu. On t'a vu avec elle. »

Cette fois, Carl sortit du lit et se pencha à la fenêtre. Une femme ravissante entre deux âges grognait sur le perron comme un chien de combat qui a flairé le sang. Elle avait les yeux fous et les poings serrés.

Et merde ! Rose avait réussi à prendre John Birkedal dans ses filets.

Le pauvre garçon. Carl le plaignait sincèrement.

« Je propose qu'aujourd'hui, nous travaillions chacun de notre côté », dit Carl lorsqu'ils se retrouvèrent pour le petit déjeuner. Malgré ses efforts, il n'avait pas encore réussi à faire fonctionner les muscles de ses paupières. Il se disait qu'une fois ses collègues partis, il pourrait retourner ni vu ni connu dans la chambre et commencer à réduire le gros déficit de sommeil accumulé la nuit dernière.

« Je suis d'accord », déclara Rose, déjà lavée et repassée. On aurait dit la méchante reine dans *Blanche-Neige*. Pas un mot sur le barouf de ce matin et pas une excuse pour les désagréments occasionnés. L'échauffourée entre le mari et la femme sur le parking était apparemment déjà de l'histoire ancienne aux yeux de Rose. Elle avait l'air à la fois comblée et gonflée à bloc. Carl aurait été curieux de voir dans quel état était Birkedal.

« Je vais aller chez Habersaat pour commencer les cartons, dit-elle. J'ai contacté un déménageur local, il passera me prendre ici dans dix minutes. »

Carl lui fit un signe de tête satisfait. Et d'une.

« J'ai appris que la sœur de June Habersaat vivait dans une maison de retraite pas loin d'ici, est-ce que ce ne serait pas une mission pour toi, Assad ? poursuivit Rose. Vu qu'à cause de toi June ne nous dira plus rien sur ce qu'elle sait de l'enquête de feu son mari, je pense que c'est à toi d'aller cuisiner la frangine. Qui sait si June ne lui a pas fait des confidences ? »

Assad essuya l'averse, imperturbable. Rose ne changerait pas et, pour l'instant, il était occupé à verser du sucre dans son café sans faire déborder la tasse.

Rose se tourna vers Carl, froide et totalement indifférente à sa mine de papier mâché et à ses muettes protestations. Depuis quand était-ce à elle de distribuer les tâches ! « Carl, lui annonça-t-elle, vous avez rendez-vous à neuf heures et demie à l'école d'enseignement pour adultes. Ensuite, vous irez rendre visite au couple qui était à la tête de l'établissement à l'époque des faits. J'ai supposé que vous vouliez les voir. Ils n'habitent pas très loin d'ici non plus. »

Par quel miracle avait-elle réussi à accomplir tout ça en plus du reste ?

Carl inspira profondément, expira lentement et regarda l'heure. Il était neuf heures cinq. Il avait un peu moins de dix minutes devant lui pour réveiller son appétit, manger, boire un café, se raser et faire la sieste dont il avait si cruellement besoin.

« Tu vas devoir appeler l'école pour repousser le rendez-vous, Rose. J'ai deux ou trois choses à faire avant. »

Elle eut un sourire en coin. « Pas de problème. Ils ont un autre créneau après-demain. Demain, l'établissement est fermé pour cause d'excursion. Mais si vous mourez d'envie de passer encore deux nuits dans cet hôtel, personnellement, je n'y vois pas d'inconvénient. Ce n'est pas comme si quelqu'un m'attendait chez moi. »

Carl hocha la tête, il la regarda comme il aurait regardé son bourreau à Nuremberg, le clou de son cercueil et le caillou dans son soulier incarnés en une seule et même personne.

« Quand vous aurez fini, vous viendrez me rejoindre à Listed pour me donner un coup de main. Tu vas en avoir pour moins longtemps que Carl, Assad, mais tu prendras un taxi ! Qu'en penses-tu ?

— J'en pense que je n'ai jamais goûté de ma vie un café aussi bon, dit-il en levant sa tasse vers eux tandis que Carl ruminait sa défaite.

— Finalement, je crois que ce serait plus pratique que nous restions ensemble, Assad, dit-il. Nous irons voir la sœur de June Habersaat plus tard. »

À cet instant, le téléphone de Carl sonna. Il regarda le nom sur l'écran avec autant d'appréhension que de respect.

« Oui, maman. Qu'est-ce qui t'arrive ? »

Il savait qu'elle détestait quand il lui répondait par cette phrase-là. Quelquefois cela la paralysait tellement que la conversation s'arrêtait avant même d'avoir commencé. Malheureusement, aujourd'hui, elle ne sembla même pas l'avoir relevée. Elle entra tout de suite dans le vif du sujet.

« Nous avons eu des nouvelles de Sammy en Thaïlande. Il nous a appelés en PCV, mais ce n'est pas grave parce que ce qu'il avait à nous dire valait son pesant de cacahuètes, à mon avis. Tu sais qu'il a fait tout ce voyage dans l'idée de mettre de l'ordre dans les affaires de son frère, n'est-ce pas ? Eh bien, devine ce qui s'est passé ! »

Carl bascula la tête en arrière. Le souvenir de Sammy et la raison pour laquelle il était en train de se dorer la pilule sur le terrain de jeu exotique préféré des amateurs de charters sexuels avaient, Dieu soit loué, été relégués dans un coin de sa cervelle où il s'aventurait rarement.

« Sammy est furieux et je le comprends, parce que figure-toi que Ronny avait déjà envoyé son testament à quelqu'un d'autre. Comme s'il ne faisait pas confiance à son propre frère, tu te rends compte ? »

Le testament de Ronny. Carl espérait vivement que le document en question ne contenait rien d'autre que la liste de ses biens mal acquis et les noms de ceux qui allaient en hériter, mais il avait tendance à en douter. Il avait des remontées acides chaque fois qu'il entendait parler de son cousin.

« Si Ronny avait été mon frère à moi, j'aurais demandé à être placé en famille d'accueil, répliqua-t-il.

— Tu es un drôle de phénomène, Carl. Tu dis des choses tellement bizarres, parfois. Tu sais bien que papa et moi n'aurions jamais laissé faire ça ? »

L'école se trouvait exactement à l'emplacement où l'on imagine ce genre d'établissement. Encadrée de champs sur trois côtés, elle avait été construite en lisière de la forêt, non loin de la très spectaculaire Vallée des Échos, la principale attraction de Bornholm où la plupart des écoliers danois se rendaient au moins une fois dans leur vie, lors d'une inévitable classe verte. Carl en avait souvent entendu parler mais il n'y était jamais venu, car là où il avait grandi, on n'allait pas à Bornholm en voyage éducatif, mais à Copenhague, et le clou du séjour n'était pas la Vallée des Échos, mais un tour sur les montagnes russes du parc d'attractions de Tivoli et les vomissements qui s'ensuivaient.

En arrivant sur place ils remarquèrent le mât au sommet duquel flottait mollement un petit drapeau et un énorme rocher planté au milieu d'une pelouse. Sur le monolithe était gravé : « ÉCOLE D'ENSEIGNEMENT POUR ADULTES ». Derrière, dans un décor verdoyant, étaient disséminées des maisons rouge et blanc, construites à différentes époques, séparées par des haies vives, des totems ou des kiosques miniatures.

À la porte du bureau de l'administration, une charmante rousse les attendait et Assad se redressa inconsciemment de quelques centimètres.

« Je vous souhaite la bienvenue », dit-elle. Elle leur expliqua qu'elle ne faisait pas partie du personnel de l'école du temps où Alberte y séjournait, mais que leur concierge, lui, y était. « Nous avons gardé les journaux de cette période et l'ancienne directrice a tenu un journal pendant toutes les années où elle et son mari dirigeaient l'école. Cela dit, je ne pense pas qu'elle y ait consigné grand-chose sur l'affaire Alberte. »

Assad hochait la tête à la manière de ces chiens que certaines personnes aux goûts bizarres posent sur la plage arrière de leur voiture. « Nous aimerions beau-

177

coup parler à ce concierge, alors, dit-il avec un regard un peu plissé qui se voulait probablement séducteur. Mais peut-être pourriez-vous nous faire visiter les lieux pour que nous nous fassions une idée de la façon dont vivait Alberte, quand elle était ici. »

Je me demande pourquoi je suis venu, songea Carl en voyant l'enthousiasme d'Assad. Ils se débrouillent très bien sans moi, ces deux-là. Il se dit qu'il pourrait peut-être se glisser discrètement à bord du ferry cet après-midi et les laisser seuls. Une autre nuit dans le même lit qu'Assad allait le tuer, à coup sûr.

« Plusieurs des maisons que vous voyez là n'ont été bâties que plus tard, entre autres celles qui donnent sur la route et abritent l'atelier de verrerie, poursuivit leur hôtesse. Mais je peux vous montrer où Alberte prenait ses repas, où elle peignait et où elle dormait, si vous voulez. »

Ce fut une longue visite et Assad semblait enchanté. « Qu'est-ce qu'ils mangeaient le matin ? Est-ce qu'ils chantaient des cantiques avant le petit déjeuner ? Quand se réunissaient-ils dans le grand salon ? »

Mais en réalité, la visite ne devint vraiment intéressante qu'à partir du moment où le concierge, Jørgen, un type bien conservé, aux tempes grisonnantes et à l'air débrouillard, se joignit à la compagnie. L'homme avait une excellente mémoire, et Carl devint plus attentif. Il était employé dans cette école depuis 1992. La disparition d'Alberte et la possibilité qu'elle ait été victime d'un meurtre avaient marqué tout particulièrement l'année 1997 ; et il avait retenu beaucoup de détails sur la jeune fille.

« Elle a disparu le jour où s'est achevée la construction de l'atelier et où nous l'inaugurions. Il fallait que je sois partout à la fois. Un jour comme ça, ça ne s'oublie pas. » Il les conduisit vers un groupe de maisons basses en briques jaunes. « C'était là qu'elle dormait, celle qu'elle occupait s'appelle Stammershalle. Elles ont toutes de drôles de noms tels que Helligdommen, Døndalen et Randkløve[1]. Ne me demandez pas pourquoi. C'est une longue histoire.

— Ce sont des chambres individuelles, constata Carl. Avec une fenêtre en rez-de-chaussée donnant sur le parc. Rien ne l'empêchait de recevoir du monde la nuit, si ? »

Le concierge sourit. « Quand les jeunes gens sont livrés à eux-mêmes, tout est possible, n'est-ce pas ? »

Carl pensa brusquement à Rose et secoua la tête. Il n'osait même pas imaginer comment elle se serait comportée dans une situation comme celle-là.

« Mais la police a interrogé les autres filles qui habitaient dans la maison et aucune d'entre elles n'avait l'air de penser qu'elle avait reçu un homme dans sa chambre. Elles auraient entendu quelque chose si cela avait été le cas. On ne peut pas dire que les murs soient très épais.

— Quels souvenirs avez-vous de cette jeune fille ? Est-ce qu'elle avait quelque chose de spécial ?

---

1. Respectivement : La Halle aux agrumes ; La Sainteté ; La vallée du Tonnerre ; La Crevasse du bout du monde.

— Quels souvenirs ? Eh bien, je dirais que c'est la plus jolie fille qui ait séjourné dans cette école depuis que je suis là. Non seulement elle avait des traits et des yeux magnifiques, mais elle se déplaçait comme une princesse. Quand elle marchait, elle avait l'air de glisser sur le sol, on aurait dit Greta Garbo. Elle n'était pas très grande et pourtant, au milieu d'une foule, on ne voyait qu'elle. Vous voyez ce que je veux dire ? »

Carl acquiesça. Il avait vu des photos d'Alberte.

« C'est qui, Greta Garbo ? » demanda Assad.

Le concierge le regarda comme s'il venait de tomber de la lune, ce en quoi il avait peut-être raison. Car qui pouvait se vanter de savoir d'où venait Assad ? Et que savait Assad ? Deux inconnues d'une même équation.

« Elle chantait très bien, en plus, reprit le concierge. Quand nous nous rassemblions le matin pour chanter au pied du drapeau, sa voix s'élevait distinctement au-dessus des autres.

— Cette jeune fille était donc particulièrement séduisante et remarquable. Vous rappelez-vous si elle flirtait avec quelqu'un de l'école ? demanda Carl.

— Non, je regrette. Je l'ignore. La police m'a posé la même question. Je pense qu'il vaudrait mieux la poser aux étudiants qui étaient là en même temps qu'elle. Ils pourront sûrement vous en dire plus. Je sais juste qu'elle prenait de temps en temps le car ou un taxi avec d'autres jeunes gens pour aller faire la fête à Rønne. Boire une bière et ce genre de choses. Je vois souvent des filles et des garçons s'embrasser dans la serre, mais pas Alberte. Elle partait souvent à bicyclette. Elle était fascinée par la beauté des paysages de Bornholm, d'après ce qu'elle disait, mais je ne sais pas ce qu'elle a eu le temps de voir. J'ai remarqué qu'elle ne s'absentait en général que pendant une petite demi-heure, parfois moins que ça. »

« Tout cela ne nous a pas appris grand-chose », fit remarquer Carl une demi-heure plus tard quand ils furent dans la voiture en route pour Aakirkeby et la demeure des anciens administrateurs de l'école.

« C'est beau, ici, à Bornholm, dit Assad, les pieds posés sur le tableau de bord, admirant le paysage. Et cette secrétaire était à croquer.

— J'ai vu qu'elle était ta tasse de thé, Assad.

— Quel rapport avec le thé ? Non, elle était mignonne.

— Tu pourrais te faire muter ici, si ça te plaît tant que ça. »

Il acquiesça.

« Oui. Peut-être. Les gens sont gentils. »

Carl tourna la tête vers lui. Est-ce qu'il parlait sérieusement ? Apparemment, oui.

« Tu aimes bien les rousses, j'ai l'impression.

— Non. Pas spécialement. C'est juste aujourd'hui, chef. » Il montra du doigt le portable de Carl. « Vous avez un appel, chef. »

Carl pressa le bouton. « Allô. Qu'est-ce qui t'arrive, Rose ?

181

— Je suis au milieu d'un tas de cartons et de papiers, au premier étage de la maison de Habersaat. Vous aviez remarqué les classeurs pleins de procès-verbaux d'interrogatoires des étudiants de l'époque ?

— Oui, mais nous ne les avons pas lus.

— Moi, je les ai survolés. Plusieurs de ses camarades prétendent qu'Alberte flirtait avec la plupart des garçons, et que ça agaçait passablement ses petites camarades, car ils n'avaient d'yeux que pour elle.

— Alors c'est peut-être une de ces filles qui l'a jetée dans l'arbre ? grogna Carl.

— Vous êtes désopilant, monsieur Mørck. Bref. L'un des garçons est allé un peu plus loin que les autres avec elle, d'après mes informations. Ils se roulaient des pelles et sont sortis ensemble pendant quelque temps, jusqu'à ce qu'elle en trouve un autre.

— Quel autre ?

— Il ne faisait pas partie des étudiants. Mais je propose qu'on parle de ça tout à l'heure.

— D'accord, pas de problème, mais pourquoi m'appelles-tu, alors ?

— J'appelais pour les classeurs et puis pour vous demander si vous avez appris quelque chose sur ce type qu'elle fréquentait à l'école ? Il s'appelait Kristoffer Dalby.

— Malheureusement, notre visite n'a pas été très concluante. Tu dis qu'il s'appelait Kristoffer Dalby ? Nous sommes en route pour aller interroger le couple qui dirigeait l'établissement à l'époque, ils sauront peut-être quelque chose. »

Un vieillard grand et maigre, à qui, avec son pantalon en velours côtelé, sa veste de tweed et sa barbe peu soignée, il ne manquait qu'une pipe au coin de la bouche pour ressembler à un professeur de littérature d'Oxford, les entraîna dans la cuisine, où le rebord de la fenêtre était plus envahi de pots d'herbes aromatiques que dans un lycée horticole.

« Je vous présente mon épouse, Karina. »

Tout sourire et embrassades, la parfaite antithèse de l'ancien directeur vint occuper le devant de la scène. Vêtue de superpositions multicolores, elle semblait tout droit sortie de la comédie musicale *Hair*. Avec trois foulards bariolés noués en turban, elle et Vigga, l'ex-femme de Carl, auraient eu l'air de deux oiseaux d'une même couvée.

« Kristoffer Dalby ? » Le retraité mâchouilla le nom quelques secondes, après les avoir tous installés autour de la table en formica. « Humm, je crois qu'on va devoir consulter les annales. Mais d'abord un petit café ! »

Assad regarda le directeur, la mine éberluée. Les annales ?

Carl lui donna un coup de coude dans les côtes pour qu'il se reprenne. « Les annales sont des livres qui consignent les événements année par année, Assad, rien d'autre », chuchota-t-il à son oreille.

Assad haussa les sourcils, ravi. « Ah ! d'accord ! » Un nouveau mot était venu enrichir son vocabulaire.

« Et vous, Karina ? Kristoffer Dalby, ça vous dit quelque chose ? Un garçon qui faisait partie du groupe d'Alberte. »

Elle avança les lèvres en une moue songeuse. Le nom ne lui disait rien.

« Attendez, j'ai peut-être une idée pour vous rafraîchir la mémoire », dit Carl en composant le numéro de Rose.

— Tu n'aurais pas une photo de ce Kristoffer Dalby, Rose ? Si oui, tu peux me l'envoyer sur mon téléphone, tout de suite ?

— Je n'ai pas de photo de lui en particulier. Mais j'en ai une de toute la classe. Habersaat a fait une croix au-dessus de ceux qu'il a interrogés et il a écrit les noms de tout le monde à côté des visages.

— Alors prends-moi vite une petite photo et envoie-la-moi. »

Il revint au couple et aux boîtes de biscuits posées sur la table.

« Très bons cookies », dit Assad qui piochait dans toutes les boîtes tour à tour.

Carl acquiesça. « Excellents. Merci de votre accueil, c'est très agréable chez vous, et c'était très agréable à l'école aussi. Il paraît que c'est grâce à vous si cet endroit est un véritable foyer pour les pensionnaires. Il y a tout ce qu'il faut là-bas, des tableaux sur les murs, un piano accordé, des grandes salles confortables. Tout cela donne une atmosphère de convivialité extraordinaire. Est-ce que l'ambiance est toujours aussi bonne ? Est-ce qu'il n'arrive pas parfois qu'il y ait des conflits entre les élèves, ou bien entre élèves et professeurs ?

— Bien sûr que si, répondit l'ex-directeur. Mais je dois dire que ça n'a jamais été que des broutilles.

— Et comment avez-vous vécu le fait de perdre une de vos étudiantes, comme ça a été le cas avec Alberte ?

— Horrible, dit la femme. C'était horrible.

— Cette école est très ancienne, poursuivit Carl. Nous avons vu des photos qui avaient plus de cent ans.

— C'est exact, nous avons fêté le centenaire de l'établissement en novembre 1993. C'est une très vieille dame, oui.

— Passionnant, intervint Assad en brossant les miettes accrochées dans les poils de sa barbe. Est-ce qu'il y a eu d'autres histoires comme celle-là pendant que vous y étiez ?

— Des histoires ? Oh, nous avons eu quelques vols il y a deux ans. Des guitares, des amplis et des appareils photo ont disparu. Ce n'était pas très drôle, mais ça a mis un peu d'animation dans la vie de notre bon garde champêtre Leif. Il habite sur la place du marché à Aakirkeby. À part s'occuper des éternelles dégradations dans le cimetière, il n'a pas grand-chose à faire, expliqua l'ex-directrice.

— Ah ! Et puis il y a eu aussi la regrettable histoire de ce professeur qui est mort chez nous, de mort naturelle, certes, mais on s'est aperçus ensuite qu'il gardait une arme sans permis dans sa chambre.

— Ce n'était pas à des choses comme ça que je pensais, dit Assad en secouant la tête. Des choses comme l'histoire d'Alberte.

— Accidents mortels, viols et violences caractérisées », précisa Carl avec un petit hochement de tête à l'intention d'Assad. Excellent virage à cent quatre-vingts degrés sur miettes de biscuits.

« Non, rien de comparable à cela. Enfin, il y a quand même une fille qui a essayé de se suicider il y a quelques années, mais Dieu soit loué, elle s'est ratée.

— Chagrin d'amour ? » Carl étudia leurs visages tandis qu'ils s'interrogeaient du regard. Ces deux-là n'avaient certainement rien à se reprocher.

« Non. Je crois que c'était un problème avec sa famille. Beaucoup de nos étudiants viennent ici pour s'éloigner de leur environnement familial. Mais ils n'y parviennent pas toujours.

— Et Alberte ? Vous pensez qu'elle était venue à Bornholm pour prendre ses distances avec sa famille ? leur demanda Carl.

— Je pense, oui. Ses parents étaient un peu traditionalistes. Alberte était juive. » Il jeta un regard contrit à Assad mais celui-ci se contenta de hausser les épaules.

Et alors ? semblait signifier son attitude, quoi qu'il veuille dire par là.

« Bref, elle était juive et je pense que ses parents ne lui laissaient pas beaucoup de liberté. Elle ne mangeait que de la nourriture casher. Même ici, elle respectait une partie des règles qu'on lui avait inculquées chez elle.

— Mais pour ce qui est de sa vie affective, vous pensez qu'elle avait pris quelques libertés ? » demanda Carl.

La directrice sourit. « Je crois qu'elle n'a fait que ce que font toutes les jeunes filles de son âge. »

Carl entendit un bip dans la poche de son pantalon. Un SMS de Rose.

« Voilà, c'est lui », dit-il en leur montrant l'écran de son portable, et en particulier un garçon au milieu d'un groupe de jeunes gens. « Promotion de l'automne 1997 », disait la légende en dessous d'une série de noms écrits à la main, avec des flèches vers les visages correspondants. « Regardez, c'est écrit, Kristoffer Dalby. Assis au premier rang, par terre. »

Le vieux couple plissa les yeux.

« On ne voit pas très bien, dit l'ancien directeur.

— Les annuaires des élèves sont dans le salon, dit sa femme. Vous ne voulez pas que Karlo aille vous chercher celui qui vous intéresse ? Tu veux bien, chéri ? »

Carl hocha la tête tandis que le gentil mari se levait. Ils avaient un agrandissement d'assez bonne qualité de cette photo dans un dossier à l'hôtel. Ç'aurait peut-être été une bonne idée de l'emporter.

« On n'a qu'à vérifier là-dessus, dit Assad en sortant de son sac le dossier en question. C'est plus grand, on verra mieux. »

Pourquoi n'avait-il pas fait ça dès le départ ? Sa gourmandise l'avait-elle rendu sourd ?

Il posa son tirage sur la table de la cuisine avec un clin d'œil à Carl, au moment où le directeur revenait avec son vieil exemplaire de l'annuaire.

« C'est lui », dit Assad en désignant un fringant jeune homme avec pull-over islandais et duvet au menton.

Deux paires d'yeux intéressés se penchèrent sur le cliché, non sans avoir au préalable chaussé chacune sa paire de lunettes.

« Je me souviens de lui, effectivement, mais pas très bien, dit l'ex-directeur.

— Tu ne parles pas sérieusement, dit sa femme, étouffant un rire.

— C'est lui qui a joué de la trompette le jour de notre soirée chapeau, tu ne te rappelles pas ? Il jouait tellement faux que les autres musiciens ont dû s'interrompre. »

Le mari haussa les épaules. La fête et les distractions devaient plutôt être son rayon à elle.

Elle s'adressa à Carl et à Assad. « Kristoffer était un gentil garçon. Très timide mais adorable dans son genre. Il habite l'île, au fait. Il y avait toujours un ou deux autochtones dans les groupes, sinon, la plupart des élèves venaient du Jutland ou du Seeland, et puis bien sûr, il y avait quelques étrangers. Des ressortissants des pays Baltes, souvent. Cette année-là, on a eu huit à dix pensionnaires d'Estonie, de Lituanie et de Lettonie et deux Russes, aussi. »

Elle montra les deux Russes sur la photo et posa le menton dans sa main, l'air songeur.

« Vous êtes sûr que Kristoffer s'appelait Kristoffer Dalby ? Ce nom de famille ne me dit rien. Tu ne veux pas vérifier dans l'annuaire des élèves, Karlo ? »

Ses doigts parcoururent la liste des noms sous la photo de la promotion 1997.

« Tu as raison, il ne s'appelait pas Dalby, il s'appelait Studsgaard, et il y en a beaucoup sur l'île, des

Studsgaard. Je me demande pourquoi il est écrit Dalby sur l'exemplaire de la police, dit l'ancien directeur.

— Kristoffer Studsgaard, c'est ça, je m'en souviens très bien, maintenant ! s'exclama sa femme, rasérénée. C'était ça, son nom.

— Très bien. Donc, pendant qu'il séjournait chez vous, il semble qu'il ait eu une aventure avec la jeune Alberte, si on peut appeler ça comme ça. Est-ce que vous savez quelque chose à ce sujet ? » demanda Carl.

Ils furent désolés de ne pas pouvoir le renseigner : cela remontait à des années, et de manière générale, ils ne s'étaient jamais beaucoup préoccupés de ce que faisaient leurs pensionnaires en dehors des heures de cours.

Pendant le trajet du retour jusqu'à Rønne, Carl appela Rose pour la prévenir qu'elle allait devoir se débrouiller seule pour le déménagement, une information qu'elle n'accueillit pas avec bonne humeur. Si les ondes de son mécontentement avaient pu l'atteindre par téléphone, il aurait grillé sur place.

« Nous allons voir si ce Kristoffer Dalby est chez lui, ajouta Carl pour la calmer. Il n'y a qu'une seule personne de ce nom à Bornholm et elle habite près de Rønne, il doit y avoir moyen de régler ça en un tournemain. Ensuite nous irons rendre visite à la sœur de June Habersaat, à Rønne également. Tu vas t'en sortir, Rose, j'en suis sûr », dit-il avant de raccrocher.

Il allait en falloir plus que cela pour lui redonner le sourire.

15

Octobre 2013

Épilepsie, mon œil ! songeait Wanda. Elle avait déjà vu une vraie crise. Avec sept frères et sœurs, dont une petite sœur fragile qu'elle adorait, et qui presque chaque semaine vivait le martyre à cause de ses crises d'intensité variable, allant jusqu'à la perte de connaissance, Wanda connaissait tous les symptômes de la maladie. Et aucun ne correspondait à la petite représentation que Pirjo lui avait donnée à l'instant.

Quand Wanda leva le pied pour changer de vitesse, la bonne femme s'accrocha fermement à elle. Wanda regarda les mains nouées autour de sa taille. De petites mains blanches, qui disaient son âge avancé mais aussi son innocence et sa vulnérabilité. Et qui tremblaient.

Et si elle avait dit vrai ?

Après tout, Wanda n'était pas médecin. Et en fin de compte, est-ce qu'elle avait été là pour sa petite sœur au moment où les choses avaient mal tourné ? Est-ce qu'elle connaissait vraiment tous les aspects de cette maladie ?

Peut-être pas.

« C'est maintenant qu'il faut tourner à droite », lui cria Pirjo.

Wanda mit les gaz après avoir négocié le virage et lancé le scooter sur une route qui traversait la lande rase. Désormais c'était elle qui réglait l'allure. Autant que Pirjo s'y fasse. Elle avait la confirmation maintenant que sa venue contrariait la secrétaire d'Atu, exactement comme Shirley l'avait prédit. Wanda sentait monter en elle l'impulsion de rendre coup pour coup, mais elle décida de se tenir à carreau. Il y avait d'autres moyens de gagner ce combat.

Il n'y a pas si longtemps, Wanda était une femme qui n'avait qu'un mur pour unique perspective. Personne ne l'obligerait à redevenir cette femme-là.

Quand je reverrai Atu, je ne bousculerai pas les choses. Je le remercierai de s'être si gentiment occupé de moi à Londres et il se rappellera les regards que nous avons échangés. Je lui dirai que je suis là pour le servir gratuitement. Je lui ferai comprendre que je suis une sportive entraînée et lui proposerai de m'occuper de la remise en forme de ses élèves. Peut-être me dira-t-il tout de suite que je peux rester pour toujours.

« Un peu plus loin, nous entrerons dans la réserve naturelle, Wanda. Sur la droite, ce sera Mysinge Alvar, et sur la gauche, Gynge Alvar. Si Atu n'est pas là, je ne sais vraiment pas où il est. »

Wanda se retourna et vit que sa passagère souriait.

Un peu trop, même.

« Ton sourire est pur, mais la raison pour laquelle tu souris l'est moins », disait souvent son père quand elle ou un autre de ses enfants avait une idée derrière la tête. L'expérience lui avait appris que certains sourires coûtaient plus cher que d'autres.

Et c'était un sourire de ce genre, aussi clair que de l'eau de roche, que Wanda venait de voir sur le visage de Pirjo.

Elle accéléra et releva la tête au point de sentir le vent lui chatouiller le crâne. Comme toute Jamaïcaine qui se respecte et qui respecte sa religion, Wanda coiffait ses cheveux en dreadlocks bien serrées et ils formaient comme une sculpture scintillante : une invitation à la caresse. Elle se souvenait encore de la douceur des mains d'Atu quand il avait caressé ses tresses. Elle voulait revivre ce moment et c'était ce qui la faisait avancer, à présent.

« Garez-vous contre le mur, près de la pancarte », lui conseilla Pirjo, montrant du doigt une muraille en torchis, à hauteur d'homme, entre la route et la lande.

Elles descendirent toutes les deux du scooter et, dans le même mouvement, Pirjo s'empara des clés avant que Wanda ait eu le temps de réagir. L'avait-elle fait par réflexe ? L'instant d'après, elle regardait ses pieds, l'air inquiet.

« J'ai peur de m'être foulé la cheville en tombant dans le ravin. Je ne crois pas que je vais pouvoir vous accompagner là-bas, dit-elle en indiquant à Wanda un chemin caillouteux disparaissant au loin dans le paysage uniforme et plat. On n'a pas le droit de circuler dans l'Alvar sur des engins motorisés, mais si vous suivez le chemin pendant un ou deux kilomètres, vous devriez trouver Atu. Il y a un tas de légendes attachées à cet endroit, et Atu vient souvent ici pour se recharger en énergies positives au contact de cette nature sauvage. D'habitude c'est très joli et plein de couleurs, mais en cette saison, vous ne trouverez pas beaucoup d'orchidées, bien que ce soit une fleur endémique. C'est fascinant, n'est-ce pas ? »

Pirjo se tourna vers le scooter, une idée sembla lui traverser la tête et elle se retourna.

« Il faut que vous soyez revenue dans une heure et demie pour attraper votre train pour Copenhague. Cela ne devrait pas vous prendre plus d'un quart d'heure pour rejoindre Atu, vous avez largement le temps. »

Peut-être Pirjo semblait tout à fait sincère, à présent. Wanda avait-elle tout imaginé ? Peut-être Pirjo avait-elle pris son parti de ce qui était en train de lui arriver. Si c'était le cas, Wanda serait magnanime. Elle comprenait cette femme et sa situation. Quand elle serait devenue la favorite d'Atu, tout irait bien. Y compris pour Pirjo.

Wanda sentit une nuée de papillons dans son ventre. Pirjo avait dit un quart d'heure. Dans quinze minutes, elle reverrait Atu.

Pour Wanda, qui avait passé la plus grande partie de sa vie dans un pays chaud, avec un climat qui favorisait aussi bien la forêt tropicale que la savane, ce paysage désertique était le plus incolore qu'elle ait jamais vu. Au début de la lande, il y avait encore un peu de vert dans le décor, mais très rapidement, l'herbe et les pierres qui pavaient le chemin firent place à un tapis blanchâtre faisant penser à du sel ou à de la craie.

Le long du sentier, cette plaine aride n'offrait plus au regard que des teintes froides, vert fané, taupe et blanc, et plus un oiseau, plus un insecte ne se levait à son passage. C'était un endroit désolé qui lui rappela le temps où, jour après jour, elle montait la garde devant une porte. Ici non plus, elle n'avait personne à qui parler.

Elle sourit, se moquant d'elle-même. Non. Ce lieu n'avait rien à voir avec une entrée de service habillée de marbre au numéro 80 du Strand. Ici, il y avait de la terre et du ciel et de l'air frais.

Si Atu trouve la paix dans cet endroit, alors je la trouverai aussi, se dit-elle. Mais est-ce qu'il est vraiment là ? Comment pourrait-il se cacher dans ce néant sans relief ?

Son regard balayait le paysage de droite à gauche, puis de gauche à droite, examinant les possibilités. Deux cents mètres plus loin, quelques taillis bas et de hautes herbes qui ressemblaient à des roseaux oscillaient dans le vent. Sur la gauche, des flaques d'eau de pluie s'étaient formées sur le sol dur, entre les rares touffes d'herbe, et, en y regardant de plus près, elle eut l'impression que des traces de pas conduisaient dans cette direction.

Wanda n'en était pas sûre. Elle n'était pas une spécialiste. Ces traces pouvaient aussi bien appartenir à un homme qu'à un animal et elles pouvaient dater d'hier ou de plusieurs mois. Pourtant, elle décida de les suivre.

« Atu ! Vous êtes là ? » cria-t-elle en direction des touffes de végétation, sans obtenir de réponse.

Tout à coup, un soupçon l'envahit.

Merde ! Cette garce l'avait entraînée dans ce désert, et maintenant, elle avait certainement disparu.

« Je n'aurais pas dû la laisser prendre les clés du scooter, murmura-t-elle. Tu as été stupide, Wanda. »

Elle secoua la tête, furieuse contre elle-même, et fit demi-tour, maudissant sa propre naïveté.

Soudain, elle entendit comme un léger roulement de tonnerre.

Elle leva les yeux. Le ciel était gris, certes, mais les nuages ne lui semblèrent ni menaçants, ni lourds de pluie. Le bruit ne venait-il pas plutôt de la route ? Elle trouva bizarre de l'entendre de si loin.

Elle chassa la question de son esprit et se remit à appeler Atu, certaine à présent d'avoir été dupée, et consciente que la route à parcourir pour trouver quelqu'un qui la ramènerait à Kalmar et à l'hôtel des Francs-Maçons serait longue et difficile.

« Mais ne vous faites pas d'illusions, Pirjo ! Demain, je prendrai un taxi, je viendrai à l'Académie de naturabsorption, et on verra comment vous jouerez le coup suivant, grommela-t-elle. Car maintenant, quoi que vous fassiez, ce sera toujours sur vous que ça retombera. »

Elle allait devoir reculer de quelques cases, mais elle était toujours dans la partie. C'est ce que Wanda était en train de se dire quand elle réalisa que le bruit de tout à l'heure s'était rapproché.

Elle plissa les yeux et identifia un scooter roulant dans sa direction.

Regrette-t-elle son geste ? A-t-elle décidé de revenir me chercher ? se demanda Wanda. Ou va-t-elle encore inventer des histoires à dormir debout ? Mais cette fois, elle se le promit, elle ne lui ferait pas prendre des vessies pour des lanternes.

Je lui dirai carrément que je ne la crois pas, décida Wanda. En général quand on dit cela aux gens, on voit sur leur visage si on a raison de ne pas leur faire confiance.

Elle resta immobile, regardant grandir la tache jaune au fur et à mesure qu'elle approchait, la poussière du chemin formant un tourbillon derrière elle. À présent, elle apercevait Pirjo, assise bien droite sur le deux-roues. Elle ne pouvait pas ne pas la voir sur ce terrain dégagé.

Wanda agita le bras à son intention, mais Pirjo ne lui rendit pas son salut.

Pauvre femme, se dit Wanda, ressentant subitement une sorte de pitié pour elle. Elle ne sait plus quoi faire pour se débarrasser de moi.

Ce n'est que lorsqu'elle fut à vingt mètres d'elle que Wanda réalisa à quel point elle se trompait. Pirjo savait exactement ce qu'elle avait à faire.

Elle est folle, elle va me rentrer dedans, réalisa subitement Wanda, son cœur battant violemment dans sa poitrine.

Elle se mit à courir.

Le sol sous ses pieds devint vite spongieux. L'idée qu'elle pourrait s'y enliser jusqu'au cou l'épouvanta. Le bruit du scooter était si fort à présent que Pirjo devait se trouver à quelques mètres derrière elle.

Elle fit un bond de côté et s'arrêta de courir à l'instant où la chaleur du moteur la frôla et où l'engin mortel la dépassa en vrombissant. Elle eut le temps de voir l'expression de frustration sur le visage froid et dur de Pirjo. De toute évidence, plus rien ne l'arrêterait.

La femme planta ses deux pieds dans le sol et fit faire demi-tour au scooter, la terre giclant de sa roue arrière.

Elle croit qu'elle va m'avoir facilement, se dit Wanda, elle ignore que je suis la femme la plus rapide qu'elle ait rencontrée de sa vie.

Elle retira ses chaussures et se remit à courir plus vite, pieds nus.

Mais être rapide ne suffirait pas.

Les disciplines favorites de Wanda sur la piste du National Stadium étaient le quatre cents mètres et le huit cents mètres. Sur ces deux distances, elle était en symbiose parfaite avec le sol, son souffle et ses adversaires. Ici, le terrain était irrégulier et imprévisible, jonché de petits cailloux. Ses foulées étaient incertaines et elle manquait de se tordre les chevilles à chaque fois qu'elle posait le pied par terre.

Je ne vais pas pouvoir continuer ainsi très longtemps, se disait-elle, sentant son pouls s'accélérer. Si ceci est un combat à mort, il faut que je retourne la situation et que le taureau devienne le matador.

Elle entendait à nouveau le scooter la talonner. Le hurlement d'un moteur en surrégime l'enveloppa. Mais elle n'avait pas peur.

Tu esquiveras, comme tout à l'heure, et au moment où elle passera à côté de toi, tu lui balanceras un bras dans la figure et tu la feras tomber, se recommanda-t-elle. Il faudra faire attention qu'elle ne te renverse pas avec le scooter, Wanda.

Elle ne tourna la tête qu'à l'instant où le deux-roues arriva à sa hauteur.

Maintenant ! se dit-elle en faisant pour la deuxième fois un bond de côté. Mais alors qu'elle levait le bras pour la frapper, elle vit le regard fou de Pirjo et la petite bêche compacte qu'elle tenait à la main.

Ce fut la dernière chose que Wanda vit en ce monde.

16

« Allons voir cet arbre sur Skørrebrovej, Assad, il ne devrait pas être très loin de la nationale. » Il montra un point sur la carte à une faible distance d'Aakirkeby.

« D'accord, mais je trouve qu'on devrait passer par-derrière pour arriver dans le même sens que la personne qui lui est rentrée dedans.

— C'est une bonne idée. Mais tu sais quelle route il faut prendre, toi ? » Il baissa les yeux sur la carte où le doigt d'Assad traçait déjà l'itinéraire en commentant le trajet. Ça avait l'air de fonctionner.

« On traverse le pont de Vesterbro à Aakirkeby. Ensuite on prend la route de Rønne et on tourne à droite sur Vestermarievej. De là, on peut prendre par Kærgårdsvej, mais je ne crois pas que le chauffard soit passé par là, alors. Je crois plutôt qu'il a continué, et remonté Skørrebrovej à toute allure, puisque c'est là qu'habitaient les deux vieux qui ont entendu la voiture.

— Je suis ton raisonnement, Assad, mais en théorie, il aurait aussi bien pu arriver par le nord et prendre

Skørrebrovej quand même en passant par Vester-marievej.

— Je ne crois pas qu'il ait fait ça, alors. »

Carl hocha la tête.

Dès qu'ils furent sur la route, dans un axe nord-sud, Carl enfonça la pédale d'accélérateur. Jusqu'au premier virage où se trouvait la ferme où habitaient les deux vieux, il devait y avoir environ six cents mètres, et ensuite environ un kilomètre et demi au milieu des champs pour arriver à l'arbre. L'endroit était si isolé qu'il n'incitait pas à respecter les limitations de vitesse.

Les pneus hurlèrent dans le virage. Il ne faisait aucun doute qu'un vacarme pareil ait pu être entendu de l'intérieur de la ferme.

« À partir de là, la route est plate comme une crêpe, chef. Si Alberte attendait près de son vélo au bout de cette route, elle voyait parfaitement la voiture sur les cinq ou six cents derniers mètres.

— Oui. Et alors ?

— Je ne sais pas. Peut-être qu'elle attendait cette voiture et peut-être aussi qu'elle l'a reconnue, et qu'elle ne pouvait pas imaginer qu'elle lui foncerait dessus. »

Carl se tourna vers Assad. C'était exactement ce qu'il était en train de se dire.

« Vous pourriez ralentir un peu ? » dit Assad avec un regard inquiet sur le compteur. Carl acquiesça mais continua d'accélérer jusqu'à ce que le compteur indique cent kilomètres à l'heure. La fin justifie les moyens.

Juste avant d'atteindre le bouquet d'arbres au bout de la route, la voiture se mit à déraper. Carl entendit Assad hurler quelque chose en arabe, mais il avait d'autres chats à fouetter pour l'instant. La voiture trembla violemment en mordant le bas-côté et se mit à faire des zigzags sur la chaussée. Il écrasa la pédale de frein. Trente mètres après, la voiture s'était immobilisée en laissant derrière elle une longue traînée de gomme noire.

« J'ai failli avaler ma langue, alors. Vous ne refaites jamais ça, d'accord ! »

Carl se mordillait la lèvre supérieure. Il n'y avait que deux possibilités.

« Il n'y avait pas de traces de pneus sur la route après l'accident, n'est-ce pas ?

— Non, rien qui y ressemble, nulle part.

— Le véhicule ne roulait donc pas aussi vite que je viens de le faire.

— Heureusement pour celui qui était au volant, répliqua sèchement son passager.

— Donc, c'était bien un meurtre ?

— Il faut croire.

— Parce que la voiture n'a accéléré qu'après le virage, ce n'est pas possible autrement. Et comme Alberte se tenait nécessairement de ce côté-ci des arbres, car dans le cas contraire elle aurait été projetée dans l'autre sens, le chauffeur l'a forcément vue. Il en avait largement le temps.

— Ça peut aussi être un idiot qui ne regardait pas où il allait, chef !

— Non, parce qu'il suffisait à Alberte de s'écarter de la chaussée, et rien ne serait arrivé. Non. Elle ne s'est pas méfiée de la personne qui roulait vers elle. Pour une raison ou pour une autre, elle pensait à tout sauf au danger. »

Le crissement sur sa droite indiqua à Carl qu'Assad réfléchissait en se frottant la barbe.

« Vous pensez qu'il ne roulait pas vite, alors ?

— Si, il roulait vite. Mais seulement par rapport aux circonstances et à la configuration des lieux. Il devait être à soixante-dix ou quatre-vingts kilomètres à l'heure, je pense. »

Ils levèrent les yeux vers l'arbre en même temps. Comme si Alberte avait encore été perchée là-haut et qu'elle leur faisait signe.

Carl se demanda pourquoi il avait résisté jusque-là. Pourquoi il avait eu autant de réserves sur cette enquête.

Il se tourna vers Assad et regarda ses drôles de petits yeux ronds. Son visage exprimait de la tristesse mais aussi une détermination sans faille. Les trois collaborateurs du département V étaient désormais d'accord. Il fallait résoudre cette affaire.

« Nous allons mettre la main sur ce salaud », dit Carl tout doucement.

Ils sortirent de la voiture et comprirent pourquoi la police n'avait pas tout de suite découvert le corps de la jeune fille quand ils avaient enquêté sur le lieu de l'accident, alors que les arbres avaient déjà perdu leurs feuilles à ce moment-là.

« C'est quoi cette verdure, chef ?

— Du lierre, je crois. »

Assad hocha la tête, impressionné par la réponse. La botanique ne devait pas faire partie de ses nombreuses compétences.

« On dirait presque que les arbres ont déjà des feuilles, alors. »

Ils firent le tour du bosquet, le nez en l'air. Chaque arbre avait un tronc solide qui se séparait ensuite en d'innombrables fourches, qui toutes auraient pu retenir le cadavre d'Alberte.

« Elle était accrochée sur l'une des fourches du bas, à environ quatre mètres du sol. Elle a dû faire un tour sur elle-même pendant qu'elle était en l'air, puisqu'elle était suspendue la tête en bas, nous sommes d'accord, Assad ? »

Ce dernier acquiesça et essaya d'imaginer la succession des événements.

« Quand il l'a vue, Habersaat venait de la nationale, récapitula-t-il. Il est donc arrivé du mauvais côté, celui où elle était difficile à repérer à cause de toutes ces plantes parasites. Il a eu de la chance de la trouver.

— De la chance ? Si on veut… »

Assad fit signe à Carl de le rejoindre. Derrière les arbres, débutait un chemin de terre conduisant à une ferme distante d'environ deux cents mètres. Et dans la direction opposée, au bord de la route nationale, se trouvait un bâtiment jaune appartenant à une autre ferme. En dehors de cela, l'endroit était loin de toute civilisation.

« C'est là-dedans qu'on a retrouvé la bicyclette, chef », dit-il en montrant de l'autre côté du chemin de terre un sous-bois assez dense et vert. Étrange tout de même que le vélo ait pu voler aussi loin.

« Tu penses à la même chose que moi, Assad ?

— Je ne sais pas, chef. Moi, je pense que ça devait être une voiture assez spéciale pour projeter la fille en l'air de cette façon.

— Et le vélo ?

— Je crois qu'elle l'avait mis sur un tuteur et qu'elle était partie à la rencontre de la voiture. Le chauffeur a dû percuter Alberte avant de percuter le vélo et le vélo a été projeté en l'air, comme la victime, mais un peu de travers.

— On appelle ça une béquille, Assad, pas un tuteur. Mais à part ça je suis d'accord avec ton raisonnement. »

Ils se représentèrent la scène quelques instants, chacun de son côté. Le véhicule passant à toute allure devant la ferme à mille cinq cents mètres de là. Le chauffeur de plus en plus déterminé à en finir au fur et à mesure qu'il approchait de sa cible, le virage où il réduisait sa vitesse.

« Le chauffeur et Alberte se regardent au moment où la voiture aborde la courbe, dit Carl en pensant à haute voix. Elle met sa bicyclette sur sa béquille et avance vers lui. Elle lui fait un signe de la main. Elle est contente, elle sourit, et ce sourire l'accompagne dans la mort. Je ne crois pas qu'elle ait peur, parce qu'elle est heureuse et impatiente de le retrouver. Au dernier moment, la voiture accélère, la percute, la projette tellement haut qu'elle atterrit dans l'arbre le plus proche. Le chauffeur redresse probablement

204

le volant juste après mais ne parvient pas à éviter le vélo qu'il touche avec son aile avant droite, et c'est la raison pour laquelle il est propulsé si loin sur la droite. »

Carl regarda à nouveau dans la direction d'où était venue la voiture. « Je pense que le conducteur n'a appuyé sur sa pédale de frein à aucun moment. Ce n'est qu'après avoir renversé la jeune fille qu'il a levé le pied de l'accélérateur pour passer à une allure plus normale devant la ferme jaune qui se trouve à gauche et rouler ensuite tranquillement jusqu'au croisement d'Almindingensvej pour disparaître. Nous sommes toujours d'accord, Assad ?

— Quel salopard », marmonna Assad. Carl en conclut qu'il était d'accord. « Quel genre de véhicule est capable de propulser un corps à une telle hauteur en roulant aussi lentement ? poursuivit-il en levant la tête.

— Je ne sais pas, Assad. Un chasse-neige pourrait le faire, mais l'hiver n'était pas encore arrivé et si un engin pareil avait roulé droit sur elle, je suppose qu'elle se serait quand même écartée. En revanche, je pense comme toi que le véhicule qui lui est rentré dedans était muni d'un équipement spécial.

— Alors, pourquoi n'ont-ils pas réussi à le trouver quand ils ont fouillé l'île ? Et même s'ils n'ont mis des caméras vidéo au départ des ferries que pendant les deux jours qui ont suivi l'accident, si ce genre de véhicule était monté à bord, on l'aurait remarqué.

— Sauf si l'accessoire qui a propulsé Alberte dans l'arbre était démontable et que la personne l'a caché quelque part ensuite.

— Vous pensez toujours au Volkswagen ?

— Évidemment.

— On avait dû fixer quelque chose à cet étrange pare-chocs avant. Tel quel, il n'aurait pas pu l'envoyer en l'air comme ça.

— Non, je ne crois pas non plus, on demandera aux experts ce qu'ils en pensent. »

Carl leva à nouveau le regard vers la cime des arbres en essayant de visualiser la silhouette de la jeune fille. De la tristesse et un étrange sentiment de recueillement l'envahirent. S'il avait été catholique, il aurait sans doute fait un signe de croix, mais ce n'était pas le cas et, à cet instant, cela lui donna un sentiment de vide.

Il regarda Assad qui lui tournait le dos. « Dis-moi, Assad, les musulmans ont-ils un rite pour honorer leurs morts ? Une prière ou quelque chose comme ça ? »

Assad se tourna lentement vers lui.

« C'est fait, chef. C'est déjà fait. »

Regardant défiler les champs et les bois sombres, Carl imaginait la jeune et belle Alberte, les cheveux au vent et le visage plein d'espérance, roulant vers son rendez-vous avec la mort.

« Kristoffer Dalby habite à Vestermarie. Il faut faire demi-tour et rouler quelques kilomètres, dit Assad, abaissant le téléphone portable qu'il tenait contre son oreille. C'était l'inspecteur Jonas Ravnå. Il dit que

Dalby est instituteur, maintenant. Il m'a aussi dit autre chose qui n'est peut-être pas une très bonne nouvelle, alors.

— Ah oui ? Quoi ?

— Ils ont trouvé le vélo.

— Ah bon ? Et pourquoi n'est-ce pas une bonne nouvelle ?

— Eh bien… ils l'ont gardé pendant dix ans et ils ont fini par le jeter. Le 25 février 2008 pour être exact.

— Ce n'est pas très grave qu'ils l'aient jeté, si ? Du moment qu'ils l'ont retrouvé.

— Il a été retrouvé par hasard, alors. C'est un type d'ici qui l'avait. En 2008, il l'a reconnu à la décharge publique et il l'a ramassé parce qu'il savait que c'était celui d'Alberte.

— Je ne comprends pas où tu veux en venir.

— Il a pris ce vélo parce qu'il était spécial. Enfin, parce qu'il avait une histoire. Il en a fait une sculpture moderne qu'il a appelée… » Il vérifia sur ses notes. « … *Destinutopia*.

— Mon Dieu ! Et où peut-on admirer ce chef-d'œuvre ?

— C'est là qu'on a de la chance parce qu'il était exposé à Vérone mais il vient juste de rentrer à la maison.

— Et on peut savoir où c'est, "à la maison" ?

— À Lyngby ! C'est rigolo, non ? Vous passez par là tous les jours pour rentrer chez vous. »

Ils trouvèrent le chemin menant à la fermette de Kristoffer Dalby, au nord-ouest d'un petit hameau connu sous le nom de Vestermarie. Le terrain sur lequel la maison avait été édifiée devait être le plus petit de tout le quartier, ce qui n'avait pas empêché son propriétaire de l'encombrer de portiques, de toboggans et de bacs à sable pour un régiment de bambins.

« Vous croyez qu'on s'est trompés ? » demanda Assad.

Carl vérifia le GPS et secoua la tête. Par la vitre, il montra à Assad la boîte aux lettres au bord du chemin. « KRISTOFFER ET INGE DALBY » : pas d'erreur possible. En dessous, une petite étiquette sur laquelle il était écrit « MATHIAS ET CAMILLA ».

Ils sonnèrent à la porte et notèrent au passage les quelque cinquante mégots de cigarette dans un petit seau à côté de la marche du perron. J'ai l'impression qu'il y a quelqu'un qui file doux, ici, se dit Carl au moment où un remue-ménage derrière la porte les prévint qu'on allait leur ouvrir.

Il eut juste le temps de dire à Assad : « On ne tourne pas autour du pot », avant qu'un homme leur ouvre la porte.

Il s'agissait sans aucun doute possible de Kristoffer Dalby dans sa demi-splendeur, avec quelques kilos en plus, une barbe hirsute poivre et sel et des souliers éculés. Pas un homme qui aurait attiré l'attention d'Alberte, si elle l'avait rencontré aujourd'hui.

Sa bonhomie disparut instantanément quand il apprit la raison de leur visite, et tous les signaux d'alarme de Carl s'allumèrent en même temps. Il vit à l'expression d'Assad qu'il avait remarqué, lui aussi.

Kristoffer Dalby avait eu la réaction typique d'un homme qui a des choses à cacher.

« Vous nous attendiez ? lui demanda Carl.

— Je ne comprends pas ce que vous voulez dire.

— Je vois bien que notre venue vous trouble. Est-ce que vous vous attendez à cette visite depuis vingt ans, Kristoffer ? »

Tous les traits de son visage se crispèrent. Ses lèvres se pincèrent, ses yeux se plissèrent, il avala ses joues. C'était impressionnant.

« Entrez », dit-il à contrecœur.

Le séjour était un capharnaüm multicolore. Kristoffer Dalby leur désigna deux chaises flanquant un tapis de jeu décoré de routes, de feux tricolores et de maisons sur lequel traînaient une multitude de jouets en bois. Sur le rebord de la fenêtre se trouvait la trompette avec laquelle il avait jadis essayé de tomber les filles.

L'instrument était couvert de poussière.

« Vous avez beaucoup d'enfants ? » lui demanda Assad.

Il essaya de sourire, mais ne réussit qu'à produire une grimace. « Nous en avons deux, mais ils ne vivent pas à la maison. Ma femme est assistante maternelle, répondit-il.

— Ah, je vois ! Mais nous ne voulons faire perdre son temps à personne, alors nous n'allons pas tourner autour du seau, Kristoffer, dit Assad. Pourquoi ne vous appelez-vous plus Studsgaard ? Vous croyiez qu'il vous suffisait de changer de nom de famille pour qu'on ait du mal à vous retrouver ? Peut-être que vous auriez mieux fait de vous installer un peu plus loin de l'école, alors. »

C'était un tir dans le brouillard, mais après tout, qui ne tente rien n'a rien !

Carl regarda autour de lui. Une photo de deux postadolescentes dans un cadre posé sur un vieux téléviseur analogique, des montagnes de cassettes VHS de dessins animés sur une étagère. Il ne savait même pas que ça existait encore.

« Je ne comprends pas ce que vous dites. J'ai changé de nom parce que ma femme ne voulait pas s'appeler Studsgaard, alors c'est moi qui ai pris son nom.

— Écoutez, Kristoffer. Nous savons que vous aviez une liaison avec Alberte Goldschmid, vous n'allez pas le nier ? » dit Carl.

L'homme baissa les yeux, inclina la tête. « Non, il est exact qu'Alberte et moi avons eu une petite histoire ensemble, mais c'était assez innocent et ça n'a duré qu'une quinzaine de jours.

— Vous étiez très amoureux d'elle, n'est-ce pas, Kristoffer ? » demanda Assad.

Il confirma. « Oui, je suppose que oui. Alberte était extraordinairement belle et gentille, alors forcément…

— Et donc vous l'avez tuée quand elle vous a préféré quelqu'un d'autre ? » attaqua Assad, bille en tête.

L'autre eut l'air perplexe. « Mais non, pas du tout !

— Ah, alors vous n'étiez pas trop triste qu'elle ne veuille plus sortir avec vous ? insista-t-il.

— Si, bien sûr. Mais écoutez, c'est un peu compliqué, là.

210

— Pourquoi, "compliqué" ? intervint Carl. Vous pouvez être plus clair ?

— C'est-à-dire que… ma femme va rentrer dans un instant. Ça ne va pas très bien entre nous ces temps-ci, alors j'aimerais bien qu'on en finisse rapidement avec cet interrogatoire si c'était possible.

— Pourquoi, Kristoffer ? Vous n'avez pas tout dit à votre épouse ? Ou est-ce qu'au contraire elle sait quelque chose qu'elle ne devrait pas savoir ? Vous vous êtes confié à elle et maintenant, vous avez peur de ce qu'elle pourrait nous révéler ?

— Mais non. C'est juste une mauvaise période… Nos deux enfants sont actuellement dans un établissement pour élèves en difficulté. Ils ne s'en sortent pas du tout, pour être franc. Et ça se répercute sur l'ambiance à la maison, vous comprenez ?

— Quel rapport avec Alberte ? Pourquoi votre femme ne doit-elle pas entendre notre conversation ? »

Kristoffer soupira. « Inge et moi nous connaissons depuis le printemps 1997 et nous étions ensemble depuis déjà six mois quand nous avons fait ce séjour à l'école d'enseignement pour adultes et qu'Alberte est entrée en scène. Voilà pourquoi ! Je n'ai pas envie de rouvrir de vieilles plaies, vous voyez ? Surtout pas en ce moment.

— D'accord. Alberte lui a piqué son jules juste sous son nez, si je comprends bien. »

Il hocha imperceptiblement la tête. « Elle en était malade, et je crois qu'elle serait capable de réagir de la même façon aujourd'hui. J'ai trompé Inge à l'époque et elle ne l'a jamais oublié.

— Elle vous en a beaucoup voulu et elle en voulait tout autant à Alberte », conclut Carl. Puis, s'adressant à Assad : « Que dit le rapport ? Inge Dalby a été entendue concernant le meurtre d'Alberte ?

— Le meurtre ? Quel meurtre ? C'était un accident ! C'est ce qui a été dit partout !

— C'est exact. Mais nous avons une théorie différente. Alors, Assad, elle a été entendue, ou pas ? répéta Carl.

— Il n'y avait pas d'Inge Dalby dans ce groupe. »

Le maître d'école riposta : « Bien sûr que si… » Il s'arrêta au milieu de sa phrase et se mit à hocher lentement la tête. « Mais oui, bien sûr. En ce temps-là, elle s'appelait Inge Kure. C'est plus tard qu'elle a décidé de prendre le nom de jeune fille de sa mère. Il y a tellement de Kure, de Studsgaard, de Pihl et de Kofoed sur cette île ! Mais je suppose que vous le savez. C'est pour ça que nous avons décidé d'adopter un nom un peu moins banal, après que nous nous sommes mariés. »

Assad sortit le rapport de son sac et il posa sur la table basse l'annuaire avec la photo de classe afin de lire les noms des élèves. « Ah, si, voilà, Inge Kure. Elle est là, juste derrière Alberte. »

Carl se pencha pour mieux voir. Inge était une fille de petite taille, un peu ronde, avec des cheveux bruns et frisés. Assez commune, pas très jolie. Elle formait un contraste frappant avec l'ange tombé du ciel assis au premier rang, qui par sa seule présence éclairait toute la photo.

Assad se mit à feuilleter le rapport. « Je regrette, mais nous allons tout de même devoir échanger quelques mots avec votre femme », dit-il.

Dalby poussa un soupir, se mordilla la joue, et affirma que ni l'un ni l'autre n'avaient quoi que ce soit à voir avec la mort d'Alberte. Alberte était juste la fille dont tous les garçons étaient tombés amoureux cette année-là, et qui, uniquement pour cette raison, énervait la plupart des filles. Tout le monde l'aimait bien, mais sa présence troublait l'harmonie du groupe. Il était plus facile de vivre en groupe, à son avis, quand tout le monde jouait dans la même catégorie sur le plan de la séduction. C'est ainsi qu'il exprima les choses et son analyse sembla un peu trop rationnelle à Carl et à Assad.

« Vous étiez amer après qu'Alberte vous a laissé tomber ? demanda Carl.

— Amer ? Non. J'aurais été amer si elle était partie avec un autre gars de l'école, mais ce n'est pas ce qui s'est passé…

— Et Inge ? Elle vous a repris sans faire d'histoires ? » demanda Assad.

Il acquiesça avec un nouveau soupir. Peut-être avait-il regretté par la suite d'avoir accepté ce geste magnanime ?

« Alberte s'était trouvé un nouveau copain en dehors de l'école. Vous savez qui c'était ? demanda Carl.

— Je ne sais pas exactement, mais elle a mentionné un type qui vivait dans une communauté près de la réserve naturelle d'Ølene. C'est tout. Je crois que personne à l'école n'en savait plus que moi à ce sujet. »

C'était donc comme ça que Habersaat avait été mis sur la piste de la communauté, songea Carl.

« J'ai l'impression que c'était une sorte de Don Juan, poursuivit Kristoffer.

— Qu'est-ce qui vous fait dire ça ? Il avait fait d'autres conquêtes, à l'école ?

— Euh, non. Pas que je sache.

— Alors pourquoi dites-vous que c'était un Don Juan ?

— Je ne sais pas. Je suppose que c'était une façon d'accepter qu'il ait pu m'enlever Alberte.

— Vous ne l'avez jamais vu ? »

Il secoua la tête.

« Vous êtes sûr ? Regardez cette photo », dit Assad en posant devant lui la photo de l'inconnu sortant du combi Volkswagen. « Ça ne vous dit rien ? Vous n'avez jamais vu cet homme attendre Alberte à la sortie des cours ? »

Kristoffer prit la photo et se mit en quête de ses lunettes qu'il finit par retrouver dans sa poche de poitrine. Carl en profita pour échanger un regard avec Assad, qui haussa les épaules. Ils étaient d'accord : toutes les réactions de Kristoffer Dalby étaient à la fois logiques et compréhensibles. Sa crainte de raviver une vieille trahison suffisait à expliquer son attitude quand il avait compris le but de leur visite.

« La photo n'est pas très nette, mais non, je ne crois pas l'avoir déjà vu. En revanche, j'ai souvent vu un combi comme celui-là garé au bord de la route devant l'école. Je ne l'ai jamais vu de face, mais celui dont je parle était bleu ciel aussi et autant que je m'en souvienne, il n'y avait pas de fenêtre à l'arrière. »

Sacrée mémoire après toutes ces années ! Il n'en fallut pas plus pour faire revenir en force les soupçons des deux enquêteurs.

Ils entendirent un bruit de clés dans l'entrée et le visage de Dalby se figea.

« On a de la visite ? C'est qui ? s'enquit une voix de femme. Je ne reconnais pas la 607. C'est Ole qui s'est encore fait refiler une épave ? »

Une femme corpulente apparut sur le seuil. Elle n'avait plus grand-chose à voir avec la fille sur la photo de classe posée sur la table.

Elle fronça les sourcils. Son regard alla de la tête baissée de Kristoffer aux deux visiteurs inconnus, pour finir sur la table basse, le dossier de l'affaire Alberte et l'annuaire de l'école.

« Ne me dis pas qu'il s'agit encore de cette vieille histoire ? » Elle regarda son mari d'un œil hostile. « Qu'est-ce qui se passe, encore, Kristoffer ? Cette fille ne nous fichera donc jamais la paix ? »

Carl fit les présentations et expliqua pourquoi ils avaient rouvert l'enquête.

« Habersaat, je connais, merci ! C'est ce type qui s'est fait sauter la cervelle. Et même mort, ce pathétique individu vient encore nous emmerder, rugit-elle. J'espérais que lui parti, Alberte disparaîtrait pour de bon, elle aussi.

— Vous la haïssiez, n'est-ce pas, Inge ?

— Ce n'est pas du tout ce que vous pensez. Et ce n'est pas non plus ce que pensait Habersaat, au cas où vous auriez des informations là-dessus. Mais à partir du moment où Alberte est arrivée dans cette école, tout a changé. Et pas pour le mieux, évidemment.

— Nous aimerions bien connaître votre version des faits, si vous n'y voyez pas d'inconvénient. »

Elle détourna les yeux. Apparemment, cela ne l'enchantait pas.

Mais elle la donna quand même.

17

Au début, tout le monde aimait Alberte. C'était une vraie boute-en-train, elle aimait faire des blagues à tous les pensionnaires et faisait hurler de rire aussi bien les filles que les garçons. Au début tout allait bien, mais ça n'avait pas duré. Le peu de cas qu'elle faisait de l'intérêt que certaines filles pouvaient porter à certains garçons de l'école mit fin à sa popularité auprès des élèves de sexe féminin. On savait qu'elle ne pensait pas à mal, mais elle était incapable de se soucier des autres.

« Vous ne trouvez pas que Niels est craquant ? » proclamait-elle soudain, tandis qu'au fond de la classe une fille poussait un soupir parce que c'était au tour de son mec d'être dans le collimateur.

Et les yeux d'Alberte brillaient, et elle parlait de ses baisers et de son odeur sans penser une seconde au mal qu'elle pouvait faire.

On disait d'elle que c'était une enfant gâtée, qu'elle n'avait qu'à montrer une chose du doigt pour l'obtenir aussitôt, mais c'était faux et Inge l'avait vite compris.

Alberte n'avait même pas besoin de montrer quoi que ce soit du doigt pour l'avoir, parce que tout venait à elle sans qu'elle ait besoin de demander.

C'était de là que venait l'amertume d'Inge, elle l'admettait bien volontiers. Ce n'était pas parce qu'Alberte lui avait pris son amoureux qu'elle lui en voulait, mais parce qu'il s'était lui-même offert à elle. Et dix-sept ans plus tard, cette idée la rongeait toujours.

Carl se tourna vers le mari d'Inge qui se taisait et essayait de se faire oublier sur le canapé en regardant le bout de ses chaussures. Alberte devait être d'une rare sensualité et elle était une rivale dangereuse.

« Inge, j'ai déjà posé la question à votre mari. Connaissez-vous le nom du type sur lequel Alberte avait jeté son dévolu avant de mourir ?

— Christian Habersaat me l'a déjà demandé au moment où il a interrogé les anciens de l'école. Nous avions déjà répondu aux questions de la police, mais Habersaat voulait entendre nos réponses encore une fois. Il était comme ça. Je lui ai dit avoir entendu Alberte citer le nom de cet homme une seule fois. Je me souvenais que c'était un nom assez original mais je n'avais pas retenu lequel. Alors vous pensez bien que maintenant, je me le rappelle encore moins.

— Pas du tout ?

— Non. Juste qu'il s'agissait d'un nom à rallonge et qu'il était ridicule. Le prénom était assez court. Un nom biblique, je crois.

— Vous voulez dire dans le genre d'Adam ?

— Non. Trois lettres seulement, il me semble. Mais franchement, je n'ai pas très envie de chercher.

— Loth, Sem, Noé, Job, Élie, Koa, Gad, Seth, Asa », mitrailla Assad.

Sacré Assad, pensa Carl. Quelle culture !

« Non, aucun de ceux-là. Et comme je vous l'ai dit, ça ne m'intéresse pas.

— Et ce qui venait après le prénom ? insista Carl.

— Je n'en sais rien. Plusieurs noms stupides, je vous l'ai déjà dit. Du genre Superkalifragilistic-moncul. » Elle sourit. Sûrement pour une bonne raison, qui échappait à l'inspecteur Mørck.

« Bref, vous ne pouvez rien nous apprendre sur cet homme ? Vous en êtes certaine ?

— Rien. Sauf qu'il devait venir de Copenhague. En tout cas, il n'était pas de Bornholm et il n'était pas non plus originaire du Jutland, d'après son accent. Et puis, il y avait le combi Volkswagen. On en a souvent parlé avec Kristoffer.

— Celui-là ? » dit Assad en lui tendant la photo.

Elle l'observa pendant quelques secondes. « Il avait cette forme et cette couleur, mais on ne le voit pas bien, là-dessus.

— Vous souvenez-vous de détails le concernant ?

— Des détails ? Je viens de vous dire que je ne l'avais vu que de derrière et d'assez loin, en plus.

— Des bosses, peut-être ? Ou des rayures ? La couleur de la plaque d'immatriculation, des rideaux aux fenêtres ? Quelque chose d'inhabituel ? »

Elle commençait à s'amuser. « OK, alors : les vitres étaient condamnées, la plaque était ancien modèle, noire avec des chiffres blancs. Il y avait une ligne noire en arc de cercle qui semblait partir du toit, et je me rappelle quelque chose de blanc sur les pneus, oui, je crois que c'est cela, un cercle large et blanc autour des enjoliveurs. Mais je me trompe peut-être. Il se peut que je confonde avec une autre voiture que j'aurais vue garée sur la route.

— Un arc de cercle, mais encore ?

— Je ne sais pas. C'était peut-être simplement une salissure. » Elle se tourna vers son mari. « Tu peux m'aider, Kristoffer ? »

Il secoua la tête.

Bon, la plaque du combi était noire. Ce qui voulait dire qu'il avait été immatriculé avant 1976, si cette information pouvait leur être utile à quelque chose.

« Qu'en dites-vous, Carl ? Les Dalby sont hors de cause ? »

Carl changea de vitesse plusieurs fois avant de répondre.

« Je me demande, Assad, qui était réellement Alberte. Pour l'instant, c'est ça qui me tracasse. Je te répondrai quand j'en aurai appris un peu plus sur cette jeune fille. Ingrid Dalby est une femme dure et elle est en colère, mais elle semble avoir les pieds sur terre et, pour l'instant, je ne la soupçonne de rien en particulier. Ensuite, il y a Kristoffer. C'est un lâche qui sort sur le palier pour fumer et qui n'ose pas contrarier son épouse. Je ne l'imagine pas comme quelqu'un d'assez passionné pour être capable de tuer par amour.

— Vous ne trouvez pas bizarre qu'ils se souviennent tous les deux que les vitres du combi étaient condamnées, tant d'années après ? Et qu'elle se rappelle qu'il avait les pneus blancs, une ligne sur le côté

220

et une plaque noire ? Vous auriez retenu ce genre de détails, vous ? »

Carl haussa les épaules. Il avait la prétention de croire que oui.

« Dites-moi, chef, on n'est pas en train de partir dans la direction opposée à celle où on devait aller ? Je croyais qu'on allait voir la sœur de June Habersaat à sa maison de retraite, à Rønne ? s'inquiéta Assad.

— J'avais envie d'aller voir d'abord cet endroit qu'ils appellent Ølene. On trouvera peut-être quelqu'un là-bas qui a connu les hippies.

— Vous ne croyez pas que Habersaat a déjà fait tout ce qu'il pouvait ?

— J'en suis sûr. Mais en a-t-il fait assez ? Il me semble qu'il nous a fait comprendre clairement que nous devions nous concentrer sur l'homme à la Volkswagen, si l'on en croit l'agrandissement qu'on a trouvé chez lui. J'essaye simplement de me faire une vue d'ensemble et de comprendre à quel genre de tueur nous avons affaire, parce que j'avoue que pour le moment, je n'en ai pas la moindre idée, Assad. »

C'était plus loin que Carl ne le pensait, et le soleil diffusait déjà une lumière mate quand ils arrivèrent à destination. Il avait beau ne se coucher que dans une bonne heure et demie, les ombres étaient longues et le paysage exsangue.

« Il y a drôlement beaucoup d'arbres ici, chef. Vous êtes certain que vous savez où vous allez ? »

Carl admit que non. « Appelle Jonas Ravnå, il doit savoir où ça se trouve.

— Il est bientôt six heures du soir. Il ne doit plus être de garde.

— Essaye quand même. Sur son portable. Et mets-le sur haut-parleur. »

Apparemment, on mangeait tôt dans ces contrées. Ravnå apprécia modérément qu'on le dérange à table. « Vous avez un GPS, non ? demanda-t-il. Vous ne pouvez pas vous en servir ? »

Il eut malgré tout pitié d'eux et expliqua à Carl qu'il devait trouver un chemin qui menait au lac d'Øle, à la hauteur de l'entrée de la réserve naturelle d'État, qui ne serait pas très difficile à repérer grâce à la pancarte fort peu hospitalière qui la signalait : on pouvait y lire « ENTRÉE INTERDITE », en allemand, en dessous d'un dessin d'oiseau.

Ils mirent un moment à prendre leurs repères sur la route d'Ølene mais ils finirent effectivement par tomber sur le panneau en question. En face, un autre panneau, plus petit, indiquait le chemin du lac d'Øle, qui se révéla être une voie sans issue, au bout de laquelle ils découvrirent une maison apparemment abandonnée et entourée d'un grand terrain herbeux.

« Étrange endroit. Qu'est-ce que vous espérez trouver ici, chef ? » demanda Assad à Carl, quand ils furent sortis de la voiture.

Carl ne savait pas très bien, à vrai dire. Il était difficile d'imaginer une communauté hippie dans cet endroit désolé.

« Peut-être que ce type, là, va pouvoir nous renseigner. » Carl montra du doigt une petite tache sur le chemin, qui avançait lentement dans leur direction.

L'homme, qui avait l'air d'avoir près de soixante-quinze ans au compteur, en bermuda, mit plus d'une minute à arriver jusqu'à eux d'une démarche chaloupée qu'il aurait sans doute qualifiée de pas de course.

Il sembla envisager de ne pas s'arrêter, de peur de ne plus pouvoir repartir peut-être, mais choisit tout de même de se planter devant eux, les bras ballants, en renâclant comme un cheval, semblant attendre qu'ils le félicitent pour son bel effort.

« Bravo, monsieur, dit Carl, faisant référence à sa prouesse sportive.

— Merci. Il paraît qu'il faut se remettre en forme avant d'atteindre la soixantaine », répliqua-t-il avec un accent à couper au couteau, la respiration sifflante.

Soixante ans, pas plus ? Ô vieillesse ennemie, ils avaient intérêt à le renvoyer vite fait dans ses pénates s'ils ne voulaient pas qu'il leur claque dans les pattes.

« Vous habitez dans le coin ? lui demanda Carl.

— Pas du tout. J'habite Hambourg. J'ai dû trop m'éloigner de chez moi. Je savais bien que j'aurais dû tourner à droite à un moment donné. »

Assad rigola. Ils étaient donc au moins deux ici à piger ce genre d'humour.

« Alors je suppose que vous connaissez un peu l'histoire locale.

— Que voulez-vous savoir ? »

Carl montra la maison abandonnée et exposa à l'homme le but de leur visite.

« Le flic de Svaneke, celui qui faisait du zèle, m'a posé cette question une bonne centaine de fois, répondit le vieillard. Oui, une bande de jeunes a habité ici pendant à peu près six mois. L'ancien propriétaire n'était pas très regardant sur la façon dont l'argent rentrait dans les caisses.

— Pourquoi dites-vous ça ?

— Parce que c'était une bande de hippies qui n'avaient rien à faire chez nous avec leurs vêtements bariolés et leurs cheveux longs. Sans compter qu'ils faisaient un tas de choses bizarres.

— Quoi, par exemple ?

— Courir dans les prés en agitant les bras vers le soleil. Allumer des feux de camp le soir et faire la ronde autour, parfois complètement nus. Ils faisaient des trucs qui ne nous viendraient pas à l'idée à vous et moi, vous voyez ?

— Vous pouvez être plus précis ?

— Mystiques, si vous préférez. Ils se peignaient des symboles sur le corps et ils célébraient des messes, comme les catholiques. Il y en a qui disaient que c'était des pratiquants de l'Ásatrú[1], mais pour nous, c'était juste des cinglés, comme la plupart des touristes qui viennent ici.

— Très intéressant. Vous pouvez me décrire ces symboles dont vous parlez ?

---

1. Religion polythéiste des anciens peuples du nord de l'Europe avant l'ère du christianisme.

— Non. C'était juste des gribouillis. » Son visage s'éclaira. « Comme les Indiens, vous savez.

— Rigolo.

— Oui. Et ils avaient mis une pancarte au-dessus de la porte de la maison. Je crois que c'était écrit "*LA VOÛTE CÉLESTE*", dessus.

— Mais ils ne prêchaient pas dans la région et ils ne mettaient pas la pagaille non plus ?

— Non, ils étaient plutôt inoffensifs dans leur genre. Un peu cinglés, quoi, c'est tout. »

Carl fit un signe à Assad qui aussitôt sortit la photo de son sac.

« Et celui-là ? Vous le reconnaissez ? demanda Assad.

— Le policier zélé avait cette photo avec lui chaque fois qu'il venait. J'ai déjà répondu qu'ils avaient un fourgon qui ressemblait à celui-là, mais que je n'avais aucune idée de l'identité du bonhomme. Ce n'est pas comme si je les avais fréquentés, non plus, hein ?

— En ce temps-là, vous ne veniez pas faire votre jogging par ici, alors ?

— Certainement pas. Pourquoi croyez-vous que je suis obligé de le faire maintenant ? »

Il leur fournit quelques renseignements supplémentaires. Oui, la plaque était noire, oui, il y avait une ligne noire de chaque côté du combi et, non, il n'avait remarqué aucune rayure ni aucune bosse ou ce genre de détails. Il y avait environ neuf ou dix jeunes dans le campement. Quatre ou cinq de chaque sexe. Un jour, ils avaient fichu le camp. Voilà. Depuis, le propriétaire ne louait qu'à des Allemands, parce qu'ils payaient mieux.

« Est-ce que vous ou quelqu'un d'autre pourriez nous dire à quelle date ils ont levé le camp ? Est-ce que c'était au moment de la disparition d'Alberte Goldschmid ?

— Je n'en ai aucune idée. À ce moment-là, je sais que j'étais en déplacement. Je suis biochimiste spécialisé dans l'étude des enzymes. J'étais à Groningen pour un séminaire autour de la fabrication de la fécule de pomme de terre. Je devine que vous brûlez de le savoir », dit-il en riant.

Les yeux d'Assad s'agrandirent. « La fécule de pomme de terre ! C'est très utile, alors ! Quand un chameau a une plaie au passage de sangle, on…

— Merci, Assad. Je ne suis pas sûr que ton histoire de chameau intéresse ce monsieur dans l'immédiat. » S'adressant à l'homme, Carl dit : « Et votre ancien voisin, celui qui louait la maison ? Il doit savoir quand ils ont quitté les lieux ?

— Lui ? Vous rigolez ? Il ne savait rien du tout, il habitait à l'autre bout de l'île. Du moment qu'on lui payait le loyer, il laissait les gens faire ce qu'ils voulaient. »

Il leur donna son nom, puis il rassembla ses abattis et repartit cahin-caha, en respirant comme un soufflet de forge.

« Je crois qu'il est temps de nous plonger dans les rapports de police, et en particulier dans les éléments rassemblés par notre ami Habersaat. Ils nous auraient probablement évité de venir nous perdre au pays de Mortecouille.

— Au pays de qui ?

— Laisse tomber, Assad. C'est une expression. »

La maison de retraite Snorrebakken, où vivait la sœur de June Habersaat, était un établissement d'un modernisme froid et rutilant. Verre scintillant de propreté et murs satinés peints en gris. De l'extérieur le bâtiment aurait pu abriter un cabinet d'expertise comptable hors de prix ou une clinique privée pratiquant la chirurgie esthétique. En tout cas, elle ne correspondait en rien à l'image qu'on se fait du terminus d'une existence.

« Karin Kofoed décline un peu, les informa l'auxiliaire de santé. Malheureusement, entre sa démence sénile et son alzheimer, elle n'a que de rares moments de lucidité, mais en vous limitant à un sujet à la fois, vous avez peut-être une chance de l'atteindre. »

La sœur de June Habersaat battait des bras, assise un peu recroquevillée au fond de son fauteuil. Son sourire était figé sur son visage, mais ses mains étaient aussi expressives que si elle avait été en train de diriger un orchestre symphonique dans quelque concert imaginaire.

« Je vais vous laisser seuls avec elle, sinon, je risque de monopoliser son attention », dit l'auxiliaire en souriant.

Ils s'assirent en face de la vieille dans un petit canapé et attendirent patiemment que son regard se pose sur eux de lui-même.

« Karin, nous aimerions parler avec vous de Christian Habersaat et de son enquête », dit finalement Carl.

Elle hocha la tête et s'échappa à nouveau, regarda un moment ses doigts écartés puis se retourna vers eux, peut-être un peu plus présente.

« Parce que… Bjarke ! » dit-elle, comme un constat.

Carl et Assad échangèrent un regard. Cela n'allait pas être facile.

« C'est vrai, madame Kofoed, Bjarke n'est plus là non plus. Mais ce n'est pas par rapport à lui que nous voudrions vous parler de Christian.

— Bjarke est mon neveu, il joue au football. » Elle s'interrompit. « Non, finalement, il ne va pas y jouer. Comment ça s'appelle, déjà ?

— Bjarke, votre sœur June et vous habitiez ensemble, il paraît. » Assad s'avança au bord du canapé pour être plus près de Karin Kofoed. « June et Christian s'étaient séparés et elle est sortie avec un autre homme. C'était il y a longtemps, vous vous souvenez ? »

Un pli inquiet barra son front pourtant très lisse pour son âge. « Ouh là là, June ! Elle est très en colère contre moi.

— Contre vous, Karin ? Pas contre Christian ? » Carl s'approcha à son tour.

Ils la perdirent encore. Elle regarda par la fenêtre, hocha plusieurs fois la tête, comme se parlant à elle-même dans son for intérieur. Ses mains tremblaient un peu. Puis le pli de son front s'effaça, son corps se détendit. Tout cela ne les mènerait probablement nulle part.

« June râlait à cause de l'enquête de Christian, n'est-ce pas, Karin ? »

Elle dut comprendre la question que lui avait posée Carl car elle le fixa longuement d'un regard intense. Mais elle n'y répondit pas.

« Bjarke est mort. Il est mort », dit-elle deux fois de suite tandis que ses mains recommençaient à virevolter comme des ailes de papillon devant son visage.

Assad et Carl se consultèrent du regard. Si une quelconque information sortait de sa bouche, ce serait le fait du hasard, alors autant y aller au culot. Carl fit signe à Assad qui sortit la photo du type et du combi de sa sacoche.

« Avez-vous déjà entendu Christian ou June évoquer l'homme qui se trouve sur cette photo ? lui demanda Carl.

— Un beau garçon aux cheveux longs », ajouta Assad.

Elle eut l'air désorienté. « Bjarke avait les cheveux longs. Toujours les cheveux. Comme cet homme.

— Cet homme, parlons-en. Les avez-vous entendus parler de lui ? » Carl ne lâchait pas l'affaire.

Elle essayait apparemment de comprendre où Carl voulait en venir, mais ses yeux restaient vides.

« Vous rappelez-vous son nom, Karin ? Était-ce Noé ? »

Sa tête bascula en arrière et elle éclata de rire. « Noé ! C'est celui qui avait embarqué tous ces animaux avec lui, vous le saviez ? »

Carl se tourna vers son équipier. « Je crois qu'on va faire une petite pause, là, qu'en penses-tu ? »

Assad secoua la tête, l'air désolé. Il ne devait pas y avoir de dicton de dromadaire qui convienne à la situation.

« On va téléphoner à June Habersaat et lui parler du type sur la photo, comme ça, d'entrée de jeu. Tout ce qu'on risque, c'est qu'elle raccroche. »

Assad acquiesça, pensif, et posa un pied sur le tableau de bord. « Elle va raccrocher, vous pouvez en être sûr. Si on allait lui faire voir la photo en l'attaquant par surprise ? »

Carl se renfrogna. Retourner à Aakirkeby ? Plutôt avaler une boîte de clous. Il tapa le numéro de June Habersaat et la voix qui répondit était de celles qui font exploser le cristal.

« Désolé de vous déranger à nouveau, June. Croyez bien que je ne cherche pas à vous harceler. Nous arrivons tout juste de la maison de retraite où séjourne votre sœur. Elle vous passe le bonjour. Nous avons un peu parlé du bon vieux temps, tout ça… et dans ce contexte nous aimerions vous poser quelques questions sur un beau jeune homme aux cheveux longs qui se baladait sur l'île dans un combi Volkswagen bleu ciel.

— Qu'est-ce qui vous faire croire que je le connais ? grogna-t-elle. C'est ma sœur qui vous a dit ça ? Vous n'avez pas remarqué qu'elle est complètement sénile, pauvre imbécile ? »

Carl serra les dents. Le ton pour le moins direct que June Habersaat avait choisi d'utiliser à son égard nécessitait chaque fois un petit temps d'adaptation.

« Si… bien sûr. Il était difficile de ne pas s'en rendre compte. Mais, excusez-moi, je me suis peut-être mal exprimé. Je ne vous ai pas demandé si vous fréquentiez un autre homme à l'époque, mais si vous *vous souveniez* d'un homme qui habitait près des marais d'Ølene, dans une espèce de communauté hippie. Il avait un prénom court, faisant penser à un prénom biblique, et il était originaire de Copenhague. Ça vous dit quelque chose ?

— C'est à ce sujet que vous avez interrogé Karin ? Je vous interdis d'aller poser des questions sur moi aux gens, connard. Je viens de perdre mon fils, et je voudrais que vous arrêtiez de me faire chier, putain ! »

Carl n'en revenait pas. « D'accord, June, j'ai compris. Mais est-ce que vous ne croyez pas que vous feriez mieux de répondre à mes questions au téléphone plutôt que d'être traînée au poste de police pour un interrogatoire en règle ? Nous avons besoin de renseignements sur cet homme, et vous êtes l'une des personnes qui ont pu le rencontrer. Nous disposons d'une photo…

— J'ignore qui est l'homme dont vous me parlez. Ce sont des conneries que vous avez trouvées dans les papiers de Christian », dit-elle avant de raccrocher violemment.

« Alors ? » demanda Assad.

Carl déglutit. « Alors, rien. Elle a compris de travers, elle a tout mélangé et je n'ai pas réussi à la remettre en confiance. »

Assad jeta à son chef un regard las. « On va lui coller la photo sous le nez, alors ? »

Carl secoua la tête. À quoi bon ? June leur avait bien fait prendre la mesure de son refus de coopérer, Karin était inaccessible et, par la force des choses, Bjarke ne leur servirait plus à rien. Il fallait se rendre à l'évidence, ils allaient devoir se passer de l'aide des tristes survivants de la famille de Christian Habersaat.

« Qu'est-ce qu'on fait, alors ?

— Toi, Assad, tu vas à Listed donner un coup de main à Rose, dit Carl avec un grand sourire. J'ai peur de devoir rester à Rønne pour lire quelques rapports, ce soir. » Il prit la sacoche d'Assad et, dans un moment d'inconscience, il lui donna les clés de la voiture en échange. « Étant donné les circonstances, je vais te confier l'importante tâche de me reconduire d'abord à l'hôtel. »

Une seconde plus tard, il avait déjà regretté sa témérité.

Incroyable de voir le nombre de dépassements hasardeux qu'on avait le temps de faire sur un trajet aussi court que la traversée d'une petite ville comme Rønne.

De la lecture attentive des documents transmis par le commissaire Birkedal, il ressortait plusieurs faits notables. D'abord que les renseignements qu'ils contenaient dataient de 2002, ensuite que l'hypothèse du meurtre n'avait pas été retenue par les enquêteurs. Peut-être y avait-il des raisons administratives à ce choix. En effet, dans le cadre d'un meurtre, l'affaire n'aurait jamais pu être classée. L'autre possibilité étant qu'on n'ait jamais étudié l'accident d'assez près.

Carl, lui, supputait que les autres avaient tout simplement lâché l'affaire devant l'acharnement de Habersaat, une réaction qui n'aurait rien eu d'étonnant. N'avait-il pas également fait fuir tout son entourage à cause de son obstination à prouver sa théorie ?

Carl hocha la tête pour lui-même. On ne devait pas avoir tous les jours l'occasion d'enquêter sur un meurtre dans une île comme Bornholm, et la brigade mobile n'avait jamais été sollicitée. Qui aurait pu faire valoir aux agents de police peu expérimentés du commissariat local ce que ce décès avait de louche ? Pas Habersaat en tout cas.

Les rapports indiquaient que la police de Rønne s'était focalisée sur la théorie de l'accident, sans pour autant réussir à retrouver le véhicule responsable ni, a fortiori, son conducteur. Seules l'opiniâtreté et l'énorme dépense de temps et d'énergie de Habersaat étaient parvenues à donner à cette investigation une direction différente.

Deux bonnes heures s'étaient écoulées quand Carl entendit Rose et Assad dans le couloir de l'hôtel.

Assad faisait peine à voir et il alla instantanément s'écrouler sur sa moitié du lit. Deux minutes plus tard, il ronflait la bouche ouverte, dans un vacarme à faire trembler le mobilier.

Rose ne se montra pas plus expansive sur son immersion dans les papiers du défunt. Apparemment, cela pouvait attendre le déballage à l'hôtel de police, parce que, pour le moment, elle avait envie de dormir.

La veinarde, songea Carl, se retrouvant pour la deuxième nuit de suite allongé dans le même lit qu'Assad.

Il eut beaucoup de mal à résister à l'envie de lui écraser son oreiller sur le visage.

Affolé, en quête d'une issue, il finit par repérer le minibar.

Ce sera sûrement plus efficace que des boules Quies, se dit-il en ouvrant la porte du petit réfrigérateur.

Il fallut deux bières et au moins dix mignonnettes d'alcool de provenances diverses pour désactiver la fonction auditive de ses tympans.

18

Octobre 2013

Pirjo s'efforça de retrouver ses esprits, elle rinça ses bottes et passa au jet le bas de son pantalon, la bêche pliable et le scooter, à l'abri du bâtiment à façade rose qu'ils avaient appelée l'Écurie des sens. C'était dans cette partie du centre que les nouveaux disciples affectés de tendances dépressives et d'un mauvais karma venaient se libérer de leurs tensions en caressant des poneys et en respirant l'odeur de la paille et du crottin frais. En temps normal, entre le curage des box et le bouchonnage des chevaux, il y régnait une activité intense, mais à cette heure-ci, où tous étaient en profonde méditation dans leurs chambres, elle pouvait heureusement être sûre de ne pas être dérangée.

Allons, Pirjo, calme-toi et réfléchis. Ce n'est pas grave. Ce qui vient de se passer n'est qu'une goutte d'eau dans l'océan du Grand Tout, lui soufflait son bon sens.

Il y a une heure à peine, elle avait tué un être humain pour la troisième fois de sa vie, et cela la déstabilisait beaucoup. Ses avant-bras étaient écarlates et son cœur battait à se rompre.

Tu ne pouvais pas faire autrement, se répétait-elle sans cesse. Wanda Phinn était entrée sur son territoire malgré toutes ses mises en garde, c'était aussi simple que cela. La grande prêtresse de l'Académie de natur-absorption l'avait éliminée définitivement, comme elle devait le faire, afin d'assurer une fois encore sa position privilégiée aux côtés d'Atu. Chaque fois le prix à payer était plus élevé. Sa paix intérieure avait été mise à mal, son esprit vacillait. Enfin, on ne fait pas d'omelette sans casser des œufs, n'est-ce pas ?

Le seul problème était qu'Atu sentait tout de suite ce genre de choses.

« Allons, Pirjo, fais-moi redescendre ce pouls », s'ordonnait-elle tout en grimpant à l'échelle pour atteindre le grenier situé au-dessus de l'écurie.

« Horus, né d'une vierge, scandait-elle en gravissant chaque barreau. Berger des douze disciples, ressuscité le troisième jour, soulage ma peine. » La prière ne parvenait pas à l'apaiser, elle en répétait les mots, encore et encore, mais toujours sans résultat. Comment ferait-elle si les démons prenaient le dessus et que l'esprit saint l'abandonnait ? N'avait-elle pas toujours agi pour une juste cause ? Cette Wanda n'était-elle pas venue pour détruire tout ce qu'elle et Atu avaient construit ? Pourquoi ses mains continuaient-elles à trembler, alors ? Elle ferma les yeux, leva ses mains jointes devant son visage et se mit à respirer très lentement, en contrôlant son souffle. Elle avait la conviction d'avoir protégé l'académie des énergies négatives apportées par Wanda Phinn. Elle ne pouvait pas avoir eu tort de faire ça.

Elle recommença ses incantations et remarqua qu'enfin, son pouls ralentissait.

Elle sourit avec reconnaissance au rai de lumière entrant par le velux, remercia le destin et reprit point par point la succession des événements.

Ces dernières heures avaient été si intenses qu'elle voulait s'assurer de n'avoir commis aucune erreur. Elle avait pu omettre un détail, et si c'était le cas, elle devait réparer sa faute au plus vite.

Pirjo ferma les yeux et repassa le film dans sa tête jusqu'à l'arrivée sur le lieu de son crime. Non, elle était à peu près certaine d'avoir pensé à tout.

Le corps de la femme nue ne serait pas retrouvé avant longtemps, s'il l'était un jour. De cela, elle était sûre, il se trouvait dans un endroit beaucoup trop isolé. Elle cocha ce premier point.

La terre, là-bas, dans l'Alvar, sous la plus profonde flaque qu'elle avait trouvée, était bien meuble, et elle n'avait eu aucun mal à creuser un trou profond. Même sous une pluie diluvienne, la tombe conserverait son secret. Deuxième point : réglé !

Elle avait soigneusement effacé toutes les traces susceptibles d'amener en direction de la tombe quelque botaniste ou touriste trop aventureux. Réglé !

Et enfin, elle s'était assurée que personne ne l'avait vue arriver ou repartir de la zone. Réglé !

Satisfaite, Pirjo fit glisser quelques cartons posés sur les lattes du plancher. Il était temps pour elle de revenir à ses moutons. La grande réunion des fidèles allait commencer bientôt, à présent qu'ils avaient nettoyé leur esprit et sondé leur âme en méditant dans leurs chambres. La cour principale était déserte, et seules les indiscrètes caméras de surveillance qu'elle avait convaincu Atu de faire installer, tant à l'extérieur qu'à l'intérieur des bâtiments, seraient en mesure de révéler qu'elle était partie et où elle était allée à son retour.

Elle effacerait ces bandes de retour dans son bureau. Et ce problème-là serait réglé aussi.

Il ne restait plus que la question des possessions terrestres de la femme.

Elle vida le baluchon contenant les vêtements qu'elle avait retirés au cadavre : une jupe, un chemisier, ses sous-vêtements, une ceinture bicolore, un foulard, des chaussures à talons hauts, un manteau et des bas. Tout cela devait évidemment être brûlé. Mais en attendant qu'une occasion se présente, ces affaires iraient rejoindre les objets auxquels avaient renoncé les rares privilégiés qui entraient définitivement dans la communauté pour commencer leur nouvelle vie d'ascétisme.

Quant au reste, c'est-à-dire son sac à main et le contenu de celui-ci, un paquet de préservatifs, quelques articles de maquillage, son téléphone portable, ses clés, parmi lesquelles se trouvait également celle de la consigne de la gare où elle avait laissé sa valise, deux cents couronnes en liquide, son billet de train et son passeport, elle allait devoir s'en débarrasser immédiatement.

Avait-elle oublié quelque chose ?

Wanda Phinn avait écrit dans sa lettre de motivation qu'elle avait émigré voilà quelques années de Jamaïque, laissant le restant de sa famille là-bas. Elle disait aussi qu'elle avait démissionné de son travail et qu'elle vivait dans une chambre de bonne dans la banlieue londonienne, mais qu'elle souhaitait laisser cette vie-là derrière elle. Elle précisait qu'elle n'avait aucune attache dans cette ville, et que cette page de sa vie était désormais tournée. Elle avait résilié tous ses abonnements, y compris à Internet. Elle avait vendu tout ce qu'elle possédait, son ordinateur, son poste de radio, de télévision, ses meubles et quelques vêtements. Plus tard, après une première formation à l'académie, elle espérait être acceptée comme membre permanent de la communauté.

Il n'y avait apparemment rien d'autre et Pirjo jugea que la situation était sans danger. La femme ne semblait pas avoir laissé de traces derrière elle lors de ce qui devait être son ultime voyage, et si c'était le cas malgré tout, Pirjo affirmerait n'avoir aucune idée de qui était cette femme. Comment quiconque pourrait-il prouver le contraire ? L'ordinateur de Wanda Phinn avait été vendu. Elle n'avait aucune famille en Angleterre. Rien qui la retienne à Londres et probablement aucune collègue ou amie à qui elle aurait pu se confier.

Pirjo avait fait disparaître de son disque dur tous les échanges qu'elles avaient eus et tout ce qui aurait pu permettre de faire le lien avec elle. Alors quoi d'autre ? Avaient-elles été vues ensemble à Kalmar ou sur la route de l'Alvar ? Oui, sûrement, mais par des inconnus. Et si, par hasard, on l'avait aperçue en compagnie de cette femme, qui se souviendrait d'un détail aussi insignifiant dans quelques semaines ?

Impossible. De nombreux nouveaux visages circulaient dans l'ouest de l'île régulièrement, se dit-elle.

Certes, la grosse affluence touristique s'était un peu calmée, mais près d'une centaine de visiteurs avaient écumé la côte ouest ce jour-là, à cause de la grande manifestation organisée par le comité des artistes.

Deux personnes circulant à scooter sur une route n'avaient aucune raison d'avoir attiré l'attention. Elle n'avait aucun souci à se faire. Wanda Phinn ne serait pas recherchée avant un long moment et d'ici là, qui se souviendrait d'un jour comme celui-ci ?

Pirjo haussa les épaules et mit deux blocs de grès dans le sac de la femme. Elle le jeta aussi loin qu'elle put dans la mer Baltique, et n'eut plus qu'à aller rejoindre les autres dans la salle commune avant le début du rassemblement.

Grâce à Dieu, pour l'instant, sa présence était encore indispensable et quand elle n'était pas là pour superviser les choses, rien n'allait comme il fallait.

Elle s'habilla de blanc et entra dans la salle, l'âme en paix. À présent, elle allait placer les disciples en fonction de leur rang et de leur rapport d'appartenance avec le maître avant l'entrée d'Atu. En ce mois d'octobre, la lumière tombait, froide et limpide, des fenêtres de toit et le plateau en fibre de verre, incrusté dans le parquet, sur lequel Atu monterait dans un instant, avait une apparence aussi chaude et envoûtante que le gourou lui-même.

240

Lorsqu'il entra, ses adeptes l'attendaient comme toujours en silence, assis en tailleur sur le sol, et leurs visages étaient pleins d'espérance. Tous vivaient dans l'attente de ces séances, car la parole d'Atu était la clé de voûte de leur journée, qu'il la donne ici ou bien sur la plage au lever du soleil. En présence d'Atu Abanshamash Dumuzi, ils trouvaient des réponses à toutes les questions de l'existence et ils n'avaient plus qu'à se laisser porter.

Avoir un rôle dans l'accomplissement de ce miracle lui procurait toujours le même bonheur, songeait Pirjo.

Quand Atu entrait dans sa robe couleur safran, avec ses belles broderies aux manches, la lumière soudain déchirait l'ombre et une aura d'énergie vitale envahissait la pièce. Lorsqu'il ouvrait les bras devant ses fidèles pour les faire entrer dans son monde, c'était comme contempler la vérité elle-même.

Certains considéraient ces réunions comme la fin d'un pèlerinage, au bout duquel ils atteignaient la purification du corps et de l'âme et voyaient de nouveaux chemins, inattendus et étrangement bien tracés, s'ouvrir à eux. D'autres étaient moins objectifs et se contentaient de se laisser emporter, sans réfléchir à l'élévation de leur esprit.

Mais quelle que soit la façon dont ils ressentaient les choses, ils avaient tous en commun d'avoir payé très cher pour être autorisés à s'asseoir par terre en position du lotus, et de devoir leur présence ici au bon vouloir de Pirjo. Et à présent, elle était la seule à décider où était leur place.

Même si Pirjo avait la même vénération pour Atu que chacun d'entre eux, sa relation avec lui était d'une nature différente et plus « globale ». Pour elle, Atu représentait l'homme et le pourvoyeur, la sexualité incarnée, le fer de lance, la sécurité et la spiritualité, tout cela en une seule et même personne, et c'était le sentiment qu'elle nourrissait à son égard depuis le jour où ils s'étaient rencontrés. Peut-être était-elle, avec les années, devenue moins perméable au personnage de prophète et de guide spirituel qu'il avait réussi à se construire. Mais ça n'avait pas toujours été le cas.

La route à ses côtés avait été longue.

Petite ville bourgeoise située non loin de Tampere, la deuxième plus grande ville de Finlande, Kangasala était aussi la ville la plus proche du trou paumé où les parents de Pirjo avaient décidé d'élever leurs enfants. Non loin d'un lieu riche de légendes et de poésie où les touristes friqués venaient s'ébattre dans une nature sublime, son père et sa mère avaient choisi d'installer leur famille et de réaliser leur rêve. Ça aurait pu marcher, mais ce ne fut pas le cas, car ni l'un ni l'autre n'avait les qualités requises.

Un petit kiosque à journaux mal fichu fut tout ce qu'ils parvinrent à s'offrir. Une boutique mal agencée, mal située, une simple cabane, datant de la Première Guerre mondiale, bâtie en rondins et en matériaux de récupération. Glaciale l'hiver et torride l'été, où les moustiques venant des trous d'eau avoisinants leur faisaient une vie d'enfer, ils n'eurent jamais mieux que ça.

Ce kiosque fut le triste décor de leur existence. C'est de lui que les parents et leurs trois enfants tiraient leurs moyens de subsistance et leur statut social, mais aussi la matière première dans laquelle ils puisaient ce qu'il faut bien appeler culture et un minimum d'éducation.

Ce fut donc au travers des images colorées sur papier glacé que Pirjo se fit une idée des grands événements de ce monde et de l'avenir qui pouvait lui échoir. Par le biais des magazines, elle imagina ce que pourrait être sa vie, à condition bien sûr de s'en aller de chez elle. Mais le jour où son père la sortit de l'école pour qu'elle vienne l'aider à tenir la boutique parce qu'il était trop paresseux pour le faire lui-même, les projets de Pirjo furent anéantis.

Ses deux jeunes sœurs, que leurs parents aimaient bien plus qu'elle, n'étaient pas logées à la même enseigne. Rien n'était trop bon pour elles. Elles eurent droit à des cours de danse en ville, apprirent à jouer d'un instrument de musique et à bien se tenir. Tout cela avec l'argent que Pirjo était chargée de faire rentrer dans la caisse. Une injustice que Pirjo ruminait chaque jour, qui la rendait folle de colère et de jalousie et qui lui donnait soif de vengeance.

Le jour où sa cadette revint à la maison avec un petit chaton et qu'elle fut autorisée à le garder, ce fut la goutte d'eau qui fit déborder le vase.

« Vous ne m'avez jamais laissée avoir un animal à moi ! hurla-t-elle. Je vous déteste ! Vous pouvez tous aller vous faire foutre ! »

Cela lui valut une retentissante paire de gifles, et le chaton resta.

La semaine d'après, pour ses seize ans, on ne lui offrit aucun cadeau. Ce jour-là, elle comprit une bonne fois pour toutes que cela ne servait à rien de se battre et de rêver à une vie meilleure, parce qu'il était écrit que son destin resterait petit et médiocre.

Par ennui et par haine de sa vie et de ses sœurs, elle commença à traîner avec une bande de voyous de Kangasala et, comme il fallait s'y attendre, malgré les expériences intéressantes que cela lui valut, il n'en sortit rien de bon.

Lorsque son père la surprit un jour en train de fumer du haschich avec ses nouveaux amis dans l'arrière-boutique, il la battit si fort que s'allonger pour dormir lui fit mal pendant toute une semaine. Tandis qu'elle pansait les plaies de son corps et de son âme, elle entendit une conversation entre sa mère et ses sœurs, la première faisant promettre aux deux autres de ne jamais devenir comme Pirjo. « Mais cela n'arrivera pas, leur dit-elle. Dieu soit loué, il y a rarement plus d'une tasse ébréchée dans un beau service. Votre grande sœur est une mauvaise fille, elle n'est pas comme vous, mes chers anges », conclut-elle, enfonçant la lame jusqu'à la garde.

« Nous n'avons qu'à jeter la tasse », dit la plus jeune en riant.

Jeter la tasse ? C'était d'elle qu'elles parlaient ?

Si Pirjo avait été capable de pleurer, elle l'aurait fait, mais il y avait longtemps qu'elle avait muselé la part fragile de son être. Elle allait quand même devoir réagir d'une manière ou d'une autre, sinon elle deviendrait folle.

La nuit suivante, elle sortit de son lit pour tuer le chaton de sa petite sœur et le poser sur le comptoir du kiosque.

Elle prit ensuite dans la caisse tout ce dont elle considérait avoir été lésée et posa le reste sur le comptoir à la disposition de qui passerait par là. Elle laissa la porte ouverte, jeta son sac sur son épaule et quitta son foyer avec la ferme intention de ne plus y revenir.

Elle vécut quelque temps avec une bande de hippies un peu fous, dans un squat à l'autre bout de la ville. Le mode de vie de ses amis, des Anglais et des Finlandais d'Helsinki, plus âgés qu'elle, étant un peu trop expérimental au goût des citoyens de cette bonne ville, la jeune Pirjo devint vite leur principal sujet de conversation.

Ce furent les membres de cette communauté alternative qui les premiers lui firent découvrir les aurores boréales, apprécier le spectacle d'un lac aussi lisse que du plomb liquide, l'ivresse de l'alcool distillé à domicile et l'amour libre. Mais alors qu'elle avait tout pour être heureuse, Pirjo ne pouvait s'empêcher de ressentir une certaine tristesse en voyant les derniers lambeaux de son innocence la quitter à jamais.

Les services de protection de l'enfance reçurent tant de plaintes des parents de la jeune fille ainsi que des voisins de la communauté qu'ils finirent tout de même par réagir.

Mais quand ils se décidèrent enfin, c'était déjà trop tard. Pirjo avait fichu le camp, non sans avoir vidé la caisse commune.

Avec cette petite fortune en poche, elle arriva au Danemark, et plus exactement à Copenhague, la ville la plus tolérante de Scandinavie, convaincue que le bonheur l'attendait au coin de chaque rue.

Elle passa quelques mois dans un squat dans le quartier de Nørrebro, fréquenté par une faune de tout poil, et ne mit pas longtemps à avoir essayé tout ce qui se fume et se boit quand on veut s'éclater.

Mais après avoir eu quelques violentes disputes avec les femelles dominantes de la communauté à propos des garçons avec lesquels elle avait le droit de coucher, elle se fit jeter dehors et n'eut pas d'autre choix que de vivre dans la rue. Après avoir erré en SDF pendant un mois, en faisant des passes pour s'acheter de quoi planer ou se saouler, elle rencontra un homme un peu plus vieux qu'elle qui avait son propre appartement. Il était gentil, il avait un joli sourire et il s'appelait Frank. Il lui expliqua que l'essentiel dans cette vie n'était ni l'alcool ni la drogue mais l'élévation progressive de l'esprit. Ce n'était pas très clair mais elle se dit que c'était peut-être le moyen de sortir de la merde dans laquelle elle était, alors, elle l'écouta.

Son discours était relativement simple. Pour être libre et heureux, il suffisait de libérer son corps et sa chair de leurs appétits par la quête spirituelle et la pratique de la méditation.

Alors pourquoi ne pas essayer ? Elle ne prenait plus de coups et elle ne se réveillait plus envahie de haine de soi et de bestioles en train de lui grignoter le cerveau.

Au fur et à mesure qu'elle découvrait de nouvelles manières de sonder son âme et de mobiliser ses énergies, Pirjo reprit des forces et se réconcilia avec elle-même. Le jour, ils travaillaient ensemble au Burger King de la place de l'Hôtel de ville, coiffés de jolies petites calottes et vêtus d'uniformes parfumés à l'huile de friture et aux arômes de fast-food et de sodas sucrés, car il faut bien gagner sa vie. Ils passaient le reste du temps à explorer toutes les voies vers l'élargissement de leur conscience. De la clairvoyance au yoga jusqu'à la consultation de voyantes qui leur faisaient leurs horoscopes et leur lisaient les tarots. Au cours de cette période, rares furent les croyances ésotériques qui échappèrent à leur étude attentive.

Les premières années, malgré le désir que Pirjo avait pour Frank, leur relation demeura platonique, afin, disait-il, de laisser leur esprit disposer de toutes leurs énergies. Puis vint un moment où il décida que les planètes, la psychodynamique et l'avenir lui dictaient une voie différente.

« Je suis désormais prêt à sentir mon corps entrer en relation avec d'autres corps », annonça-t-il. Un nouveau stade dans leur quête de développement personnel qui en réalité ne concernait que lui. Elle l'accepta. Mais, de son côté, pourquoi irait-elle faire l'amour avec d'autres hommes alors qu'elle ne désirait que Frank ?

Ce fut à ce moment-là que Frank posa les fondements de son alter ego Atu Abanshamash Dumuzi et de sa vestale Pirjo Abanshamash Dumuzi.

À dater de ce jour, Pirjo devint l'organisatrice et la servante de Frank, alias Atu. Mais, si enviable que puisse être cette position aux yeux de beaucoup de femmes, elle avait aussi ses limites.

Un fait auquel elle avait l'intention de remédier.

Car Pirjo était ambitieuse.

19

Samedi 3 mai, dimanche 4 mai
et lundi 5 mai 2014

Le réveil de Carl fut brutal, sa gueule de bois terrible. Il avait manifestement trop tardé à prendre conscience du danger qu'il y a à fréquenter un minibar sans modération.

Lorsqu'ils montèrent à bord du ferry, le camion de déménagement de Rose avait déjà embarqué. Il était surchargé, et son poids était visiblement mal réparti sur les essieux. Et tout cela allait venir encombrer les locaux du département V ! se lamentait Carl *in petto*. L'idée était presque insupportable, tout comme l'était celle de devoir s'asseoir entre deux déménageurs sur-dimensionnés à la table que Rose s'était chargée de réserver à la cafétéria.

Carl leur fit un prudent salut de la tête. Autant éviter les mouvements trop brusques.

« Ça va se lever », dit le premier en guise d'entrée en matière, ce qui donnait à Carl une bonne idée de l'inutile diarrhée verbale à laquelle il devait s'attendre.

Il sourit poliment.

« Il a la tête de bois », dit Assad.

Carl ne se donna pas la peine de le reprendre.

« La tête de bois, ha-ha », hurla de rire le deuxième lascar tout en engouffrant la junk food composée à parts égales de graisses saturées et de farine blanche.
« Tu veux dire "gueule de bois", mec, dit l'autre en donnant à Assad une tape amicale sur l'épaule qui aurait pu abattre un bœuf.

— Han ! » éructa Assad tandis que son joli teint d'Oriental adoptait une couleur olivâtre nettement moins seyante. Il décida de se concentrer sur les vagues à l'extérieur, déjà près de rendre l'âme.

« Tu as le mal de mer, vieux ? lui demanda l'une des deux forces de la nature. Tu as de la chance, mon gars, j'ai un remède imparable contre ça ! »

Il tira une petite flasque de sa poche et versa le breuvage dans un verre vide.

« Il faut boire cul sec, sinon ça ne marche pas. Ça a un effet sur l'estomac qui fait qu'on se sent tout de suite mieux après. »

Assad acquiesça. Il était prêt à tout ce qui pourrait lui éviter le pénible chemin jusqu'aux toilettes où il savait pouvoir trouver les sacs à vomi.

« Boire un petit coup c'est agréaaable ! » hurlèrent en chœur les deux mastards quand Assad bascula la nuque en arrière et vida son verre cul sec comme on le lui avait recommandé.

Une seconde plus tard, le malheureux s'agrippait la gorge d'une main et écarquillait des yeux encore plus ronds qu'à l'accoutumée. Sa couleur passa du vert au cramoisi comme s'il faisait une crise d'apoplexie.

« Qu'est-ce qu'il y avait dans cette bouteille ? demanda Rose sans émotion particulière en ouvrant le journal. De la nitroglycérine ? »

Les déménageurs se tordirent de rire et Assad fit une honnête tentative pour les accompagner.

« Seulement de l'eau-de-vie de prune à quatre-vingts degrés, répondit l'homme à la flasque.

— Vous êtes complètement dingues ! s'écria Carl, pour une fois indigné pour le compte d'autrui. Mais quels cons ! Assad est musulman, il n'a pas le droit de boire d'alcool. »

L'homme à la flasque posa une main sur le bras d'Assad. « Désolé, mec, j'espère que tu ne m'en veux pas. Ce n'est pas le genre de truc auquel je pense tous les jours, tu comprends ? »

Assad leva une main lénifiante. Le pardon était déjà accordé.

« Ne vous inquiétez pas, chef », fanfaronna-t-il quand il eut retrouvé l'usage de la parole, alors que le vent avait effectivement forci, conformément aux prédictions du déménageur, et que la vaisselle de la cafétéria commençait à danser sur les tables. « Je ne savais pas ce qu'il y avait dans le verre. »

Carl se tourna vers la fenêtre, morose, les yeux sur la houle et l'estomac faisant des vagues. Plusieurs heures à ce régime et il courait à la catastrophe.

« Ce n'est pas grave, alors ? » demanda-t-il à Assad, inquiet malgré tout.

Assad secoua la tête, soulagé, alors qu'il venait de soigner son corps au détriment de son âme.

Rose leva la tête de son journal. « Par contre, la couleur de votre teint à vous laisse à désirer, si je peux me permettre, Carl », dit-elle sans une once de compassion.

Assad lui tapota la main, le regard un peu trouble. « Ça va passer, chef. Regardez-moi. Je crois que ça y est, j'ai le pied marin. Peut-être que vous devriez essayer le produit miracle de notre ami ici présent. »

Carl déglutit avec peine. L'idée suffisait à lui soulever le cœur.

« Je vais aller prendre l'air », dit-il en se levant. Assad lui emboîta le pas.

Carl eut un ou deux spasmes, et il avait à peine atteint la proue du ferry que toutes les écluses s'ouvrirent en grand.

« Ouh là là ! gémit Assad en voyant l'étendue du désastre. Vous ne connaissez pas le dicton, chef, alors : Un homme avisé ne pisse pas contre le vent. »

Le week-end s'écoula sans que Carl osât ingurgiter autre chose que des Wasa et de minuscules verres d'eau. Si Morten n'était pas venu faire sa visite quotidienne à Hardy, toujours alité dans le salon, Carl aurait sans doute craqué. Depuis que lui et Mika étaient partis s'installer ailleurs il y a deux ans, la maison ne respirait pas la joie de vivre, c'était le moins qu'on puisse dire. Il arrivait même que Jesper, le fils de son ex-femme, lui manque un peu, mais ce sentiment durait rarement très longtemps, Dieu soit loué.

Il alla se coucher vers minuit le dimanche soir, las de sa propre compagnie et d'avoir tourné en rond à ne rien faire. Il se dit qu'une bonne nuit de sommeil lui ferait sans doute du bien. Personne pour le déranger, le ventre rétabli, l'âme en paix.

Son téléphone sonna à cinq heures du matin et Carl bondit de son lit comme s'il venait d'entendre à la fois une alarme incendie et la sirène des pompiers.

« Qu'est-ce que c'est que ce bordel ? » s'écria-t-il en découvrant l'heure sur l'horloge digitale. Si personne n'était mort et qu'il ne s'agissait pas d'une déclaration de guerre, son interlocuteur allait voir de quel bois il se chauffait.

« Carl Mørck à l'appareil ! vociféra-t-il en décrochant, histoire d'annoncer tout de suite la couleur.

— Oh ! Arrête un peu. Tu es obligé de gueuler comme ça, espèce de cinglé ? »

La voix ne lui était pas inconnue mais elle ne faisait pas partie de celles qu'il avait plaisir à entendre.

« Sammy, bon Dieu, c'est toi ? Tu as une idée de l'heure qu'il est ? »

Il y eut un petit blanc au bout du fil. « *Hey, honey, do you know what time it is*[1] *?* » demanda Sammy à une tierce personne.

Il revint au bout du fil. « Il est dix heures, putain ! » proclama-t-il.

Carl bouillait. Ce type était résolument débile.

« Il est cinq heures du matin au Danemark, je te signale.

---

1. Hé, chérie, tu sais quelle heure il est ?

— Alors c'est toi, Carl, putain… » Sammy lâcha un rot sonore, la fête devait battre son plein. « Ce que je veux dire… c'est que c'est toi qui as reçu le putain de testament de Ronny, tu me prends pour un con ou quoi ? » Quelqu'un dut essayer de lui prendre le téléphone des mains. « *No honey, not now, take your hands away. I am ringing the bell*[1]*!* »

Carl compta lentement jusqu'à dix. « Si j'avais ce putain de testament, je te l'enfoncerais dans la gorge pour te fermer la gueule une bonne fois pour toutes. Bonne nuit, Sammy ! »

Il raccrocha. Merde à Sammy. Merde à Ronny. Merde à ce foutu testament. Toute cette affaire le rendait malade rien que d'y penser.

Son téléphone sonna à nouveau.

« Tu ne me raccroches pas au nez, tu m'entends, Carl. Et tu avoues, maintenant, connard de flic. Qu'est-ce que Ronny a écrit dans ce testament ? C'est toi qui récupères le pactole, c'est ça ?

— Attends une seconde ! Tu viens de me traiter de connard de flic ? Ça va te coûter cinq jours ferme, Sammy. Ce n'est pas comme si c'était la première fois, n'est-ce pas ? »

Sammy poussa un gros soupir et une fille pouffa de rire. « *Yeah, Diamond, but wait just a couple of times, okay*[2] *?* Je suis désolé, Carl, mais la fille est… comment dire… » Il ricana. « … Oh, putain. Enfin,

---

1. En anglais approximatif dans le texte : Non, chérie, pas maintenant, enlève tes mains. Je te sonnerai !
2. Ouais, Diamond, mais attends un moment, d'accord ?

tu vois ce que je veux dire ? Je voulais juste te dire que tu es un bon gars, Carl. Et pour le testament, on va se démerder tous les deux, hein ? *Oh my god, Diamond...* » La communication fut interrompue.

Et merde ! Comme s'il manquait de sujets de gamberge.

Celui-là le tint éveillé le reste de la nuit.

Quand il arriva au sous-sol de l'hôtel de police un peu avant onze heures, Carl n'était d'humeur ni à lire des rapports, ni à affronter la vision d'horreur qui l'attendait dans le couloir du département V.

Il ne restait pas un centimètre carré de mur apparent qui aurait permis d'en dire la couleur. De part et d'autre de l'immense panneau où étaient affichées les affaires en cours, s'alignaient des étagères dignes d'une armée nord-coréenne, que Rose et Assad étaient depuis longtemps occupés à remplir.

« Le service de prévention incendie va faire une syncope, fut tout ce qu'il trouva à dire.

— Heureusement qu'ils sont déjà passés et qu'ils n'ont plus l'intention de revenir pour le moment, alors », dit une voix caverneuse venant du fond d'un carton de déménagement dans lequel Assad avait plongé tout le haut du corps.

Carl tituba jusqu'à son bureau et s'écroula dans son fauteuil, les pieds sur la table.

« Je lis », cria-t-il à travers sa porte close, pour le cas où ils auraient l'idée saugrenue de lui demander un coup de main pour le déballage.

Il passa un petit moment à se demander ce qui serait le mieux pour lui dans l'immédiat : une cigarette ou une petite sieste ?

« Autant qu'on mette tout ça dans votre bureau tout de suite », entendit-il Rose déclarer devant sa porte.

Dieu seul aurait pu dire comment elle faisait pour porter l'énorme tas de documents qu'elle avait dans les bras, mais en tout cas, il atterrit lourdement entre ses pieds et faillit briser le plateau de la table par le milieu.

« Ce sont des copies, et elles ont déjà été mises en ordre. Vous pouvez commencer par le haut. Amusez-vous bien ! »

À son corps défendant, Carl dut admettre que les éléments sélectionnés par Rose dans la masse des dossiers rapportés de Bornholm ne manquaient pas d'intérêt. Ils avaient même un peu trop d'intérêt, à vrai dire. Car pour se faire une idée d'ensemble sur les innombrables informations récoltées par Habersaat, il aurait fallu une mémoire photographique infaillible ou une surface murale illimitée.

Carl jeta un coup d'œil circulaire sur le souk qu'il appelait son bureau. Il y avait accumulé beaucoup d'objets qui n'avaient peut-être pas réellement besoin de s'y trouver. Tout ce bric-à-brac et toutes ces saletés que Rose appelait le « piment de sa triste existence » quand elle était de bonne humeur et dont elle disait le reste du temps qu'il était la seule chose intéressante de cette pièce, lui inclus.

« Gordon ! cria-t-il. Viens là une seconde ! » Il allait se rendre utile et venir ranger le désordre.

« Gordon est occupé à être déprimé », répondit Assad depuis le corridor.

Déprimé ? Et alors, tout le monde ici était déprimé, depuis quand est-ce que cela empêchait les gens de travailler ?

Carl se leva et alla chercher dans le couloir un carton vide qu'il entreprit de remplir avec tous les objets superflus. Rose ferait une syncope quand elle verrait ce fatras. Il y avait des documents liés à des affaires classées, de la vaisselle sale, des conclusions d'autopsie sur des morceaux de papier déchirés, des rapports, des crayons cassés et des stylos vides.

Il fit un pas en arrière pour admirer le résultat et sourit, satisfait. On arrivait à voir un petit bout de sa table et une partie du mur au-dessus de l'étagère basse au fond du bureau.

S'il le tapissait de photocopies en partant du plafond, il arriverait peut-être à caser tout ce que Rose venait de lui apporter.

Aussitôt dit, aussitôt fait. En moins d'une heure le mur était tapissé de tout et n'importe quoi, mais avec une certaine logique. Carl trouva toutefois, en regardant son œuvre, que l'ensemble continuait de manquer de cohérence. Rose avait bien sûr sélectionné les documents les plus importants, comme par exemple la photo du combi Volkswagen, la description du lieu où le corps avait été découvert, le rapport du médecin légiste et la photo de classe de l'automne 1997. Mais plusieurs éléments ne semblaient pas coller avec le reste. Par exemple, les copies de brochures sur les thérapies alternatives et les sciences occultes, des notes d'épicerie et des interrogatoires de riverains, pour n'en citer que quelques-uns.

Et au beau milieu était accroché un grand cliché d'Alberte. Un ange pur et innocent, les joues rouges, la peau et les dents pleines de santé, planait au milieu de cet écheveau d'indices sans queue ni tête, regardant Carl droit dans les yeux, comme s'il était la seule personne au monde à détenir la pierre philosophale. Où qu'il se place dans la pièce, ce regard vert à la transparence de cristal restait posé sur lui. « Trouvez la solution de l'énigme, s'il vous plaît », semblait le supplier Alberte.

Rose n'avait pas choisi cette photo par hasard.

« Rose, Assad ! Vous pouvez venir une seconde ? appela-t-il ses assistants avec dans la voix quelque chose qui ressemblait à de la fierté.

— OK…, dit Rose, les mains sur les hanches, en regardant son exploit. On voit mieux la poussière, comme ça. Bravo, Carl ! se moqua-t-elle en passant l'index sur une étagère avant de le brandir sous leurs yeux.

— C'est super, chef ! s'exclama Assad pour corriger le tir, avec un signe du menton en direction de son affichage mural.

— Vous voulez bien venir avec moi, maintenant, Carl ? » Rose l'attrapa par une manche et l'entraîna vers la pièce qu'Assad peignait deux jours auparavant.

« Regardez ça ! » Tout en marchant, elle faisait glisser son doigt le long des étagères fixées de part et d'autre des murs du couloir. « Contre toute attente, nous sommes parvenus à ranger les pièces essentielles de l'enquête dans ce corridor. Nous les avons rangées en suivant le système utilisé par Habersaat, optimisé par un minimum de professionnalisme et de logique, expliqua-t-elle tandis qu'ils s'approchaient du réduit, un peu plus loin. Comme ça, ici, fit-elle en entrant dans la pièce partiellement peinte. Nous avons eu la place d'installer ce qu'Assad appelle la salle des opérations. Au départ ça devait être le bureau de Gordon, mais comme Assad lui a proposé de partager le sien, voilà le travail, Carl ! » Elle écarta les bras, montrant les murs jaune vif sur lesquels étaient exposés non seulement les originaux dont Carl avait les copies sur le mur de son bureau, mais des tas d'autres éléments.

Carl secouait la tête, désabusé, quand Assad les rejoignit. Pourquoi diable ne lui avaient-ils pas expliqué ce qu'ils étaient en train de faire ? Il ne se serait pas emmerdé à faire la même chose dans son bureau.

« Nous, c'est-à-dire Assad et moi-même, avec l'aide de Gordon, avons passé le week-end à réaliser ce travail. Toutes les notes les plus importantes et tous les indices que Habersaat a pu trouver sont ici. Vous êtes content, Carl ? On va pouvoir travailler, comme ça ? »

Carl hocha lentement la tête. Il avait surtout envie de rentrer chez lui.

« Nous allons apporter un ou deux fauteuils de bureau, pour pouvoir tourner pendant que nous essayerons d'avoir une vue d'ensemble, ajouta Assad.

— Oui. Et nous devrions être en mesure, non seulement d'aller chercher sur les étagères du couloir le matériel rassemblé par Habersaat pour ses différentes pistes, mais aussi de comprendre sa stratégie, et les conclusions auxquelles l'ont mené ses investigations, précisa Rose.

— Merci, dit Carl. C'est du beau travail. Et Gordon, il est où, en ce moment ? Tu m'as dit tout à l'heure qu'il était déprimé. »

Cette fois, ce fut Assad qui le prit par le bras.

Il y avait du bruit dans son bureau. La grande gigue devait être en train de s'installer.

« *Good day, Carl* », dit très doucement Gordon, assis derrière un coin du bureau d'Assad, l'air assez contrarié, effectivement. La grande asperge avait si peu de place que ses genoux dépassaient du plateau de la table tandis que le reste de ses interminables guiboles devait être entortillé en dessous, dans une position défiant la nature. Il y avait si peu d'espace entre son dos et la bibliothèque derrière lui, sur laquelle Assad avait exposé des photos de toutes ses tantes, que pour se lever, il devrait se hisser sur les bras à la verticale de sa chaise.

Certains auraient parlé d'exiguïté, Carl songeait plutôt à de la torture. Mais il se dit que, foutu comme il était, le pauvre garçon avait probablement l'habitude.

« C'est une chouette planque que tu t'es trouvée, ici, chez Assad, Gordon, dit-il avec un maigre sourire de consolation. Et puis, tu es un petit verni d'avoir un compagnon de cellule comme lui, qu'est-ce que tu en dis ? »

Peut-être fallait-il incriminer sa position inconfortable, ou bien l'épuisement, toujours est-il que la voix de l'infortuné Gordon était montée d'une octave lorsqu'il tenta de lui répondre.

« Nous avons décidé de nommer Gordon superviseur sur cette enquête, annonça Rose. Il a pour mission de se plonger dans l'ensemble des rapports de Habersaat de façon à ce que nous puissions le consulter comme une encyclopédie. Ainsi, nous trois pourrons nous concentrer sur les nouvelles pistes à suivre et confier à Gordon le soin de découvrir comment les relier les unes aux autres.

— C'est parfait. Et on peut savoir où je me place dans cet organigramme ? demanda Carl.

— Vous, vous êtes le chef, comme toujours, chef ! » rigola Assad.

Le mot « chef » semblait avoir revêtu une toute nouvelle signification.

Dans cette salle de situation, il devint vite évident qu'il allait falloir éliminer une partie des innombrables et parfois inutiles pistes suivies par Habersaat afin que l'équipe puisse commencer à travailler de manière efficace.

« Pourquoi y a-t-il autant de documentation sur les sciences occultes à votre avis ? Qu'est-ce qu'on en a à foutre ? demanda Carl.

— Habersaat a peut-être essayé par tous les moyens de se sentir mieux, suggéra Assad. Quand les gens ne vont pas bien, ils ont des idées débiles, parfois. »

Rose fronça les sourcils. « Qu'est-ce qui te fait dire que c'est débile ? Tu connais le Prophète personnellement, peut-être ? Non, je ne crois pas. Et pourtant, tu y crois, et je trouve ça très bien. Et tu ne trouves rien à redire à ta religion, n'est-ce pas ?

— Non, mais…

— Parfait. Alors je pense que tu n'as pas le droit de rejeter non plus les croyances hindoues, la clairvoyance, les médecines parallèles, la voyance et tout ce genre de choses, tu vois ?

— Non, mais…

— Mais quoi ?

— C'est juste tous ces termes ridicules qu'ils utilisent. C'est difficile de les prendre au sérieux, je trouve. »

Carl s'attarda un moment sur l'affichage mural.

« Activation de l'ADN quantique par l'archange Mikael », « ayurveda, thérapie par le son », « séminaire d'affirmation de soi », « gestalt thérapie », et un tas d'autres trucs du même acabit.

Tout cela était franchement bizarre, Assad n'avait pas tort.

« Je sais que je me répète, intervint-il. Mais je ne pense pas qu'un homme aussi terre à terre que Habersaat ait pu avoir recours à ce genre de choses pour son compte personnel. J'ai plutôt l'impression que cela faisait partie de son enquête. » Il regarda la photo de l'homme sortant du combi. « Nous savons déjà que cet homme habitait dans une communauté hippie dont les membres pratiquaient des rituels la nuit, au cours desquels ils dansaient, tout nus, le corps couvert de symboles. Sans parler de la pancarte accrochée au-dessus de la porte d'entrée, dont nous a parlé ce joggeur. Tu te souviens de ce qui était écrit dessus, Assad ? »

Son assistant consulta son calepin. Il dut retourner au moins vingt pages en arrière, ce qui prit un certain temps.

« "La voûte céleste", répondit-il, laconique.

— Écoute, Rose, je crois que d'une façon ou d'une autre, ces éléments ont leur importance. Je voudrais que tu t'y colles. Peut-être pourrais-tu appeler toutes les associations de Bornholm en lien avec ça. Je ne sais pas si on appelle ça des associations, d'ailleurs. Et essaye de savoir si quelqu'un a été en contact avec au moins une personne de cette communauté en 1997. Pendant ce temps, Assad pourrait continuer à fouiller dans ce qu'on a ici, et éventuellement prendre rendez-vous avec l'artiste qui a le vélo d'Alberte. »

Assad leva un pouce en l'air. « Est-ce qu'on ne pourrait pas mettre une table aussi, pour prendre le thé ? »

Carl frémit. Il n'échapperait donc jamais à cet infâme breuvage ?

« Je monte faire un tour chez Tomas Laursen pour qu'il nous aide à convaincre les experts de Rødovre de rouvrir le dossier et de revérifier un truc ou deux.

— Alors prenez ça avec vous, dit Rose en décrochant une note du mur.

— OK, et c'est quoi ? » Carl lui prit des mains un bout de papier sur lequel on avait griffonné quelques phrases et scotché un petit éclat de bois d'à peine deux centimètres de long.

« Éclat de bois trouvé sur le trajet en ligne directe entre l'endroit où a été trouvée la bicyclette et l'endroit où elle a vraisemblablement été percutée », disait la légende, de l'écriture de Habersaat.

Rose récupéra quelques notes accrochées au mur. « Voilà tout ce qui a trait à ce bout de bois », dit-elle.

La note était datée de quatre jours après la disparition d'Alberte, trois jours après que Habersaat l'avait découverte dans l'arbre. Carl lut à haute voix.

« Rapport pour mon usage personnel
Lundi 24 novembre 1997, 10 h 32.
Après le départ de la police scientifique, je trouve ce débris de bois provenant d'un objet manufacturé à six mètres au nord de l'endroit où a été retrouvé le vélo d'Alberte Goldschmid. Le débris se trouve presque sur la ligne fictive reliant le point de collision au point d'atterrissage de la bicyclette.

L'éclat est analysé par le laboratoire scientifique local. Il s'agit a priori de bois de bouleau. Un reste de colle laisse à penser que l'éclat provient d'un panneau de contreplaqué.

Aucun autre fragment de même type n'ayant été découvert sur les lieux, les techniciens estiment que l'éclat en question ne provient pas de la collision.

J'estime pour ma part que cette conclusion est erronée et en informe le responsable de l'enquête, l'inspecteur Jonas Ravnå. Je lui demande de faire pratiquer une nouvelle analyse par le laboratoire de la police

264

scientifique de Copenhague. Lors de l'inspection de
tous les véhicules de l'île, on ne trouve rien qui puisse
être relié à l'éclat de bois en question et ma demande
est rejetée.

Suite à une interview de moi à la télévision locale
au cours de laquelle je parle de ce panneau de contre-
plaqué endommagé, vingt personnes, principalement
des habitants de Bornholm, viennent m'apporter des
panneaux d'habillage pour le bâtiment. La plupart
sont en pin.

Rien de nouveau à ce sujet par la suite.
Christian Habersaat, Listed. »

Carl hocha la tête. Quatre-vingts pour cent de
boulot acharné, deux cent cinquante pour cent d'im-
passes. C'était en cela que consistait le travail d'un
enquêteur.

« Et maintenant, regardez ça, Carl », dit Rose en
décrochant un troisième morceau de papier du mur.

Son assistante lui tendit un autre rapport « pour
usage personnel » rédigé par Habersaat.

« Mercredi 2 août 2000
Découverte d'un panneau de contreplaqué coincé
dans les rochers près de Hammerknuden.

Peter Svendsen, un garçon de dix ans, du village
de Hasle, libère un panneau de bois coincé entre
deux rochers alors qu'il joue sur la digue de Kamel-
hovederne.

La plaque est trop lourde pour lui et il l'aban-
donne sur la plage. Je suis prévenu par son père,

le garde champêtre local, Gorm Svendsen, avec qui j'ai eu l'occasion de travailler quand la marée a ramené le corps d'un noyé sur cette même plage après le naufrage du chalutier Havskummet. *Gorm Svendsen se rappelle mon intervention à la télévision, dans laquelle j'avais évoqué un panneau de ce genre, auquel aurait pu appartenir l'éclat de bois trouvé sur le lieu de l'accident.*

Le morceau de bois trouvé dans les rochers semble faire partie d'un panneau plus grand qui devait à l'origine mesurer un peu moins de deux mètres de haut sur un mètre de large. Il est assez abîmé, mais doit avoir été hydrofugé, car plusieurs de ses couches sont intactes.

On peut observer deux trous de perceuse dans la plaque et des parties plus foncées sur une face. Indiscutablement des traces de pression ou de contact prolongé.

Je demande une analyse sérieuse de l'essence du bois et finis par l'obtenir après d'interminables négociations avec ma hiérarchie.

C'est du bouleau mais malgré un nouvel examen du fragment, il reste impossible de déterminer avec certitude s'il provient de ce panneau.

Ma théorie est la suivante : sachant que le contreplaqué marine est composé de plusieurs lames de bois collées les unes aux autres, le fragment devait appartenir à l'une des couches supérieures, couches qui ont été laminées par le séjour prolongé dans l'eau de mer.

À l'instar des experts, je pense qu'il était question d'un panneau d'une épaisseur qui se situait entre 20 et 24 mm, dont seuls 18 mm sont encore intacts.

Je demande ensuite une analyse comparative de la colle se trouvant respectivement sur le panneau et sur l'éclat de bois, étant donné que ça n'a pas encore été fait, mais je n'obtiens pas gain de cause.

En conclusion, je suis intimement convaincu que cette plaque a eu son rôle à jouer dans l'accident, tout en admettant qu'il est extrêmement fréquent sur l'île de ramasser divers débris sur les plages, et que la concordance des essences de cette plaque et du fragment peut être une simple coïncidence.

Christian Habersaat. »

En dessous était ajouté au stylo rouge :

« Le panneau de contreplaqué marine trouvé par Peter Svendsen le 02.08.2000 a disparu. Il a probablement été détruit. »

« J'ai bien entendu le nom des rochers ? demanda Assad.

— Kamelhovederne[1]. »

Il hocha la tête, ravi. Il n'en fallait pas beaucoup pour le rendre heureux.

Carl revint vers Rose. « Je ne sais pas, mais j'ai l'impression qu'on est dans une impasse, là. Si cet éclat a été analysé sous toutes les coutures et que le

---

1. Les têtes de chameaux.

panneau a disparu de la circulation, avec quoi veux-tu que le labo travaille, Rose ?

— Il faudrait qu'il trouve un truc, n'importe quoi, mais quelque chose permettant de prouver que l'éclat pourrait provenir de ce panneau de contreplaqué.

— Est-ce qu'au moins on a une photo de ce panneau ?

— Je vais voir, dit Assad en disparaissant dans le couloir.

— Et s'il ne trouve rien, vous, vous allez leur demander quoi aux experts, Carl ? »

Il baissa les yeux vers l'écharde de bouleau pendant quelques secondes. « Habersaat a l'air de dire dans ses notes que le panneau a pu avoir été utilisé par la personne qui a renversé Alberte. C'est de là qu'il faut partir. Est-ce que tu sais s'il existe un diagramme de la trajectoire du corps entre le point d'impact et la branche où il est resté accroché ? Et aussi de la trajectoire du vélo, pendant qu'on y est ? »

Elle haussa les épaules. « Dans quelques heures, nous serons venus à bout de tout ce qui est encore dans le couloir. J'espère que je trouverai un schéma de ce genre. À quoi est-ce que vous pensez, Carl ?

— À la même chose que toi et que Habersaat. Que ce panneau était à l'avant du fourgon. Il faut que je le voie en photo pour vérifier l'emplacement des trous. Je veux savoir s'il est plausible qu'il ait pu être fixé à ce pare-chocs assez spécial. »

Carl gratifia Assad d'un petit hochement de tête en le croisant devant le rayonnage du couloir. Si cette photo se trouvait quelque part dans ce colossal chaos, Assad était l'homme de la situation.

En arrivant à la cafétéria du quatrième étage, Carl tomba sur une version pâlotte et amaigrie du bon vivant qu'était Tomas Laursen il y a encore quelques semaines.

« Tu es malade ? » lui demanda-t-il, inquiet.

Laursen, anciennement le meilleur élément de la police scientifique, désormais gérant de la cafétéria de l'hôtel de police, soupira. « Ma femme fait un régime 5:2, et elle m'oblige à le faire avec elle.

— Un régime 5:2. C'est quoi ?

— Normalement, c'est cinq jours de repas diététiques et deux jours de jeûne, mais j'ai plutôt l'impression que c'est l'inverse. Je peux te dire que ce n'est pas facile pour un homme qui a le tour de taille de saint Nicolas.

— Et tout ça ? s'enquit Carl en désignant quelques assiettes garnies pour le moins appétissantes derrière la vitrine du présentoir. Tu ne peux même pas goûter ta propre cuisine ?

— Tu es fou, ou quoi ? Elle me fait monter sur la balance aussitôt que je rentre à la maison. »

Carl donna une petite tape amicale sur l'épaule de son ami. Il compatissait sincèrement.

« Tu crois que tu pourrais convaincre tes anciens collègues de ressortir quelques vieilles analyses de leurs tiroirs et d'y jeter à nouveau un coup d'œil ? Et s'ils ont des photos des pièces, c'est encore mieux. Ça va toujours plus vite quand c'est toi qui leur demandes. »

Laursen acquiesça. L'expert en lui ne mourrait jamais tout à fait.

« Et si la photo que je cherche est encore chez eux, dis-leur que j'ai besoin de savoir ce qui a pu laisser des traces sur l'une des faces du panneau qui est dessus. Et puis j'aimerais aussi savoir combien de temps la planche en question a passé dans l'eau. »

Laursen le regarda d'un air étonné. « Je ne vois pas pourquoi elle n'y serait plus si elle y a été un jour. Au Danemark, il n'y a jamais prescription sur une affaire criminelle, Carl.

— C'est justement là qu'est le problème, Tomas. Cette affaire n'a jamais été traitée comme une affaire criminelle. »

« Tu as trouvé une photo du panneau, Assad ? lui demanda Carl tandis qu'ils marchaient vers le parking.

— Non. Trop d'étagères. Trop de papiers.

— Tu as eu le temps de prendre rendez-vous avec ce sculpteur ?

— Oui. Il sera à son atelier dans une heure et demie. » Assad regarda l'heure à sa montre. « On a le temps de rendre une petite visite aux parents d'Alberte. Ils habitent rue Dyssebakken à Hellerup. »

Carl fronça les sourcils.

« Hmm. Comment ont-ils réagi quand tu leur as expliqué qu'on avait réouvert l'enquête ?

— La mère s'est mise à pleurer. »

C'était ce qu'il craignait. Cette visite n'allait pas être une partie de plaisir.

Quelques dizaines de minutes plus tard, ils tournaient dans une rue résidentielle et Assad désigna une maison bien entretenue, peinte en rouge. Il y avait tout ce qu'il fallait pour créer un cadre harmonieux à une famille danoise saine et équilibrée. Le portillon en bois non écorcé, le saule pleureur et la haie de troènes qui séparait le jardin de la rue, un chemin dallé pour y jouer à la marelle, avec de la mousse dans les joints, et un mât sur lequel flottait le drapeau danois.

Il y avait encore des gens pour se souvenir de la libération du Danemark en 1945. Carl n'avait pas vu beaucoup de drapeaux à Allerød en partant de chez lui ce matin. Mais lui-même y aurait-il pensé s'il avait eu un mât dans son jardin ?

« Entrez, je vous en prie », dit la femme au regard éteint.

« Mon mari est un peu réticent, alors c'est moi qui vais vous répondre », proposa-t-elle un instant plus tard.

Ils saluèrent un homme un peu bedonnant au pantalon remonté bien au-dessus de la taille. Ce n'était visiblement pas de lui que tenait Alberte. La kippa de l'homme glissa un peu lorsqu'il tourna la tête vers eux. Est-ce qu'on ne fixait pas ce genre de coiffe avec des pinces ?

Carl regarda la pièce dans laquelle on les avait fait asseoir. Hormis la kippa et le chandelier à sept branches, rien ne prouvait qu'on se trouvait dans le salon d'une famille de juifs orthodoxes. Cela dit, Carl ignorait complètement à quoi était censé ressembler le foyer d'une famille juive.

« Vous avez du nouveau ? » demanda Mme Goldschmid d'une voix lasse.

Ils la mirent au courant de la situation, depuis le suicide de Habersaat jusqu'à l'aménagement de la salle des opérations dans les sous-sols de l'hôtel de police.

« Habersaat nous a valu plus de larmes que de joies, dit le mari du fond de son fauteuil, d'une voix caverneuse. Vous avez l'intention de nous faire subir la même chose ? »

Carl affirma que ce n'était pas dans leurs intentions, mais qu'il avait besoin de se faire une image plus précise d'Alberte, bien qu'il comprenne parfaitement à quel point il devait être difficile pour eux de parler d'elle.

« Vous voulez en savoir plus sur Alberte ? » Mme Goldschmid secoua la tête comme pour signifier que le sujet était épuisé depuis longtemps. « Habersaat aussi voulait en savoir plus. D'abord la police criminelle de Bornholm, et ensuite Habersaat.

— Il a laissé entendre que notre petite fille était une Marie-couche-toi-là », intervint le mari. On sentait de la haine dans sa voix.

« Ce n'est pas ce qu'il a dit, Élie, il faut être honnête. Et puis cet homme est mort, maintenant, et monsieur dit qu'il s'est peut-être suicidé pour notre petite fille. » Elle s'interrompit et prit quelques secondes pour se reprendre. Ses mains, posées sur ses genoux, se mirent à trembler. Le foulard autour de son cou eut soudain l'air de la gêner.

L'homme hocha la tête. « C'est vrai, il n'a pas utilisé ces mots-là. Mais il a tout de même insinué qu'elle avait eu des aventures amoureuses et il nous est difficile de le croire. »

Carl se tourna vers Assad. Le corps ne montrait pas de traces de viol, mais était-elle vierge ? Il prit le calepin des mains d'Assad et griffonna le mot « vierge » sur une page avant de le lui tendre à nouveau.

Assad secoua la tête.

« Il n'est pas impossible qu'elle ait eu un petit ami, suggéra Carl. Ce ne serait pas anormal pour une jeune fille de dix-neuf ans, même à cette époque. Nous savons en tout cas qu'elle "voyait quelqu'un", comme on dit, mais je suppose qu'on vous l'a appris.

— Évidemment qu'Alberte avait des soupirants, c'était une très jolie fille, comme si je l'ignorais ! » Ici, ce fut la voix du père qui le trahit.

« Nous sommes une famille juive traditionnelle, reprit la femme. Alberte était une bonne pratiquante et nous ne pouvons pas penser du mal d'elle. Nous ne le pouvons pas et nous ne le voulons pas. Habersaat allait trop loin. Il prétendait qu'Alberte n'était pas vierge. Je lui ai toujours répondu qu'on ne pouvait pas le savoir parce qu'elle avait fait beaucoup de gymnastique et il arrive que… enfin, que… »

Le mot « hymen » ne parvint pas à franchir ses lèvres.

« C'est pour ça que nous ne voulions plus parler avec Habersaat. Nous trouvions qu'il disait trop de choses horribles, poursuivit-elle. Je sais que c'était le policier en lui qui l'obligeait à voir les choses sous cet angle, mais ça devenait tellement vulgaire. Il allait même demander à nos amis et aux autres membres de notre famille comment était Alberte, mais ça ne lui a pas été très utile.

— Vous n'aviez donc aucun motif d'inquiétude à cette époque quant au fait de laisser Alberte vivre sa vie et étudier à l'école de Bornholm ? »

Les parents échangèrent un regard. Ils n'étaient pas très âgés, un peu plus de soixante ans, peut-être, mais ils semblaient beaucoup plus vieux. Leurs habitudes et leurs idées n'avaient pas évolué depuis des années. « Rien ne changera jamais », semblaient dire leurs yeux, et cette certitude ne venait pas des restrictions imposées par leur orthodoxie religieuse, mais de l'amertume qui naît d'une existence brisée.

« Je vois bien que tout ceci est pénible pour vous, mais je veux que vous sachiez qu'Assad et moi n'avons pas de vœu plus cher que de traîner celui qui a causé la mort de votre fille devant un tribunal. C'est pourquoi nous ne voulons exclure aucune hypothèse, et ne voulons nous arrêter ni sur l'image que vous avez de votre fille ni sur l'opinion de Habersaat. J'espère que vous le comprenez. »

Ce fut la femme qui acquiesça.

« Alberte était votre aînée ?

— Nous avions Alberte, David et Sara. Il ne nous reste plus que Sara. Sara est une bonne fille. » Elle se força à sourire. « Elle nous a donné un beau petit-fils le jour de Rosh ha-Shana. Cela ne pouvait pas tomber mieux.

— Rosh ha… ?

— Le nouvel an juif, Carl », marmonna Assad.

Le maître du logis acquiesça. « Vous êtes juif ? demanda-t-il à Assad avec un brusque regain d'intérêt.

— Non. Mais on peut avoir de l'instruction, alors. »

Un « Aaah ! » de compréhension éclaira leurs visages. Un homme instruit, vraiment !

« Vous avez parlé de David, c'était le grand frère ? demanda Carl.

— David était le frère jumeau d'Alberte. Et il était effectivement son aîné, mais seulement de sept minutes. » Mme Goldschmid tenta à nouveau de sourire. Ce n'était pas tâche aisée.

« Et David n'est plus là ?

— Non. Il n'a pas pu supporter ce qui est arrivé à Alberte. Il s'est laissé mourir.

— Tu dis des bêtises, Rachel. David est mort du sida, riposta son mari avec dureté. Il faut excuser ma femme. Nous avons encore beaucoup de mal à accepter le mode de vie que David avait choisi.

— Je comprends. Mais Alberte et lui étaient très proches ? »

Mme Goldschmid leva deux doigts en l'air. « Ils étaient comme les deux doigts de la main. Et David était détruit, Élie, tu ne peux pas le nier.

— Je peux vous poser une question qui n'a rien à voir, monsieur et madame Goldschmid ? » intervint Assad.

Ils hochèrent la tête, soulagés de pouvoir changer de sujet. On ne dit pas non à un homme instruit, en particulier quand on se targue de l'être.

« Alberte vous a-t-elle envoyé des cartes postales ? Ou des lettres ? Il y avait plus de quatre semaines qu'elle était partie, et je crois savoir que c'était la première fois. »

Mme Goldschmid sourit enfin franchement. « Nous en avons reçu une ou deux. Elles représentaient des endroits typiques de l'île, bien sûr. Nous les avons gardées. Aimeriez-vous les voir ? » Elle se tourna vers son mari comme pour lui demander son approbation. Il ne la lui donna pas.

« Elle n'écrivait pas grand-chose. Elle parlait surtout de l'école et de ce qu'elle faisait là-bas. Elle avait du talent pour le chant. Et elle dessinait bien aussi. Je peux vous montrer ce qu'elle faisait, si vous voulez ? »

Le mari eut l'air d'être sur le point de protester, mais il n'en fit rien. Carl eut le sentiment que sous des abords un peu rudes, il en était plus loin que sa femme dans son travail de deuil.

Rachel les conduisit dans un couloir étroit.

« Vous avez laissé la chambre d'Alberte telle qu'elle était ? » demanda Carl prudemment.

Elle secoua la tête. « Non, nous l'avons aménagée pour Sara et Bent quand ils viennent nous rendre visite. Et puis pour le bébé, maintenant. Ils vivent à Sønderborg, c'est pratique pour eux d'avoir leur chambre quand ils sont de passage à la capitale. Les affaires d'Alberte sont là-dedans. »

Elle ouvrit un placard à balais à l'intérieur duquel une montagne de cartons menaçait de s'écrouler.

« Il n'y a pratiquement que des vêtements, sauf dans le premier, dans lequel vous trouverez ses dessins et ses cartes postales. »

Elle descendit le carton et s'agenouilla devant. Carl et Assad l'imitèrent.

« Elle avait ça sur le mur de sa chambre. Comme vous voyez, ce n'était pas une jeune fille comme les autres. »

Elle déplia quelques posters représentant les idoles de la musique pop et les stars de l'époque. Assez banal, à vrai dire.

« Et voici ses dessins. »

Elle les posa en tas sur le sol et entreprit de les feuilleter, si lentement qu'ils commencèrent à avoir mal aux genoux. D'un point de vue technique, ils étaient assez bons, avec un coup de crayon habile et des contours nets, quant aux sujets, ils dénonçaient un manque de maturité évident. Jeunes filles évanescentes aux longues jambes dans des costumes d'elfes, entourées de poussière d'étoiles et de cœurs, flottant dans les airs. Elle devait être en pleine crise de romantisme aigu au moment où ils avaient été réalisés.

« Ils ne sont pas datés. Elle les a faits pendant son séjour à Bornholm ?

— Non. Ceux-là, nous ne les avons jamais récupérés. Ils faisaient partie d'une exposition, je crois, dit-elle, la voix pleine de fierté. Voici ses cartes postales. » Elle mit les dessins de côté puis sortit une poche en plastique et la tendit religieusement à Carl.

Assad vint lire par-dessus son épaule.

Les cartes, qui semblaient avoir été souvent manipulées, représentaient respectivement la place du marché à Rønne, les remparts d'Hammershus et un paysage estival à Sognebæk où ne manquaient ni fumoir à poisson, ni mouette en plein vol, ni vue sur la Baltique. Alberte l'avait rédigée au stylo-bille et en lettres d'imprimerie. Elle décrivait de manière brève et concise les excursions qu'elle avait faites sur l'île, et rien d'autre.

278

Les trois cartes s'achevaient par la même formule : « Je vais bien, je vous embrasse. »

Mme Goldschmid soupira, les traits tendus. « Regardez, la dernière a été envoyée seulement trois jours avant sa mort. C'est terrible de penser à ça. »

Ils se relevèrent, se massèrent les genoux et la remercièrent.

« Qu'y a-t-il derrière les autres portes du couloir, si je peux me permettre ? » demanda Assad avec un regard dans le corridor. Il était devenu drôlement poli tout à coup.

« Notre chambre et celle de David. »

Carl demanda à la mère, un peu surpris : « Comment se fait-il que vous n'ayez pas transformé la chambre de David en chambre d'enfant ? »

La lassitude envahit à nouveau les traits de Rachel. « David a quitté la maison alors qu'il n'avait que dix-huit ans, en laissant un désordre épouvantable. Il est allé habiter à Vesterbro, et pas dans la partie la plus fréquentable. Quand il est mort, en 2004, son compagnon nous a renvoyé toutes ses affaires. Alors nous nous sommes contentés de les entreposer dans la chambre.

« Sans les trier ?

— Oui. Nous n'en avons pas eu le courage. »

Carl lança un regard à Assad qui lui répondit par un hochement de tête.

« Cela va vous paraître étrange, peut-être même déplacé, mais nous autoriseriez-vous à y jeter un coup d'œil ?

— Je ne sais pas… À quoi cela vous avancerait-il ?

— Vous nous avez dit que David et Alberte étaient très proches. Elle a peut-être été en contact avec lui pendant qu'elle séjournait à Bornholm. Elle pourrait lui avoir écrit. »

Une expression douloureuse passa sur son visage. Comme si elle prenait conscience d'une vérité qui lui avait échappé et qu'elle aurait préféré ne pas entendre. Cette idée ne les avait donc jamais effleurés ?

« Il faut que je demande à mon mari, d'abord », répondit-elle en évitant de les regarder.

Dans cette chambre, où d'innombrables cartons s'empilaient sur le sol et sur le lit, contrairement au reste de la maison il y avait une grande quantité de témoignages de l'appartenance religieuse de la famille. Une étoile de David au mur, le poster du petit garçon terrifié dans une rue du ghetto de Varsovie, des photos de la bar-mitsva du jeune homme dans des cadres en bois de santal, le tallith qu'il portait sur les épaules à cette occasion et qu'il avait soigneusement fixé au mur avec des pointes fines. Au-dessus du bureau, une petite bibliothèque en teck était garnie d'ouvrages d'écrivains juifs tels que Philip Roth, Saul Bellow, Singer ainsi que les Danois Katz et Tafdrup. Un choix de livres surprenant. Mais le plus marquant dans cette pièce était l'assemblage hétéroclite d'objets trahissant une révolte et une aversion pour la vie banlieusarde et le cadre protégé dans lequel il vivait. Sur le rebord de la fenêtre se dressaient une horde de figurines Warhammer, les murs étaient couverts de posters du festival de Roskilde, de George Michael et de Freddie Mercury. Les CD empilés à côté de la minichaîne allaient de Judas Priest à Kiss, en passant par AC/DC, Cher et Blur. Une machette parang rouillée et une assez bonne copie de sabre samouraï étaient suspendus en croix sur le mur. La distance qui devait exister entre le David qu'on découvrait ici et son père Élie, qu'ils avaient vu au fond de son fauteuil tout à l'heure, n'était pas difficile à deviner.

Ils fouillèrent soigneusement tous les cartons, et dès le premier, la vie alternative de David Goldschmid fut exposée au grand jour. Chemises bariolées, redingotes cintrées et au moins autant de costumes coûteux furent exhumés. Tous ses vêtements étaient lavés, repassés et en parfait état. L'homme avait de la classe, du goût et un portefeuille relativement bien garni. Ils trouvèrent les bulletins de son école de commerce, avec des notes et des appréciations excellentes, ses diplômes, une lettre d'engagement pour un poste en CDI dans une entreprise renommée. David était un garçon dont il y avait tout lieu d'être fier.

Dans le troisième carton, Assad fit une bonne pioche.

La plupart des cartes postales contenues dans la boîte à cigares lui avaient été envoyées par un garçon du nom de Bendt-Christian qui lui écrivait du Bangladesh, d'Hawaï, de Thaïlande et de Berlin. Les cartes commençaient toujours par « Mon cher Davidovitch » et malgré de rares témoignages de tendresse ici et là, elles restaient relativement neutres. Les cartes d'Alberte n'étaient pas sans rappeler celles qu'elle avait envoyées à ses parents. Elle y décrivait en quelques lignes les événements de sa journée et finissait en lui répétant inlassablement à quel point il lui manquait.

Assad venait de dire que tout cela ne leur apprenait pas grand-chose quand Carl sortit de la boîte une carte représentant l'église ronde d'Østerlars. Un petit cœur rouge avait été dessiné sur la croix qui surmontait la flèche du clocher.

Il retourna la carte et la lut rapidement.

« Attends, pas si vite, Assad. Écoute ce qu'elle écrit sur celle-là :

« Salut, frérot. Aujourd'hui, nous sommes allés voir l'église ronde à Østerlars. C'est un endroit extraordinaire avec des templiers et tout, mais le plus extraordinaire c'est que j'ai rencontré là-bas un garçon adorable. Il savait beaucoup plus de choses sur cette église que le guide et il était juste CRAQUANT. J'ai rendez-vous avec lui demain à l'extérieur de l'école. Je t'en dirai plus un autre jour. Plein de câlins et de bisous. Ta petite Alberte. »

« Ça alors ! Et elle l'a écrite quel jour ? » s'exclama Assad.

Il eut beau retourner la carte dans tous les sens, la date n'était indiquée nulle part.

« Le cachet de la poste, on arrive à le lire ? »

Ils plissèrent les yeux et examinèrent le timbre attentivement. Ils eurent l'impression de voir un 11 mais le reste était illisible.

« On demandera aux administrateurs de l'école à quelle date a eu lieu l'excursion.

— Je pense à quelque chose, chef. Il y en a peut-être qui ont pris des photos ce jour-là. »

Carl en doutait fort. Contrairement à aujourd'hui où tout est relayé à l'infini par les réseaux sociaux, et où toute personne qui se respecte a un smartphone ou un téléphone qui fait appareil photo greffé à la main pour saisir le plus banal des événements et prendre des selfies à longueur de journée, 1997 était l'âge de pierre.

« Espérons. Et surtout, souhaitons que cette personne, si elle existe, ait eu dans son champ de vision le type dont elle parle. »

Ils fouillèrent dans les cartons pendant encore une demi-heure, sans rien trouver qui puisse leur être utile. Pas un nom, pas de carte envoyée ultérieurement susceptible de leur donner la suite du feuilleton tragique, rien.

« Alors ? leur demanda le maître de maison en les raccompagnant à la porte.

— Vous aviez un fils dont il y avait tout lieu d'être fier. Voilà ce que nous avons découvert », lui répondit Carl.

Le père hocha la tête. Il le savait très bien. Et c'était ça qui était si terrible.

Ils arrivèrent à l'atelier de Stefan von Kristoff avec près d'une heure de retard, mais l'homme n'était heureusement pas du genre à se formaliser pour si peu.

« Bienvenue au pays des ombres », dit-il en abaissant un imposant levier qui actionnait l'éclairage d'une usine dans laquelle, avant que tout aille de travers, au moins cinquante hommes devaient tourner du métal à la chaîne.

« Grandiose ! » s'exclama Carl. Et ça l'était.

« Joli nom, en plus », ajouta Assad, pointant du doigt un panneau forgé, suspendu en dessous des néons qui clignotaient. « STEFAN VON KRISTOFF – UNIVERSI-TOPIA », annonçait-il en guise de bienvenue.

« Si Lars von Trier peut faire le beau avec un ramage d'emprunt, je ne vois pas pourquoi je n'aurais pas le droit d'en faire autant. Je me présente, Steffen Kristoffersen. Le "von", c'est seulement pour la frime.

— Je parlais surtout du nom de l'atelier.

— Ah, ça. Tout finit par "topia" dans mon univers. Vous êtes venus voir ma "Destinutopia", si j'ai bien compris. »

L'artiste les conduisit au fond de l'usine où deux projecteurs éclairaient le mur et le sol comme en plein jour.

« La voilà », dit-il en arrachant le drap qui recouvrait une structure à taille humaine.

Carl déglutit un bon coup. Il avait devant les yeux la sculpture la plus effrayante qu'il ait jamais vue. Pour le profane, elle ne devait pas représenter grand-chose, mais pour ceux qui connaissaient Alberte et le sort qui avait été le sien, ce n'était pas de la petite bière. Si ses parents devaient un jour avoir vent de ce chef-d'œuvre, les procédures engagées contre son auteur seraient sans fin.

« C'est beau, hein ? se pâma l'imbécile.

— D'où vous viennent les pièces que vous avez utilisées, et comment avez-vous eu les renseignements nécessaires au choix des pièces de cette sculpture ?

— J'étais sur l'île au moment où c'est arrivé. J'ai une maison secondaire et un atelier à Gudhjem et comme vous devez vous en douter, on a beaucoup parlé et écrit sur cette affaire à l'époque. Toutes les voitures qui circulaient à Bornholm ont été contrôlées, sans exception, y compris la mienne. Personne ne pouvait ignorer l'accident. Rien que dans ma petite ville de Gudhjem, les réservistes de l'armée ont passé une semaine à fouiller partout sans avoir la plus petite idée de ce qu'ils cherchaient. D'ailleurs, nous faisions tous la même chose. »

Carl posa à nouveau les yeux sur la monstruosité. Tout était construit autour d'un vélo de dame aux roues voilées et au guidon tordu. Des fers à béton soudés au cadre pointaient dans toutes les directions comme des rais de lumière. Au bout de chacune de ces tiges était fixé un objet faisant référence à l'épisode. Et le reste était à l'avenant.

Ce n'était pas du mauvais travail, c'était simplement la quintessence du mauvais goût. Au centre de la sculpture, des plaques lithographiques évoquaient toutes sortes d'accidents de la route. À cela s'ajoutaient un émail polychrome représentant le contrôle à l'embarquement sur le ferry et une gravure en creux du visage d'Alberte sur plaque de cuivre, sans doute d'après la photo d'elle parue dans la presse locale. Il y avait aussi des moulages de débris d'os, de branches, de feuilles et de deux mains levées semblant parer un coup. Mais ce n'était pas là le pire. Le pire, c'était la bassine en plastique remplie de sang posée sous le visage en cuivre d'une Alberte souriante.

« Malheureusement, ce n'est pas du sang humain, s'excusa Kristoff en souriant. C'est du sang de porc qui a été traité pour ne pas pourrir. Il a peut-être une odeur un peu doucereuse aujourd'hui, mais quand ça commence à puer, je le change, et puis c'est tout. »

Carl se dit que s'il n'avait pas été un agent d'État dans l'exercice de ses fonctions, il aurait adoré plonger la tronche hilare du type dans cette horreur.

Assad se mit à photographier la sculpture sous tous les angles et Carl s'approcha de la bicyclette pour l'observer.

C'était un vélo bon marché, probablement chinois. De grandes roues, une énorme béquille et un guidon haut. La rouille avait emporté presque toute la laque jaune et le porte-bagages pendait tristement. Ça n'avait jamais dû être un très bon vélo.

« Vous lui avez fait quelque chose ou bien il était comme ça quand vous l'avez trouvé ?

— Il était exactement comme ça. Je me suis contenté de le poser à la verticale.

— Vous ne l'avez pas trouvé, d'ailleurs, si mes renseignements sont bons. Vous l'avez volé dans la cour du commissariat de Rønne, n'est-ce pas ?

— Erreur. Je l'ai découvert au milieu d'un tas de bric-à-brac, au fond d'un container devant le commissariat. Je suis même entré pour demander à l'accueil si je pouvais le prendre. Tout ce que le planton m'a dit, c'est que si je me blessais en le sortant de là, c'était ma responsabilité. »

Carl et Assad firent chacun de leur côté un bilan de leurs impressions. Le dernier jour de sa vie, Alberte était montée sur la selle de cette bicyclette avec le projet de passer une merveilleuse journée.

Heureusement que l'homme ne sait ce que chaque jour lui apporte que lorsque le soleil se couche, songea Carl. C'était un triste spectacle. Aussi morbide que les plastinations de cadavres de Gunther von Hagens, qu'on pouvait voir un peu partout pour presque rien.

« Vous semblez avoir envie de me l'acheter, dit Kristoff avec son air de renard. Je peux vous faire un prix d'ami. Soixante-quinze mille couronnes, ça vous va ? »

Carl sourit à son tour, ironique. « Non, ça va aller, merci. En fait, nous étions en train de nous demander si nous allions la confisquer. »

21

Octobre 2013

« Je sens chacun d'entre vous, dit Atu à son auditoire, rassemblé dans la salle commune. Je sens chacun
d'entre vous et vous me sentez. Nous sentons Malena
aujourd'hui et nous sentons sa douleur. Unissons-nous
pour faire disparaître sa douleur. »

Étonnée, Pirjo explora la foule, à la recherche de
Malena. Elle n'était nulle part.

Sentir la douleur de Malena ? Qu'est-ce qu'Atu
voulait dire par là ? Est-ce que cela signifiait que cette
pute était en train de trembler de désir dans la chambre
d'Atu ? Était-ce le signe que ces deux-là allaient nouer
des liens plus étroits l'un avec l'autre ? Dans ce cas,
elle avait peut-être eu tort d'empêcher la femme noire
de mettre cette relation en péril.

Elle resta quelques secondes les paupières closes, à
méditer cette question.

Puis elle secoua lentement la tête. Non, ce n'était
pas une erreur. Wanda Phinn devait disparaître, il n'y
avait pas d'autre solution.

« Regardez mes mains, dit Atu, et tous levèrent la tête. Que ceux qui malgré la méditation sentent encore le trouble dans leur esprit lèvent les bras et se préparent à recevoir la purification. »

Neuf ou dix fidèles réagirent à cette proposition.

Alors Atu se mit à balancer imperceptiblement le haut du corps, tandis que ses bras restaient comme suspendus en l'air.

« Que ceux qui se sentent prêts essayent de canaliser leur peur, leur colère et leurs méridiens sur mes mains. Ayez confiance. Lorsque vous sentirez la chaleur et la paix descendre sur vous, vous devrez lâcher prise. »

Les individus concernés se balancèrent à leur tour, le souffle lourd. Et l'un après l'autre, ils s'affalèrent sur eux-mêmes comme des poupées de chiffon.

« Abanshamash, Abanshamash, Abanshamash, Abanshamash… », récitaient quelques-uns. Ceux pour qui le miracle s'était à nouveau produit.

Atu laissa retomber ses bras, il sourit à ses fidèles. Puis il tourna ses paumes vers le rai de lumière qui descendait sur lui, ce qui signifiait que la séance était bientôt terminée. Parfois, elle durait dix minutes, parfois une demi-heure. On ne pouvait jamais savoir.

« Je vous demande à présent de regagner vos chambres et de rassembler toutes vos ondes positives afin de les envoyer à Malena qui en a tant besoin, dit-il enfin. Ensuite vous chercherez par les méthodes habituelles le chemin de l'équilibre profond et inaltérable qui est en vous et celui qui conduit à la paix intérieure. Faites-le avec humilité et avec fierté, cela vous permettra de vous concentrer vraiment sur tout ce que la nature vous offre. Laissez entrer en vous chaque atome du monde qui vous entoure. Absorbez le passé qui a fait de vous l'être que vous êtes et ouvrez vos chakras à celui que vous serez. Laissez la lumière consumer le dégoût et la méchanceté qui sont en vous. Que l'ombre se referme sur les mauvaises pensées que vous ne parvenez pas à réprimer, qu'elles se fanent dans vos cœurs et vous libèrent. Que le soleil et toutes ses énergies gouverne vos vies. »

Il écarta ses bras pour la bénédiction et les laissa prendre congé de lui, la tête baissée. « Nous sommes prêts, Abanshamash, et nous voyons. Nous voyons et nous sentons. Abanshamash, Abanshamash, Abanshamash. »

Pirjo hocha la tête tandis que le troupeau reprenait ses esprits et se tournait maintenant vers elle. Ils étaient nombreux à apprécier ce dernier échange, surtout les hommes, et Pirjo adorait cela. Atu n'ayant jamais eu pour elle une attirance charnelle, elle appréciait que d'autres s'intéressent à elle de cette façon. Pirjo se savait attirante, elle savait aussi qu'une juste proportion de pouvoir et de beauté était un cocktail des plus aphrodisiaques. Son problème étant qu'elle n'avait envie que de celui qui lui tournait le dos.

« Je te trouve belle et apaisée, aujourd'hui », dit une voix féminine parmi les disciples.

Pirjo croisa le regard de Valentina.

C'était la fille la plus cyclothymique du centre et un génie de l'informatique. Alternativement euphorique et déprimée, elle pouvait un jour être négligée et le lendemain la personne la plus soignée qu'on ait pu voir sur le bois madré du parquet de la salle commune. Ce jour-là, elle était en forme, cela sautait aux yeux. Un homme arrivé avec les nouveaux élèves se tenait à côté d'elle, le bras autour de son épaule. Pirjo allait devoir gérer de nouvelles vibrations sensuelles dans le groupe. Tant mieux pour Valentina, même si la sexualité entre les disciples n'était pas autorisée avant que leurs auras soient dirigées l'une vers l'autre et que leur union ait été bénie par un rite solaire.

« Je te vois sereine et pure », insista Valentina. Elle avait toujours éprouvé le besoin de se faire remarquer. Ce qui n'avait rien de surprenant quand on pensait à la vie qu'elle avait eue.

Pirjo se redressa un peu et lui sourit machinalement. « Allez en paix, dit-elle à tous, comme elle le faisait chaque jour. Quand vous en aurez terminé avec l'absorption, l'équipe de cuisine de la Maison du feu pourra se rendre au réfectoire pour préparer le déjeuner. »

Tel un félin qui s'approche sans bruit de sa proie, il arriva tout à coup dans son dos.

Pirjo sursauta violemment.

Dix secondes plus tôt, il l'aurait prise en flagrant délit : elle venait d'effacer les bandes de surveillance des caméras installées à l'entrée du site et dans l'Écurie des sens. S'il lui avait demandé ce qu'elle était en train de faire, elle savait qu'elle aurait été trop paralysée pour lui répondre.

Elle se ressaisit, fit lentement tourner son fauteuil de bureau et lui lança un regard plein de reproche.

« Tu vas me faire avoir une crise cardiaque un jour, en entrant dans ce bureau comme un Apache. Je te l'ai déjà dit, pourtant, Atu. »

Il leva les mains en l'air, une pose qu'il avait adoptée depuis quelques années en guise d'excuse.

« Nous avions besoin de toi ici cet après-midi, Pirjo. Où étais-tu ? Nous t'avons cherchée partout. »

La question était terrible. Non qu'elle n'ait déjà préparé sa réponse. Mais c'était Atu qui la posait, et il avait toujours su lire en elle comme dans un livre ouvert. Il était capable de percer le plus insignifiant de ses mensonges.

Il faut que je réponde de façon à ce qu'il ne creuse pas la question, songea-t-elle. Il est peut-être temps pour moi de lui faire comprendre ce que je veux.

« J'avais besoin de m'éloigner un peu de l'académie, dit-elle. Pourquoi cela te préoccupe-t-il ? Tu n'as pas assez de tes propres problèmes ? »

Il soupira. « J'ai eu une mauvaise journée, mais tu n'es peut-être pas au courant. Malena a fait une fausse couche il y a quelques heures, et tu n'étais pas là alors que j'avais besoin de toi. J'aurais voulu que tu sois avec elle dans l'ambulance qui l'a emmenée à l'hôpital.

— Une fausse couche ? » Pirjo détourna les yeux. Comment réagir à une nouvelle pareille ? Atu l'avait donc mise enceinte ? Malena ?

Elle attendit quelques secondes, le temps de digérer l'information. Ce n'était pas possible. Pas maintenant. Elle ne pouvait pas l'accepter, c'était fini, elle ne le tolérerait plus. Comment pourrait-elle continuer à le partager avec d'autres, alors que bientôt elle ne serait plus féconde, alors que son horloge biologique la rappelait à l'ordre de mois en mois ? Non. C'était hors de question. C'était à elle de porter l'enfant d'Atu. Ce serait son enfant qui prendrait la suite d'Atu. Son enfant qui serait le nouveau sauveur.

« Elle a perdu le bébé et saigné énormément », entendit-elle Atu expliquer.

Elle s'efforça de reprendre ses esprits et d'afficher une expression naturelle.

« Ah bon ?

— C'était grave, Pirjo. Nous avions besoin de toi. Où étais-tu ? »

Elle attendit encore un instant avant de se risquer à le regarder dans les yeux. Il était hors de question qu'elle affiche la moindre culpabilité, et encore moins à cause de Malena. Il devait réaliser maintenant qu'elle aussi avait des sentiments.

« Je sens tes énergies, Pirjo. Tu ne vas pas bien », dit-il. Au moins, ce message-là était passé.

« C'est vrai. Je ne vais pas bien. Et c'est pour ça que je suis allée me ressourcer à Odden. Tu sais que j'aime bien monter à la pointe nord quand je suis déprimée.

— Déprimée ? s'exclama-t-il comme si l'idée en soi était absurde.

— Oui, déprimée. Mais je n'ai pas envie d'en parler avec toi, Atu. Surtout pas après ce que tu viens de me dire.

— Je ne comprends pas.

— Tu comprends très bien, au contraire.

— Nous n'avons jamais eu de secret l'un pour l'autre, si ? »

Comment osait-il lui dire cela, aujourd'hui !

« Ah vraiment ?

— Qu'est-ce que tu insinues, mon amie ?

— Tu ne crois pas que tu aurais pu me dire que tu te sentais prêt à faire un enfant à l'une de tes disciples ? N'étions-nous pas convenus que je serais la première informée, le jour où tu prendrais une décision de cette importance ?

— En tout cas, nous étions convenus que tu viendrais me voir si tu avais un souci, Pirjo ! »

Elle hésita. « Pourquoi crois-tu que je suis montée à la pointe nord aujourd'hui ? Tu n'as pas une petite idée ? »

Il se tourna vers la porte, prêt à s'en aller. « Tu es ma vestale, Pirjo, et à ce titre je te protège, car telle est ma volonté. Et demain, tu vas aller à l'hôpital de Kalmar et veiller sur Malena, d'accord ? » dit-il en lui caressant affectueusement le bras avant de partir.

Pirjo hocha la tête, très lentement. De toute façon, elle devait se rendre en ville, pour retirer la valise de Wanda Phinn de la consigne. L'occasion se présentait enfin pour elle de se retrouver seule avec la petite Française aux dents longues.

Elle passa quelques minutes à réfléchir à son plan. Elle allait devoir investir une partie de ses économies, mais quelle importance, du moment que la donzelle disparaissait de sa vie ?

Elle s'aperçut qu'elle riait toute seule.

La déesse du bonheur avait-elle choisi ce moment entre tous pour lui sourire ?

Allait-elle réellement réussir à se débarrasser de toutes ses rivales en une seule et même journée ?

22

Mardi 6 mai 2014

« Je vous souhaite la bienvenue à cette petite réunion, mesdames et messieurs, permettez-moi de vous servir ! » dit Assad en versant dans les tasses une infusion qui ne sentait ni le café ni la menthe mais plutôt la peau de bique, ou pire encore.

Carl échangea un regard inquiet avec Gordon, Assad le remarqua et sourit.

« Ce n'est pas ma recette », promit-il, tandis que Gordon plongeait son nez dans la tasse et survivait a priori à l'expérience.

Relativement rassuré, Carl but une gorgée qui eut pour effet de le renvoyer brutalement à de très mauvaises expériences de défilés du 1er Mai et de haltes ethniques en compagnie de son ex-femme, Vigga.

« C'est moi qui l'ai fait », annonça fièrement Rose, posant son bloc-notes sur le plateau à thé maghrébin de son collègue. Il ne manquait que les babouches.

Carl repoussa discrètement sa tasse. « Bien. Maintenant que nous avons une salle de situation, comme on appelle ce genre d'endroit à la Maison-Blanche, le but du jeu est, je suppose, que nous nous y retrouvions de temps en temps pour nous tenir mutuellement informés de nos progrès. Je propose donc que nous commencions. »

Il fit une pause, se demandant dans quel ordre il allait donner la parole à chacun.

« Demain, ça fera une semaine que Christian Habersaat s'est donné la mort, dit-il en préambule. Et bien que nous ayons déjà avancé par rapport à son enquête à lui, nos résultats restent assez modestes, quoique encourageants. »

Il fit un signe à Assad, qui semblait avoir quelque difficulté, lui aussi, à avaler la mixture de Rose. Bien fait pour lui. Il était temps qu'il se rende compte par lui-même de ce qu'il infligeait aux autres.

« Tout d'abord, nous savons maintenant avec précision quand Alberte a rencontré pour la première fois l'homme au combi, si c'est effectivement lui qu'elle a rencontré, mais c'est presque sûr, non ? Dans ce contexte, j'ai prévu d'appeler tout à l'heure les anciens directeurs de l'école pour leur demander à quelle date exactement a eu lieu la visite de l'église ronde d'Østerlars. Nous pensons que c'était le 11 novembre 1997, mais nous n'en sommes pas certains, parce que Alberte n'a pas daté la carte envoyée à son frère ce jour-là.

« Je vais aussi leur demander ce que sont devenus les dessins d'Alberte. Non pas que je pense que ça ait une quelconque importance, mais parce qu'ils n'ont jamais été restitués à ses parents. Je fais d'une pierre deux coups. Je satisfais ma curiosité et je fais preuve d'humanité envers ces pauvres gens. » Il tenta en vain de se mirer dans sa propre grandeur d'âme mais en fut pour ses frais. « Enfin, on verra bien ce que ça donne. Et pour finir, j'ai l'intention d'avoir une petite discussion avec Lars Bjørn.

— Tu ne crois pas que c'est moi qui devrais faire l'interface avec Lars Bjørn ? Est-ce que ce n'est pas un peu *crazy-idiotisch*[1] que ce soit toi ? » protesta Gordon prudemment.

Carl refusa d'un signe de tête. Même pas en rêve. Bjørn leur avait jeté cette grande asperge entre les pattes, ils n'allaient pas l'aider en plus à lui servir d'espion et de balance.

« *Gutso*[2] ! admit Gordon à contrecœur. Mais peut-être pourrais-je appeler le club automobile qui a organisé l'exposition de voitures anciennes ?

— Merci, Gordon, je vais m'en occuper. Je vais te confier une tâche beaucoup plus importante. Je veux que tu trouves les coordonnées de tous les élèves qui étaient inscrits à la session de l'automne 1997 à l'école d'enseignement pour adultes de Bornholm. »

Un gémissement de désespoir accueillit cette requête. Gordon baissa les yeux sur sa tasse de thé, sans doute dans l'intention d'y puiser un peu de courage, mais très vite, il abandonna l'idée. Lui aussi avait eu son compte avec une seule gorgée.

---

1. Anglo-germanisme signifiant « fou-stupide ». Gordon est coutumier de ce type de poses linguistiques.

2. En allemand : « Très bien ! » ou « Parfait » !

« Excusez-moi, Carl, mais est-ce qu'il n'y avait pas cinquante participants ?

— Oui, et alors ? »

Gordon fit une tête encore plus bizarre que celle qu'il avait d'habitude. « Et parmi eux, quatre Estoniens, deux Lettons, quatre Lituaniens et deux Russes ?

— Exactement. Tu vois bien à quel point tu es l'homme de la situation. Tu sais déjà l'essentiel. »

Carl crut que le pauvre garçon allait se mettre à pleurer.

« Sans parler du fait que certains ont peut-être changé de nom. *Oh dear ! Oh dear !*

— Oh, ça va, arrête de te plaindre ! » dit Rose, cinglante. Sans doute en représailles au fait que lui non plus n'avait pas fait honneur à sa décoction.

« Bon, dit Carl. Parmi les élèves de l'école, nous avons déjà parlé à Kristoffer et Inge Dalby. Alberte, par la force des choses, ne compte pas, ce qui réduit déjà le nombre à quarante-sept. »

Il sembla à Carl que le garçon avait murmuré « Alléluia » entre ses dents.

« Où en sommes-nous avec le laboratoire, alors ? demanda Assad.

— J'ai mis Laursen sur le coup, il obtiendra plus de résultats que moi. Quant à toi, Assad, je voudrais que tu continues à écumer les étagères pour trouver la photo de ce panneau de contreplaqué que le garçon avait trouvé sur la digue de Kamelhovederne.

— Écumer ?

— Oui. Écumer, chercher, fouiller, c'est la même chose. C'est juste une façon de parler, Assad. »

Il acquiesça et Carl se tourna vers Rose.

« Je pense que tu as déjà commencé à faire le tour des associations à Bornholm qui s'intéressent aux sciences occultes ? »

Elle confirma.

« Nous devons supposer que les gens qui ont ce genre d'activités font un autre travail à côté pour vivre, c'est donc plutôt le soir que tu auras le plus de chances de les joindre, malheureusement. Mais sois gentille de t'y mettre tout de suite, Rose. Ce serait bien si on arrivait à trouver quelqu'un qui se souvienne de quelque chose à propos de cette communauté hippie à Ølene, et que cette personne ait des renseignements à nous fournir sur l'homme au combi Volkswagen. »

Bizarrement, elle semblait contente de la tâche qu'on lui avait confiée. En tout cas, elle leur proposa une nouvelle tasse de thé chai.

« Monsieur Mørck, bonjour. Vous avez cherché à joindre le président de notre club. Vous allez devoir vous contenter de moi, car il est en déplacement. » L'homme se présenta comme Hans Agger, président adjoint du Club rétromobile de Bornholm. « Mais voyez-vous, je pense tout de même être celui dont vous avez besoin, car c'est moi qui détiens les archives du club, et ce depuis que j'ai démissionné du poste de président. »

Carl le remercia de son appel. « Avez-vous vu la photo que j'ai envoyée à votre président ?

— Oui, sa femme me l'a fait passer. Mais à ce propos, je peux vous dire qu'un policier du nom de Haber-

300

saat m'a posé les mêmes questions il y a quelques années. Et je vais vous répondre la même chose que ce que je lui ai répondu à l'époque. Nous ne savons pas qui a pris cette photo, mais l'endroit où il était garé était réservé aux participants du rallye rétromobile. Et un combi Volkswagen des années soixante-dix ne fait pas partie de cette catégorie, bien entendu ! » Il rit de si bon cœur que Carl dut éloigner le téléphone de son oreille.

« Et alors ?

— Et alors, nous avons dû lui demander d'aller se garer ailleurs, ce qui s'est avéré plus facile à dire qu'à faire parce que son moteur n'était pas en très bon état, loin s'en faut.

— OK, et l'homme, vous vous souvenez à quoi il ressemblait ? »

Hans éclata de rire à nouveau. « Non, pas vraiment. Mais je me souviens que Sture avait réglé son petit problème. C'était juste une histoire d'alternateur. C'est presque toujours l'alternateur.

— Sture, dites-vous ?

— Oui, Sture Kure, rigolo comme nom, hein, ha-ha ? C'était notre homme à tout faire, un merveilleux mécanicien qui venait d'Olsker, dans le nord de l'île. Mais le pauvre, il est mort tout de suite après. C'est peut-être pour ça que je m'en souviens. »

Merde ! Les gens ne pouvaient donc pas faire un effort et rester en vie au moins jusqu'à ce qu'on n'ait plus besoin d'eux ? Carl poussa un soupir. « Et Habersaat n'a évidemment pas eu le temps de lui parler avant ?

— Pas à ma connaissance. »

Il se sentait un peu bête après avoir raccroché, et encore plus après la conversation téléphonique qu'il eut avec les anciens directeurs de l'école.

Oui, ils se rappelaient l'excursion à Østerlars, en particulier parce que les questions de Carl Mørck et de son assistant avaient éveillé leur curiosité et leur avaient donné envie de relire dans le journal de Karina tout ce qui se rapportait à cet automne-là. C'était le 7 novembre 1997. Ce jour-là, ils avaient emmené leurs élèves voir plusieurs églises rondes. À part ça, Karina n'avait pas consigné grand-chose. Leurs stages prévoyaient toujours à un moment ou à un autre une visite de différents sites touristiques de Bornholm, et l'intérêt qu'ils portaient à ces endroits s'était forcément un peu émoussé avec le temps.

Carl récapitula ce qu'il avait appris. Alberte avait donc rencontré cet homme le 7 novembre, et pas le 11 comme ils le pensaient. Les deux un sur le cachet de la poste devaient faire référence au mois, et non au jour, ce qui signifiait qu'elle le connaissait depuis à peu près quinze jours au moment de sa mort. Qu'avait-elle bien pu faire à cet homme pour qu'il décide de mettre fin à leur relation de manière aussi brutale, en admettant bien sûr que les soupçons de Habersaat soient fondés.

Et qui était-elle, cette fille qui du jour au lendemain avait décidé de se servir de sa féminité pour conquérir son entourage ? Cette fille qui chantait comme un ange et dessinait presque aussi bien.

Il se frappa le front du plat de la main. Les dessins ! Bon Dieu ! Il avait oublié d'en parler.

302

Son deuxième appel aux anciens directeurs fut plus fructueux.

Le directeur à la retraite confirma que les œuvres d'Alberte devaient se trouver quelque part à l'école. Pour autant qu'il se le rappelle, les élèves devaient présenter leurs travaux lors d'une exposition la veille de la disparition d'Alberte, mais ils avaient reçu à l'improviste la visite des étudiants de l'école rythmique de Vig, et il se souvenait que ça avait été une journée formidable. Du coup, l'exposition avait dû être repoussée et, finalement, elle n'avait jamais eu lieu.

« Je pense que les dessins sont encore dans un carton à la cave, mais le mieux serait d'en parler à l'administratrice. »

« Je vais faire un tour chez Bjørn, dit Carl à Assad un peu plus tard. J'ai encore un service à te demander. Il me semble avoir remarqué que l'administratrice de l'école t'avait tapé dans l'œil. Tu veux bien lui passer un coup de fil et lui demander les dessins qui auraient dû faire partie d'une exposition organisée par les élèves le 19 novembre 1997 ? Dis-lui que nous aimerions en particulier voir ceux d'Alberte et que nous lui rembourserons les frais de port. Nous les renverrons quand nous aurons terminé. Tu as compris ?

— Euh, oui, je crois. Mais ça veut dire quoi, taper dans l'œil ? »

Dans les locaux de la Crim, au deuxième étage, l'ambiance n'était pas comme du temps où le bon vieux Marcus Jacobsen était aux commandes. Le nouveau patron de la brigade criminelle avait essayé de créer une ambiance sympathique avec des toiles d'Annette Merrild, de l'art abstrait aux couleurs explosives, et un service à café à petits pois multicolores. Mais pour Carl, cela ne changeait rien au fait que le type était un connard à l'égard de qui seule sa famille proche pouvait nourrir des sentiments bienveillants.

« C'est qui, ça ? chuchota Carl à l'oreille de Lis, sa standardiste préférée, faisant référence à un visage inconnu derrière le comptoir.

— C'est la nièce de Lars Bjørn. Elle remplace Mme Sørensen en son absence.

— La harpie s'est absentée ? » Bizarrement, il ne s'en était pas rendu compte. « Et pourquoi s'est-elle absentée ?

— Oh, tu sais ce que c'est. La ménopause. Elle a des bouffées de chaleur et elle est un peu hystérique ces temps-ci. Officiellement, elle a la grippe. »

Carl était sidéré. Mme Sørensen aurait été fertile jusqu'à aujourd'hui ? Cela dépassait l'entendement.

Lis attira l'attention de Carl sur la porte du patron, d'où sortaient justement deux autres personnes qu'il n'avait jamais vues.

Ils baissèrent la voix en passant devant Carl. Comme s'il en avait eu quelque chose à foutre de ce qu'ils avaient à se dire !

Il poussa la porte de Bjørn sans frapper.

« Tu es sûr que nous avons rendez-vous, Mørck ? Je n'en ai pas souvenir », dit Bjørn tandis que Carl abattait la photo de l'homme au combi Volkswagen sur le bureau de son patron.

L'inspecteur décida d'ignorer aussi bien la question que le ton employé. « Tu as devant toi la photo d'un homme qui a vraisemblablement assassiné une jeune femme sur l'île de Bornholm. J'ai besoin de ton accord pour lancer un avis de recherche pour cet individu sur TV2, dans l'émission "Station 2". »

À ces mots, le chef de la Criminelle découvrit ses dents agaçantes de blancheur en un sourire coincé. « Elle est bien bonne, Carl, dit-il. J'en ai assez entendu. Tu ne serais pas en train de me parler de cette affaire de 1997 classée par la police de Bornholm il y a bientôt quinze ans ? Parce que dans ce cas, il n'y a jamais eu d'enquête pour meurtre, et personne n'a jamais été soupçonné. Merci d'être passé et on se voit pour le brief. »

OK. Cette pipelette de Gordon avait quand même réussi à lui couper l'herbe sous le pied.

« J'ai pigé le message, Bjørn. Je présume que Gordon est venu pleurnicher qu'on lui donne trop de travail ? Je comprends et tu m'en vois désolé, mais je propose de te le renvoyer, si tu veux.

— Gordon n'a rien fait du tout, Mørck. Mais au cas où tu l'ignorerais, l'une de mes attributions, en qualité de chef de la police criminelle, consiste à communiquer régulièrement avec tous les districts du pays, entre autres celui de Bornholm. Le commissariat de Rønne est en étroite relation avec ce service, figure-toi. »

Et maintenant le sarcasme, génial.

« Ravi de l'apprendre. Eh bien, puisque tu as tellement besoin d'être au courant de tout, permets-moi de t'informer que nous sommes sur une nouvelle piste, que nous disposons d'éléments qui semblent avoir échappé à tes chers amis de Bornholm et que nous avons l'intention de poursuivre nos investigations, que tu le veuilles ou non. Nous ne les interromprons que lorsque nous aurons mis quelqu'un derrière les barreaux pour assassinat ou pour homicide involontaire et délit de fuite.

— Eh bien voilà, Mørck, je te retrouve ! Mais je vais te dire une bonne chose : je ne te laisserai pas ameuter tout le pays pour retrouver cet homme. Il peut s'agir de n'importe qui. Et il est hors de question que tu gaspilles les ressources de ce commissariat pour ça, Mørck, nous avons des choses plus importantes sur les bras, ici, au deuxième.

— Parfait, tu viens de répartir les tâches. Eh bien tu sais quoi, môssieur le chef de la Crim ? Tu n'auras qu'à basculer tous les appels au sous-sol, au département V et à ses dilettantes. Nous ne voudrions surtout pas déranger le sommeil de la Belle au bois dormant dans son château.

— Ce sera tout pour aujourd'hui, Carl. » Son supérieur le congédia du geste qu'il aurait eu pour chasser une mouche. « Quant à ton avis de recherche à la télévision, tu oublies. Peut-être ne te rappelles-tu pas une affaire pourtant assez récente dans laquelle la presse à scandale a présenté un homme comme étant un meurtrier pour devoir immédiatement après publier un démenti ? L'attaque en diffamation, ça te parle ? »

Carl fit claquer la porte si fort en sortant que tout le monde leva la tête.

« Carl Mørck, tu m'emmerdes », eut-il le temps d'entendre. Ce qui lui fournit au moins un petit sujet d'amusement.

« Bjørn et toi, ça n'a jamais été le grand amour, hein, Carl ? dit Lis, suffisamment fort pour que ce ne soit plus un secret pour personne à l'accueil. Et au fait, pour changer de sujet, Mona Ibsen et toi, vous avez remis le couvert ? »

Carl fronça les sourcils. Pourquoi lui parlait-elle de Mona, tout à coup ?

« Je te pose cette question parce qu'elle est passée en coup de vent, aujourd'hui, et qu'elle a demandé où tu étais. Et puis elle a filé au tribunal.

— Elle est rentrée à Copenhague ?

— Oui, sa mission se terminait en avril. Elle a pris des vacances au bord de la mer et maintenant, elle est de retour.

— Hmm. Elle a dû demander où j'étais pour ne pas risquer de me croiser », dit-il.

Enfin, c'était quand même un peu bizarre. Et les papillons qu'il avait dans le ventre l'étaient aussi.

« Je n'ai pas trouvé de photo du panneau en bois. Je crois que j'ai regardé partout, alors. »

Assad avait l'air épuisé. L'un de ses sourcils buissonneux semblait avoir déclaré forfait pour aujourd'hui et recouvrait à moitié son œil. « Je parie que vous allez me dire de regarder encore une fois, mais je ne crois pas que je vais trouver, chef.

— Tu es sûr que ça va, Assad ? Tu as l'air crevé.

— Je n'ai pas très bien dormi, cette nuit. J'ai eu un coup de fil d'un de mes oncles. Il y a de gros problèmes.

— En Syrie ? »

Son regard devint flou. « Il est au Liban en ce moment, mais…

— S'il y a quelque chose que je puisse faire, Assad.

— Non, on ne peut rien faire. Pas vous, en tout cas. »

Carl hocha la tête. « Si tu as besoin de prendre quelques jours, on se débrouillera, dit-il.

— C'est gentil, mais c'est la dernière chose dont j'aie besoin. Je crois surtout qu'on ferait mieux de rejoindre les autres dans la salle de situation. Rose a du nouveau. »

C'était toujours pareil. Autant Assad pouvait être proche et accessible quand il allait bien, autant il était distant et secret dans des moments comme celui-là. Carl n'avait aucune idée de ce qu'il avait dans la tête. Quand on lui parlait de ce qui se passait en Syrie, il changeait de sujet. Et pourtant c'était comme si les événements terribles qui se déroulaient là-bas ne le touchaient pas. En fait, il n'évoquait jamais la Syrie, ni quoi que ce soit qui ait à voir avec le conflit au Moyen-Orient. Parfois on avait l'impression qu'un seul mot avait le pouvoir de rouvrir d'anciennes plaies, et le reste du temps, tout ce qu'on pouvait lui dire avait l'air de glisser sur lui comme l'eau sur les plumes d'un canard.

Carl donna à Assad une tape amicale sur l'épaule. « Tu sais que tu peux compter sur moi, n'est-ce pas ? »

Rose attendait devant le tableau et Gordon allait s'asseoir quand ils entrèrent dans la pièce. Dans leurs positions, ils avaient exactement la même taille, c'était drôle à voir.

« Du calme », dit Rose en voyant le regard plein d'espoir de Gordon. Il devait s'imaginer que si elle leur annonçait une importante percée dans l'enquête, le travail qu'on lui avait confié deviendrait inutile. Retrouver les coordonnées de tous les camarades de classe d'Alberte s'avérait long et fastidieux.

« On n'arrive pas à Rome en deux jours ! » ajouta-t-elle, citant le proverbe à sa manière tandis qu'elle décrochait du mur plusieurs des dépliants de Christian Habersaat ornés de cœurs, de cristaux et de soleils dardant leurs rayons.

« Pour l'instant, je n'ai réussi à joindre que les personnes qui sont derrière ces trois propositions de soins alternatifs. Toutes consultent à plein temps, et ce depuis respectivement dix-neuf, vingt-cinq et trente-deux ans. Beate Vismut, du "Cœur de l'esprit", qui s'occupe principalement de la symbiose du corps avec la nature, était la seule des trois à se souvenir du jeune homme au combi Volskswagen. Elle a commencé par me dire qu'elle n'avait rien à ajouter à ce qu'elle avait raconté à Christian Habersaat. » Rose sourit. « Mais je suis quand même parvenue à lui soutirer de nouvelles informations.

— Bravo, Rose. Tu as le nom du type ? Son signalement ? Tu sais d'où il vient ? s'exclama Carl.

— Non, elle ne se rappelle pas son nom, il ne l'a probablement jamais cité devant elle, et nous n'avons pas abordé le reste. Beate Vismut ne souhaite connaître ni le passé ni le curriculum vitae de ses patients. Elle explique cela par le fait qu'elle est aveugle de naissance et que, pour cette raison, elle travaille à un autre niveau que les voyants.

— Notre principal témoin est une aveugle ? » Il secoua la tête, incrédule. Il ne manquait plus que ça.

« Oui. Elle se contente de *sentir* ses patients, comme elle dit. Mais elle m'a quand même donné une idée assez précise des convictions de cet homme.

— De ses convictions ?

— C'est ce que j'ai dit. Beate recommande à ses patients, ou plutôt à ses élèves, comme elle préfère les appeler, de se détacher des biens matériels qui les éloignent de la nature, ce qui peut parfois s'avérer extrêmement contraignant, je vous assure. Elle, par exemple, refuse de chauffer sa maison parce qu'elle veut sentir le rythme des saisons. Elle ne veut pas non plus vivre dans un lieu où les matériaux de construction ne seraient pas d'origine organique. Sa maison a été construite avec des ballots de paille, bien avant que cela devienne une mode.

— Elle a tout de même un téléphone.

— Oui. Et quelques autres bricoles qui lui permettent de vivre confortablement malgré son handicap. Elle est évidemment dépendante du monde qui l'entoure. Mais je ne vous ai pas raconté le meilleur. »

Le visage de Rose brillait d'autosatisfaction. « L'homme était d'accord avec elle sur de nombreux points. Lui aussi était convaincu des pouvoirs de guérison de la nature et de son énergie divine. Ils ont discuté de "degrés de sacrifice". Il a avoué se sentir incapable de renoncer à son combi Volkswagen, et il a ajouté que… » Elle sourit encore et ménagea une courte pause. « … cette voiture lui permettait de se rendre dans les endroits du monde où on avait toujours vénéré le soleil, les cinq éléments et les phénomènes surnaturels.

— Parfait. Maintenant on sait qu'il s'agit bien de l'homme à la Volks…

— … et que…, l'interrompit-elle, … grâce à ce fourgon, il avait passé les dernières années à voyager avec ses disciples, dans l'île suédoise de Gotland, en Irlande et à Bornholm. Il avait visité des tas de lieux sacrés – et à Bornholm, il y en a beaucoup –, il s'était intéressé aux pétroglyphes de l'âge de bronze, aux sites funéraires en forme de bateau de Troldeskoven, aux menhirs de Hjortebakken, aux lieux de culte de Rispebjerg et de Knarhøj… »

Knarhøj ? Où Carl avait-il entendu ce nom-là ?

« Knarhøj, oui. Et… aux légendes autour des Templiers et de l'église d'Østerlars. Alors ? Qu'est-ce que vous dites de ça ?

— C'est super ! Maintenant nous avons un lien entre le Volkswagen, l'homme que nous cherchons et Alberte, dit Assad.

— Je vois, dit Carl, réfléchissant. C'est bien, Rose, mais ça nous sert à quoi ? Nous n'avons toujours pas la moindre idée de l'identité de cet homme, nous ne savons pas d'où il vient, ni où il est maintenant. Nous savons simplement que c'est un voyageur. Il peut donc être à peu près n'importe où, en admettant qu'il soit toujours en vie. Il est peut-être à Malte ou à Jérusalem sur la piste des Templiers. Il est peut-être en train de faire des incantations étranges à Stonehenge, au Népal ou dans la cité inca de Machu Picchu. Nous n'en savons rien. Il s'est peut-être lassé de toutes ces conneries avec l'âge et il est fonctionnaire au ministère de l'Intérieur avec dix ans d'ancienneté et la retraite au bout.

— Beate Vismut a dit de lui qu'il était un authentique « cristal », alors je ne pense pas qu'il y ait à s'inquiéter de l'hypothèse du ministère de l'Intérieur.

— Un authentique cristal ! Je serais curieux de savoir ce qu'elle entend par là.

— Elle dit qu'il a vu la véritable lumière, qu'il s'est miré dedans et qu'il n'en est probablement jamais revenu.

— Nom de Dieu ! Tout cela devient de plus en plus bizarre. Je crois qu'il va me falloir une explication de texte.

— D'après elle, il serait toujours actif dans le domaine de l'épanouissement personnel, et plus que jamais.

23

Octobre, novembre et décembre 2013

Shirley était déçue. Déçue par Paco Lopez, l'appétissant Espagnol qui lui avait promis monts et merveilles et l'avait raccompagnée chez elle pendant une semaine d'affilée pour coucher avec elle et manger des repas maison, et qui avait fini par remettre son alliance et lui dire au revoir et merci. Elle était déçue par son employeur qui l'avait renvoyée, elle, au lieu de mettre dehors la nouvelle cantinière qui n'était là que depuis trois mois. Déçue par son dernier régime qui était supposé lui faire perdre dix kilos et qui avait eu l'effet inverse, et enfin, elle était déçue par Wanda Phinn qui, malgré toutes ses promesses, n'avait même pas pris la peine de lui envoyer une carte postale.

Le premier mois, elle s'était un peu inquiétée que son amie ne donne pas de nouvelles, mais comme pour tout le reste, son inquiétude n'avait duré qu'un temps.

C'était l'histoire de sa vie.

Wanda n'était qu'une garce, comme toutes les autres, avait-elle essayé de se convaincre pour ne plus y penser. Puis elle s'était mise à calculer pendant combien de temps elle allait pouvoir s'en sortir sans travailler, avec ses allocations de chômage ridicules et mille six cent soixante livres sur son compte.

Ses perspectives d'avenir n'étaient pas brillantes, son train de vie était proche de « *nada* », comme disait toujours Paco, et rien ne laissait présager une quelconque amélioration.

« Désolé, le poste a été pourvu hier » était la réponse qu'on lui faisait le plus souvent quand enfin elle tombait sur une annonce d'emploi qui aurait pu lui convenir.

Shirley se trouvait donc réduite à la plus désespérante et la plus humiliante des solutions vers laquelle puisse se tourner une femme de quarante ans et quelque, sans diplôme et en légère surcharge pondérale : retourner vivre dans l'appartement de Birmingham où elle était née et que ses parents occupaient toujours.

Elle les appela pour prendre la température. Que diraient-ils si elle venait passer quelques mois chez eux ? Ils lui manquaient tellement !

Malheureusement ce sentiment n'était pas partagé et ils n'étaient pas dupes : Shirley ne proposait pas seulement de venir leur rendre une visite prolongée pour les fêtes.

Elle se retrouva donc enfermée dans sa minable HLM, au milieu du quartier le plus surpeuplé de Londres, à broyer du noir tandis que dans les rues les illuminations de Noël dans les vitrines enchantaient les enfants.

J'aurais dû faire comme Wanda, se dit-elle. Elle était certainement heureuse là où elle se trouvait, puisqu'elle n'avait pas le temps de lui écrire. Et plus Shirley y pensait, plus elle idéalisait cette île mystérieuse sur laquelle régnait Atu et où Wanda avait élu domicile.

Est-ce que Wanda avait plus d'argent qu'elle quand elle avait décidé de partir ? Sûrement pas. Est-ce qu'elle avait été invitée avant de s'y rendre ? Pas à sa connaissance.

Alors pourquoi pas moi ? devint la grande question qui lui permit d'échapper, les jours et les nuits suivants, à la triste réalité et à sa situation catastrophique.

Lorsque Shirley était confrontée à un dilemme, elle s'installait à sa petite table recouverte d'une toile cirée, à côté du réchaud à gaz, et elle battait son jeu de cartes graisseux pour obtenir la réponse. Sa patience favorite n'était pas la plus facile à réussir, mais quand cela arrivait, cela donnait plus de poids au résultat.

Si je réussis cette patience, j'envisagerai sérieusement de partir, décida-t-elle. Elle la gagna et un tas de nouvelles questions surgirent. Car comment faire ? Devait-elle contacter l'Académie de naturabsorption ou Wanda pour prévenir de son arrivée ? Ou bien faire sa valise et filer ? Qu'est-ce qui était le mieux ?

Après un samedi entier durant lequel toutes ses patiences réussirent, l'ultime question se posa : bon, je sais maintenant que je dois partir, mais dois-je le faire maintenant ou bien attendre ?

Et c'est alors qu'elle réussit sa patience pour la septième fois d'affilée.

Elle comprit qu'elle devait tourner le dos à son existence actuelle, et sans tarder.

Shirley passa tout le voyage à se demander comment elle allait être accueillie à l'Académie de natur-absorption. Elle ne doutait pas que les gens charmants qu'elle avait rencontrés à Londres la recevraient à bras ouverts. Mais en serait-il de même pour Wanda ? Ne lui avait-elle pas clairement fait comprendre que leur amitié n'avait existé que dans sa tête ?

Shirley n'avait aucune peine à imaginer ce que Wanda se dirait en la voyant. « Voilà que cette bonne femme de Londres va venir marcher sur mes plates-bandes et me saouler avec ses bêtises et ses souvenirs du bon vieux temps ! » Non. Shirley ne se faisait pas beaucoup d'illusions sur la façon dont elle serait reçue, mais il en fallait plus pour l'arrêter. Si Wanda avait été capable de franchir le pas, elle le serait aussi. Après tout, c'était quand même elle qui lui avait fait connaître l'univers merveilleux d'Atu Abanshamash Dumuzi, elle ne devait pas l'oublier.

À son arrivée à la gare de Kalmar, Shirley prit le car pour se rendre sur l'île d'Öland, via le pont, et arriver le plus près possible de sa destination. Elle fit la dernière partie de la route à pied.

Le spectacle qui l'attendait était impressionnant, avec cette grappe de maisons neuves et la mer en toile de fond.

Déjà à distance, l'académie dégageait une atmosphère magique avec ses nombreux bâtiments blancs couverts de toits pyramidaux incrustés de vitraux de toutes les couleurs, ses panneaux solaires scintillants installés sur plusieurs toitures et ses immenses baies vitrées. Le centre était plus grand qu'elle l'avait imaginé. Beaucoup plus grand, même. Et quand on le voyait de la route, on se disait immédiatement qu'une fois là-bas, on n'aurait plus jamais besoin d'autre chose dans l'existence. Shirley, en tout cas, n'avait jamais rien vu de comparable. On aurait dit que l'endroit vibrait d'énergie.

Le premier indice révélant le genre d'établissement où on se trouvait était une grande plaque émaillée disant :

Académie de naturabsorption
Ebabbar[1]

Une allée composée de dalles de plusieurs couleurs chaudes conduisait à une série de petites maisons et à deux grands pavillons de plain-pied, face à la mer, reliés l'un à l'autre par une verrière. Des pancartes écrites en diverses langues annonçaient qu'on se trouvait dans le « Cœur de l'Académie ».

Il ne régnait pas une grande activité au secrétariat du centre. Des gens vêtus de blanc, dans un état de paix intérieure visible à l'œil nu, et qui semblaient flotter plutôt que marcher, lui souriaient sur son passage.

Elle rajusta sa jupe à fleurs et lissa son chemisier. Il s'agissait de faire bonne figure au milieu de tout ce raffinement.

---

1. Temple du dieu-soleil Shamash dans la ville de Sippar (basse Mésopotamie, actuel Irak).

Elle s'approcha d'une porte à laquelle était fixée une plaque sur laquelle elle lut :

Accueil et admissions
Pirjo A. Dumuzi

Shirley songea qu'elle pourrait être heureuse dans un endroit comme celui-là.

Quand Pirjo se trouva au chevet de Malena au service gynécologique, dans l'atmosphère stérile de l'hôpital de Kalmar, elle lui trouva le visage plus blanc que les blouses des infirmières.

Elle sourit intérieurement. La femme espérait bien sûr qu'Atu en personne serait venu lui témoigner son affection et s'occuper d'elle. Finalement, elle ne le connaissait pas si bien que ça.

« Comment vas-tu ? » lui demanda Pirjo.

Malena tourna le visage contre le mur. « Un peu mieux. Ils ont réussi à stopper l'hémorragie dans la nuit, je sortirai aujourd'hui.

— Tant mieux, tu m'en vois ravie. »

Une grimace de dégoût passa sur le visage de Malena quand Pirjo lui prit la main. Elle essaya de se dégager, mais Pirjo résista.

« Qu'est-ce que tu fais ici ? dit Malena lorsque le silence fut devenu trop lourd entre elles. Dis-moi ce que tu meurs d'envie de me dire, Pirjo. Tu es ravie de ce qui m'arrive ? Ça arrange bien tes affaires, n'est-ce pas ? »

318

Pirjo fronça les sourcils, de manière calculée, ni trop, ni trop peu. La partie avait commencé.

« Oh, comment peux-tu croire ça ? Tu te trompes, Malena. Je suis sincèrement désolée. » Elle baissa la tête, pinça les lèvres comme si elle hésitait à dire une chose qu'elle avait sur le cœur. Elle sentit Malena désorientée. Exactement comme elle l'avait prévu.

Pirjo lui lâcha la main et respira à fond, deux fois de suite, avant de s'adresser à la jeune femme.

« Il faut que tu t'en ailles, Malena. Quand tu sortiras d'ici, il faudra que tu partes très loin, tu m'entends ? »

Elle sortit son portefeuille de son sac et en tira une liasse de billets de banque. « Regarde, il y a huit mille euros. Avec cette somme, tu devrais pouvoir vivre pendant quelques mois. J'ai rassemblé tes affaires dans ta valise que j'ai laissée dans le couloir. »

Il n'était pas difficile de deviner le sentiment qui se cachait derrière l'expression de méfiance et de répugnance de la jeune femme.

« Je vois. Tu veux te débarrasser de moi, hein, salope ? J'avoue que je ne m'y attendais pas. Pas aujourd'hui, en tout cas. Mais tu crois vraiment que je vais me laisser faire aussi facilement ? » Elle repoussa l'argent. « Atu est à moi, tu comprends ? Et il n'en a rien à faire de toi. Tu es juste son esclave. Celle qui lui obéit au doigt et à l'œil. C'est lui-même qui me l'a dit. Alors fiche le camp, Pirjo, avec ton fric de merde. Tu me verras dans deux heures au centre, à la place que je me suis faite, à la sueur de mon front. Je retrouverai le chemin, rassure-toi. »

Il est des instants dans l'existence où l'on sait, tout au fond de soi, qu'un froncement de sourcils ou un sourire pourraient avoir de lourdes conséquences. Pirjo se tut et, de toute la force de sa volonté, bâtit une forteresse autour des sentiments qu'elle était absolument certaine d'inspirer à Atu depuis toujours. Grâce à cet antipoison, elle put ignorer les ignominies que venait de proférer Malena, et elle parvint à garder l'expression de compassion sincère qu'elle avait affichée jusque-là. Pour que son plan fonctionne, et il fallait absolument qu'il fonctionne, Malena devait croire ce qu'elle allait lui dire afin d'accepter sans broncher que tous ses espoirs soient réduits à néant.

« Je sais mieux que quiconque à quel point Atu t'a aimée, Malena, et j'étais sincèrement heureuse de votre bonheur ensemble. Si tu en doutes, tu te trompes. Tu ne t'es pas trompée en revanche sur les sentiments très forts que j'ai pour Atu, mais avec le temps, ces sentiments sont devenus d'une autre nature. Après toutes ces années passées à ses côtés, tu dois bien te douter que je le connais mieux que n'importe qui, et il faut que tu saches qu'il y a chez Atu une part d'ombre dont je suis obligée de te parler à présent et qui risque de te faire mal. »

La jeune femme sourit. Tout ce qui était si séduisant en elle brillait à présent d'une lueur mauvaise. Ses lèvres parfaitement formées, ses dents trop blanches, ses pommettes hautes. « Mais encore ? » dit-elle, d'un air suspicieux.

« C'est dur de parler de ça quand on a autant d'affection pour Atu que moi, mais je préfère être franche avec toi. Tu es la troisième femme d'Atu dont la grossesse se solde par une fausse couche et il est à la fois très malheureux et fou de rage que ce soit arrivé. Atu n'a pas d'enfant et il a passé la quarantaine, ce n'est un secret pour personne. Ça ne t'a pas surprise qu'il ne soit pas encore père quand on sait tout ce que la plupart des femmes sont prêtes à faire pour lui ? Tu croyais peut-être qu'il ne souhaitait pas avoir d'enfant jusqu'à maintenant ? Parce que moi je peux t'assurer qu'il n'y a rien au monde qu'il veuille plus que ça. Mais une fois de plus, il se sent trahi. Il n'y a pas d'autre mot : trahi. »

Pirjo serra les poings. « Atu perçoit cet accident comme un précipice d'énergies négatives et il est très, très déstabilisé. Il ne peut pas l'accepter et, crois-moi, je parle par expérience. »

La femme dans le lit d'hôpital la défia. « Eh bien, il n'a qu'à venir me le dire lui-même. »

Alors le regard de Pirjo se fit dur. « Tu n'as pas compris ce que je t'ai dit, Malena, alors je vais être plus claire. Si tu reviens au centre, Atu t'offrira en sacrifice. »

Malena se redressa sur ses coudes avec un sourire ironique. « En sacrifice ? Tu n'as rien trouvé de mieux, Pirjo ?

— Il offrira ton corps à la mer, Malena. Il te noiera, comme les deux précédentes femmes qui ont perdu sa progéniture. Si tu restes là, on retrouvera ton corps nu et gonflé sur une plage loin d'ici, je peux te le promettre. »

Malena fronça son nez, mais les paroles de Pirjo l'atteignirent. Le doute et le choc firent place à un sentiment d'impuissance et de peur. Pirjo décida d'enfoncer le couteau jusqu'à la garde.

« On a retrouvé la première, Claudia, sur une plage en Pologne… » Elle se tut, comme si le courage lui manquait pour poursuivre. « Oh, Malena, je ne sais pas ce qui est arrivé à la deuxième fille, je crois qu'on n'a jamais retrouvé son cadavre. »

Malena secoua la tête. Peut-être par simple réflexe, peut-être parce qu'elle ne voulait pas en entendre plus. Mais elle ne dit rien.

« Je ne crois pas qu'Atu ait eu le sentiment de mal agir. En tout cas, il était très calme en me confiant la façon dont il avait renvoyé cette première femme dans le cycle de la nature parce qu'elle n'avait pas été capable de mener à bien la mission charnelle qu'elle s'était vu confier. J'ai essayé de prévenir la deuxième, Lonny – c'est comme ça qu'elle s'appelait. Mais elle n'a pas voulu m'écouter. Ne fais pas comme elle, Malena. S'il te plaît, écoute ce que je te dis. »

Deux rides verticales barraient maintenant la racine du nez de la jeune femme. Elle essaya de les faire disparaître en se frottant le visage, mais elles étaient bien creusées.

« Je prends un risque énorme en te racontant cela. J'ai peur qu'Atu me fasse subir le même sort qu'à ces deux femmes s'il apprend que je t'ai fait ces révélations, tu comprends, Malena ? Est-ce que tu comprends ce que je dis ? »

Elle secoua la tête. Mais Pirjo vit qu'elle comprenait parfaitement.

Sa mission accomplie, Pirjo rentra au centre et dit à Atu que Malena allait mieux et qu'elle sortirait d'ici un jour ou deux. Cela lui donnerait un peu d'avance.

Malena ne revint jamais et Atu se demanda pourquoi. Il ne sut jamais où elle était allée. Pendant quelques semaines, il essaya de la retrouver par le biais de ses relations, mais elle semblait s'être littéralement volatilisée.

Pirjo lui rapporta d'authentiques histoires de dépressions causées par une fausse couche et elle lui expliqua qu'une femme à qui il arrivait un événement aussi douloureux et aussi irréversible pouvait parfois prendre des décisions totalement irrationnelles. Atu l'écouta, triste et impuissant, et finit par accepter la situation : il était pragmatique avant tout.

Un matin où, comme à son habitude, il s'était levé à l'aube pour prier en regardant la mer, Pirjo vint le rejoindre. Elle lui apporta du thé et une serviette humide. Sans un mot, elle le lava et le massa doucement, puis elle lui retira son pantalon et se mit à califourchon sur lui. Tout simplement, parce que l'occasion se présentait.

Peut-être fut-ce la surprise qui éveilla son désir, peut-être l'odeur de sa peau, peut-être se dit-il qu'il lui devait bien cela. Quoi qu'il en soit, il se laissa emporter et il lui donna ce qu'elle voulait.

Il la regarda droit dans les yeux en éjaculant, et Pirjo se mit à trembler. Ce n'était pas un orgasme, mais un phénomène beaucoup plus profond. Le regard qu'elle lui renvoya contenait des années de frustration. Et autre chose aussi.

Pirjo avait toujours eu un cycle régulier. Son ovulation était réglée comme une horloge et quand elle se savait fertile, elle en était presque effrayée tant la sensation était intense. En général, ces journées-là étaient un véritable enfer. Cette fois, ce fut l'inverse.

Noël était à la porte quand elle eut enfin le courage de s'assurer de la raison de son aménorrhée. Elle avait peur de se faire des idées. Le test qu'elle acheta à la pharmacie se révéla positif, et elle faillit s'évanouir en voyant le résultat. Elle voulut malgré tout voir un médecin pour confirmation, et aussi pour qu'il lui indique les précautions d'usage. Elle avait tout de même trente-neuf ans.

Quand elle revint du service de gynécologie où deux mois plus tôt elle était venue rendre visite à Malena, elle irradiait de bonheur.

Atu serait surpris, mais il serait heureux, aussi. Elle en était persuadée. Après tout, elle lui avait prouvé depuis longtemps qu'elle était digne de porter son enfant.

Lorsqu'elle arriva devant la porte du Cœur de l'Académie, elle dut s'arrêter un instant pour se calmer. Elle ne voulait pas fondre en larmes devant Atu. Elle tenait à lui annoncer la nouvelle avec le sourire et une totale maîtrise d'elle-même. C'était ainsi qu'il avait coutume de la voir et elle voulait que ça reste ainsi. Enceinte ou pas, Pirjo devait rester Pirjo.

Malgré ses résolutions, elle sourit un peu plus que les autres jours en passant devant les disciples qui travaillaient au secrétariat. Elle s'enferma dans son bureau dans l'intention d'appeler Atu et de lui demander de venir la voir quelques instants.

Elle fut étonnée de l'y trouver déjà, assis en compagnie d'une femme en souliers plats, trop maquillée et vêtue d'une jupe et d'un chemisier trop moulants qui dénonçaient cruellement son âge et son embonpoint.

« Ah ! te voilà, Pirjo, je suis content, dit-il tout sourire avec un regard vers la femme. Shirley, ici présente, nous fait la surprise d'arriver de Londres. Elle a participé à une session que nous avons tenue là-bas cet été et aimerait être admise dans l'un de nos groupes. Est-ce que tu penses qu'on va pouvoir lui trouver une petite place ? »

Pirjo acquiesça. La bouleversante nouvelle attendrait. Ce n'était pas dans ces conditions qu'elle espérait la partager avec Atu. Sa joie s'en trouva un peu ternie mais elle se dit que l'attente rendrait l'annonce encore plus excitante.

« Dites à Pirjo ce que vous m'avez raconté tout à l'heure, Shirley. »

Avec un fort accent des faubourgs de Londres, la grosse femme dit poliment bonjour à Pirjo. « Alors, voilà, nous étions venues, mon amie et moi, au cours que vous aviez donné à Londres et nous avons toutes les deux été très attirées par la naturabsorption. Tellement, en fait, que mon amie est venue vous rejoindre ici il y a quelques mois de cela. Enfin, en tout cas, c'est ce que je croyais, mais je n'ai eu aucune nouvelle d'elle depuis qu'elle est partie et Atu Abanshamash Dumuzi… » Elle fit une courte pause. Le simple fait de prononcer son nom la faisait rougir. « … enfin, on m'a confirmé au secrétariat qu'elle ne s'était jamais présentée ici. C'est très étrange et à vrai dire, je suis un peu inquiète. »

Atu hocha la tête, l'air grave. « Oui, c'est étrange, mais c'est un fait, elle n'est pas là. Je vais vous surprendre, Shirley, mais je me souviens d'elle. C'est une très jolie fille. Métisse, je crois ? »

La femme haussa les épaules et Pirjo sentit un courant glacé la traverser.

« Je ne sais pas, je n'ai jamais fait attention à ça. Mais elle était très brune de peau. Elle venait de Jamaïque, il paraît qu'il y a des gens de toutes les couleurs, là-bas. »

Atu leva la tête vers Pirjo. « Ça te dit quelque chose, Pirjo ? Il paraît qu'elle nous a écrit. Vous m'avez dit qu'elle s'appelait comment, Shirley ? »

Pirjo n'entendit pas la réponse, elle la connaissait et pensait déjà à la façon dont il lui faudrait jouer son prochain coup.

24

« J'ai un problème stupide avec cette histoire d'anciens élèves, Carl », pleurnicha Gordon. Incroyable à quel point cet homme pouvait courber l'échine dès qu'il avait un souci.

« Quand exceptionnellement je parviens à les joindre, ils ne se souviennent de rien, ils essayent quand même et ils mélangent tout. Une femme avait séjourné dans cinq écoles d'enseignement pour adultes depuis celle de Bornholm, et elle n'arrivait pas à faire le tri dans ses souvenirs. Une autre, l'une de celles qui venaient de Lituanie, la seule, et d'ailleurs c'est amusant de le souligner, à habiter encore chez ses parents, ne parlait pas un mot d'anglais. Qu'elle ait pu accomplir un cursus de cinq mois à Bornholm dans ces conditions dépasse l'entendement. Presque tous, si on fait abstraction de la Lituanienne, ont déménagé entre-temps, et leurs parents aussi. » Gordon soupira. « Le travail que vous m'avez confié est *ganz hopeless*, Carl. Les rares personnes à qui j'ai parlé ne se souviennent de choses que parce que Habersaat les a harcelées, et en

327

général, elles ne se rappellent que le prénom d'Alberte et le fait qu'elle a été retrouvée morte, *basta*. Alors franchement, si je peux me permettre d'être *ein Bisschen* cynique, je dirais que sa mort ne les a pas beaucoup marqués, dans l'ensemble. »

Carl refit surface à contrecœur. Quand Gordon avait ce type de diarrhée verbale, on ne pouvait pas s'empêcher de s'échapper dans ses propres pensées.

« Écoute, Gordon, dit-il, d'une voix si forte que ce dernier sursauta. Je te demande seulement de me trouver une seule personne qui se rappelle quelque chose et qui accepte de parler. Et quand tu auras trouvé cette personne, tu la passeras à Rose, ça ne devrait pas être insurmontable, si ? C'est elle qui est chargée d'interroger tous les anciens élèves. Et c'est elle qui synthétisera l'ensemble de leurs réponses. Alors au boulot, mon vieux. Je compte sur toi. »

Il quitta un Gordon complètement abattu, la tête entre ses bras sur la table, et un Assad en train de lui donner de petites tapes d'encouragement sur l'épaule. Si le protégé de Lars Bjørn avait quelque ambition d'intégrer cette équipe, il avait intérêt à relever la tête, et fissa.

Chez Rose, à l'inverse, le travail allait bon train. Le bureau était envahi de piles de carnets avec des notes, de piles de papiers froissés dans la corbeille, de piles de rides sur son front. Elle était sur le pont, ça sautait aux yeux.

« Quelles sont les nouvelles du monde alternatif, Rose ? » se risqua-t-il à demander.

Elle secoua la tête. « Il faut que j'appelle les gens le soir, Carl. La plupart exercent un métier normal pendant la journée. En attendant, j'ai feuilleté les interrogatoires des élèves et j'en ai trouvé une avec qui je voudrais bien que Gordon m'organise un rendez-vous. Tenez, lisez vous-même, j'en ai une copie ici.

— Tu ne veux pas plutôt me le lire ?

— Allez, Carl, un petit effort. Allez dans votre bureau, allumez-vous une cigarette, et lisez. Mais n'oubliez pas de fermer la porte. Déjà qu'il faut supporter l'odeur de tabac froid des archives de Habersaat. »

Carl renifla une ou deux fois en passant devant les étagères pour regagner son bureau, mais à part le parfum de Rose qui chatouillait le nez et piquait les yeux, il ne sentit rien du tout.

Il posa la feuille sur son bureau, docile, sortit une cigarette de son paquet comme on le lui avait demandé et s'installa pour lire la copie de l'interrogatoire de Habersaat.

9/12/1997. Interrogatoire de Synne Veland, 46 ans, inscrite à la session d'automne. Institutrice dans la commune de Hvidovre en congé sans solde. Numéro national d'identité 161151-4012.

Extrait du dossier 10/12/1997.

Carl s'arrêta. Une idée venait de lui traverser l'esprit. Le garçon était-il réellement bête à manger du foin ? L'hypothèse n'était pas à exclure.

Il pressa un bouton sur l'intercom.

« Vous m'avez appelé, chef, répondit Assad depuis l'autre côté du couloir, ce qui faisait que Carl l'entendait en stéréo.

— Ce n'est pas à toi que je voulais parler, Assad. Gordon, tu m'entends ? Tu es là ? »

Un grincement lui répondit. Était-ce un oui, ou le bruit du fauteuil ?

« Tu as bien pensé à demander à l'état civil une liste des numéros nationaux d'identité de tous les participants, n'est-ce pas ? » Moment de flottement avant la réponse :

« Non, dit Gordon, confirmant ses pires craintes. La secrétaire de l'école m'a répondu qu'elle n'avait pas le droit de me les communiquer. »

Cette fois, Carl alluma la cigarette et tira une longue bouffée. Bon Dieu, ce que ce type était bête. On l'avait sorti du four trop tôt ou quoi ?

« Tu es complètement idiot, ou je rêve ? rugit son supérieur. C'est la première chose qu'il faut demander. Putain, Assad, explique-lui qu'il a directement accès aux registres de l'état civil et que, d'une part, il a absolument le droit d'exiger ces renseignements de cette foutue secrétaire et que, d'autre part, ces numéros figurent déjà tous dans les copies papier des interrogatoires de Habersaat, s'il se donne la peine de regarder au bon endroit. Dis-lui de se bouger les fesses, maintenant, dis-le-lui !

— Est-ce que je suis obligé de le lui redire, chef, puisqu'il vous a entendu, alors ? » grommela Assad dans le haut-parleur.

Carl prit une autre bouffée de sa cigarette et toussa plusieurs fois. « Et toi, Assad, qu'est-ce que tu es en train de faire ?

— Je suis en train d'étudier un truc sur lequel je viens de tomber. Je vous l'apporte dans un petit moment. »

Carl relâcha le bouton. Pourquoi les gens n'étaient-ils pas capables de faire marcher leur cervelle tout seuls ?

En y réfléchissant un peu, il se dit qu'il aurait peut-être pu prévoir ce qui venait de se passer.

Il secoua la tête et se replongea dans la transcription de Habersaat.

... 161151-4012
Extrait du dossier 10/12 1997
Commentaire de Synne Veland à propos d'Alberte :
« Je ne la connaissais pas vraiment, pas autant en tout cas que certains autres, parce que nous, les plus âgés, ne nous mélangeons pas tellement avec les très jeunes.

L'âge moyen cette année est de vingt-six ans et demi, et ce sont les participants de plus de quarante ans, dont je fais partie, qui tirent cette moyenne vers le haut, bien sûr. Par rapport au reste du groupe, il est vrai que nous nous sentons un peu fanés. Alberte était l'une des plus jeunes. Elle était plus jeune que ma benjamine, et à peine plus vieille que les élèves à qui j'ai l'habitude de dire au revoir quand ils quittent le collège. Mais j'ai quand même eu l'occasion de parler avec elle. Tout le monde avait envie de parler avec elle. Elle était si jolie et si dynamique. J'ai remarqué que plusieurs des filles étaient jalouses d'elle, parce que les garçons, et les hommes aussi d'ailleurs, ne regardaient qu'elle. Mais c'était très innocent, à mon avis, et bien naturel à leur âge.

Je me souviens aussi que la veille de sa disparition, nous avons eu la visite de l'école rythmique de Vig. J'ai été surprise de ne pas la voir cet après-midi-là, alors que je la savais très intéressée par tout ce qui touchait à la musique. Elle avait une jolie voix, très mélodieuse. Elle n'était pas là non plus à la fête que nous avons improvisée ce soir-là.

J'ai entendu l'un des garçons avec qui elle avait eu un flirt, Kristoffer, si ma mémoire est bonne, dire qu'elle s'était trouvé un petit ami en dehors de l'école. Ça ne m'a pas vraiment étonnée parce que je l'avais trouvée un peu étrange les jours précédents, rêveuse, vous voyez ? Vous connaissez les filles de cet âge-là. (Elle rit.) Elles sont parfois absentes, au sens propre du terme. Alberte s'était inscrite dans un cours, que je suivais moi aussi, pour apprendre à souffler le verre, mais on ne l'a pas vue une seule fois à l'atelier cette semaine-là. »

(Question : Est-ce que vous avez vu l'homme ou le jeune homme qu'elle fréquentait ?)

Non, mais je me rappelle l'avoir entendue dire qu'elle avait fait la connaissance de l'homme le plus mystérieux et le plus fascinant qu'elle ait jamais eu l'occasion de rencontrer. Elle n'a jamais dit qu'elle était amoureuse, mais elle était visiblement très impressionnée par le personnage. Nous lui avons

332

bien sûr demandé qui il était, mais elle s'est conten-
tée de pouffer de rire, ce qu'elle faisait souvent, et
de répondre que c'était juste quelqu'un qu'elle avait
croisé par hasard et qu'il passait quelquefois le soir
devant l'école.

(Question : Et vous ne lui avez pas demandé s'ils
restaient devant l'école pour se parler ou bien s'ils
partaient faire un tour en voiture ?)

« Non, malheureusement. » (Synne Veland semble
ennuyée, et même triste.)

(Question : Y a-t-il d'autres personnes, à votre
connaissance, qui pourraient m'en dire plus à ce
sujet ?)

« Nous en avons parlé par la suite. Peut-être Kris-
toffer, mais sinon, non, je ne crois pas. »

(Question : Mais est-ce que ce n'est pas justement
le genre de choses dont on parle entre filles ?)

« Si, bien sûr, mais je pense qu'Alberte avait senti
que les autres en avaient assez d'entendre parler
de toutes ses conquêtes. Alors, elle a gardé cette
histoire-là pour elle. Pour ne pas les agacer encore
plus. »

(Question : Est-ce que vous pensez que sa relation
avec cet homme était une sorte de jeu ? D'autant plus
amusant qu'elle le gardait secret ?)

« C'est possible. »

Carl continua sa lecture en se disant que l'interrogatoire n'avait pas grand intérêt.

Il appuya sur un autre bouton de l'intercom. « Rose,
tu peux venir, s'il te plaît ?

« — Vous pourriez éventuellement vous déplacer, si vous avez quelque chose à me dire ! » lui répondit-elle en criant dans le couloir.

Carl sortit la tête de son bureau et la trouva assise par terre, les jambes largement écartées, un gros tas de transcriptions entre les cuisses.

« Tu ne serais pas mieux dans ton bureau pour lire tout ça ?…, suggéra-t-il. D'accord, reprit-il, voyant qu'elle ne réagissait pas. Alors, peux-tu me dire ce qui t'a paru intéressant dans cet interrogatoire ? Mis à part le fait qu'il m'a ouvert les yeux sur le manque total de maturité de Gordon, je n'y ai rien lu que nous ne sachions déjà. Tu trouves que nous devrions aller parler à cette dame ? Au vu de ce que je viens de lire, je ne vois pas ce que cela nous apporterait. Elle doit avoir environ soixante ans, maintenant, et vingt ans ont passé depuis. Comment se souviendrait-elle aujourd'hui de quelque chose qui puisse nous être d'une quelconque utilité et qu'elle n'aurait pas mentionné à l'époque ?

— On voit bien que vous êtes un homme. Les hommes sont souvent aveugles. Regardez comme les questions de Habersaat sont simples. Est-ce que vous ne lui auriez pas posé exactement les mêmes, si vous aviez été à sa place ?

— Je ne sais pas, on voit bien que ce n'est pas son métier d'interroger les gens, mais oui, je pense que je lui aurais demandé à peu près la même chose.

— Et les détails, Carl, que faites-vous des détails ?

— C'est-à-dire ?

— Si ça avait été votre enquête, si vous l'aviez prise depuis le début, vous auriez posé des tas de questions qui ne vous viennent pas à l'idée maintenant, mais auxquelles on pense immédiatement quand on est une femme, même des années plus tard. Des détails sur la personne qu'était Alberte, par exemple ? »

Carl regarda les étagères encombrées de montagnes de papier. Comme s'ils n'avaient pas assez de détails à examiner comme ça.

Il poussa un soupir. « Tu veux dire, ses chaussures, ses vêtements, ses cheveux ?

— Ça, et plein d'autres choses. Une nouvelle façon de bouger, de se maquiller. Tous ces petits changements qui révèlent les sentiments d'une femme. »

Il hocha la tête, elle avait raison. Il se souvenait de certaines enquêtes dans lesquelles les femmes interrogées se rappelaient la façon dont quelqu'un avait épilé ses sourcils, mais pas l'endroit où elles l'avaient vu, ni dans quel contexte.

« Hmm. Et maintenant tu voudrais qu'on mette la main sur Synne Veland et qu'on lui demande ce genre de trucs, vingt ans après ?

— Bien sûr que c'est ce qu'on va faire. Synne Veland s'est inscrite dans cette école libre pendant un semestre pour exprimer le côté artistique de sa personnalité, elle aimait la musique, elle voulait apprendre à souffler le verre. Elle a forcément remarqué des détails.

— Et quand bien même ? Cela nous apprendra simplement qu'Alberte était amoureuse ou qu'elle avait envie de s'amuser, mais qu'est-ce que ça changera ? Je trouve la piste un peu mince.

— C'est possible. Mais ça ne coûte rien d'essayer.

— Admettons. Il y a un autre détail que je voudrais que tu examines. Depuis que tu as prononcé le mot "Knarhøj" en relation avec le type que nous recherchons, il me trotte dans la tête. Nous sommes déjà tombés dessus une fois.

— Maintenant que vous le dites… »

Assad apparut sur le seuil de son cagibi, jovial, des rapports sous un bras et une tasse de thé à la main. Il fallait s'attendre à tout.

« J'ai trouvé ça, alors, chef, annonça-t-il quand ils furent dans le bureau de Carl. Je me demande si ce que nous cherchons n'est pas quelque chose dans ce genre ? »

Il posa devant Carl une feuille couverte de courbes et de signes mathématiques ainsi qu'une tasse fumante.

« J'ai pensé que vous aviez besoin d'un petit remontant, chef. »

Oh, merde ! La tasse était pour lui.

« On peut savoir ce que c'est ? » Ça n'avait pas la même odeur que d'habitude. Ça sentait plutôt bon, même.

« Thé chai. Une super bonne recette. Thé indien et gingembre. C'est bon pour tout. » Il fit un geste en direction de son entrejambe avec un sourire entendu.

« Tu as des problèmes pour pisser », le taquina Carl.

Assad lui donna un coup de coude dans les côtes et cligna de l'œil. « Il paraît que Mona vous a demandé. »

Les nouvelles allaient vite. Et voilà qu'on venait lui proposer de regonfler sa libido avec une tasse de thé au drôle de parfum !

« Laisse tomber, Assad. Mona et moi, c'est de l'histoire ancienne.

— Et où est-ce que vous en êtes avec la dernière, Krinoline, ce n'est pas comme ça qu'elle s'appelait ?

— Tu veux parler de Kristine ? Que veux-tu que je te raconte sur Kristine ? À part qu'elle est retournée vivre avec son ex-mari. Je ne pense pas que ton thé puisse y changer grand-chose. »

Assad haussa les épaules. « Regardez. C'est un plan sur lequel on voit l'arbre, la route qui passe à côté et le vélo dans les fourrés. Il semble assez précis, je ne crois pas que ce soit Habersaat qui l'ait fait, alors. Je pense que c'est la police scientifique. »

Carl examina le dessin attentivement. C'était à peu près comme ça qu'il s'était imaginé les faits.

Assad lui tendit un autre document. « Mais Habersaat en a fait un aussi. C'est supposé être un plan de coupe du lieu de l'accident et de ce qui se trouve autour. »

Il désigna les différents éléments en les énumérant. « Comme vous voyez, pour pouvoir atterrir dans l'arbre, Alberte a dû être percutée environ à cet endroit. » Son doigt suivit la courbe que Habersaat avait tracée. Elle semblait assez logique, peut-être un peu plus abrupte que Carl ne l'aurait dessinée lui-même.

« Sur le troisième dessin, il a ajouté ceci, alors, qu'il pense avoir servi à la propulser en l'air. Regardez ce truc. »

337

Carl hocha la tête. « Oui, ce qui a projeté Alberte dans l'arbre devait ressembler à peu près à ça, je suis d'accord avec lui sur ce point. Mais pourquoi est-ce qu'elle en est morte ? Ça n'a pas l'air bien méchant.

— C'est peut-être le choc qui l'a tuée, chef. Quand on abat quelqu'un d'un coup de feu en plein cœur, c'est le choc qui tue sur le coup. C'est sans doute ce qui s'est passé pour elle. »

Carl n'en était pas si sûr. « Hmm, c'est une possibilité, mais j'ai tendance à en douter. En revanche, si le dessin de Habersaat est exact, et on est tenté de le penser, elle a quasiment été soulevée dans l'arbre. Je ne dis pas que ça ne lui a pas valu quelques hématomes et peut-être une fracture ou deux, mais encore une fois : est-ce que cela a suffi à la tuer ?

— Attendez une seconde. » Assad sortit en trombe et Carl baissa les yeux sur la tasse de thé. L'association des mots « libido » et « Mona » lui avait brusquement donné soif. Une petite gorgée ne pourrait pas lui faire de mal.

Il respira la vapeur exhalée par le breuvage, sentit les arômes de rivages lointains et exotiques emplir ses narines et se mit à boire de bon cœur. Le goût est assez délicat, eut-il le temps de penser avant que la réaction se produise.

Les artères de son cou s'ouvrirent brutalement tandis que son œsophage se contractait, sa luette s'anesthésia, ses cordes vocales se mirent à le démanger de façon horrible. Il porta instinctivement une main à sa gorge et s'accrocha au rebord de la table de l'autre. S'il avait avalé de l'acide, ça n'aurait pas été pire.

Même le juron qu'il aurait voulu proférer resta coincé dans sa gorge. Des larmes coulèrent de ses yeux, de la salive de ses commissures, et il n'avait plus que deux envies : boire un seau d'eau glacée et se venger.

« Qu'est-ce qui vous arrive, chef ? demanda Assad, entrant dans le bureau, un rapport à la main. Il y avait trop de gingembre ? »

Comme le leur avait indiqué le commissaire Birkedal, le rapport d'autopsie faisait état de multiples fractures et d'hémorragies internes, pas assez graves toutefois pour avoir causé la mort de la victime.

Carl résuma : suite à l'examen du cadavre par le médecin légiste, on est parvenu à la conclusion qu'Alberte était encore en vie quand elle a été projetée dans l'arbre, et qu'elle l'est restée un certain temps. Elle avait le tibia et le fémur cassés aux deux jambes et un certain nombre de fractures en d'autres endroits, mais aucune de ces lésions n'était assez grave pour la tuer. Pas sur le coup en tout cas. Elle était restée la tête en bas tout le temps dans cet arbre, et elle avait perdu beaucoup de sang. Pas des litres, mais beaucoup quand même.

Carl posa le rapport du médecin légiste sur la table. Alberte Goldschmid était restée accrochée sur sa branche un long moment avant de mourir. La pauvre fille.

« Alors, chef, qu'est-ce que vous en dites ? demanda Assad.

— Seulement que le dessin de Habersaat peut tout à fait correspondre à la réalité. Les fractures, les lésions internes et les plaies profondes qu'elle avait sur les jambes ont été causées par le choc avec le véhicule et elle a beaucoup saigné. C'est l'ensemble de ses lésions qui a provoqué la mort, et le temps, bien entendu.

— C'est terrible, dit Rose, qui venait d'arriver. Il aurait suffi que quelqu'un la voie pendue là-haut un peu plus tôt, et on aurait peut-être pu la sauver. »

Elle resta un moment sur le pas de la porte avec l'air songeur.

« Qu'est-ce qu'il y a ? lui demanda Carl.

— Je ne sais pas. Je me dis que, finalement, il pourrait s'agir d'un accident, malgré tout.

— Pourquoi ?

— Parce que si le meurtre avait été prémédité, le meurtrier se serait assuré qu'elle n'était plus en vie de façon à ce qu'elle ne puisse pas témoigner contre lui ensuite. Si l'un d'entre vous avait voulu la tuer, ce n'est pas ce que vous auriez fait ?

— Moi, si », dit Assad, un peu trop vite.

Carl fronça les sourcils.

« C'est juste une hypo… Enfin, c'est comme ça que j'imagine les choses, chef.

— Merci, Assad, nous avions compris. Le véhicule a quand même totalement omis de freiner, Rose. Je pense qu'il y a beaucoup de choses que nous ignorons. Le conducteur a pu s'arrêter sur le bord de la route, retourner sur les lieux et vérifier qu'elle était bien morte. Ou il a pu se contenter de regarder dans son rétroviseur. Le meurtrier était peut-être dans un

340

état d'esprit qui annihilait sa faculté de réfléchir de manière logique. Les assassins pensent rarement de façon rationnelle, tu le sais bien, Rose. Alors pour ma part, j'éviterais ce genre de conclusion hâtive. »

Il rassembla les dessins de Habersaat. « Assad, je voudrais que tu les scannes et que tu les envoies au labo. Dis-leur que Laursen les appellera demain pour faire un point. Téléphone-lui, il peut faire accélérer les choses. En dehors des questions que nous leur avons déjà posées, je voudrais que les techniciens fouillent dans leurs archives pour voir ce qu'ils ont sur l'analyse du panneau de contreplaqué. Et aussi, j'aimerais savoir quelle épaisseur devrait avoir un panneau comme celui dont parle Habersaat pour ne pas éclater au moment de l'impact, si on veut que sa théorie tienne la route. Nous voulons savoir aussi si un panneau comme celui-là a pu être fixé au pare-chocs avant d'un combi comme celui qu'on voit sur la photo sans laisser de traces sur la carrosserie. En partant du dessin de Habersaat et de la vitesse présumée de la voiture, ils devraient également être en mesure de nous dire si, lors d'un choc comme celui-là, le corps d'Alberte n'aurait pas dû atterrir sur le pare-brise et le briser. Enfin, je voudrais que tu leur demandes si leurs gars ne pourraient pas essayer de rendre le visage du propriétaire de la Volkswagen un peu plus net. Nous allons bien sûr continuer, de notre côté, à chercher le photographe et éventuellement le négatif, mais dis-leur surtout qu'il est très peu probable que nous y arrivions. Laursen est déjà au courant de presque tout, mais nous avons fait quelques progrès depuis que je lui ai parlé, alors je compte sur toi pour lui dire où nous en sommes. »

S'adressant à Rose : « Tu es toujours là ? Tu as autre chose pour moi ?

— J'ai trouvé ce que vous cherchiez, Carl. »

Elle semblait incroyablement sûre d'elle.

« Qu'est-ce que tu as trouvé ? Un témoignage sous serment, écrit de la main de l'assassin, dans lequel il avoue son crime et nous donne son nom et son adresse ? dit-il en rigolant.

— À propos de Knarhøj.

— Alors ?

— C'est l'endroit où Bjarke Habersaat était allé creuser, en compagnie d'un homme, quand il était boy-scout. Vous vous souvenez peut-être que le simplet, sur son banc à Listed, nous a raconté que June Habersaat avait rendez-vous avec un homme au même endroit, au même moment. Près d'un labyrinthe, il me semble. »

Assad hochait la tête comme un fou, mais c'est vrai qu'il avait dû noter tout ça dans son éternel calepin.

« Tu as raison, c'est ça qu'il nous a dit. Mais tu as l'air de penser qu'ils ne creusaient pas pour faire un feu de camp ! Tu crois que c'était l'homme d'Ølene que la mère et le fils rencontraient là-bas ? Tu as trouvé son journal intime, ou quoi ?

— Très drôle, Carl. Je dis simplement que ça peut être le même homme, c'est tout. »

Carl se pencha vers elle en s'agrippant au bord du bureau. « Et qu'est-ce qui te fait dire ça ?

342

— J'ai tapé Knarhøj sur Google, et ça n'a rien donné. En revanche, j'ai découvert qu'il y avait de nombreux labyrinthes à Bornholm et que l'un d'entre eux se trouvait tout près de Listed. Alors j'ai appelé une galerie d'art, là-bas, et j'ai appris que c'est justement le propriétaire de cette galerie qui a construit ce labyrinthe, mais seulement en 2006. La colline sur laquelle il a été construit porte le nom de Knarhøj. Et le propriétaire de la galerie a choisi ce site à cause de l'histoire passionnante qui s'y rattache. À l'âge de pierre se trouvait non loin de là un village qu'on a baptisé Sorte Muld, Terre noire, et sur le site lui-même on a exhumé un grand nombre d'objets précieux, entre autres plusieurs milliers de *guldgubber* qui témoignent de la présence d'un ancien lieu de culte.

— Des *guldgubber* ?

— Ce sont de petites figurines en or qu'on utilisait comme offrandes. Le propriétaire de la galerie avait lui-même trouvé une pierre de soleil, alors que personne n'avait jamais entendu parler d'un tel objet auparavant. J'ai vérifié, et c'est vrai. Cet endroit est très spécial.

— Une pierre de soleil ? Qu'est-ce que c'est que ça, encore ? »

Elle sourit. Elle s'était évidemment préparée à cette question-là aussi. « Ce serait un genre de cristal que les Vikings utilisaient pour déterminer la position exacte du soleil, même par temps couvert, grâce à sa capacité de polarisation des rayons du soleil. J'ai lu qu'on utilise quelque chose de comparable de nos jours, quand on survole les régions polaires. Ils n'étaient pas bêtes, ces Vikings. »

Pierre de soleil, Vikings, offrandes en or, Carl avait besoin d'un peu de temps pour remettre de l'ordre dans ses idées.

« Donc, d'après toi, non seulement nous avons trouvé un lien entre June Habersaat et l'homme que nous recherchons, mais aussi entre les phénomènes occultes qui intéressaient Christian Habersaat et l'homme d'Ølene qui s'adonnait à des danses nocturnes et autres rituels dans le plus simple appareil. C'est ça que tu es en train de me dire ?

— Vous êtes moins bête que vous en avez l'air, Carl Mørck, mais il faut rendre à César ce qui lui appartient. C'est vous qui avez relevé le nom de Knarhøj. Et si c'est le même homme qu'Alberte a rencontré, alors il est plus urgent que jamais que June Habersaat nous dise ce qu'elle sait de lui. »

Carl soupira. « Elle est très loin de nous avoir tout dit, ça c'est sûr. Mais je sais où tu veux en venir, Rose, et tu as raison. En revanche, tu ne me forceras pas à retourner à Bornholm pour lui tordre le bras et la faire parler. Tu ne veux pas y aller ? Ou toi, Assad, peut-être ? »

Visiblement, aucun d'entre eux ne débordait d'enthousiasme à cette idée.

Rose haussa les épaules. « Bon, très bien, alors c'est elle qui devra venir nous voir ici.

— Comment veux-tu la convaincre de faire ça ? On n'a absolument rien pour l'y obliger.

344

— Ça, c'est votre problème, Carl. C'est vous le patron, que je sache. »

Carl posa le front dans sa main, et, du coin de l'œil, aperçut Gordon sur le pas de sa porte, frappant au chambranle. Ils n'avaient plus qu'à faire venir la chorale de la police et l'orchestre de l'Armée du Salut ! Il n'y avait plus moyen d'être tranquille dans ce bureau !

« Excusez-moi, Carl, dit Gordon. J'ai oublié de vous le dire, mais vous avez eu un appel d'un dénommé Morten. Je pense que c'était le Morten qui habitait chez vous à une époque. Il dit que Hardy n'est pas rentré.

— Hein ?

— Hardy n'est plus là. » Il avait l'air si stupide que Carl s'attendait presque à ce qu'il se mette à braire.

« Il y a combien de temps que tu as eu le message ? lui demanda Assad, l'air inquiet.

— Il y a deux heures, à peu près. »

Carl sortit son téléphone et regarda l'écran. Le son était baissé au minimum et il y avait au moins quinze messages et appels de Morten.

Il cessa de respirer.

25

Ils avaient cherché partout, dit Morten, debout devant la rangée de maisons mitoyennes de la résidence de Rønneholtparken, les joues écarlates et striées de traces de larmes. Hardy était parti sur son fauteuil roulant pendant que Morten regardait les prévisions météo dans le salon. Il était dehors, sous la pluie battante, en bras de chemise, depuis ce moment-là.

Malgré sa confusion, son inquiétude et ses dents qui claquaient, il parvint à expliquer à peu près dans quels endroits lui et Mika avaient déjà cherché. « Nous sommes allés partout dans un rayon d'un kilomètre et demi, Carl. Il n'est nulle part.

— Vous avez essayé son portable ? Il sait l'activer maintenant, non ? demanda Assad.

— Il ne l'a pas avec lui. Quand on sort, on est toujours ensemble, le mien suffit, répondit Morten.

— Tu ne crois pas qu'il est allé au supermarché Kvickly, ou bien chez Expert Radio ? Il passe son temps à écouter de la musique, il a pu aller s'acheter des nouveaux CD.

— Il a un iPod, Carl. Il utilise Spotify. Je lui mets les oreillettes et il peut se passer deux heures avant qu'il me demande de les lui enlever. »

Carl hocha la tête. Spotify ? Il avait déjà entendu ce nom-là, mais il n'avait aucune idée de ce que c'était.

« Et la batterie ? demanda Assad.

— Elle a une autonomie incroyable, répliqua Morten. Il pourrait rouler jusqu'à Frederikssund et revenir. » Il se remit à sangloter rien que d'y penser.

« Je pensais plutôt à la pluie.

— La pluie n'a aucune incidence, Assad, les batteries sont super bien protégées, sur un fauteuil roulant », répondit Carl. Puis, s'adressant à Morten : « Il s'est passé plus de trois heures, le fauteuil roule à une allure de douze kilomètres et demi à l'heure. Il peut être à trente-cinq kilomètres d'ici. Vous avez essayé de joindre son ex-femme ?

— Tu ne crois quand même pas qu'il est allé jusqu'à Copenhague ? » Morten tremblait des pieds à la tête, à présent.

« Allez lui passer un coup de fil, il vaut mieux vérifier. Et appelez l'hôpital d'Hillerød pour leur demander s'il a été admis là-bas. »

Morten avait disparu avant que Carl ait terminé sa phrase.

Ils décidèrent de refaire un tour du quartier pour demander si quelqu'un l'avait vu ou lui avait parlé.

« Il faut qu'on se sépare, Assad. Je prends la voiture.

— Et moi ?

— Tu n'as qu'à prendre ce truc-là, mais il vaut mieux que tu prennes le poncho imperméable dans le coffre. C'est incroyable le froid qu'il fait. On ne croirait jamais que c'est le printemps. »

Il parlait de la mobylette de Jesper. Un joli petit engin de 50 chevaux, bien entretenu, que Jesper n'avait pas utilisé une seule fois depuis qu'il était parti de la maison.

Assad se permit un petit sourire ironique.

Depuis que l'appareil communal d'aide aux handicapés avait pris fait et cause pour Hardy et que la vie de la maison de Rønneholtparken avait été bouleversée par le départ des uns et des autres, Carl n'avait plus avec son ami les longues conversations qu'ils partageaient avant. Morten l'aidait au quotidien, Mika, le chéri de Morten, était devenu son coach psychologique et son physiothérapeute attitré, les aides à domicile envoyés par les services communaux donnaient un coup de main, et le fauteuil roulant offrait à Hardy de nouvelles perspectives. Carl était sur le banc de touche et, depuis ce point d'observation, il se demandait si tout cela avait réellement amélioré la vie de Hardy.

Où es-tu passé, vieux frère ? se demandait-il tandis que les essuie-glaces balayaient le pare-brise et que les splendeurs d'Allerød défilaient sous ses yeux.

Hardy avait récupéré l'usage de son pouce et un peu de mobilité dans le poignet et la nuque. C'était pour le moins limité mais sa vie avait radicalement changé, et il jouissait d'une liberté extraordinaire, par rapport aux années passées allongé sur son lit. Au départ, il était exalté par les possibilités que lui offrait l'amélioration de son état, mais ces derniers temps, il avait commencé à prendre conscience de ses limites.

« Avant, je me trouvais affreusement à plaindre et en même temps j'avais le sentiment d'être spécial parce que je supportais cette vie qui était devenue la mienne. Maintenant, j'ai juste l'impression d'être un boulet pour mes proches », avait-il dit un jour, en leur expliquant qu'il avait bien conscience du travail énorme que cela représentait de s'occuper de lui et du peu qu'il pouvait donner en retour.

Mais alors que Hardy parlait de suicide presque chaque fois que Carl lui rendait visite à la clinique, il n'en avait plus jamais reparlé après que Carl l'avait installé dans son salon, à Allerød. La question était maintenant de savoir si ce démon-là était revenu lui trotter dans la tête.

« Est-ce que vous auriez vu passer un homme, sous la pluie, en bras de chemise et en fauteuil roulant ? » criait Carl par la vitre baissée de temps en temps. Les gens avaient l'air étrangement indifférents à son problème.

Il s'arrêta sur le parking en bas de Tokkekøbsvej et regarda avec inquiétude dans le sous-bois. La tâche était quasiment impossible. Carl savait que lorsque les gens ne veulent pas qu'on les retrouve, ils peuvent se rendre invisibles. Hardy voulait-il qu'on le retrouve ? Rien n'était moins certain.

Il appela Morten.

« Alors ? Tu as du nouveau ? »

Morten renifla dans l'appareil. « J'ai appelé partout, il n'est nulle part, Carl. Mika a obtenu de la police qu'elle lance un avis de recherche. Normalement, ils attendent un peu plus longtemps, mais quand ils ont su qu'il s'agissait d'un collègue, paralysé dans l'exercice de ses fonctions, ils ont fait une exception.

— C'est bien, tu remercieras Mika. »

Il ferma les yeux et essaya de se rappeler quelque chose, n'importe quoi qui puisse lui donner une idée de l'endroit où Hardy avait pu aller. Il n'en avait pas la moindre.

Son téléphone vibra et Carl se précipita dessus pour prendre l'appel. C'était Assad.

« Allô ! rugit-il, tu l'as trouvé ?

— Euh, non, pas tout à fait.

— Explique !

— Là où se trouvait la mairie avant, j'ai croisé un cycliste qui a vu un fauteuil roulant sur Nymøllevej en direction de Lynge. Alors j'ai mis les gaz.

— Pourquoi est-ce que tu ne m'as pas appelé immédiatement ?

— C'est justement là qu'est le problème. Je me suis fait arrêter par la police. Ils sont à côté de moi, sur Rådhusvej, et ils prétendent que je roulais à cent quinze kilomètres à l'heure sur la piste cyclable. Vous pourriez passer me chercher, chef ? »

Carl eut un peu de mal à convaincre ses collègues de lâcher Assad. Les deux messieurs en uniforme n'avaient encore jamais vu une mobylette, prévue pour rouler à quarante à l'heure, atteindre une vitesse pareille. Assad n'avait aucune circonstance atténuante, quelle que soit la manière dont on voyait les choses, précisa le premier agent. La suite de cette affaire devrait se régler devant un tribunal et elle allait avoir de lourdes conséquences sur le permis de conduire d'Assad, expliqua le deuxième agent.

Carl évalua la situation. Assad risquait de perdre son permis de conduire ! Il devrait leur baiser les mains.

« Qui est le propriétaire de la mobylette ? demanda le premier agent.

— Moi », répondit Assad, courageusement.

Jesper ne méritait pas une pareille abnégation.

« Nous venons d'avoir un appel du central, dit son collègue qui était retourné dans le véhicule de patrouille. Hardy Henningsen, l'homme que vous recherchez, a été localisé par deux employés du cinéma en plein air de Lynge. Il vous suffit de passer devant la carrière et de traverser la nationale, vous trouverez votre ami sur le parking en train de se faire une toile dans son fauteuil roulant. »

Ils laissèrent Assad partir, mais confisquèrent le deux-roues. Et bien que Carl ne puisse s'empêcher d'avoir une certaine admiration pour l'habileté et l'intelligence de son fils par alliance pour ce qui était de débrider une mobylette, il aurait trouvé légitime qu'il paye lui-même pour son infraction.

L'un des agents attira l'attention de Carl d'un index discret. « Tenez », lui dit-il en lui posant deux bouts de papier dans le creux de la main. Carl baissa les yeux. Sur les deux morceaux, il put lire le nom d'Assad. « Nous connaissons le cas Hardy Henningsen, et un homme qui se donne du mal pour le retrouver ne doit pas être sanctionné. Mais ne le lui dites pas tout de suite, laissez-le transpirer un peu. » Puis il mit le doigt à sa casquette en guise de salut et prit congé.

Ils mirent moins de cinq minutes à arriver sur place.

Un drive-in sans voitures, sous une pluie battante, est l'endroit le plus lugubre qu'on puisse imaginer. Celui-ci était le plus grand cinéma en plein air d'Europe, et devant cet écran gigantesque, le fauteuil roulant et la silhouette recroquevillée leur parurent minuscules.

En dépit de la couverture dans laquelle les employés du cinéma l'avaient emmitouflé, il y a longtemps que Carl n'avait pas vu un être vivant aussi trempé.

« Qu'est-ce qui t'a pris, Hardy ? » fut la première chose qui lui vint.

Les yeux de Hardy ne bougèrent pas d'un millimètre. Ils restèrent cinq minutes à le regarder avant que Hardy tourne enfin la tête vers eux et leur dise : « Ah, vous êtes là ? »

Ils le firent ramener à la maison en véhicule sanitaire et le frottèrent avec des serviettes jusqu'à ce que la couleur de sa peau ait viré au rouge homard.

« Tu peux nous dire ce qui t'est passé par la tête ?

— J'ai décidé de reprendre ma vie depuis le début, dans la mesure du possible.

— D'accord. Je ne sais pas à quoi tu fais référence exactement, mais si tu as l'intention de réitérer l'escapade d'aujourd'hui, elle ne durera pas très longtemps, ta vie.

— Carl a raison, il ne faut plus nous faire ce genre de frayeur, Hardy », renchérit Morten. Un être aussi sensible que lui n'était pas programmé pour supporter de telles émotions.

Hardy s'efforça de sourire. « Je vous remercie de vous être inquiétés, mais je vous signale que vous m'avez interrompu au milieu d'un film que j'avais très envie de revoir. La première fois que je l'ai vu, c'était avec Minna, il y a trente ans. J'étais en train de m'imaginer que je lui prenais la main, comme en ce temps-là. Vous pouvez comprendre ça ?

— Moi, oui, dit Assad, d'une voix plus douce que d'ordinaire.

— Tu dis que tu regardais un film que tu ne voyais pas et que tu tenais par la main une femme qui n'était pas là, et que tu as commencé une nouvelle vie. Tu t'engages sur une pente dangereuse, Hardy. »

Il se cogna la nuque contre l'appuie-tête plusieurs fois de suite. Une mauvaise habitude qu'il avait prise depuis qu'il était en position assise. « Facile à dire, Carl. Mais que veux-tu que je fasse ? Que j'attende tranquillement que la mort vienne me chercher ? Je n'ai rien à faire de mes journées. » Il détourna les yeux. « Quand j'étais allongé sur ce lit, au moins, je pouvais réfléchir aux affaires sur lesquelles tu travaillais. Maintenant, tu ne me racontes plus rien. »

Une demi-heure après que le soleil fut descendu derrière l'épaisse couverture de nuages gris, Assad et Carl avaient rattrapé tout ce que Carl avait négligé. Et quand ils allumèrent les lampes dans la pièce, ils constatèrent que le corps de Hardy avait gardé une attitude de statue de sel, mais que ses yeux avaient une lueur nouvelle, et semblaient à nouveau prêts à regarder au-delà des limites que lui imposait son état.

« Cette June Habersaat, ou June Kofoed, comme elle s'appelle maintenant, est donc le sésame qui peut vous révéler le nom et le signalement de votre suspect numéro un, et peut-être plus que cela ?

— C'est possible. C'est ce que Rose imagine, en tout cas.

— Et moi aussi, dit Assad.

— Mais elle refuse de vous parler, et il y a toutes les chances qu'elle continue à se taire.

— Rose pense qu'on devrait la menacer, mais pas moi.

— Ce qui fait que vous êtes coincés. » Il sourit. « Qu'est-ce qu'il faut faire, déjà, quand on est coincé dans une histoire ? Il faut y ajouter une licorne, et l'histoire repart ? Ou un éléphant volant, à défaut de licorne. »

Assad acquiesça. « Là d'où je viens, on dit que s'il n'y a plus moyen de s'en sortir, il faut monter son dromadaire de la cinquième façon. »

Carl était largué et pas très sûr d'avoir envie de connaître les quatre premières, pas plus que la cinquième, d'ailleurs.

« Ah oui, c'est un truc avec devant, entre, derrière ou sur les bosses, dit Hardy. J'ai déjà entendu ça. »

Assad hocha la tête. « La cinquième, c'est le pied bien coincé dans le cul du dromadaire. Et là, ça va très vite, tout à coup. »

354

Carl avait décroché. « Tu te souviens de ce que June Habersaat s'est mise à réciter dans la rue quand nous sommes allés la voir à Aakirkeby, Assad ? »

Il feuilleta son calepin. « Je ne l'ai pas noté tout de suite, mais c'était quelque chose dans ce style, je crois : "Je voudrais une rivière gelée pour aller patiner. Mais il ne neige pas, tout est vert, ici." » Il leva la tête vers Hardy avec une expression légèrement embarrassée. « Ça vous dit quelque chose ? »

Le visage de Hardy se crispa un peu. « Oui, c'est presque ça, dit-il. Je connais le texte original, c'est du Joni Mitchell. »

Carl en était bouche bée. « Quoi ? Tu connais ces paroles ?

— Mika, tu peux venir m'aider, s'il te plaît ? » dit Hardy.

Morten lâcha à contrecœur le corps musclé de son compagnon. Toute la bande était à nouveau réunie, et la maison avait retrouvé son atmosphère familiale et gaie.

« Tu me redonnes le nom du morceau, Hardy ? » demanda Mika.

« La chanson s'appelle *River*. Elle est dans ma play-list sur l'iPod. Mets-la sur la dock station, que tout le monde puisse entendre. »

Carl se mit en quête des paroles sur Google pendant que Mika retrouvait le titre sur une liste de plusieurs milliers de morceaux.

« Je l'ai, annonça-t-il au bout d'une poignée de secondes. Joni Mitchell, *River*, 1970.

« — C'est ça, confirma Hardy. Le début est surprenant, vous allez voir. »

Les premières mesures de *Jingle Bells* résonnèrent dans la pièce, dans une version jazzy, un peu décalée mais bien reconnaissable.

Carl et Assad écoutèrent avec attention. Quand ils arrivèrent au passage cité par June, Assad leva un pouce en l'air.

Oh, I wish I had a river I could skate away on...

Elle était livrée d'une voix un peu fragile sur un accompagnement au piano. Quatre minutes de nostalgie et de mélancolie.

Carl hocha la tête pour lui-même. Ce n'était pas un hasard si Hardy connaissait cette chanson.

« Essaye de trouver un site qui traduit les paroles des chansons, Carl. Il y en a plein maintenant qui font ça », dit Hardy.

Carl tapa le titre et fit défiler les liens. Dès le cinquième, il trouva ce qu'il cherchait.

Il lut à haute voix.

« Joni Mitchell est une Canadienne émigrée en Californie pour suivre le mouvement hippie et faire carrière dans la musique. La chanson *River* parle de fêter Noël loin de chez soi dans un pays étranger avec son propre climat et ses propres coutumes, sans neige et sans patinage. Bref, c'est une chanson qui parle de tout quitter pour revenir à une vie simple et innocente. »

Ils se regardèrent longuement, jusqu'à ce que Hardy rompe le silence.

« Elle chante bien. Je trouve cette chanson chargée de sens et vous vous en doutez, moi, elle me va droit au cœur. Par contre je ne sais pas ce qu'elle évoque à June Habersaat, parce que je ne connais pas cette dame. De quoi veniez-vous de parler quand elle l'a citée ? »

Carl fit la moue. Comment voulait-il qu'il s'en souvienne ?

« Elle venait de me dire que je ne savais rien de ses rêves, alors, ni de ce qu'elle avait dû faire pour les réaliser, dit Assad. Sur le moment, je comprenais très bien qu'on puisse dire ce genre de chose. »

Le silence retomba. Personne ne savait très bien quelle explication donner à la scène. Si Rose avait été là, elle aurait probablement été intarissable.

« Quelqu'un veut de la soupe ? » chantonna Morten depuis la cuisine. Carl émergea de sa léthargie.

« Quand on y pense, si June Habersaat avait des rêves dans la vie, elle n'a pas dû en réaliser beaucoup.

— Probablement pas. Mais qui peut se vanter d'avoir réalisé ses rêves ? répliqua Hardy. Et l'aventure qu'elle a eue avec ce jeune homme, vous ne croyez pas que c'était un rêve devenu réalité ?

— Si, sûrement. Ce que je n'arrive pas à comprendre, c'est pourquoi elle se met tout à coup à nous réciter les paroles de cette chanson. Ça ne colle pas. June Habersaat ne ressemble pas au genre de femme qui écouterait du Joni Mitchell.

— Il n'y avait que de la variété danoise sur ses étagères, précisa Assad. Compilations des meilleurs tubes 1-1000, et des trucs comme ça.

— *River* est un morceau à la fois poétique, éthéré et planant, dit Hardy. Si elle n'est pas du style à écouter ce genre de musique, c'est que quelqu'un d'autre la lui a mise dans la tête. Cet homme aurait-il pu lui faire découvrir ce morceau ? Il avait la nostalgie du passé, il me semble ? Sites sacrés de l'âge de bronze, pierre de soleil, églises rondes et Templiers, cheveux longs et danses hippies bien après l'heure.

— Et si c'était le cas, à quoi cela nous avancerait-il ?

— Je vais essayer de monter le dromadaire de la cinquième façon », proposa Hardy.

Assad leva un pouce en l'air. Dès qu'il était question de chameaux, il était partant.

Les trois hommes, attentifs, entouraient le fauteuil de Hardy. La soupe de Morten attendrait.

« Vas-y, Mika, appelle-la », dit Hardy. Aussitôt dit, aussitôt fait. « Tu es prêt avec l'iPod ? »

Il acquiesça.

Mika pressa l'icône d'appel, tenant le téléphone à cinq centimètres de l'oreille de Hardy.

« Allô, June Kofoed à l'appareil », se présenta la personne au bout du fil. Mika mit l'iPod en marche et la voix de Joni Mitchell emplit à nouveau la pièce.

Très lentement, Mika amena le portable jusqu'à la bouche de Hardy.

Pendant quelques secondes, le paralysé attendit sans ciller, le regard vague. Il était redevenu un policier au travail et au maximum de sa concentration. Un homme qui connaissait le timing parfait, le ton adéquat et savait rendre sa voix assez neutre pour qu'elle puisse passer pour la voix de n'importe qui.

« June », dit-il simplement, laissant la musique faire le reste.

Il y eut une longue pause, durant laquelle les autres auraient sans doute renoncé, mais Hardy attendit, sans cligner des paupières une seule fois.

Puis il se passa quelque chose à l'autre bout de la ligne et Hardy leva brusquement les yeux.

« Oui », se contenta-t-il de répondre.

À nouveau, son interlocutrice parla.

« Ah ! Je suis désolé, je ne savais pas. Comment vas-tu, toi ? » demanda-t-il.

Ils échangèrent encore quelques phrases, puis il haussa les épaules. « Elle a raccroché, dit-il. Soit elle a compris que c'était du pipeau, soit elle n'avait plus envie de parler à ce type.

— Allez, raconte, dit Carl, impatient. Répète-nous tout ce que vous vous êtes dit, le plus exactement possible. Toi, Assad, tu notes.

— J'ai juste dit son nom, June. Elle a répondu : "C'est toi, Frank ?", j'ai dit : "Oui." Elle s'est mise à respirer très lentement et très profondément. C'était bizarre. J'ai cru qu'elle était émue de l'avoir au bout du fil, mais quand elle a recommencé à parler, ses mots étaient durs. Elle m'a dit : "Étrange façon de me recontacter après dix-sept ans de silence. Je croyais que je n'entendrais plus jamais parler de toi. Je ne sais pas si tu es au courant ? Bjarke est mort. Il s'est suicidé. C'est pour ça que tu m'appelles ?" Je lui ai répondu que j'étais désolé et que je n'étais pas au courant pour son fils. Et puis je lui ai demandé comment elle allait. Elle m'a répondu par une question : "Où es-tu ?" Moi j'ai dit : "Où crois-tu que je sois ?", et elle a répliqué : "Je suppose que tu joues au faiseur de miracles quelque part, je me trompe ?" Ensuite, j'ai été maladroit : je lui ai demandé de quel nom elle pensait que je me servais à présent, mais ça vous l'avez entendu. C'est là qu'elle a raccroché. C'était très imprudent de ma part.

— Et elle t'a raccroché au nez, comme ça ?

— Oui. Mais au moins, maintenant, nous savons qu'il s'appelait Frank, qu'il est danois et qu'elle ne l'a pas vu depuis des années.

— Reste à savoir si c'est bien l'homme que nous cherchons, dit Carl, pensif. Après tout, c'est peut-être un hasard si elle a fait l'amalgame entre les deux quand je l'ai appelée pour la questionner sur l'homme au combi Volkswagen.

— C'est le même homme, chef, j'en suis sûr. Il s'est enfui de l'île après l'histoire avec Alberte. Celui que cherchait Habersaat, celui qui a couché avec sa femme et avec Alberte et sûrement un tas d'autres est un seul et même homme. Kristoffer ne se trompait pas quand il l'a traité de Don Juan.

— Et June vient de le traiter de faiseur de miracles, ce qui lui correspond assez bien aussi. Bon, je propose que nous continuions à partir de ce postulat. »

Il fit une nouvelle recherche sur Google.

« Il s'appelait Frank. Combien pensez-vous qu'il y a de Frank au Danemark qui aient autour de quarante-cinq ans ?

— Moi, je n'en connais pas beaucoup, en tout cas », répondit Assad. Un commentaire assez inutile d'un point de vue statistique.

« Je ne sais pas non plus. Mais à l'heure actuelle, il y a, en tout, onze mille trois cent dix-neuf personnes enregistrées sous ce nom au Danemark. Selon le baromètre des prénoms, il y en aurait seulement cinq cents déclarés sous ce nom depuis 1987. Le nom n'est donc plus très populaire. Bien sûr, nous ne connaissons pas l'âge exact de ce Frank, mais en imaginant qu'il avait entre vingt-cinq et trente, nous ne devrions pas nous tromper de beaucoup. Alors maintenant il s'agit de savoir si ce prénom était très populaire entre 1968 et 1973, et nous ne le saurons pas en jouant aux devinettes. Assad, je compte sur toi pour te renseigner auprès du bureau des statistiques danois. Quant à moi, je parierais qu'on parle de plusieurs milliers de personnes. Si j'ai raison, on fait quoi ? On ne peut pas toutes les convoquer pour les interroger, n'est-ce pas ? »

La question de Carl était purement rhétorique, mais Hardy n'était pas de son avis.

« Pourquoi pas ? Nous n'avons plus qu'à nous retrousser les manches, voilà tout. Enfin, vous. Je suppose que je suis dispensé des interrogatoires ? » dit-il en rigolant.

Carl lui répondit par un sourire mi-figue, mi-raisin. Dans l'ensemble, le bilan était plutôt positif. Ils avaient un prénom. Et Hardy avait repris du poil de la bête.

26

Lundi 17 mars 2014

Pendant longtemps, il ne se passa rien de particulier. Pirjo prenait soin d'elle-même en modifiant régulièrement ses niveaux d'énergie à l'aide des méthodes de la naturabsorption. Elle vivait le plus sainement possible, pour permettre au petit être qu'elle portait dans son ventre de grandir dans des conditions optimales. Elle participait à la grande réunion quotidienne et à la salutation au soleil sur la plage, comme elle l'avait toujours fait. Elle faisait son travail et accomplissait ses tâches administratives, veillait à l'entretien des bâtiments et à ce que les nouveaux se sentent à l'aise dès leur arrivée. Elle voulait faire un autre enfant après celui-là et ne voulait pas qu'Atu pense que la grossesse nuisait à son travail quotidien.

La dernière nuit de l'année commença comme d'habitude, à ciel ouvert, Atu glorifiant le cycle annuel. Ils firent un grand cercle autour d'un feu de joie sur la plage, et chacun exprima à sa façon son adhésion à la certitude commune que la vie était encore pleine de promesses. L'année nouvelle serait la première du reste de leur vie.

Pirjo hochait la tête pour elle-même, se disant que rien ne pouvait être plus vrai dans la situation qui était la sienne, et surtout qu'il était temps maintenant de partager son secret avec les autres. Aussi, quand la ronde s'acheva et que tous s'apprêtèrent à regagner leurs petites chambres pour se plonger dans la toute première séance de méditation de l'année, Pirjo prit Atu par la main et elle le remercia d'être ce qu'il était et ce qu'il serait bientôt.

Puis elle guida sa main vers son ventre et lui dit tout simplement qu'elle attendait son enfant.

À compter de l'instant où elle vit son visage s'illuminer, Pirjo sentit que plus rien au monde ne viendrait troubler son bonheur et sa sérénité.

Il en fut ainsi pendant les dix semaines suivantes, puis ce bel équilibre fut pulvérisé du jour au lendemain.

C'était un lundi, et Pirjo avait eu de nombreux appels sur sa ligne La Lumière de l'oracle. Quelques milliers de couronnes supplémentaires étaient venus alimenter son compte en banque.

Elle regarda l'heure et répondit à son dernier appel de la journée.

« La couleur de votre voix et la manière dont vous vous êtes présentée m'indiquent que vous êtes un maillon essentiel dans la chaîne créatrice de ce monde, dit-elle à son interlocutrice comme elle l'avait déjà dit une bonne dizaine de fois ce jour-là. Je crois que vous êtes à l'aube d'un grand projet. Je sens, en cet instant, qu'une personnalité aussi exceptionnelle que la vôtre tirerait un bénéfice extraordinaire de la pensée holistique. Elle vous permettra de mettre à jour toutes vos possibilités et vous donnera la force mentale et la stabilité nécessaires pour exploiter vos évidentes qualités. »

C'était ce genre de compliments que les gens avaient envie d'entendre. Et quand on en arrivait à ce stade de la conversation, ils devenaient insatiables. Alors elle parlait, et le compteur tournait, et l'argent tombait dans son escarcelle.

Pirjo adorait ça. Dans ses activités habituelles, ses talents d'oratrice ne lui servaient qu'à délivrer des messages d'ordre pratique ou à négocier les prix des produits d'utilisation courante avec les fournisseurs locaux, mais lors de ces séances, elle était comme un poisson dans l'eau.

« Vous aimeriez savoir lequel de vos projets d'avenir je mettrais en avant si j'étais vous, mais la question que vous me posez n'est pas simple. Vous comprenez… »

Une silhouette se matérialisa brusquement devant Pirjo. Une silhouette reconnaissable entre toutes, car Shirley ne ressemblait à aucune des autres disciples, ascétiques pour la plupart. Pirjo la gratifia de l'un de ses plus charmants sourires, alors qu'une fois encore, l'Anglaise avait sciemment décidé d'ignorer le panneau « NE PAS DÉRANGER » accroché sur la porte. Depuis deux mois qu'elle était arrivée, Pirjo avait opté pour cette attitude avec elle. Moins elle lui parlait, moins il y avait de risques qu'elle se mette à lui poser des questions.

Mais cette fois, Shirley ne lui rendit pas son sourire.

« Il y a une chose que je ne comprends pas », dit-elle d'une voix plus calme que d'ordinaire.

Pirjo leva une main pour l'interrompre, car elle devait d'abord expédier sa cliente au téléphone avec la promesse de répéter toutes les belles choses qu'elles s'étaient dites à sa consœur de La Chaîne holistique. Elle souhaita beaucoup de bonheur à la femme au téléphone et leva les yeux vers Shirley.

« Qu'est-ce que vous ne comprenez pas, Shirley ?

— Ça », dit la grosse femme en tendant à Pirjo l'objet de couleur sombre qu'elle tenait à la main.

Il s'agissait d'une ceinture rouge et gris à rayures obliques.

« C'est une ceinture, et alors ? dit Pirjo, en la lui prenant des mains comme si elle manipulait un serpent à sonnette. Que voulez-vous que j'en fasse ? » s'entendit-elle demander, tandis qu'elle luttait pour rester impassible et tâcher de comprendre ce qui avait pu se passer.

Elle avait entièrement vidé la caisse contenant les affaires de Wanda à peine une semaine après l'avoir tuée et elle pensait avoir tout brûlé. Est-ce qu'elle aurait oublié la ceinture ? Elle n'avait pas pu faire ça !

« Qu'est-ce que c'est que cette histoire de ceinture, Shirley ? C'est la vôtre ? Ah, je comprends ! Vous avez l'impression d'avoir grossi ? Ou maigri plus que vous ne vous y attendiez ? » dit-elle avec l'impression que sa voix venait de très loin.

Était-ce la même ceinture ? Elle ne s'en souvenait pas. Elle n'y avait pas prêté attention.

« Ce n'est pas ma ceinture, mais je la reconnais », déclara Shirley.

La ceinture avait-elle pu glisser au fond de la caisse ? Et puis, qu'est-ce que Shirley était allée faire dans le grenier de l'Écurie des sens ? Elle n'avait rien à faire là-bas.

Pirjo réfléchissait à en avoir mal à la tête. Elle était sûre d'avoir brûlé une ceinture, puisqu'il y avait une boucle dans les cendres qu'elle avait jetées à la mer. Elle commençait à se poser des questions. Y avait-il une boucle parmi les choses que les flammes n'avaient pas pu détruire ?

« Vous la reconnaissez ? Comment ça ? C'est une marque connue, vous voulez dire ? » Pirjo la retourna plusieurs fois entre ses mains en haussant les épaules. « Moi elle ne me dit rien. À part que je la trouve très jolie.

— Je la reconnais, c'est tout », répéta Shirley. Elle avait vraiment l'air bouleversé. « C'est moi qui ai acheté cette ceinture, mais ce n'était pas pour moi, c'était un cadeau d'anniversaire pour ma meilleure amie et je le lui ai offert juste avant qu'elle quitte Londres. Celle qui n'a soi-disant jamais mis les pieds ici. Wanda Phinn. Vous ne vous souvenez pas que je vous ai parlé d'elle quand je suis arrivée ? »

Pirjo acquiesça. « Le nom, je ne suis pas sûre, mais je me rappelle que vous avez mentionné une amie et que vous pensiez la trouver chez nous. Mais Shirley, franchement, toutes les ceintures se ressemblent, non ? » Elle sourit le plus naturellement qu'elle put. « Évidemment, je ne m'y connais pas beaucoup en vêtements, nous ne portons que des… enfin, vous voyez ce que je veux dire. » Elle passa une main sur sa toge virginale.

Shirley récupéra la ceinture. « Elle m'a coûté beaucoup d'argent. Je n'ai pas les moyens d'acheter des accessoires comme celui-là et je n'aurais jamais acheté cette ceinture pour moi. Mais j'avais vraiment envie de l'offrir à Wanda et en plus, on m'a fait une petite réduction à cause de ceci. » Elle montra une longue rayure assez superficielle sur le cuir.

Pirjo secoua la tête. « Je ne comprends pas du tout comment elle a pu arriver ici. Où l'avez-vous trouvée ?

— C'est Jeanette qui me l'a donnée.

— Jeanette ? » Pirjo sentait l'affolement monter en elle. Il fallait qu'elle se ressaisisse. Elle ne pouvait pas laisser un regard fuyant ou un tremblement intempestif la trahir. « Mais Jeanette n'est pas là, Shirley. Elle est partie ce matin parce que sa sœur est tombée gravement malade et qu'elle a dû aller s'occuper d'elle. Je ne crois pas que nous la reverrons ici.

— Je sais. Elle me l'a dit. C'est pour ça qu'elle est allée récupérer ses anciens vêtements qui étaient entreposés dans un carton, au grenier, depuis trois ans. Et puis, elle s'est aperçue que sa ceinture n'était plus dans ses affaires, et qu'à la place, il y avait celle-ci. Alors elle l'a prise. Je l'ai aidée à faire ses bagages et quand elle a fermé sa valise, j'ai reconnu la couleur, la boucle et la rayure.

— C'est peut-être un hasard ? Une rayure comme ça…

— La ceinture de Jeanette a disparu, elle en est certaine. La sienne était noire et celle-ci est bicolore. La marque est celle du magasin où je l'ai achetée. Quant à la boucle, elle est très caractéristique, regardez vous-même. Et puis, il y a les trous, aussi. » Elle montra l'avant-dernier trou de la série. « Vous voyez, il est plus large, c'est donc le trou qui était habituellement utilisé. Quand Jeanette a essayé de la mettre, elle a dû l'attacher au moins deux trous plus loin parce que Wanda Phinn avait la taille extrêmement fine. » Elle hocha la tête plusieurs fois de suite, les lèvres pincées. « C'est la ceinture de Wanda, j'en suis sûre. »

La peau habituellement si pâle de Shirley s'assombrit tout à coup. Elle était visiblement déconcertée, énervée et effrayée en même temps. Un dangereux cocktail de sentiments.

Pirjo sentit une boule dure se former au creux de son estomac. L'inquiétude et les mauvaises vibrations s'étaient regroupées dans un endroit invisible, mais cela ne les empêchait pas de se manifester. Elle fit la moue et réfléchit. Pas à la façon dont cette ceinture était arrivée là, comme Shirley devait le penser, mais à la manière dont elle allait résoudre ce problème, et, s'il n'était pas possible de le résoudre, à la manière dont elle allait se débarrasser de cette créature devenue trop dangereuse.

« Vous y comprenez quelque chose, *vous*, Pirjo ? » dit Shirley, l'air complètement perdue, à présent.

Pirjo saisit sa chance et la main de Shirley.

« Il y a forcément une explication logique, Shirley. Vous êtes sûre que Jeanette a trouvé la ceinture ici, au centre ? »

Shirley indiqua une direction d'un signe du pouce au-dessus de son épaule. « Mais oui, je vous l'ai dit, dans le carton avec ses affaires, au grenier de l'Écurie des sens. J'en suis certaine.

— Et vous étiez là quand elle l'a trouvée ? »

Elle eut un mouvement de recul. Le ton avait peut-être été un peu trop dur. Il ne fallait pas que ça ait l'air d'un interrogatoire.

« Non, mais pourquoi aurait-elle menti ?

— Je ne sais pas, Shirley. Je ne sais vraiment pas. »

« Tu penses réellement que Shirley est venue parmi nous avec des intentions cachées ? » demanda Atu. Il se serra contre Pirjo et caressa doucement le duvet qui poussait autour de son nombril.

Pirjo posa la main sur sa joue. Quand ils étaient couchés ainsi, tous les deux, ils étaient simplement un homme et une femme, unis par ce bébé qui grandissait dans son ventre. Bien que ce soit le vœu le plus cher de Pirjo, Atu ne l'avait pas touchée depuis le jour où l'enfant avait été conçu. Et à présent, au lieu de la désirer comme une femme, il la traitait comme si elle avait été faite de cristal, comme un objet sacré. Pirjo n'était plus seulement sa vestale et son cerbère, mais aussi le symbole de la fécondité incarnée, destinée à donner la vie et la tendresse, mais pas de sexe.

Mais Pirjo avait un plan. Quand elle aurait mis l'enfant au monde, elle lui demanderait de la féconder à nouveau. Et elle ferait en sorte que ça ne marche pas du premier coup. Ainsi, elle aurait ce qu'elle voulait. Mais d'abord, il fallait éliminer la menace.

« J'ai bien peur que tout ceci soit un coup monté, dit-elle en posant sa main sur celle d'Atu. Jeanette a dû se tromper à propos de cette ceinture et Shirley a saisi sa chance. Après tout, que savons-nous de Shirley ? Elle a passé son temps à se cacher derrière son masque jovial et ses sourires adorables. Elle veut que nous voyions en elle une femme qui a décidé de découvrir un nouvel aspect d'elle-même. Mais elle n'est pas comme les autres, Atu. Elle n'a pas de spiritualité. Elle pourrait être n'importe qui. Même une manipulatrice, sans que nous nous en soyons rendu compte. Une criminelle qui serait venue ici avec une idée derrière la tête. Cette histoire de ceinture est peut-être l'occasion qu'elle attendait depuis le début. J'ai entendu parler d'autres centres spirituels qui ont été victimes de chantage, pourquoi serions-nous épargnés ? Elle sait qu'il y a de l'argent derrière cette entreprise.

— Tu ne la trouves pas un peu naïve pour être capable de ce genre de manigances ? Je ne la vois pas comme ça.

— Je pense que Shirley s'apprête à nous nuire, insista Pirjo. Quand son stage d'initiation sera terminé, elle va nous demander de l'accueillir comme disciple, elle en a déjà parlé. Elle sait qu'il y a une chambre libre depuis le départ de Jeanette. Il est hors de question que nous l'acceptions, Atu, tu m'entends ? »

Il acquiesça. « Et ça, c'est dans combien de temps ?

— Dans un peu moins de deux mois. Elle a travaillé pour nous et son séjour a de ce fait été prolongé. Tu ne te rappelles pas son dossier de candidature ? C'est pourtant toi qui as donné ton accord.

— Est-ce qu'on ne devrait pas attendre un peu et voir comment ça se passe ? Elle va peut-être réaliser son erreur à propos de cette ceinture. »

Pirjo hocha la tête. C'était Atu tout craché. Il vivait tellement au-dessus du commun des mortels qu'il ne pouvait pas s'empêcher de voir le bien partout. Il en devenait presque crédule. Mais Pirjo, elle, ne l'était pas. Si les questions de Shirley se faisaient chaque jour plus pressantes, les deux mois à venir allaient être extrêmement longs. Ils continueraient évidemment à prétendre qu'ils ne savaient pas de quoi elle parlait, comme ils l'avaient fait jusqu'ici. Mais que se passerait-il si elle mêlait la police à cette affaire ? Et que la police découvrait le cadavre ? À cause de Shirley et de cette ceinture qui avait été retrouvée ici, il existait désormais un lien entre Wanda Phinn et le centre.

Elle inspira profondément. « Si Shirley insiste, je trouve que nous devrions interrompre son séjour immédiatement.

— Pour quel motif, Pirjo ?

— Parce qu'elle trouble la sérénité du groupe. Parce que nous sommes impuissants à la guider. Parce

372

qu'elle n'a pas ce qu'il faut pour adhérer à notre façon de penser, j'en suis convaincue.

— D'accord. J'entends ce que tu me dis. » Il ferma les yeux et posa la joue sur son ventre.

Il venait de lui signifier qu'il la laissait décider de la suite des événements.

Ce qui lui donnait une certaine marge de manœuvre.

27

Jeudi 8 mai 2014

La maison devant laquelle Assad, Rose et Carl s'étaient donné rendez-vous ne ressemblait pas du tout à l'image qu'ils s'étaient faite de l'artiste qu'était supposée être Synne Veland. Dans le havre petit-bourgeois de Vægterparken, sur l'île d'Amager, il n'y avait ni graffitis sur les murs, ni triporteurs dans les râteliers à bicyclettes, mais un club de billard de quartier, des haies taillées, des crèches et des kilomètres de maisons mitoyennes.

Carl n'était jamais venu, mais il savait que son collègue Børge Bak avait déjà eu l'occasion d'intervenir quelque part dans le coin. Une bagarre au couteau après une fête, si sa mémoire était bonne. À part cet épisode anecdotique, la réputation du quartier était sans tache.

« Ma fille habite au 232 », les informa la femme sans que personne lui ait posé la question, avant même de leur demander de laisser leurs chaussures dans l'entrée. Depuis quand obligeait-on un policier en service à exposer aux regards ses chaussettes délavées ? Leur autorité en prenait un coup.

« Ma fille est divorcée, expliqua-t-elle ensuite. Du coup, je suis venue m'installer ici, comme ça, au moins, elle m'a, moi. Cela dit, ce n'est pas un mauvais endroit pour exercer. »

Pourquoi parlait-elle d'« exercer » ? Est-ce qu'il avait omis de remarquer une plaque sur la porte ?

Tout sourire, elle les conduisit dans un salon qui éliminait toute forme de doute quant à la nature de ses services. Diplômes, planches anatomiques, affiches vantant spécialités homéopathiques et autres médecines naturelles se disputaient les surfaces murales. Sans oublier, bien sûr, la nomenclature de sa profession. On ne pouvait pas dire que ses prix étaient exorbitants, mais comparés au traitement d'un policier expérimenté, la dame s'était trouvé là une petite activité fort lucrative.

« Je n'ai plus que quelques rares clients, à présent. On n'a plus trop envie, avec l'âge, vous comprenez ? dit-elle à Carl comme si elle avait lu dans ses pensées. La retraite ne va pas tarder à frapper à la porte et je tends l'oreille, ha-ha. Mais pour l'instant, je m'en sors avec mes quinze ou vingt clients réguliers par mois. »

C'est pas mal, déjà, songeait Carl, se demandant qui diable pouvait fréquenter une clinique comme celle-là.

« Votre spécialité s'appelle la thérapie globale ? lui demanda Rose qui, comme d'habitude, avait mieux fait ses devoirs que lui.

— Oui, j'ai étudié en Allemagne et je pratique l'iridologie et l'homéopathie depuis près de douze ans.

— Et avant, vous étiez maîtresse d'école ?

— C'est ça ! répondit-elle en riant. Changer d'herbage réjouit autant les veaux que les gens, n'est-ce pas ? »

L'iridologie ? Carl se gratta l'arcade sourcilière. En quoi cela pouvait-il bien consister ? Il regarda les yeux bruns d'Assad. Pour déduire quelque chose de sa constitution et ses habitudes dans ces deux taches presque noires, il fallait une acuité visuelle de faucon. Il y avait bien plus à apprendre de ses chaussettes trouées et de son ongle de pouce qui perçait au travers.

« Vous êtes venus me poser des questions sur Alberte, m'a dit Rose Knudsen. L'histoire ne date pas d'hier et c'est tout à l'honneur de la police de travailler encore sur cette affaire. Vous avez de la suite dans les idées, c'est le moins qu'on puisse dire.

— Peut-être avez-vous appris que l'homme qui vous a interrogée à l'époque s'est suicidé ? C'est pourquoi nous avons dû reprendre le flambeau », dit Carl.

À en juger par l'expression de son visage, la nouvelle ne l'affecta pas outre mesure. Elle ne se souvenait peut-être même pas du bonhomme.

Rose avait également remarqué son absence de réaction et elle jugea bon de résumer l'affaire en mettant en avant l'intérêt que Habersaat avait porté à celle-ci. Puis elle relut à Synne Veland tout ce qu'elle avait répondu à Habersaat quand il l'avait interrogée. Apparemment, la femme n'avait pas de problèmes de mémoire car elle hochait la tête à peu près toutes les deux secondes avec tant de concentration que Carl finit par baisser les yeux sur ses pieds pour ne pas se mettre à hocher la tête, lui aussi.

« Alors, que voulez-vous savoir de plus ? Il me semble que j'ai dit à la police tout ce que je savais à l'époque.

— Deux choses, répondit Rose. Est-ce que vous vous rappelez quel genre de vêtements portait Alberte ? Et est-ce que sa façon de s'habiller a changé après qu'elle a rencontré cet homme ? »

La femme haussa les épaules, regardant la pluie couler sur les vitres. « Est-ce qu'on se souvient de ce genre de choses dix-sept ans après ?

— Est-ce que par hasard elle aurait adopté un style plus hippie ? Un pull-over en macramé, par exemple ? Se coiffait-elle différemment ? Une ou deux nattes sont-elles tout à coup apparues dans ses cheveux ? Ou des colliers africains autour de son cou ? Des choses comme ça ?

— Hippie, non, je ne crois pas. Il me semble qu'elle était très normale. »

Rose soupira, très démonstrativement, comme toujours quand elle perdait pied. Carl ne savait pas très bien non plus où elle voulait en venir. Un changement vestimentaire radical aurait évidemment pu être révélateur d'un rapprochement avec les pensionnaires d'Ølene. Mais comment cela pourrait-il les mener à l'homme qu'ils cherchaient ?

« Nous sommes à la recherche de la moindre information à propos d'un homme dont nous ne savons rien, à part qu'il s'appelle Frank.

— Frank ?

— Oui, c'était ma question suivante. Ce nom vous dit-il quelque chose ? Avez-vous entendu Alberte parler de quelqu'un en l'appelant par ce nom ?

— Non, je regrette. Mais à la première question, je répondrais qu'Alberte a commencé à porter un badge.

— Un badge ?

— Oui, vous savez bien, ces petites plaques métalliques avec une épingle à nourrice derrière pour les accrocher sur les vêtements. »

Bon. Ça pouvait constituer un lien avec l'homme au combi, puisque lui aussi portait des badges. C'était un peu mince, mais pourquoi pas…

« Oui, je vois de quoi vous parlez. Qu'est-ce qu'il y avait dessus ?

— Un signe contre le nucléaire.

— Un message du genre : "Nucléaire non merci !" ?

— Non, pas celui-là. Celui du logo de la campagne pour le désarmement nucléaire. Le signe de la paix. Un cercle avec une ligne verticale et deux traits obliques de chaque côté. » Elle le dessina en l'air.

Carl hocha la tête. L'époque où ce signe fédérait encore les masses était bien loin.

« Et vous êtes sûre qu'elle ne portait pas ce badge quand elle est arrivée ? » lui demanda Rose en la regardant droit dans les yeux. À cet instant on aurait pu se demander laquelle des deux lisait dans les iris de l'autre.

« Non, seulement les deux derniers jours, je crois.

— Pensez-vous que ce badge ait pu lui être offert par l'homme qu'elle rencontrait en dehors de l'école ?

— Comment le saurais-je ? En tout cas, personne d'autre ne le portait à l'école, autant que je me rappelle. Mais rien ne dit qu'elle ne l'avait pas apporté dans sa valise. »

Carl hocha la tête. L'hypothèse lui semblait très improbable, mais ils vérifieraient, bien sûr.

« Encore une chose, dit Rose tout à coup. Vous avez dit à Habersaat qu'Alberte chantait bien. Vous ne l'auriez pas entendue chanter une chanson de Joni Mitchell intitulée *River*, par hasard ?

— Non, ça ne me dit rien. »

Rose sortit de sa poche un minuscule iPod et le mit en marche. « Cette chanson-là », dit-elle en tendant les oreillettes à Synne Veland.

La femme resta un moment immobile, écoutant la chanson, charmée par la jolie voix de la chanteuse. Et puis sa tête se mit à osciller de haut en bas et un sourire se forma aux commissures de ses lèvres.

« Mais si ! s'écria-t-elle, sans enlever les oreillettes. Je n'en mettrais pas ma main à couper, mais j'ai bien l'impression qu'elle fredonnait précisément cette chanson-là. »

C'est le moment que le portable de Carl choisit pour sonner. Il s'éloigna un peu du groupe. L'appel venait de sa mère.

« Je suppose que tu seras là samedi, Carl ? » dit-elle sans préambule.

Il inspira longuement. « Certainement.

— Je pensais inviter Inger.

— Inger... quelle Inger ?

— Eh bien la fille du voisin. Enfin, je dis sa fille, c'est une femme maintenant. C'est elle qui dirige la ferme, au fait, et...

— Maman, tu ne vas pas inviter Inger. Je ne la connais pas, je ne l'ai jamais rencontrée. Je suis flic et je n'ai pas l'intention de m'installer comme fermier là-haut, chez vous. C'est une idée de papa, je parie ?

— Bon, tant pis. Mais tu seras là samedi, n'est-ce pas ?

— Oui, c'est promis, au revoir, maman. »

Dieu du ciel ! Comment tout cela allait-il se terminer ? C'était un cauchemar.

Ronny, Ronny, Ronny. Tu n'aurais pas pu rester en Thaïlande, nom de Dieu !

C'est un Gordon très abattu qui les attendait dans la salle des opérations, et à en juger par la couleur de son oreille, il avait dû passer de nombreuses heures au téléphone. Il sortit un instant de son apathie quand Rose vint s'asseoir en face de lui, les jambes écartées à quatre-vingt-dix degrés, ce qui ne suffit pas à venir à bout de son découragement.

« J'ai bien peur de ne pas être *phantastisch good* à ce jeu-là », confessa-t-il.

Incroyable ! Le type était en pleine prise de conscience.

« J'ai appelé une bonne centaine de numéros, et jusqu'ici, je n'ai réussi à parler qu'à sept ou huit élèves de l'école. »

Carl avança sa chaise.

« Oui, et ?

— Je n'ai rien appris de nouveau. Ils disent tous la même chose. Ils ne pouvaient pas souffrir Habersaat, qui de toute évidence les harcelait. À propos d'Alberte, ils disaient que c'était une belle fille qui flirtait avec les garçons, et qu'un jour, elle a commencé à voir quelqu'un qui ne faisait pas partie de l'école. Deux m'ont dit qu'Alberte se vantait de connaître un type bien plus intéressant que les garçons de l'école, et qui savait faire des choses.

— Qu'est-ce que ça veut dire ?

— Je ne sais pas. Je me contente de répéter ce qu'ils ont dit. »

Carl leva les yeux au ciel. Finalement, Gordon aurait sans doute préféré être une marionnette de ventriloque et avoir quelqu'un pour faire les questions et les réponses. Livré à lui-même, il semblait très malheureux.

« Tu as une liste ? »

Il la lui tendit et Carl la lui arracha des mains. Il n'y avait que quelques rares annotations dans la marge.

« Tu t'en occupes, Rose. Et n'hésite pas à leur rentrer dedans. Il faut qu'on sache ce que ce garçon extérieur à l'école savait faire de si exceptionnel. » Ensuite, il se tourna vers Assad. « Quoi de neuf sur le prénom ? Combien de garçons ont été appelés Frank au cours des années qui nous intéressent ?

— Il n'y a pas de registre année par année avant 1989. On va devoir se contenter des statistiques sur dix ans, et ça pose un petit problème, alors.

— Pourquoi ?

— Parce que vous voulez savoir combien de garçons ont été appelés Frank entre 1968 et 1973 et qu'il y en a eu cinq mille deux cent vingt-cinq dans les années soixante et trois mille cinquante-trois dans les années soixante-dix. Si on additionne ces deux nombres et qu'on les divise par quatre, vu que vous ne voulez que ces cinq années, on arrive à deux mille soixante-dix, mais ça pourrait être plus si par hasard il était né avant 1968. »

Si on voulait faire un tour sur Mars, une erreur de deux centimètres signifiait que l'on risquait de passer à plusieurs milliers de kilomètres de la planète, ce qui évidemment était ennuyeux, Carl en convenait volontiers. Et par respect pour l'importance effrayante de ce type de calculs, il avait renoncé à embrasser une carrière d'astronaute, que personne ne lui avait proposée, d'ailleurs. S'il s'agissait en revanche de déterminer le nombre de Frank nés au royaume du Danemark, il se fichait comme d'une guigne qu'il faille en retrouver mille huit cent douze ou quelques milliers de plus. Certains seraient morts, d'autres auraient émigré ailleurs. Mais qu'on prenne le problème dans un sens ou dans un autre, il y en avait de toute façon beaucoup trop.

« Merci, Assad. Je crois que nous allons laisser tomber cette piste-là pour l'instant. Nous n'en viendrions pas à bout avant que la plupart d'entre eux mangent les pissenlits par la racine.

— Avant qu'ils mangent quoi, chef ?

— C'est une façon de parler, Assad. Ça veut dire avant qu'ils passent l'arme à gauche.

— À gauche de quoi ? »

Carl inspira profondément et enfonça les mains dans ses poches, découragé. « Laisse tomber, Assad. »

Il sentit quelque chose au fond qui n'aurait pas dû s'y trouver et en extirpa des morceaux de papier dont il se souvint qu'ils appartenaient à Assad.

Il les tendit à son assistant perplexe. « Tiens, affaire réglée, monsieur Fangio. Tu peux remercier la brigade mobile. »

Assad regarda la contravention déchirée et sourit. « Je suis content pour vous, Carl. Comme ça, je vais pouvoir continuer à conduire la voiture chaque fois que vous serez fatigué. »

Même s'il devait avaler soixante-quatre aspirines effervescentes vitaminées pour se tenir éveillé, il ferait en sorte que cela n'arrive jamais plus. Il était temps de changer de sujet.

« Est-ce que tu as eu les parents d'Alberte au téléphone ?

— Oui, chef. Ils n'avaient jamais vu un badge de ce genre.

— Et la chanson de Joni Mitchell ?

— Je l'ai fredonnée au téléphone mais ils ne l'ont pas reconnue.

— Pardon ?

— Je l'ai fredonnée, mais ils pouvaient très bien…

— Merci, Assad, j'avais compris. » Ces pauvres gens n'étaient pas tout jeunes, il s'en voulait de les avoir exposés à un tel supplice. Même un chat mâle en rut avait une voix plus mélodieuse qu'Assad.

« En tout cas, les idées antinucléaires d'Alberte ne venaient pas de ses parents. Admettons pour le moment que ce badge lui a été donné par l'homme qu'elle avait rencontré, et que c'est une coïncidence si plusieurs personnes fredonnaient la chanson de Joni Mitchell au même moment. Après tout, la chanson passait peut-être régulièrement à la radio à ce moment-là. Peut-être qu'après avoir été oubliée pendant des années, elle était soudain revenue en tête des hit-parades, qui sait ? Peut-être Joni-Mitchell avait-elle fait une tournée dans la région. Il peut y avoir de nombreuses raisons pour qu'Alberte et June Habersaat se soient mises à fredonner cet air-là. »

Assad acquiesça.

Un tintement provenant de son portable signala à Carl l'arrivée d'un SMS, ce qui n'était pas fréquent. Il s'apprêta à l'ouvrir avec un léger chatouillis dans le ventre. Peut-être était-ce un message de Mona ?

Malheureusement non, il s'en rendit compte dès le premier mot.

Mon petit Carl ! Quand est-ce que tu vas voir ma mère ? Tu as plusieurs visites de retard, et tu le sais très bien. Souviens-toi de notre accord ! Bisous, Vigga.

Carl devint songeur. Pas parce qu'il avait reçu un message de son ex-femme. Ni à cause du contenu du message, même s'il n'avait rien de réjouissant, ni parce qu'il devait continuer à s'occuper de son ex-belle-mère avec sa démence sénile explosive, mais parce que le moyen de communication employé lui avait donné une idée.

Il y réfléchit quelques instants, le regard dans le vide. Bizarrement, il lui était souvent impossible de se souvenir de détails aussi simples, alors qu'ils faisaient partie du quotidien.

Il appela Assad à la rescousse. « Est-ce que tu te rappelles à partir de quel moment les gens ont commencé à s'envoyer des SMS, au Danemark ? lui demanda-t-il. Est-ce qu'on faisait déjà ça en 1997 ? »

Le petit frisé haussa les épaules. Évidemment, comment l'aurait-il su puisqu'il prétendait n'être arrivé dans le pays qu'en 2001.

« Rose ! cria-t-il en direction du couloir. Est-ce que tu te souviens quand tu as eu ton premier téléphone portable ?

— Oui ! C'était le jour où ma mère est partie vivre avec son nouveau mec sur la Costa del Sol. C'était en 1996, le 5 mai pour être exacte. Mon père avait toutes les raisons du monde pour faire la fête.

— Ah oui ? Pourquoi ? » Il regretta aussitôt d'avoir posé la question.

« Parce que c'est le jour de la Libération, neuneu ! riposta-t-elle, comme il aurait dû s'y attendre. Et celui de mon anniversaire, accessoirement. Mon père m'a offert le téléphone ce jour-là. Et à toutes mes autres sœurs, la même année. »

Elle était du 5 mai ? Il l'ignorait. À vrai dire, Carl n'avait jamais pensé à ses collègues comme à des gens qui avaient un anniversaire. Depuis six ou sept ans, ils se côtoyaient dans ce sous-sol sans jamais avoir fêté ce genre d'événement. Il était peut-être temps d'y songer ?

Il se tourna vers Assad qui fit une moue et haussa les épaules. Apparemment, ces questions d'anniversaire ne le préoccupaient pas beaucoup non plus.

Carl se leva de son fauteuil et se rendit dans le couloir où Rose s'était remise à fouiller dans l'héritage de Habersaat.

« Ça veut dire que c'était ton anniversaire lundi dernier ? »

Elle se passa la main dans les cheveux, telle une diva italienne sortant de sa piscine. C'est bien calculé, pauvre type, disait son regard.

Carl essaya de se rappeler ce qu'ils faisaient lundi dernier. Pourquoi n'avait-elle rien dit, aussi ? Carl se sentait un peu penaud. Qu'est-ce qu'on fait dans ce genre de situation ?

« *Happy birthday to youuuuu…* » La voix effrayante d'Assad le fit se retourner. Tel un ténor d'opéra, il s'avança, les bras largement ouverts, en effectuant avec les jambes un drôle de mouvement circulaire que son ex-femme Vigga aurait sans doute appelé un pas grec.

Mais au moins, Assad avait réussi à faire sourire Rose. Dieu soit loué.

Merci, Assad, songea Carl, essayant de se rappeler où il en était.

« Ah, si ! s'écria-t-il soudain, comme si les deux autres avaient été en train de l'attendre. Les SMS ? On pouvait déjà en écrire à l'époque où tu as eu ton portable ? Tu te rappelles ? »

Elle fronça les sourcils. « Les SMS ? Non, je ne crois pas. » Elle réfléchit, mais ne trouva rien dans ses souvenirs pour la mettre sur la voie.

« Au fait, tu n'étais pas supposée rappeler les anciens élèves dont Gordon a parlé ce matin, Rose ? lui demanda Carl.

— Si, mais je n'avais pas envie. » J'avais autre chose à faire, disaient ses yeux, cette fois.

Quand on parle du loup, on en voit la queue, car au même moment, Gordon sortit du placard à balais d'Assad avec l'air triomphant d'un général romain.

« Il faisait plier les cuillères », claironna-t-il d'une voix de stentor.

Un silence compact fit suite à cette information dans le couloir du département V.

« Résumons, si vous le voulez bien, les événements de cette dernière heure, dit Carl, tandis que Rose changeait sur le mur l'ordre des brochures de médecine alternative. Je te laisse commencer, Assad.

— J'ai eu la mère d'Alberte au téléphone qui m'a dit que sa fille n'avait pas de portable. Ensuite, elle a pleuré un peu parce que, d'après elle, si elle en avait eu un, le malheur ne serait jamais arrivé. Elle aurait eu plus souvent sa fille au téléphone et s'il y avait eu un problème, elle l'aurait senti et l'aurait mise en garde. »

Carl secoua la tête. Ces gens se feraient des reproches toute leur vie. C'était effroyable.

« Il aurait suffi qu'elle emprunte un portable à un autre élève », fit remarquer Rose.

Assad acquiesça. « C'est vrai. J'ai appris entre-temps que les SMS ne sont arrivés au Danemark qu'en 1996 et que tous les opérateurs ne pouvaient les offrir à leurs clients. Le réseau était assez mauvais à Born-holm à l'époque et je ne pense pas que ce soit de cette manière-là qu'Alberte communiquait avec son amoureux.

— Mais en empruntant un portable, elle a quand même pu l'appeler », insista Rose.

Elle a raison, et en même temps, elle a tort, se disait Carl. « Non, parce que dans ce cas, les proprié-taires de téléphones auraient pu donner plus d'infor-mations à la police grâce au journal d'appels de leur appareil. »

Rose poussa un soupir. « Et je suppose que les enquêteurs ont demandé la liste de tous les coups de fil passés depuis la ligne fixe de l'école. »

Assad hocha à nouveau la tête. Alberte et cet homme se contactaient donc par un autre moyen, comme Assad l'avait suggéré. La question était maintenant de savoir comment ils communiquaient et à quelle fré-quence. Se parlaient-ils quotidiennement ? Avaient-ils des rituels ?

C'était au tour de Gordon, comme il le signala avec impatience, de leur annoncer que l'une des élèves, une dénommée Lise W., aujourd'hui profes-seur d'éducation physique, résidant à Christianshavn, avait fourni trois nouvelles informations lui paraissant dignes d'intérêt.

« Premièrement, elle avait *lucky genug*, par chance, pris plusieurs photos à l'église d'Østerlars le jour de l'excursion. Elle n'avait aucune idée de ce qu'étaient devenus ces clichés, mais avait promis de les chercher activement. Elle se souvenait aussi que lors de cette visite, le groupe avait rencontré un homme là-haut qui s'était vanté de pouvoir faire plier une cuillère par la pensée. D'après elle, c'était avec lui qu'Alberte était sortie ensuite. Il avait ri en voyant qu'on ne le croyait pas et s'était autoproclamé Uri Geller le Second. Elle n'avait jamais compris pourquoi. Vous avez une idée, vous ? »

Carl secoua la tête. Ce type était-il vraiment incapable d'aller au bout des choses et de faire son travail correctement ? Il lui aurait suffi de taper le nom sur Google, et... Il soupira. « C'est un type qui prétendait avoir des dons de psychokinésie dans les années soixante-dix. Il passait à la télévision où il faisait plier des cuillères et toutes sortes d'autres tours. Je ne me rappelle plus s'il a fini par être démasqué pour charlatanisme, mais c'était comme ça qu'il s'appelait.

— Il pliait des cuillères ? C'est une drôle d'idée », intervint Assad. S'il avait eu ce genre de don, il ne s'en serait vraisemblablement pas servi pour massacrer des cuillères, ni aucun des autres ustensiles qu'on peut trouver dans un tiroir de cuisine.

« Il prenait la cuillère entre le pouce et l'index et il la frottait un peu, comme ça. » Carl joignit le geste à la parole. « Et tout à coup, floc ! La cuillère devenait toute molle à l'endroit où il la tenait, et elle se pliait en deux. Si notre homme savait faire ça, il méritait l'appellation de faiseur de miracles. C'est tout de même bizarre que Habersaat n'ait mentionné ça nulle part. Soit il ne posait pas les bonnes questions, soit c'est son insistance qui clouait le bec à ses interlocuteurs. » Il revint vers Gordon. « Et la troisième info, c'est quoi ?

— Elle m'a dit qu'il y avait une autre personne qui prenait des photos ce jour-là, à l'église d'Østerlars.

— Ah bon, qui ça ?

— Inge Dalby. »

Les trois autres le regardèrent, bouche bée.

« Tu en es sûr ? Tu lui as demandé si elle était certaine de ce qu'elle avançait ? »

Il eut un sourire ironique. Pour qui me prenez-vous ? disaient ses yeux. Il était peut-être en progrès, après tout. « Elle ne pouvait pas se tromper. Elle se souvenait que l'homme était venu parler à Inge Dalby, comme s'il la connaissait déjà », ajouta-t-il.

Carl claqua des doigts à l'intention de Rose. Dix minutes plus tard, elle était de retour avec l'information : Inge Dalby n'était pas chez elle et elle était partie en séminaire.

Carl sentit les muscles de sa mâchoire se crisper.

« Merde ! Où ça ?

— Quelque part au Danemark. D'après Kristoffer, elle envisage de suivre une formation d'auxiliaire scolaire, à Copenhague. Je crois que notre visite et les souvenirs du bon vieux temps ont rouvert des plaies qu'il aurait mieux valu ne pas réveiller, surtout au moment où elle caressait l'idée de quitter Kristoffer. Il semblait assez déprimé.

— À Copenhague ? Elle n'aurait pas pu faire les mêmes études à Bornholm ? Et que vont devenir les gosses dont elle s'occupe ?

— Si j'ai bien compris, elle a arrêté son activité de famille d'accueil depuis le 1er mai. Ça avait l'air de bouleverser Kristoffer autant que le fait qu'elle s'apprête à quitter l'île. Il n'avait pas l'air de penser que c'était prémédité. Quoi qu'il en soit, elle est partie s'installer chez son frère dans le nouveau quartier de Sluseholmen, rue Dexter-Gordon. L'école se trouve place de Sydhavn, à dix minutes à vélo de l'appartement du frère.

— Ça, alors ! » Carl s'imagina Kristoffer Dalby tout seul au milieu d'une montagne de jouets abandonnés, dans la petite maison. Quel choc ça avait dû être pour lui.

« Alors, elle habite chez son frère, maintenant ?

— C'est ça. Otto Kure. Directeur de la société KAA : Kures Advanced Automobiles.

— Ça ne me dit rien.

— Le plus gros atelier de réparation de voitures de collection haut de gamme. Ferrari, Maserati, Bentley et j'en passe. Il a un diplôme de mécanicien, comme son père et son oncle. »

Rose dut fixer Carl pendant un long moment avant qu'il ne comprenne ce qu'elle insinuait.

« Tu crois vraiment que… ? dit-il.

— Whaouh », dit Assad qui venait de comprendre lui aussi.

Et la figure de Gordon ressemblait plus que jamais au cul d'une poule.

« Tu es en train de me dire qu'elle a grandi dans une famille où tout le monde bricolait des voitures ? »

Rose haussa les sourcils « Ouaip ! J'ai évidemment demandé à Kristoffer Dalby si sa femme avait des compétences dans ce domaine, et il m'a répondu qu'elle était née avec une clé à molette dans les mains et qu'elle maîtrisait l'art de la soudure aussi bien qu'un ouvrier polonais. Il m'a expliqué qu'avant de commencer ses études, elle allait donner un coup de main dans le garage de son frère. On dirait qu'elle a plus d'une corde à son arc, hein, monsieur Mørck ?

— Effectivement. Mais maintenant il s'agit de savoir quelles cordes exactement. Je vois à vos têtes que vous pensez comme moi. On ne peut pas exclure l'idée qu'elle ait équipé l'avant d'une voiture d'une sorte de pare-buffle et peut-être conduit ladite voiture, de très bonne heure, un matin de novembre, en 1997. Est-ce qu'on sait si les élèves ont été interrogés sur leur emploi du temps ce matin-là ? Que disent les procès-verbaux, Rose ?

— Rien. On leur a demandé s'ils avaient vu ou entendu quelque chose et s'ils avaient des soupçons quelconques, mais pas ce qu'ils étaient en train de faire. »

Assad hocha la tête. « Elle remonte sur la liste des suspects, alors, patron ? »

Gordon regardait l'un, puis l'autre, l'air ahuri. « Excusez-moi, j'ai du mal à suivre. Suspecte de quoi ? D'avoir participé au rallye de voitures anciennes à Bornholm dont vous parlez tout le temps, c'est ça ? »

Personne ne prit la peine de lui répondre.

28

Les habitants de Copenhague pouvaient se targuer d'avoir dans leur ville un nouveau quartier fantastique. Pour une fois, les architectes avaient fait preuve d'imagination, et ils avaient conçu un site harmonieux pas loin de mériter le qualificatif de beau. La chiche lumière du jour semblait entrer par tous les côtés à la fois, le verre et le béton se fondaient avec un entrelacs de ponts et de canaux communiquant directement avec la zone portuaire. Bien que le quartier ait déjà quelques années, Carl n'y avait jamais mis les pieds, et il aima ce qu'il découvrit. S'il n'avait pas été dans une situation financière aussi lamentable, il aurait aimé s'y installer. Il se dit qu'il devrait peut-être proposer à Hardy de participer à une acquisition commune.

« Ils seront de retour dans cinq minutes », dit une femme très brune avec un accent du Jutland à couper au couteau, en leur faisant traverser la petite cuisine de l'appartement et descendre un escalier conduisant au séjour. La pièce faisait presque six mètres de hauteur sous plafond, et à travers les immenses baies vitrées, on constatait qu'une simple coursive séparait l'appartement du canal le plus proche. L'habitation était distribuée sur trois étages avec des escaliers partout. Pas très pratique pour un paraplégique. Le rêve de Carl n'avait pas mis longtemps à voler en éclats.

« Ouais, on a bien failli se mouiller les chaussettes au moment de la tempête au mois de décembre ! Il y avait de l'eau à ça de la fenêtre », dit-elle en montrant avec ses doigts une distance qui ne devait pas faire plus de cinq centimètres.

Carl hocha la tête. Encore un argument pour ne pas quitter Allerød. Au moins, là-bas, on était à soixante mètres au-dessus du niveau de la mer. Si la catastrophe se produisait, ce qui ne manquerait pas d'arriver à un moment ou à un autre, il faudrait au moins une fonte générale des glaciers ou un tsunami pour que les habitants de Rønneholtparken en sentent les effets.

« Une chance qu'il ne soit rien arrivé, dit-il avec un regard vers l'écran plat et l'électronique dernier cri. Je voudrais vous demander quelque chose : quand Inge Dalby rentrera, serait-il possible de lui parler en tête à tête ? »

Elle leva un pouce en l'air. Elle et son mari iraient faire un tour. La femme était arrangeante, tant mieux.

Inge Dalby ne sembla pas ravie de les voir tous les trois en train de l'attendre, au pied de l'escalier, dans le grand salon.

« Nous sommes confus de venir comme ça, sans prévenir, mais nous étions dans le quartier et nous nous disions que vous alliez peut-être pouvoir nous aider, vous et votre frère », dit Carl tandis que ledit frère lui tendait la pince monseigneur qui lui servait de main. Le brave homme trouva à qui parler quand vint le tour de serrer la main à Assad. Tout le monde dans la pièce entendit les os craquer.

Après cinq minutes, une partie de leurs questions avaient trouvé des réponses.

« C'est tout à fait ça », dit Hans Otto Kure dans un dialecte assumé. À se demander si les gens de Bornholm seraient capables un jour d'apprendre à parler véritablement le danois. « Mon père s'occupait des moteurs et oncle Sture de tout le reste, à part la connectique, pour laquelle le garage avait embauché un gars. J'ai participé à beaucoup de rallyes de voitures anciennes, et toi aussi, hein, p'tite sœur ? »

Ensuite sa femme et lui s'en allèrent. « Viens, Hans, on a des courses à faire », dit-elle. Et l'affaire était réglée.

Inge Dalby alla s'asseoir dos à la fenêtre panoramique en se massant la tête d'une main calleuse qui semblait déjà incrustée d'huile de vidange et de rouille. Est-ce qu'elle se doutait de ce qui allait suivre ?

Quand leurs regards se croisèrent, elle paraissait calme, mais la veine qui battait à l'intérieur de son poignet racontait une autre histoire. La prochaine demi-heure promettait d'être édifiante.

« Je sais que vous faites votre travail, mais en ce qui me concerne, cette époque appartient au passé et je n'ai plus envie d'en parler. Kristoffer et moi en avons discuté jusqu'à la nausée.

— Bien sûr, fit Carl. Malheureusement, pour la police, elle est toujours d'actualité, Inge. Nous avons de bonnes raisons de croire que vous ne nous avez pas dit tout ce que vous saviez, la dernière fois que nous nous sommes vus. C'est pourquoi j'ai deux ou trois questions auxquelles je vais vous demander de répondre. Si vous refusez, vous allez devoir nous suivre à l'hôtel de police pour un long interrogatoire. Suis-je assez clair ? »

Aucune réaction notable.

« Tu es prêt, Assad ? »

Il sortit son calepin et leva son stylo, un geste qui, inexplicablement, rendait toujours les témoins bavards.

« Inge, possédez-vous une photo de l'homme avec qui sortait Alberte ? Nous savons que vous avez pris des photos le jour de l'excursion à l'église ronde d'Østerlars où elle l'a rencontré la première fois, et nous supposons que parmi ces photos il pourrait y en avoir une de l'homme que nous recherchons. Nous savons aussi que cet homme a parlé avec plusieurs élèves, dont vous. Ma deuxième question est la suivante : pourquoi ne nous l'avez-vous pas dit ? Est-ce que vous avez eu une aventure avec lui, vous aussi ? Est-ce pour cette raison que vous avez pardonné à votre fiancé aussi rapidement après son écart avec Alberte ? Parce que vous aviez quelque chose à cacher ?

« Ma troisième question est assez importante. Vous êtes habile de vos mains. Vous vous intéressez aux automobiles. Vous avez participé à plusieurs rallyes de voitures anciennes, ainsi que votre frère a eu la gentillesse de nous en informer, et sans doute participiez-vous aussi à celui où a été prise la photo de l'homme à côté de son combi Volkswagen. Nous pensons que vous connaissiez cet homme avant de le voir à l'église ronde d'Østerlars, pouvez-vous nous le confirmer ? Et enfin : est-il absurde de croire que vous étiez folle de rage qu'Alberte vous ait volé vos *deux* amoureux ? D'abord Kristoffer, avec qui vous sortiez depuis plus de six mois, et ensuite cet homme avec qui vous aviez eu une brève aventure, lors du rallye de voitures anciennes, l'été précédent. Vous savez ce que pourrait penser un esprit malade, du genre de celui d'un inspecteur de la police criminelle, par exemple ? Il pourrait penser que c'est vous qui avez soudé une sorte de pare-buffle à l'avant de la voiture et qui avez foncé sur Alberte. Il pourrait penser que vous n'avez tout simplement pas supporté qu'elle marche deux fois sur vos plates-bandes. Il pourrait penser que vous êtes l'assassin, Inge. Et à présent que votre mari est sur le point de découvrir la vérité, vous avez décidé de le quitter. Que dites-vous de cette hypothèse ? Pardon, il y avait un peu plus de trois questions, finalement. »

Carl l'avait observée attentivement pendant tout le temps de son discours. Elle n'avait pas réagi une seule fois. Ni quand il lui avait demandé si elle connaissait l'homme. Ni quand il l'avait purement et simplement accusée d'être l'assassin. Rien. Juste ces mains noires cachant partiellement son visage. Avait-il abattu ses cartes trop rapidement ?

Carl fit un signe à Rose, qui s'approcha. « Nous vous écoutons, Inge, dit-elle.

— Oui, ajouta Assad. Nous sommes toute oreille. »

La femme leva enfin la tête. « On dit "tout ouïe", camarade. De quelle planète est-ce que vous venez ? »

Comment pouvait-elle avoir la force de plaisanter dans un moment aussi grave ?

Rose posa la main sur l'épaule de la femme. « Vous voulez répondre, Inge, ou vous préférez qu'on vous emmène au poste ?

— Faites ce que vous voulez. De toute façon, vous ne me croirez pas, quoi que je dise.

— Essayez toujours », répliqua Carl.

Plusieurs minutes passèrent, dans un silence attentif, avant qu'elle trouve le courage de se jeter à l'eau. Elle semblait étrangement peu affectée et en même temps très concentrée. Qu'est-ce qui pouvait bien la rendre aussi vigilante ? La peur qu'on ne comprenne pas ses explications ou la crainte d'en dire trop ?

« Il y a beaucoup de choses que j'aurais dû dire à Christian Habersaat, à l'époque, et que j'ai préféré taire. Vous le connaissiez ?

— Non, répondit Carl.

— Alors permettez-moi de vous dire que c'était un drôle de zozo. Je l'ai détesté tout de suite. C'était comme s'il voulait absolument nous obliger à désigner le responsable de la mort d'Alberte. Et comme il n'y est pas arrivé la première fois, il est revenu à la charge, encore et encore. Si je lui avais dit tout ce que je savais en ce temps-là, je suis sûre qu'il m'aurait épinglée comme coupable. Simplement parce qu'il lui en fallait un à tout prix.

— Qu'est-ce que vous ne lui avez pas dit, Inge ? Cela répond-il à certaines de nos questions ?

— Pas à toutes, mais à quelques-unes.

— Et à quoi cela ne répond-il pas ? » intervint Assad. La patience n'avait jamais été sa principale qualité.

« Cela ne vous apprendra pas qui l'a fait, car ce n'est pas moi.

— Vous avez connu Frank avant d'intégrer l'école cette année-là, n'est-ce pas ? » demanda Rose, citant le prénom à tout hasard.

Inge aspira la moitié de sa lèvre inférieure et se mit à la mordiller, le regard fuyant. Toujours cette attention extrême qui accompagne en général le mensonge.

« Comment le savez-vous ? » demanda-t-elle.

Ils ne lui répondirent pas, bien sûr. Ils n'allaient pas lui avouer qu'ils jouaient aux devinettes. Ni qu'ils n'étaient même pas sûrs du prénom de l'homme.

Enfin ça, ils devaient en avoir confirmation un instant plus tard.

Elle prit une longue inspiration. « J'ai rencontré Frank début juillet, la veille du rallye. Si cette photo avait été prise dix secondes plus tard, on me verrait sortir de l'autre côté. Nous faisions l'amour dans cette voiture, je n'ai pas honte de le dire, et ça a duré quelque temps. C'était mon idée de garer le combi au fond de ce champ, parce qu'il n'y venait jamais personne. Je ne pensais pas qu'on se ferait virer et je ne savais pas non plus que les voitures de collection devaient se rassembler là d'aussi bonne heure. J'ai laissé Frank se débrouiller, et j'ai filé. Il était hors de question que mon oncle me voie en compagnie de ce hippie.

— Vous sortiez avec Kristoffer en même temps, non ? demanda Carl.

— Oui, mais Frank savait faire une chose que Kristoffer ne savait pas faire, et qu'il n'a jamais apprise. Me faire jouir à en perdre la raison. »

Carl se promit de ne pas faire de commentaire à ce sujet.

« Donc, vous saviez exactement de quoi vous parliez en décrivant le combi. La ligne incurvée qui venait du toit, c'était quoi, alors ?

— Un grand signe Peace & Love. Le cercle débordait un peu sur les flancs du véhicule.

— Vous avez d'autres détails ? Quelque chose à l'intérieur du fourgon qui puisse nous aider à le retrouver ?

— Je ne regardais que lui. Mais je me souviens quand même qu'il y avait des posters collés au plafond. Ne me demandez pas ce qu'ils représentaient. Des slogans pour la paix dans le monde qui devaient être là depuis la nuit des temps.

— Vous êtes sûre de ne pas vous rappeler comment il se faisait appeler quand il était avec Alberte ?

— Il n'utilisait pas d'autre nom que Frank en ma présence. C'est pour ça que j'ai mis un jour ou deux à réaliser que c'était lui qu'Alberte voyait. Je ne sais pas pourquoi il s'est présenté à elle sous un nom différent. Il était un peu spécial.

— Spécial comment ?

— Il avait des tas d'idées, je crois, mais entre nous, c'était juste une histoire de cul. »

Difficile à imaginer quand on la voyait maintenant.

« Parlez-nous de lui, Inge. Où l'aviez-vous rencontré, et que s'est-il passé ensuite ?

— Je l'ai rencontré à Rønne. Je savais déjà qui il était parce que j'étais allée avec une copine voir la maison des hippies à Ølene. Il se promenait torse nu et je l'avais trouvé super sexy. Mon amie et moi étions curieuses parce qu'il ne se passait pas grand-chose sur l'île en ce temps-là. Maintenant non plus d'ailleurs. Après notre rencontre à Rønne, nous avons commencé à prendre du bon temps tous les deux. Kristoffer n'était pas au courant. Je savais que mon aventure avec Frank était sans lendemain et je voulais garder quelqu'un comme Kristoffer sous le coude pour la suite. Quelqu'un qui habite sur l'île. »

« Sous le coude »… Carl réfléchit à la formulation. Il s'était parfois senti comme quelqu'un qu'on garde « sous le coude », lui aussi. Mais il ne se laisserait plus faire, à l'avenir.

« Et Kristoffer ne s'est jamais aperçu de rien ?

— Je crois qu'il n'a commencé à avoir des soup-çons qu'après votre visite chez nous.

— Pour quelle raison ?

— À cause de ce que j'ai dit sur le combi Volks-wagen. Il ne croyait pas que j'aie pu voir les lignes qui descendaient sur le côté. Pas à la distance d'où j'ai prétendu les avoir remarquées. Et il n'avait pas tort. Je n'aurais pas dû en parler. Kristoffer est revenu là-dessus après votre départ et ça m'a mise en colère. Je déteste quand on essaye de me pousser dans mes retranchements. »

Cela ne leur avait pas échappé.

« Revenons à votre liaison avec cet homme.

— Eh bien, nous avons continué à nous voir jusqu'à ce que Kristoffer et Alberte commencent à flirter. Je me rappelle m'être dit à l'époque que c'était très bien

402

comme ça parce que ça m'évitait de rompre avec lui. Mais en réalité, ce n'était pas ce que je voulais. »

Carl n'y comprenait plus rien. Il se tourna vers Rose qui se contentait d'écouter, les sourcils un peu relevés, comme si rien de tout cela ne l'étonnait. C'était peut-être une pratique courante chez ces dames, après tout ?

« Ensuite Frank a commencé à voir Alberte et vous vous êtes retrouvée sur la touche.

— Oui, et Kristoffer aussi. » Elle sortit une cigarette de son sac et l'alluma. Fumer à l'intérieur n'était plus un problème non plus, apparemment. Carl eut l'impression de voir un sourire ironique sur les lèvres d'Inge Dalby, à travers le nuage de fumée.

« Ils nous ont jetés l'un et l'autre comme des kleenex et on s'est retrouvés comme des cons avec nos yeux pour pleurer. » Elle se mit à rire. « Kristoffer se sentait affreusement coupable et j'ai compris que tant qu'il était animé par ce sentiment, je l'aurais à ma merci pendant des années, alors que j'avais fait des choses bien pires que lui. Pauvre Kristoffer. Si Frank me l'avait demandé, je n'aurais pas hésité une seconde à m'enfuir avec lui. »

Carl hocha la tête. Pauvre Kristoffer, en effet.

« Je crois que vous mentez, dit Assad. Je crois que vous étiez malade de jalousie et pleine de haine et que vous l'avez tuée. Vous avez pris cette espèce de planche que vous avez bricolée dans le garage de votre père, vous l'avez fixée à l'avant de la voiture et vous avez percuté Alberte. Elle morte, vous n'aviez plus qu'à reprendre votre histoire avec Frank. Sauf que vous n'avez pas réussi à le convaincre de vous emmener avec lui lorsque, comme par hasard, il a disparu. Vous feriez aussi bien de l'admettre. »

Elle bascula la tête en arrière et lui jeta un regard méprisant, en pointant vers lui sa cigarette fumante. « Ravie de vous revoir après toutes ces années, Habersaat », lui dit-elle.

Elle s'adressa à Carl. « Vous voyez ce que je vous disais ? C'est pour ça que je ne lui ai pas raconté ce que je viens de vous dire. Je n'avais pas envie d'être accusée pour un crime que je n'avais pas commis, comme Mustapha, là, est en train de le faire.

— Je ne m'appelle pas Mustapha, mais je connais quelqu'un qui s'appelle comme ça, riposta sèchement Assad. Et c'est un type bien, alors vous pouvez continuer à m'appeler comme lui. »

Ces deux-là ne se portaient pas un amour inconditionnel, décidément.

« Bon, admettons que nous croyions un peu à vos raisons de n'avoir rien voulu dire à l'époque, intervint Carl. Maintenant, je vais vous poser une série de questions, d'accord ?

— D'accord.

— Le nom de famille de Frank ?

— Je ne sais pas. Nous n'avons échangé que nos prénoms. » Elle ponctua sa phrase d'un sourire ironique.

« Pouvez-vous nous dire d'où il venait ?

— Il a mentionné Hellerup et Gentofte. Nous n'en avons jamais vraiment parlé.

— Savez-vous ce qu'il est devenu ?

404

— J'ai essayé de le retrouver sur Google, mais non, je l'ignore.

— Avez-vous une photo de lui à nous montrer ?

— Oui, mais elle n'est guère meilleure que celle que vous avez déjà. C'était un très mauvais appareil photo mais j'ai quand même réussi à le choper devant l'église.

— OK. Eh bien puisque vous évoquez ce jour-là, vous avez dû remarquer qu'il avait tapé dans l'œil d'Alberte aussitôt qu'elle l'a vu. Comment avez-vous réagi ? Vous avez essayé d'empêcher que ça aille plus loin ?

— Comment aurais-je pu faire ça ? Mais je l'ai harcelée, et j'ai adoré ça. En plus, elle était trop bête pour s'en rendre compte. C'est vrai que je détestais cette petite garce. Mais je ne l'ai pas tuée. Ma chambre était à côté de la sienne et je l'entendais parler toute seule après avoir éteint la lumière. C'était assez pathétique, on aurait dit une gamine. Elle se tripotait en s'imaginant qu'il était avec elle, mais je sais qu'il n'y était pas.

— Vous l'avez harcelée de quelle façon ?

— Je lavais ses affaires avec des vêtements qui déteignaient. Je l'incitais à s'habiller trop légèrement pour qu'elle s'enrhume. Je rajoutais du sel dans sa nourriture quand elle avait le dos tourné. Elle était vraiment très naïve. »

Quelle garce, songeait Carl. « Mais ça ne les a pas empêchés de se voir, dit-il.

— J'avoue que je n'ai aucune idée de la fréquence à laquelle ils se voyaient.

« — Comment Frank s'y est-il pris pour mettre fin à votre relation ?

— Nous avions l'habitude de nous retrouver à divers endroits que nous fixions d'une fois sur l'autre. Avant mon séjour à l'école libre, nous nous voyions à Rønne. Et quand j'étais à l'école, nous nous donnions rendez-vous dans la Vallée des Échos. C'est à cinq minutes de l'école en passant par l'arrière. Un jour, il n'est pas venu au rendez-vous. J'y suis retournée une fois ou deux, mais il n'est jamais revenu.

— Vous croyez qu'il voyait Alberte au même endroit ?

— Question stupide. Vous pensez bien que je m'en serais aperçue. Je ne sais pas où ils allaient, ni comment ils faisaient pour se contacter. Je sais juste que j'ai vu Alberte l'attendre sur la route très souvent.

— Pensez-vous que Frank l'ait tuée ? » lui demanda Rose.

Elle haussa les épaules comme si c'était le cadet de ses soucis. « Aucune idée.

— Pensez-vous qu'il était capable de tuer quelqu'un ? » insista Rose.

Nouveau haussement d'épaules. « Je ne pense pas, mais peut-être. C'était un homme qui avait une forte personnalité.

— Qu'entendez-vous par là ?

— Il pouvait hypnotiser les gens d'un simple regard. Il avait des yeux et des idées extraordinaires. Il était fort et beau. Charismatique est sans doute l'adjectif qui le définit le mieux.

— Et il savait plier les cuillères ?

— Ça, je ne l'ai jamais vu. Je crois que c'était des racontars.

— Pensez-vous qu'il avait des tendances psychotiques ? » poursuivit Carl.

Elle n'hésita qu'une courte seconde. « Qui n'en a pas ? »

Était-ce un aveu ?

« Pensez-vous détenir une quelconque information qui puisse nous mettre sur la piste ? Son signalement ? Un signe particulier, le numéro de sa plaque d'immatriculation ? Une chose qu'il a dite et qui vous aurait frappée ? Un détail sur le milieu d'où il venait qui pourrait nous permettre de retrouver sa famille, ou sur ses projets d'avenir ?

— Il n'avait pas d'autre projet que d'accomplir de grandes choses, transformer la vie des gens et la rendre meilleure.

— Comment espérait-il pouvoir changer la vie des gens ?

— Il se disait guérisseur. Il pensait disposer de certains dons et d'énergies particulières, et je veux bien le croire. En tout cas, il m'a donné des orgasmes dont je ne me suis pas encore remise à ce jour. »

À ces mots, Rose sourit, mais elle fut la seule.

« J'ai bien peur que nous soyons obligés de vous emmener au poste quand même, Inge. »

Celle-ci sursauta. « Mais pourquoi ? Je vous ai dit tout ce que je savais.

— C'est trop long. Vous réfléchissez trop et cela vous donne le temps d'inventer des choses. Si vous voulez vraiment échapper à un interrogatoire en bonne et due forme, il va falloir que vous nous débitiez tout ce qui vous passe par la tête sur cet homme, d'accord ? Et souvenez-vous que vous nous avez dit l'avoir vu du côté d'Ølene. Vous avez forcément observé des détails qui peuvent nous permettre d'avancer. Nous vous écoutons. »

Elle semblait un peu déstabilisée à présent et c'était exactement ce que Carl espérait.

« J'étais amoureuse de lui, d'accord ? Et l'amour est aveugle, je m'en suis rendu compte par la suite. Mais vous avez raison, je me souviens de quelques détails. »

Elle alluma une autre cigarette et salua de la tête son frère et sa belle-sœur qui venaient de rentrer, les bras chargés de courses.

« Il s'appelait Frank, donc. Il était très beau, avec des traits fins et racés. Il mesurait un mètre quatre-vingt-cinq, il avait sept ou huit ans de plus que moi, une voix un peu rauque, mais douce quand même. Il était bronzé, mais sous ses vêtements la peau était assez claire. Il avait les cheveux longs, jusqu'aux épaules, et presque blond vénitien, pas roux comme on pouvait le penser de prime abord. Et puis, il avait une fossette au menton qui devenait plus marquée sous un certain éclairage.

— Pas de signe particulier sur le corps ? Pilosité, tatouages ?

— Non. Il a parlé de se faire tatouer, mais il n'était pas sûr que ce soit une très bonne idée. Ce n'était pas autant à la mode qu'aujourd'hui, il faut dire. »

408

Carl acquiesça. Il est vrai que les gens avaient plus de jugeote à l'époque, ce qui du point de vue d'un enquêteur était parfois dommage.

« Pouvez-vous nous le décrire ?

— Il avait les yeux bleus, avec des sourcils très noirs, des incisives assez larges, et une petite tache blanche sur l'une des deux. Il disait que c'était une tache de soleil. De manière générale, il était très absorbé par tout ce qui avait trait au soleil. C'était ce qui l'avait amené à Bornholm. »

Carl jeta un regard à Assad. Maintenant qu'elle était lancée, il s'agissait de ne plus la lâcher.

« Il avait trouvé deux pierres de soleil à une semaine d'intervalle et ça l'avait mis dans tous ses états. Il disait que la première était du genre de celles que les Vikings utilisaient pour la navigation. Ensuite, il en a trouvé une comme celles qu'on a découvertes à Rispebjerg, du côté de la péninsule de Dueodde où les anciens pratiquaient le culte du soleil.

— Le culte du soleil ! Est-ce que vous pouvez nous en dire plus, Inge ?

— Je ne sais pas grand-chose là-dessus. Seulement que c'est un endroit de l'île où nos ancêtres dressaient une sorte d'autel pour y accomplir divers sacrifices. »

Carl vit que Rose était déjà à l'œuvre sur l'iPad.

« Vous savez de quoi il vivait ?

— De l'aide sociale, je crois. La voiture n'était pas à lui, en tout cas. Il l'avait empruntée à un ami. Un type qui avait fait partie d'un groupe de militants antimilitaristes ou quelque chose comme ça. Frank se baladait toujours avec des signes de la paix sur lui. Des badges, ce genre de trucs.

— Comment était-il habillé ? »

Elle sourit. « Assez peu, quand il était avec moi. »

Touché ! dirent les yeux écarquillés d'Assad.

Le frère d'Inge, quant à lui, se pencha au-dessus de la rambarde qui séparait l'espace cuisine, à l'étage, du séjour, en bas.

« De qui est-ce que vous parlez ? Je ne le connais pas, si ? »

Elle fit mine de le frapper, à distance. Il s'agissait visiblement d'un langage secret entre eux que personne ne devait ni ne pouvait comprendre. Carl nota que Rose avait fait la même analyse.

« Il s'appelait Frank, intervint Assad. Le nom vous dit quelque chose, Hans Otto ? »

Le frère sourit et secoua la tête. Il n'avait pas l'air surpris. Inge Dalby était-elle plus délurée qu'il n'y paraissait ? Le frère avait-il eu quelque chose à voir avec ce Frank ?

« Votre frère semble insinuer que Frank n'a pas été le seul écart sur votre parcours, Inge. Je me trompe ? »

Elle bascula la nuque en arrière et soupira. « Nous sommes des insulaires, que voulez-vous ? S'il y a du sang neuf à bord des bateaux qui touchent le quai, nous goûtons la marchandise. Dans le temps, c'était pour éviter la consanguinité et améliorer le sang par un peu d'ADN étranger, comme dans les îles Féroé ou en Islande. Maintenant, on le fait juste pour s'amuser un peu. Bien sûr qu'il y en a eu d'autres. »

410

Rose secoua la tête. Inutile, à son avis, de continuer à creuser dans cette direction. « Nous en étions à ses vêtements, Inge, dit-elle.

— Oh. Ils étaient un peu décalés pour l'époque, mais assez cool, finalement. Collier autour du cou, tuniques amples et jeans. Des bottes à tige haute. Pas des santiags, plutôt de style artisanal, à bout large. Elles n'étaient pas très chic, mais sur lui, c'était super sexy. On aurait dit un Cosaque. »

Ils l'écoutèrent pendant une vingtaine de minutes supplémentaires. Notèrent quelques détails. Des échanges qu'elle avait eus avec Frank. Ce qu'ils faisaient ensemble quand ils n'étaient pas dans la camionnette. Des choses sans grande importance qui aux yeux d'un policier ne constituaient pas des indices. Mais au moins, ils s'étaient fait une idée plus précise du personnage.

« Merci de nous tenir informés de vos déplacements, Inge. » Carl lui donna sa carte. « Vous n'êtes pas directement suspectée dans cette affaire, mais vous pourriez nous être utile si dans la poursuite de cette enquête nous nous heurtions à des questions sans réponse. Si nous le trouvons, nous aurons également besoin de vous pour l'identifier. Et encore une chose. Nous aimerions que vous demandiez à votre mari de chercher pour nous les photos de votre excursion à l'église ronde d'Østerlars. Car je suppose que vous ne projetez pas de retourner à Bornholm pour le moment ? À moins que vous n'y alliez pour passer du temps avec vos enfants ? »

Cette dernière remarque lui fit froncer les sourcils avec une expression qui n'était ni du scepticisme ni de la colère. En fait, on aurait dit qu'elle allait se mettre à pleurer.

« Vous êtes fâchée avec vos enfants ? suggéra Carl.

— Bien sûr que non. Ils sont tous les deux dans une classe de soutien à Slagelse, je vous l'ai déjà dit. Nous nous voyons le week-end prochain.

— Pourquoi avez-vous cet air triste ? Est-ce que nous vous avons froissée d'une manière ou d'une autre ? »

Elle secoua la tête. « Non, je ne suis pas triste. Je me dis simplement que Frank n'a pas pu faire ce dont vous le soupçonnez. Et si vous le retrouvez, j'aimerais le revoir. J'aimerais vraiment. »

Ils étaient sur la pas de la porte quand Carl se retourna pour tirer sa derrière cartouche. Si ça marchait pour Columbo, il n'y avait pas de raison que ça ne marche pas pour lui.

« Une dernière question, Inge. Alberte avait-elle un téléphone portable ? »

Elle secoua la tête. « Non, mais nous n'étions pas nombreux à en avoir un, en ce temps-là.

— Et Frank ?

— Pas à ma connaissance. Il n'était pas très matérialiste. Plutôt l'inverse.

— Revenons à cette histoire de nom. Vous nous avez dit quand nous sommes venus vous voir à Bornholm qu'Alberte avait mentionné un autre nom que Frank utilisait. Vous nous avez parlé d'un prénom

412

biblique. Un prénom court, comme Noé ou Élie. Est-ce que vous vous souvenez d'avoir dit ça ?

— Oui, bien sûr.

— Parfait. » Il se tourna vers Rose. « Que pouvons-nous déduire de cela, Rose ?

— Qu'il semble très improbable que madame ignore comment se faisait appeler son amant. Et que si, pour une raison ou pour une autre, elle n'a eu connaissance de ce nom que par l'intermédiaire d'Alberte, il est encore plus improbable qu'elle l'ait oublié. C'est même une des choses dont elle aurait eu le plus de raisons de se souvenir, à mon avis. »

Carl revint vers Inge Dalby. Elle avait l'air tétanisée, prise la main dans le sac. « Alors, Inge, qu'est-ce que vous en dites ? »

29

Fin mars 2014

Après être allée voir Pirjo, Shirley enroula la ceinture bicolore sur elle-même et la posa sur le rebord de sa fenêtre à côté de sa trousse de toilette et des nombreux livres qu'elle avait rapportés de chez elle. Ni trop en vue ni trop cachée pour qu'elle risquât de ne plus y penser.

Wanda est en Jamaïque, se dit-elle pour se rassurer. Elle avait essayé de contacter des gens là-bas, sans succès, mais après tout, elle n'avait peut-être pas appelé les bonnes personnes, composé les bons numéros de téléphone, posé les bonnes questions ? Les souvenirs qu'elle avait de Wanda, de sa personnalité, de son passé et de ses rêves, étaient de plus en plus flous. Wanda avait dit qu'elle voulait se rendre à Öland, mais autant qu'elle s'en souvienne, elle avait toujours été une fille impulsive et passionnée. Alors comment savoir s'il ne lui était pas arrivé quelque aventure pendant le voyage qui lui avait fait changer d'avis. C'était tout à fait possible.

Mais malgré tout, elle ne pouvait s'empêcher, chaque fois que l'occasion se présentait, de glisser un mot dans la conversation sur le mystère de Wanda.

Elle racontait à qui voulait l'entendre, avec force détails, comment sa meilleure amie s'était laissé emporter et presque envoûter par la personnalité et la présence d'Atu, et comment elle avait du jour au lendemain décidé qu'elle serait l'Élue auprès de qui il allait passer le reste de son existence. Au début, les disciples avaient trouvé amusante l'histoire de cette femme ambitieuse, mais peu à peu, ils s'en étaient lassés et même agacés.

« Certains d'entre nous pensent que vous feriez bien de surveiller vos propos, Shirley, dit un jour un disciple employé à l'atelier de menuiserie. Cette histoire de ceinture provoque pas mal de remous, et les pensionnaires commencent à se poser des questions. Nous n'aimons pas ça. Je pense que vous devriez quitter l'académie, si votre séjour ici suscite en vous des pensées négatives. »

Les mots en eux-mêmes n'avaient rien de particulièrement dur, mais ils la paralysèrent. Était-elle en train de devenir une paria ? Les gens commençaient-ils vraiment à se dire que cet endroit serait plus agréable sans elle ?

Shirley n'avait pas envie d'être rejetée. Elle voulait être aimée, et pour cette raison, elle décida d'enterrer l'histoire de Wanda Phinn.

Quand son stage d'initiation serait terminé, elle tenterait de se faire admettre comme pensionnaire permanente du centre. C'était son vœu le plus cher et elle espérait le voir se réaliser. Car au fil des mois, elle avait acquis la certitude que c'était ici qu'elle voulait passer le reste de ses jours, voire trouver l'homme de sa vie.

Valentina était devenue une amie avec qui elle pouvait parler de l'avenir car, dans ce domaine, leurs aspirations n'étaient pas très différentes. Lors des rassemblements, elle l'avait vue plusieurs fois en compagnie d'un homme qui semblait l'intéresser, mais la liaison s'était terminée. Après cette rupture, les deux femmes avaient commencé à se parler. Pendant la majeure partie du stage d'initiation de Shirley, Valentina s'occupait du site Internet et de la publicité du centre, mais, à sa demande, elle avait maintenant été transférée à l'entretien et on la voyait plus souvent circuler dans les couloirs et communiquer avec les autres résidents.

Elle et Shirley s'étaient raconté leur triste passé puis félicitées mutuellement d'avoir échappé aux humiliations et au harcèlement, de pouvoir aujourd'hui jouir d'une vie meilleure.

Valentina avait étonné Shirley en lui parlant de sa misérable existence en Espagne. À voir tous ces gens parfaitement équilibrés, il était difficile d'imaginer que beaucoup d'entre eux avaient eu des expériences semblables aux siennes. Valentina lui avait fait comprendre que son histoire n'avait rien d'exceptionnel.

« Nous avons tous des cadavres dans le placard auxquels nous ne voulons pas être confrontés, Shirley. Ne l'oublie pas, et écoute Atu la prochaine fois qu'il te dira qu'il te "voit". Il sait qui tu es, et il ne te veut pas différente de ce que tu es. »

Elles s'étaient beaucoup rapprochées l'une de l'autre. Valentina affirmait à Shirley que depuis Malena, elle n'avait jamais eu une amie comme elle, et Shirley en était flattée et touchée.

Il n'était évidemment pas interdit de parler de choses qui n'avaient rien à voir avec l'académie, mais la plupart des disciples n'en éprouvaient pas le besoin. Ce qui n'était pas le cas de Valentina et de Shirley. Elles se découvrirent beaucoup de passions communes. « On peut faire des rêves torrides avec George Clooney, qu'on soit né à Séville ou à Birmingham », disait Valentina, et comme Shirley, Valentina préférait Enrique Iglesias à son père, Julia Roberts à Sharon Stone, la bière au vin et les comédies musicales à l'opéra.

Elles faisaient ensemble la liste de toutes les choses qu'elles détestaient et qu'elles adoraient, et trouvaient merveilleux d'être aussi souvent d'accord malgré leurs différences culturelles.

Il n'était pas d'usage que les pensionnaires se rendent visite dans leurs chambres, mais les deux femmes se glissaient souvent l'une chez l'autre pour passer quelques heures ensemble à rire et à papoter.

Ce fut au cours d'une de ces soirées que Valentina remarqua la ceinture sur le rebord de la fenêtre. Shirley lui raconta en détail et sans censure ce qu'elle avait ressenti le jour où cette ceinture avait brusquement réapparu.

Valentina écouta toute l'histoire avec attention. C'était la première fois qu'elle l'entendait.

Quand Shirley eut achevé son récit, haussant les épaules parce qu'elle se sentait stupide d'avoir eu de telles idées, Valentina détourna la tête et regarda par la fenêtre un long moment sans rien dire.

Shirley se reprochait déjà d'avoir dépassé les bornes. Elle se dit qu'elle avait abusé de la confiance et de l'amitié de Valentina et regretta à ce moment de ne pas pouvoir revenir en arrière.

Mais alors qu'elle s'apprêtait à s'excuser, à dire que Wanda Phinn menait très vraisemblablement une vie paisible quelque part à l'autre bout du monde, Valentina se retourna vers elle avec, dans les yeux, une expression qu'on ne voyait pas souvent à l'académie.

« Ce que tu viens de me dire me rappelle un rêve étrange et très déplaisant que j'ai fait l'autre jour, dit-elle, le regard noir. Je ne sais même pas si je dois te le raconter. »

30

Jeudi 8 mai et vendredi 9 mai 2014

« Mettez le haut-parleur », dit Rose.

Carl hésita. Chat échaudé craint l'eau froide.

« Je vous promets qu'on ne dira pas un mot, n'est-ce pas, Rose ? » dit Assad qui devait lire dans ses pensées.

Elle acquiesça lentement.

Carl composa le numéro. Il était assez tard, mais l'expérience lui avait appris que les conservateurs de musées étaient des gens obsessionnels qui avaient du mal à quitter leur boulot le soir. Celui-là ne devait pas faire exception à la règle.

« D'après vous, ce type est la référence absolue pour tout ce qui a trait au culte du soleil à Bornholm ?

— Il est archéologue, chef. C'est lui qui a déterré tout le bordel. »

Carl leva un pouce. Il se sentait d'une humeur étrange. Peut-être à cause du temps gris et triste. Pourtant, ça avait été une bonne journée. Inge Dalby s'était finalement montrée intarissable, et son témoignage avait marqué une percée dans l'enquête. L'explication qu'elle avait donnée concernant l'alias de Frank était relativement plausible : elle ne le connaissait pas car ils n'avaient rien partagé d'autre que du sexe. Que la jeune Alberte ait eu avec lui une relation différente et qu'elle ait été en position de savoir des choses sur lui qu'Inge ignorait n'avait été pour elle qu'une gifle supplémentaire.

Cette Inge n'était décidément pas une belle personne.

« Allô, Filip Nissen, musée de Bornholm à l'appareil. » Parfait, il était toujours au travail.

À en juger par sa photo sur le site du musée, le type était un vrai *nerd*. Un peu trop enveloppé, la barbe un peu trop hirsute, les verres de lunettes un peu trop épais.

« Désolé, je ne vais pas pouvoir vous parler maintenant, le musée est fermé, il va falloir rappeler demain. Je vais faire du skate avec mes fils et ils m'attendent dans la rue. »

Comme quoi, l'habit ne fait pas le moine. Mais ça devait être un skateboard drôlement solide quand même. Peut-être fabriqué sur mesure.

« Nous aimerions juste savoir si vous vous souvenez d'un hippie qui s'était intéressé à vos fouilles en 1997, et qui se passionnait tout particulièrement pour le culte solaire et les pierres de soleil ? » s'empressa de demander Rose. Elle avait tenu combien de temps ? Vingt secondes ?

« Non, je regrette », répondit-il, essoufflé. Il devait déjà être en train de dévaler l'escalier avec toutes ses affaires, son skateboard sous le bras. Carl en déduisit qu'il transférait les appels de son bureau à son portable et que les heures de bureau ne comptaient pas pour lui.

« Il s'appelait Frank », ajouta Assad.

Le ahanement cessa. Soit il s'était arrêté pour réfléchir, soit il était déjà tombé de sa planche à roulettes.

« Ah, vous parlez de Frank ? Frank Skotte[1] ? »

Rose et Assad échangèrent un regard triomphant.

Rose fonça sur l'ordinateur. Elle avait maintenant un nom et un prénom.

« Un grand type aux cheveux longs avec une fossette sur le menton, fut la contribution de Carl.

— Oui, c'est bien lui. Pourquoi dites-vous que c'était un hippie ? Ce n'était pas un hippie !

— À cause de sa façon de s'habiller. »

L'archéologue gloussa au bout du fil. « Il portait juste les mêmes vieilles frusques que nous portons tous ! Mais vous vous habilleriez peut-être en Armani pour patauger dans la boue et jouer de la spatule ?

— Probablement pas. Puis-je vous demander si vous avez été en relation avec lui depuis cette époque ? Nous aimerions beaucoup pouvoir le joindre. »

« Salut les garçons », entendit Carl au bout de la ligne. « Je finis juste cette conversation, d'accord ? » Ils n'avaient pas l'air vraiment d'accord.

« Je ne dirais pas que j'aie été "en relation" avec lui à proprement parler. Il a quitté l'île, vous savez ? Mais nous nous sommes écrit pendant quelque temps.

---

1. Skotte : l'Écossais.

Pendant plusieurs mois, à vrai dire. Frank avait toutes sortes de théories et il était très préoccupé par la découverte de ces lieux de culte du soleil, parce qu'ils étayaient son hypothèse selon laquelle toutes les religions avaient la même origine : le soleil, les saisons, les douze signes du zodiaque.

— Vous dites que vous vous êtes écrit. Par quel moyen ? Des lettres ? Des mails ?

— Principalement des lettres. Il était assez vieux jeu. Mais je ne les ai plus, malheureusement. Je brasse assez de paperasses comme ça dans mon métier.

— Vous n'avez jamais communiqué par mail ?

— Non. Si, peut-être une fois parce qu'il était de passage chez un collègue, ne me demandez pas où, ni quand. Ils avaient une question à me poser. Un détail à propos des enclos circulaires, il me semble.

— Et ce mail, vous l'avez encore, j'espère ?

— Cela me surprendrait beaucoup, vu que j'ai changé au moins trois fois d'ordinateur depuis. Non, bien sûr que je ne l'ai plus.

— Une copie papier ?

— Je fais partie de l'infime tranche de la population qui n'a pas augmenté sa consommation de papier en cette nouvelle ère digitale. Donc, non, pas de copie.

— L'adresse de ce Frank ?

— Je ne crois pas l'avoir eue un jour.

— Vous ne croyez pas ou vous en êtes sûr ?

— Je ne l'ai jamais eue. Il habitait près de Copenhague. C'était l'endroit où il avait le plus de chances de trouver de la documentation.

— Où plus précisément ?

— Dans les collections du Musée national. À la Bibliothèque royale. Dans les archives universitaires et ce genre d'endroits. C'était une véritable éponge. Il avait une soif de connaissance inextinguible pour tout ce qui avait trait à l'implantation du culte du soleil sur cette île et aux autres phénomènes collatéraux, et je le comprends. Le sujet est passionnant.

— Sans aucun doute », acquiesça Carl.

Même Gordon avait retrouvé le sourire. Il eût été bien agréable d'avoir en permanence une ambiance comme celle-là dans la salle de situation.

« On ne pourrait pas poursuivre cette conversation demain, mes garçons me réclament. La patience n'est pas leur principale qualité », insista le conservateur.

Carl secoua la tête. Pas question.

« Possédez-vous une photo de cet homme ? Vous avez dû prendre un tas de clichés pendant les fouilles que vous avez effectuées ensemble.

— Je n'en ai aucune idée. Peut-être quelques-unes où on le voit en arrière-plan. Mais elles ne datent pas d'hier et ce n'est pas parce que je suis archéologue que je collectionne n'importe quelles vieilleries ! » Il rit de sa propre plaisanterie, mais s'arrêta brusquement lorsque Carl lui dit sèchement :

« Il s'agit d'une enquête pour meurtre. Voulez-vous être assez aimable pour dire à vos garçons d'aller jouer plus loin ? Nous devons finir cette conversation aujourd'hui. »

« *Fuck !* s'écria Rose un peu plus tard. Il n'y a pas de Frank Skotte inscrit à l'état civil danois. *Fuck ! Fuck ! Fuck !* »

Carl chercha à tâtons son paquet de cigarettes dans sa poche de poitrine, mais renonça à son projet quand Rose lui signala d'un regard noir une affichette fixée au mur :

« FUMER TUE, ET ÇA CONCERNE AUSSI TON ENTOURAGE, ASSASSIN ! »

Difficile de trouver message plus persuasif.

« Le conservateur a dû mal comprendre le nom, ou alors il ne s'en souvient plus très bien, dit-il.

— Le gars a changé de nom ou bien il est parti vivre à l'étranger », proposa Gordon.

Rose tourna vers lui un regard las. « Merci, mais s'il y avait eu à un moment donné un homme domicilié au Danemark qui s'appelait Frank Skotte, tu ne crois pas que je l'aurais trouvé ?

— Ce n'est pas ce que j'ai voulu dire, ma Rose… Peut-être qu'il n'a pas la nationalité danoise et qu'il ne l'a jamais eue, dit-il, essayant de se rattraper. Il appartenait peut-être à la minorité danoise du Schleswig. Ou peut-être était-il suédois ou quelque chose comme ça ? »

Carl fit un signe de tête à l'attention de Rose. C'était évidemment une possibilité, et il donna à Gordon une petite tape approbatrice sur le dos tandis que Rose se remettait à taper comme une furie.

« Il y a un truc que j'ai trouvé bizarre chez cet archéologue, chef, grogna Assad. Il se souvenait de Frank et d'un tas de détails sur les fouilles qu'ils ont

424

faites ensemble, il se souvenait des choses dont ils ont parlé, mais il ne se souvenait pas d'Alberte.

— Les scientifiques sont souvent comme ça, Assad. Ils ne voient pas plus loin que le bout de leur nez.

— Ce n'est pas l'impression qu'il m'a donnée. Il se rappelait tout. Le temps qu'il faisait, la voiture que conduisait Frank, leurs discussions sur le diamètre des poteaux des enclos circulaires, et les lieux de culte solaire qu'ils ont découverts. Il se souvenait que Frank était végétarien et qu'il se servait aussi bien de sa main droite que de sa main gauche. Il se rappelait aussi qu'une fille de leur campement les avait accompagnés un jour sur le site et qu'elle parlait le suédois avec un accent finnois. Je trouve qu'il avait une excellente mémoire, alors. Et l'affaire Alberte a fait beaucoup de bruit à Bornholm. Tous les véhicules de l'île ont été examinés et le 4×4 du musée de Bornholm dont ils se servaient l'a forcément été aussi, alors.

— Où veux-tu en venir, Assad ?

— Moi, je sais », dit Gordon en levant un doigt en l'air comme un collégien. Personne ne lui avait appris que c'était après avoir levé le doigt qu'on prenait la parole ? « Je suis *ganz sure* qu'il ne se trouvait pas à Bornholm au moment où c'est arrivé. »

Gordon eut droit à une autre tape sur l'épaule, de la part d'Assad cette fois.

« C'est sûrement pour ça, chef, dit Assad. On a oublié de lui poser la question. Et Frank a pu utiliser le Range Rover du musée pour renverser la petite, en admettant que le conservateur l'ait laissé à disposition pendant son absence. »

Carl claqua des doigts et Assad fila dans un coin de la salle pour taper le numéro sur son mobile.

« Et toi, Rose, tu trouves quelque chose ? »

Elle secoua la tête.

« Je crains que Frank préfère se servir du nom des autres que du sien.

— Bref, nous en sommes toujours au même point », conclut Carl. À la fin de l'interrogatoire d'Inge Dalby, ils avaient tout de même réussi à lui faire dire que Frank avait changé son nom pour un prénom court, commençant par A, et que le reste du nom avait une consonance orientale. Ils étaient bien avancés.

« Et à présent, Filip Nissen nous dit qu'il s'appelle Frank Skotte, mais évidemment, il n'existe personne de ce nom-là nulle part. Tu as cherché jusqu'où, pour l'instant, Rose ? »

Elle traça un grand cercle en l'air, ce qui devait vouloir dire « dans tous les pays voisins ».

Assad referma le clapet de son mobile. « Filip Nissen dit qu'il a beaucoup voyagé cet automne-là, mais qu'il n'a laissé le 4 × 4 du musée à la disposition de personne. » Il poussa un soupir qui se révéla contagieux.

« Je vais rappeler tous les naturopathes, dit Rose. Peut-être qu'en mentionnant les pierres de soleil, je trouverai quelqu'un qui se souviendra de Frank. »

Elle était déjà à son poste quand Carl arriva le lendemain matin. Elle avait les cheveux en bataille et portait les mêmes vêtements que la veille. Dans le bureau d'Assad résonnait un ronflement sonore que Carl, bien placé pour le savoir, n'attribua pas au petit homme. Pas besoin d'être Sherlock Holmes pour imaginer ce qui s'était passé cette nuit, et s'en amuser.

« Je vois qu'il y en a qui ont dormi dans la salle des opérations ! dit-il.

— Exact, répliqua Rose, sans se retourner. Il faut qu'on avance. Alors j'ai chopé nos amis de Bornholm au saut du lit, avant qu'ils partent travailler. »

Ils ne doivent pas être les seuls qu'elle a chopés au saut du lit, songea Carl avec ironie.

« Et Gordon ?

— Il a besoin de plus de sommeil que moi, je suppose. »

Le pauvre garçon, elle avait dû drainer le peu d'énergie qu'il avait.

« Ça a donné quelque chose ? »

Enfin, elle se retourna vers Carl. Il ne l'avait jamais vue aussi rayonnante. Même le mascara noir corbeau coulant sous ses yeux avait l'air de briller.

« Un tas de choses. J'ai téléphoné à la plupart des spécialistes de médecine alternative de l'île et j'ai pu faire un tri. La plupart d'entre eux sont trop jeunes pour nous renseigner sur un événement survenu il y a près de vingt ans. Un tiers d'entre eux sont tellement givrés qu'il est inutile d'espérer leur tirer quoi que ce soit de concret. Quant à ceux que j'ai rangés dans le dernier tiers, ils font tout ce qu'ils peuvent pour nous aider et ils ont à la fois l'âge, les connaissances et un cerveau en état de marche.

— Et ? la bouscula Carl, impatient.

— Et ça a mordu à deux reprises, un astrologue ésotérique et une aura-somathérapeute. Tous les deux se souvenaient de Frank, de ses pierres de soleil et de l'intérêt qu'il portait aux cultes du soleil. »

Carl serra les poings. *Yes !* C'était reparti. « On a un nom ou une adresse ?

— Non.

— Merde. » Le poing de Carl se desserra et il se passa la main dans la nuque. « Alors on a quoi ?

— Les deux m'ont donné un signalement qui corrobore celui d'Inge Dalby. Auquel ils ont ajouté quelques détails. Par exemple, Frank avait pris ses distances avec toutes les technologies modernes.

— Pas de portable ?

— Pas de portable, pas d'ordinateur. Il écrivait tout à la main, au stylo à encre, de surcroît. La voiture qu'il utilisait était effectivement un véhicule qu'il avait emprunté. Il ne se servait jamais d'une carte bancaire, uniquement d'argent liquide.

— Et c'est pour cette raison qu'il n'a laissé aucune trace de son passage nulle part, bien sûr. »

Elle pointa le doigt sur lui.

« C'est vrai… et en même temps c'est faux.

— Mais encore ?

— L'un des deux pense que son intérêt pour les cultes pratiqués à Bornholm n'était que la partie visible de l'iceberg et qu'il avait aussi des connaissances solides en astrologie, en théologie, en astronomie et en histoire des civilisations anciennes. Il était passionné par les religions à travers les âges et par l'héritage que le monde moderne en avait gardé. Il se montrait toujours partant pour une bonne discussion sur le sujet. L'astrologue ésotérique avait même trouvé ses théories assez édifiantes.

— Et en quoi cela peut-il nous aider ? Et d'abord, qu'est-ce que c'est que l'astrologie ésotérique ?

— C'est un moyen de découvrir les intentions cachées de l'esprit dans sa nouvelle incarnation afin d'optimiser cette dernière. »

Carl chercha une grimace adéquate. Tout cela dépassait son entendement. « Je te pose la question autrement : qu'est-ce qui rendait ses théories tellement... quel mot as-tu employé, déjà, ah oui, édifiantes ?

— Je ne sais pas, mais ça veut dire que son enthousiasme faisait des émules. Les gens qui habitaient dans ce campement d'Ølene étaient en quelque sorte sa famille spirituelle, un genre de disciples. C'était aussi l'avis de l'aura-somathérapeute. Un jour où Frank est venu la consulter pour renforcer son aura, il était accompagné de l'un de ses disciples.

— Comment ça, des disciples ? Comment peut-on affirmer que c'est ce qu'ils étaient ?

— Une seconde, ne vous énervez pas, Carl, j'y viens. La raison pour laquelle Frank allait voir autant de guérisseurs était évidemment qu'il voulait apprendre d'eux, connaître leurs secrets. C'était comme s'il essayait de réunir toutes les connaissances, toutes les techniques alternatives, pour leur trouver un dénominateur commun. Chamanisme, religion, sciences ancestrales, alchimie, astrologie, ésotérisme, énergies subtiles, voyance, etc. Ne me demandez pas ce qu'il cherchait exactement parce que je crois que c'était une science en elle-même, et c'est justement à *ça* que je voulais en venir, dit-elle avec conviction et en pointant à nouveau son doigt sur lui.

— Quoi "ça" ?

— Je crois que Frank était en train de se constituer sa propre idée de la spiritualité. Il voulait rassembler tout ce qui pouvait lui être utile. L'homme qu'il avait emmené avec lui était une sorte de témoin de la Vérité, comme il l'appelait.

— Merde, c'est franchement bizarre, ton histoire. Et alors ? Il a pignon sur rue, maintenant ?

— D'après eux, oui. Et l'aura-somathérapeute se souvient même du nom du type qui accompagnait Frank. Il s'appelait Simon Fisker[1] et ça les avait tous fait rire parce qu'on pouvait difficilement trouver un nom plus prédestiné. Frank était le guide, et l'homme, son compagnon de route. L'une des thérapeutes m'a dit que Simon avait été fasciné par son jardin de plantes médicinales et qu'il avait déclaré en vouloir un pareil. Et j'ai gardé le meilleur pour la fin, Carl ! » dit Rose en brandissant son index vers lui une fois de plus. Carl avait presque envie de prendre une paire de ciseaux et d'en couper un bout.

« Alors, accouche, nom de Dieu. C'est quoi ?

— Eh bien, figurez-vous que le gars qui s'appelait Simon Fisker l'a eue, sa pépinière. Elle se trouve à Holbæk, dans un lieu-dit qui s'appelle Tempelkrogen.

---

1. Simon Fisker : « Simon le pêcheur » en danois.

430

— Forcément ! Le "crochet du temple" ! Pourquoi cela ne m'étonne-t-il pas ? Une dernière question : une aura-somathérapeute, c'est quoi, au juste ?

— C'est un peu bizarre. Je n'ai pas voulu le lui demander, alors j'ai cherché sur Google. C'est une histoire de flacons contenant des vibrations colorées aux vertus thérapeutiques, mais je ne suis pas sûre d'avoir tout compris. »

Carl se mit fébrilement en quête de ses cigarettes. Dans cette affaire, il fallait s'aventurer drôlement loin sur la glace avant d'avoir l'impression d'avancer.

« Vous ne croyez pas qu'on aurait dû proposer à Rose de venir, chef ? C'est quand même elle qui l'a trouvé, cet homme », dit Assad tandis que ses mâchoires essayaient de gagner leur combat contre le morceau de chewing-gum qu'il s'était fourré dans la bouche cinquante-cinq kilomètres auparavant.

« Contente-toi de regarder le GPS, Assad. Il me semble qu'il faut passer par Eriksholm, après avoir traversé le pont de Munkholm, qu'en penses-tu ?

— J'en pense que ce n'est pas bien de notre part de ne pas avoir emmené Rose. Et oui, quand on aura traversé l'eau, il faudra tourner à gauche. »

Carl regarda vers le sud, au-dessus du fjord scintillant qui se dessinait entre îles et presqu'îles. L'endroit qu'ils cherchaient devait se trouver sur l'autre rive où, tout au bout d'une langue de terre s'avançant dans le fjord, une maison blanche semblait se pencher sur la lande dans une majestueuse solitude.

« Ne t'inquiète pas pour elle, elle trouvera à s'occuper tant qu'elle a Gordon pour... » Il tourna la tête vers un kiosque où Vigga et lui s'étaient souvent arrêtés du temps où ils faisaient des balades à moto le week-end dans la campagne, quand ils n'avaient pas les moyens de s'occuper autrement. C'était le bon temps ! Il n'était pas sûr d'avoir tellement avancé depuis.

« Je pense sérieusement à quitter la police, Assad, dit-il, dans une soudaine impulsion. Cela ferait plaisir à Lars Bjørn, ce qui évidemment me gâcherait un peu mon plaisir. »

Il n'avait pas besoin de regarder Assad pour s'apercevoir qu'il avait arrêté de mastiquer.

« Ce serait la pire chose qui pourrait m'arriver », dit son assistant dans un danois irréprochable qui obligea Carl à tourner brusquement la tête vers lui. « Il faut prendre à gauche ici, alors, chef », se reprit-il aussitôt. L'accent était revenu. « Je ne comprends pas. Qu'est-ce que vous ferez, alors ?

— J'ouvrirai un café syrien avec toi, Assad. Et nous ne servirons que du thé sirupeux parfumé à la menthe et des gâteaux collants. Du thé sirupeux et de la musique arabe à fond les ballons. »

Le petit homme s'était remis à mâchouiller. Carl ne parlait pas sérieusement. C'est vrai que ça aurait été dommage, quand même.

Ils roulèrent sur de petites départementales flanquées de fermes de part et d'autre, traversèrent un village et roulèrent encore un moment jusqu'à la maison.

« C'est le bout du monde », constata Assad en admirant les champs à perte de vue dans leur splendeur noyée de pluie. Il n'avait jamais dû aller dans le Vendsyssel, la région d'où venait Carl, à la pointe septentrionale du Jutland. Du coup, il vint à Carl une nouvelle idée. « Dis donc, Assad. Tu n'as pas envie de venir avec moi à l'enterrement de mon cousin, demain, à Brønderslev. Je te présenterai mes parents et toute la smala.

— La smala ! Je croyais qu'il n'y avait que chez nous qu'on disait ça ! » s'exclama-t-il au moment où la maison apparaissait au bout du chemin, entourée d'eau avec le pont en toile de fond, la forêt et la route de l'autre côté. Un cadre de vie exceptionnel dont peu de gens devaient pouvoir se vanter sur cette terre.

L'ensemble donnait une impression accueillante, mais en réalité la pépinière holistique n'était pas si hospitalière que cela. Deux monstres grondants, du genre de ceux qu'on lâchait sur les pauvres chrétiens dans les arènes du Colisée à l'époque de l'Empire romain, grattaient le sol comme s'ils n'attendaient qu'un signe pour prendre leur élan et sauter par-dessus la clôture.

« Birtemaja & Simon Fisker. Sonnez avant d'entrer », disait fort explicitement une plaque fixée à l'entrée. Carl posa donc le doigt sur le bouton de la sonnette et il l'y laissa.

« Hate, Skoll, couchés ! » cria quelqu'un depuis le fond de la cour. Un homme vêtu d'une ample chemise de paysan et d'un pantalon enfoncé dans des bottes à semelles de bois sauta par-dessus de profondes flaques d'eau et vint les rejoindre à la barrière.

« Des clients ! » hurla-t-il en direction de la maison.

Carl plongeait la main dans sa poche pour prendre son badge, mais Assad arrêta son geste.

« C'est joli chez vous, dit-il à l'homme en lui tendant la main au-dessus de la clôture. Nous sommes venus vous demander votre aide pour quelques bricoles. »

L'homme ouvrit la barrière et les chiens se remirent à grogner.

« Ils n'ont pas l'habitude de voir des gens à la peau foncée.

— Pas de problème. Je sais y faire avec les chiens », répliqua Assad tandis que le plus dominant s'apprêtait à attaquer, toutes dents dehors.

Carl fit un bond de côté, mais Assad ne bougea pas. Au moment précis où l'horticulteur tendait la main pour retenir son molosse, Assad poussa un hurlement infernal. Les deux chiens s'aplatirent sur le sol comme des chiots et se mirent à geindre.

« Bon chien », dit Assad, se frappant sur la cuisse pour les faire venir au pied.

Ils vinrent en rampant se faire caresser, sous les yeux ébahis du pépiniériste et de Carl.

« Où en étais-je ? » dit Assad tandis que les chiens s'asseyaient sagement de chaque côté de lui, comme s'ils venaient de se choisir un nouveau maître. « Ah oui. Je disais que nous allions avoir besoin d'un peu d'aide de votre part. D'abord, nous voudrions vous acheter quelque chose qui m'aide à dormir. »

Carl n'en croyait pas ses oreilles. Si Assad devait dormir plus profondément que dans cet hôtel à Rønne, il ne se réveillerait probablement plus jamais.

« Et puis nous voudrions quelque chose pour requinquer un peu mon ami ici présent, dans la journée. Et pour finir, nous aurions quelques questions à vous poser, si cela ne vous dérange pas trop. »

La carte de police de Carl ne quitta jamais sa poche.

31

« Je suis sûr que ces herbes feront merveille pour vos insomnies, dit Simon Fisker à Assad. Et maintenant, occupons-nous de votre ami. »

Il se dirigea vers l'angle du salon, un capharnaüm où le temps semblait s'être arrêté. Des meubles dont un brocanteur n'aurait pas voulu, des tapis couverts de poils de chiens, des taches de café partout sur le parquet et des posters polychromes de divinités hindoues alternant sur le mur avec des scènes de la vie campagnarde danoise dans des cadres dorés. Il ouvrit le tiroir d'une commode qui ressemblait comme deux gouttes d'eau à celle que le grand-père de Carl avait dans sa boutique de tailleur à Risskov.

Il allait lui demander où il l'avait achetée quand l'homme tendit un pendule à Assad et se mit à lui expliquer comment s'en servir.

« Faites comme votre ami, dit-il à Carl. Tenez le pendule immobile dans votre main et calibrez-le avec vos propres énergies. Ensuite vous le tiendrez au-dessus des plantes médicinales avec lesquelles vous devrez préparer votre infusion et nous verrons si nous avons trouvé les bonnes. »

Carl prit le cordon en s'efforçant de ne pas faire la grimace. Pourvu que ce pendule fasse ce qu'on lui demandait, qu'ils puissent passer à la suite.

Il tira légèrement le fil vers le haut, histoire de l'aider un peu.

« Non, non, ne bougez pas, il décidera lui-même de ce qu'il doit faire. Il est en train de capter les énergies qui circulent autour de vous », lui expliqua l'herboriste tandis qu'une femme tout en gris se glissait sans bruit derrière lui. Ils lui firent un salut de la tête, mais elle ne leur rendit pas la politesse.

Carl regarda le pendule immobile d'un œil sceptique. Il ne devait pas y avoir tant d'énergie que ça dans les herbes qu'il avait choisies.

« Ça ne va pas du tout, il va falloir recommencer le calibrage. Essayez de faire comme votre ami tout à l'heure, c'était très bien. Commencez par tenir l'autre main sous le pendule et demandez-lui de réagir à la réponse "oui". »

Carl leva la tête vers le type. Il était complètement cinglé ou quoi ?

« Allez ! »

Carl suspendit le pendule à quelques centimètres au-dessus de sa main libre. « Réagis à la réponse "oui" », ordonna-t-il presque en chuchotant. Mais il ne se passait toujours rien, évidemment.

« Donnez-moi ça », dit Simon Fisker en portant le pendule à sa bouche et en aspirant l'air autour de l'objet par petites lampées. Il le fit plusieurs fois de suite avec la plus grande concentration, après quoi il souleva le pendule à la hauteur de ses yeux, inspira longuement une dernière fois et expira brusquement.

« Voilà, il est purifié, dit-il. Vous pouvez réessayer. »

La seule fois dans sa vie où Carl s'était senti aussi ridicule, c'était le jour où il s'était lancé du plongeoir de cinq mètres à la piscine municipale pour impressionner Lise, et qu'il s'était retrouvé avec son caleçon de bain autour des genoux avant d'arriver dans l'eau. Est-ce qu'il était sérieusement en train d'essayer de convaincre une bille de bien vouloir se mettre à bouger ?

Et c'est alors qu'elle le fit.

« Très bien, dit le pépiniériste. Maintenant, vous allez la tenir au-dessus des plantes et lui demander si elles sont bonnes pour vous. »

Il ne s'exécuta que parce que Assad lui pinçait la cuisse sous la table pour l'encourager.

« J'en étais sûr. Elles ne sont pas bonnes pour vous. Il vous faut quelque chose de moins fort, sinon vous n'allez plus tenir en place. »

Carl hocha la tête et dit qu'au contraire, c'était tout à fait ce qu'il lui fallait. Tout sauf être obligé de recommencer à jouer au docteur Mesmer.

« Comme vous voudrez, mais je vous aurai prévenu », dit Fisker.

Ce type croyait-il vraiment que Carl allait rentrer se faire une infusion ?

« Mettez le pendule dans votre poche. Il vous sera utile un jour. Je rajouterai cinquante couronnes au prix des plantes, ça fera le compte. »

Carl se força à sourire et le remercia. « Mais à vrai dire, nous sommes surtout venus vous voir pour vous parler du temps où vous viviez dans cette communauté à Ølene sur l'île de Bornholm avec Frank. Il ne faut pas qu'on oublie. »

L'herboriste fronça les sourcils. « Frank ?

— Oui, c'est le nom sous lequel nous le connaissons.

— Et en quoi est-ce que cela vous intéresse ? »

Assad prit le relais. « Nous sommes intéressés par tout ce qu'il sait sur le culte du soleil et ce genre de choses. Nous aimerions bien lui parler en personne, mais nous ne savons pas ce qu'il est devenu, alors. Vous le savez, vous ? »

La dame en gris qui se tenait en retrait avança de quelques pas et l'homme le sentit.

« Comment m'avez-vous trouvé ? demanda-t-il en gardant les yeux fixés sur elle.

— Par l'intermédiaire d'une thérapeute que vous avez consultée avec lui. Elle se souvenait de votre nom, et vous avez été en affaires ensemble. »

Il hocha la tête quand Carl cita le nom de l'aurasomathérapeute. « C'est exact. J'ai passé tout un été dans la communauté d'Ølene, ça a été un bon moment dans ma vie. Frank et moi avions nos divergences, mais nous avions des discussions extraordinaires.

— Comme quoi ? demanda Carl. Les cultes du soleil, les religions et ce genre de sujets ?

— Oui, mais pas seulement. Nous avons participé aux fouilles à Rispebjerg tous les deux mais c'était Frank qui se passionnait le plus pour cet endroit à cause des sacrifices au soleil et des nombreux vestiges de ces cultures datant de plusieurs milliers d'années. Il a d'ailleurs volé l'une des pierres de soleil que nous avons trouvées là-bas, mais ça reste entre nous, n'est-ce pas ? »

Il ricana un peu mais s'arrêta en croisant le regard de sa femme.

« Savez-vous d'où est née sa passion pour toutes ces choses-là ?

— Il avait ça dans la tête depuis toujours mais il a réellement commencé à s'y intéresser à l'Université populaire de Copenhague où il a suivi quelques cours, d'après ce qu'il m'a raconté.

— Quel genre de cours, vous êtes au courant ?

— Un professeur de l'institut théologique de Copenhague était venu donner des conférences sur le sujet. Je ne me rappelle plus comment il s'appelait, mais d'après Frank, il faisait autorité dans le domaine de l'archéo-astronomie et de l'origine des religions.

— L'archéo-quoi ?

— Archéo-astronomie, la signification des constellations pour les peuples primitifs. »

Assad prenait des notes. « Avez-vous gardé un contact avec vos anciens camarades d'Ølene ? s'enquit-il.

— Non. À part Søren Mølgård, mais depuis quelque temps il a un peu pété les plombs.

— Søren Mølgård… ? Vous auriez son adresse, éventuellement ?

440

— Il y a un moment que je n'ai plus de ses nouvelles. Il ne m'intéresse plus vraiment. Trop de dope, vous voyez ce que je veux dire ? Ça ne colle pas avec ce que nous essayons de faire ici, n'est-ce pas, Birtemaja ? »

Elle pinça les lèvres et secoua la tête. Heureusement que ce n'était pas elle qu'ils étaient venus interroger.

« Je crois savoir qu'il est parti vivre dans une communauté d'adeptes de l'Asatro, au sud de Roskilde. Il fallait ça pour l'empêcher de sombrer tout à fait.

— Et c'est qui, alors, ce Søren ?

— Ce n'est personne de spécial. C'est juste un des types qui habitaient à Ølene à un moment donné. D'après ce que je sais, parmi ceux qui vivaient là-bas, ils sont plusieurs à avoir atterri dans le milieu alternatif et à s'en être bien sortis. Malheureusement, Søren n'en avait pas les capacités. C'était juste un hippie de passage. Il s'est essayé à la numérologie, comme Birtemaja, mais il n'a jamais vraiment compris la nature de cette croyance. Nous, les numérologues, aimons bien voir un peu de cohérence dans l'ordre du monde, et l'ordre, ce n'était pas son truc. » Il rit de sa dernière remarque.

Carl hocha la tête. À première vue, l'ordre du monde n'avait pas encore trouvé le chemin de leur salon.

« Et vous, d'où venez-vous, tous les deux ? » demanda l'herboriste.

Carl sortit sa carte de police, malgré le regard insistant d'Assad.

« Nous venons de la police de Copenhague et nous aimerions beaucoup parler avec Frank d'un accident qui s'est produit quand vous résidiez tous à Born-holm. Nous sommes persuadés qu'il est le seul à pouvoir nous aider à comprendre ce qui s'est réellement passé. »

Les yeux de Simon Fisker restèrent braqués sur le badge de Carl. Il ne s'attendait pas à ça. « Quel accident ? dit-il, soupçonneux. Pendant qu'on était là-bas ? Je n'ai entendu parler d'aucun accident.

— Cela n'a pas d'importance. Ce n'est pas de cet accident que nous sommes venus vous parler. Nous espérons simplement que vous allez pouvoir nous dire le nom de famille de Frank et le nom qu'il utilise actuellement. Et aussi où il se trouve en ce moment.

— Je regrette », fut la réponse de l'herboriste.

« Franchement, Assad, sois gentil, jette ces plantes par la fenêtre, ça pue. C'est une horreur.

— Je les ai payées cinquante couronnes, chef. »

Carl soupira et baissa la vitre côté passager.

« Il fait trop froid et il pleut des cordes, chef, vous voulez bien remonter la vitre, s'il vous plaît ? Le siège va être trempé, alors. »

Carl ignora ses doléances. Soit Assad jetait les plantes par la fenêtre, soit il en assumait les conséquences. Et quand ils seraient rentrés à l'hôtel de police, il n'avait pas intérêt à essayer de lui faire ingurgiter quoi que ce soit qui ait été préparé à partir de ces saloperies.

Carl tapa le numéro du bureau de Rose sur le téléphone de la voiture et lui demanda de retrouver un homme qui avait enseigné à l'Université populaire de

Copenhague autour de 1997 en tant que docteur en théologie. Celui dont la spécialité était d'établir un rapport entre les religions et les constellations.

Un silence pesant s'installa dans l'habitacle pendant les vingt kilomètres suivants. Que la moitié des habitants du Seeland se soient donné rendez-vous pour mettre le cap sur Copenhague en même temps qu'eux n'arrangeait rien.

Alors qu'ils traversaient la ville de Roskilde dans un bouchon avançant à dix kilomètres à l'heure, entourés d'automobilistes agacés, Assad posa les pieds sur le tableau de bord et tourna le dos à Carl. Le moment était venu de régler les comptes.

« Vous avez mal joué, là-bas, chef », dit-il.

Carl s'attendait à la remarque et n'avait pas besoin de plus d'explications.

« Tu as bien vu que la femme nous avait repérés, Assad. Elle s'était approchée de lui pour le faire taire. Tu n'as pas compris qu'ils n'avaient aucune intention de nous aider ? Ils ne nous auraient rien dit de plus. Nous n'avons plus qu'à espérer tirer quelque chose de ce Søren Mølgård. Et comme je crois sincèrement qu'il y a pibale sous caillou, je pense qu'il a déjà été prévenu de notre visite.

— Pibale sous caillou ? Ce n'est pas facile de vous suivre, chef. C'est quoi une pibale ?

— Un petit poisson.

— Le gars était herboriste, pas poissonnier.

— C'est une façon de parler, Assad. Pibale sous caillou, anguille sous roche. Un truc louche, si tu veux. Écoute, Assad, je commence vraiment à me dire qu'il y a un truc pas clair du tout dans cette affaire. Toutes ces histoires de cultes du soleil et de pierres de soleil, ça ne me sied pas du tout.

— Ça ne vous assied pas ?

— Arrête, maintenant. Tu m'énerves. Comment veux-tu que je réfléchisse si tu m'interromps tout le temps ? Ça veut dire : je n'aime pas ça, d'accord ? »

La sonnerie de son téléphone retentit. C'était Rose qui le rappelait.

« Le cours s'appelait "De la mythologie des étoiles au christianisme" et il remonte à l'automne 1995. Il était animé par un docteur de la faculté théologique de Copenhague. Il est maintenant professeur émérite et réside à Pandrup. Il s'appelle Johannes Tausen. »

Jean le Taiseux, joli nom pour un théologien.

« Pandrup dans le Vendsyssel ?

— Il y en a d'autres ?

— D'accord. Envoie-moi son adresse complète. J'irai le voir demain. De toute façon je dois me rendre à Brønderslev pour un enterrement. Merci, Rose. »

Elle avait raccroché avant qu'il termine sa phrase.

« Vous avez l'intention d'aller interroger ce professeur demain ? » lui demanda Assad.

Carl acquiesça. Il pensait toujours à l'impression que lui avait faite Simon Fisker. Pourquoi sa femme et lui étaient-ils aussi réticents à coopérer ? Les membres de cette communauté à Ølene avaient-ils quelque chose à cacher ?

« Alors je veux bien venir avec vous. »

Carl jeta un regard distrait à Assad. « Super. Merci, répondit-il.

— Je vois que vous êtes ailleurs, chef. Vous pensez au mobile, en ce moment, n'est-ce pas ?

— Bien sûr que j'y pense. » Carl remonta la vitre et Assad poussa un soupir de soulagement. « Plus on avance, plus je sens qu'on est sur la bonne piste. Habersaat avait raison. J'ai bien peur que Frank ait attrapé la folie des grandeurs. Il a dû commencer à se prendre pour une sorte de messie. Peut-être que tout allait bien jusqu'à l'entrée en scène d'Alberte. Elle lui a peut-être mis des bâtons dans les roues d'une manière ou d'une autre.

— C'est-à-dire ?

— Il a pu s'en débarrasser parce qu'elle le gênait dans ses projets. Ou alors, et l'idée est encore plus horrible, Alberte aurait été offerte en sacrifice. »

32

La douleur l'assaillit sous forme de spasmes. Les crampes contractèrent son diaphragme, comme si son dîner de la veille avait décidé de se venger. Cela l'inquiéta, bien entendu, comme l'inquiétaient tous les signaux anormaux de son corps, mais elle était allée faire un contrôle hier et on lui avait dit que tout allait bien. Le gynécologue l'avait rassurée de son air docte et lui avait affirmé que sa grossesse se déroulait à merveille. Pirjo était rentrée au centre soulagée et heureuse. Elle était enceinte de plus de six mois et l'enfant était sain et robuste. Elle décida de ne pas accorder d'importance à cette petite gêne sans gravité.

Alors que son malaise semblait s'être entièrement dissipé, le téléphone sonna.

La voix lui parut familière, mais son interlocuteur dut se présenter avant que le visage de Pirjo s'éclaire d'un large sourire :

« Simon, Simon Fisker ! Ça fait une éternité ! » s'exclama-t-elle tout en essayant de se souvenir de quand datait leur dernière rencontre. Cinq ans, dix ans peut-être ?

« Tout va bien chez vous, Pirjo ? » lui demanda-t-il.

Le ton de sa voix l'intrigua. Simon n'était pas la personne la plus instinctive qu'elle connaisse, alors pourquoi ce coup de fil ? Était-ce sa femme qui avait senti quelque chose ?

« Pourquoi m'appelles-tu tout à coup pour me demander ça ? demanda-t-elle, méfiante.

— C'est Birtemaja. »

Elle en était sûre.

Pirjo regarda ses mains qui tremblaient déjà. Comment Birtemaja pouvait-elle être au courant ? Comment pouvait-elle savoir que l'univers tout entier de Pirjo allait s'écrouler si quelqu'un apprenait ce qu'elle avait fait à cette Wanda Phinn ?

« La police est venue ici. Elle a demandé des renseignements sur Atu. Le policier et l'immigré qui lui servait d'assistant ne le connaissaient que sous le nom de Frank, mais il n'y a aucun doute sur le fait que c'est de lui qu'ils parlaient. C'était à propos d'une chose qui s'est passée à Bornholm. »

L'espace d'une seconde, elle fut soulagée, mais très vite, elle réalisa ce qu'elle venait d'entendre. Il ne s'agissait pas de Wanda Phinn. C'était encore plus grave.

« Bornholm ?

— Ils enquêtent sur cette fille qui a disparu. Birtemaja, rappelle-moi comment elle s'appelait », demanda-t-il à sa femme, élevant la voix.

Pirjo connaissait parfaitement la réponse. Mais pourquoi maintenant ? Cette histoire remontait à près de vingt ans. De l'eau avait coulé sous les ponts.

« Elle s'appelait Alberte. Quand les flics étaient dans notre salon, Birtemaja a senti que ça pouvait être un mauvais karma pour vous. Elle l'a senti tellement fort qu'elle a tenu à vous prévenir. C'est pour ça que j'appelle. Ça te dit quelque chose ? »

Pirjo inspira longuement avant de parler. « Bornholm ? Attends un peu. Une fille qui aurait disparu ? Tu dis qu'elle s'appelle Alberte ? Non, ça ne me dit rien du tout. Ils doivent se tromper. Tu leur as donné notre adresse ?

— Pourquoi aurais-je fait ça ? Je les ai envoyés voir Søren Mølgård, pour m'en débarrasser. »

Pirjo secoua la tête. Cet imbécile les avait orientés vers un type encore plus idiot que lui. Ce n'était pas bon du tout.

« Alors, il ne devrait pas y avoir de problème ! répondit-elle tout de même.

— C'est ce que j'ai pensé, répondit Simon. Il est défoncé à longueur de journée et il a déjà du mal à se souvenir de ce qu'il a fait la veille. »

Une voix de femme marmonna quelque chose derrière lui. « Birtemaja me demande comment ça va là-bas. J'imagine que tout roule ? »

Elle faillit répondre que oui. Leur raconter que l'héritier du royaume d'Atu était en route, mais au même moment une douleur intense allant des reins au bas-ventre la traversa comme une lance. Elle écarta un instant le téléphone de son oreille pour juguler la souf-france en se concentrant sur sa respiration.

« Merci de m'avoir prévenue, Simon, dit-elle dans un souffle un instant plus tard. Ne vous faites pas de souci pour nous. Et oui, pour répondre à ta question, tout va bien, ici. Salue Birtemaja de ma part, et sois diplomate quand tu lui annonceras que, cette fois, son intuition l'a trompée. »

Elle raccrocha plus brusquement que la bienséance ne le permettait et bascula en arrière dans le fauteuil de bureau. L'élancement avait atteint son plexus et son inquiétude allait grandissant.

Elle pria Horus et les instances supérieures. Elle pria d'abord pour le bébé, puis pour elle-même et enfin pour Atu. Sa grossesse avait changé l'ordre de ses priorités. Au bout d'une poignée de secondes, la contraction s'arrêta.

Ce n'était rien du tout, se rassura-t-elle, sentant l'enfant lui donner des coups de pied. Rien du tout. C'est juste mon corps qui doit s'adapter. Je ne suis plus toute jeune. C'est peut-être comme ça que ça se passe chez certaines femmes.

Simon avait parlé de Søren Mølgård. Est-ce qu'elle devrait lui passer un coup de fil pour lui intimer le silence ?

Elle secoua la tête. Le risque qu'il gaffe et qu'il raconte aux flics qu'elle lui avait téléphoné était trop grand. Søren Mølgård avait toujours été le maillon faible de leur communauté. Il n'avait jamais su résis-ter aux tentations, et ce manque de caractère l'avait mené à sa perte. Que pourrait-il leur raconter, de toute façon ? Rien du tout. Elle était la seule de toute l'ancienne communauté d'Ølene, en dehors d'Atu bien sûr, à savoir quelque chose sur Alberte.

Elle commença à se détendre. Ses douleurs abdominales avaient presque disparu.

On frappa à la porte.

Elle lissa sa toge et dit : « Entrez ! »

Valentina apparut timidement dans l'encadrement de la porte, comme si elle avait l'intention de rester sur le seuil, mais Pirjo lui fit signe d'approcher. Elle était la mère de tous les disciples et son bureau était à la fois un confessionnal, un bureau d'aide sociale et un centre de soutien psychologique.

Toute personne ayant un problème devait savoir qu'elle serait accueillie à bras ouverts, et Valentina avait visiblement un problème.

« Vous avez des soucis, Valentina ? » lui demanda Pirjo avant qu'elle ait eu le temps de s'asseoir. Il s'agissait de l'expédier au plus vite, pour pouvoir ensuite réfléchir tranquillement. C'est pourquoi elle choisit de mener l'entretien à la manière d'une séance de soutien psychologique : directe et sans prendre de gants. « Est-ce que quelqu'un vous a déçue, Valentina ? Ou bien les rides qui creusent votre front sont-elles à mettre sur le compte de certaines forces qui s'opposent à votre amour ? »

La femme secoua la tête. Quand Pirjo l'avait rencontrée pour la première fois, elle était profondément traumatisée par le harcèlement que lui faisaient subir ses collègues de travail et par un concubin qui la traitait comme un animal. Lorsqu'elle s'était enfin décidée à venir au centre, son amour-propre avait été anéanti. À cette époque, marquée par un grave complexe d'infériorité et une profonde haine de soi, seule une recherche désespérée de reconnaissance lui permettait encore d'aller de l'avant.

À la voir maintenant, les yeux baissés, c'était comme si les deux années et demie qu'elle avait passées chez eux n'avaient jamais existé. La jeune femme qui venait d'entrer dans son bureau n'était pas la Valentina qu'elle était devenue mais celle qu'elle avait été.

« Tout a commencé par un cauchemar que j'ai fait, Pirjo, dit-elle après avoir rassemblé tout son courage. J'ai rêvé l'autre nuit qu'un ange aux ailes noires survolait ma chambre. Tout à coup il a traversé le plafond et il est venu poser la main sur mes yeux. J'ai senti une brûlure intense mais je n'avais pas l'impression d'avoir mal, pas avant de me dire que je devais absolument me réveiller. Alors l'ange est repassé par le trou dans le plafond et il est entré dans une salle immense, éclairée de puissants projecteurs. On aurait dit que la pièce vibrait de lumière, quand l'ange y a pénétré. Comme si la présence de l'ange allait la faire exploser. Ensuite les murs de la salle ont subitement disparu, et à la lumière du jour, j'ai vu que ma chambre était pleine de flaques jaunes. Et puis je me suis réveillée. »

Pirjo sourit. « Effectivement, ce n'est pas un rêve anodin. Mais malheureusement, comme vous le savez, Valentina, l'interprétation des rêves n'est pas mon fort. J'espère que quelqu'un d'autre pourra vous l'expliquer. Il semble vous avoir beaucoup affectée, mais c'est peut-être un rêve très positif, au contraire. Je ne m'inquiéterais pas pour cela à votre place.

— Ce n'est pas le rêve qui m'inquiète, dit Valentina, levant très lentement les yeux jusqu'à rencontrer le regard de Pirjo. Je l'ai déjà raconté à plusieurs personnes. Certains disent qu'il a à voir avec mon identité, d'autres que c'est un rêve prémonitoire dans lequel je dois puiser des indices sur la façon dont je vais devoir réagir à de futurs conflits et les résoudre. Ce n'est qu'après en avoir parlé avec Shirley que j'ai été certaine qu'il s'agissait bien d'un rêve d'avertissement. »

Pirjo s'efforça de rester impassible.

Valentina avait parlé avec Shirley.

« Je suis certaine que ce rêve m'a été inspiré par un événement réel et c'est ce qui me trouble. C'est pour ça que je suis venue vous voir, Pirjo.

— Et de quoi ce rêve serait-il venu vous avertir, Valentina ? Est-ce que cela concerne l'académie ? Parce que si c'est le cas, je préférerais qu'Atu soit là. Malheureusement, il ne peut pas nous rejoindre maintenant parce qu'il est…

— Je ne pense pas que vous souhaitiez la présence d'Atu », dit Valentina avec une violence inattendue.

Pirjo tourna légèrement la tête, sans quitter la jeune femme des yeux. La menace était évidente. Elle se demanda où Valentina voulait en venir. Si la présence d'Atu n'était pas souhaitable, cela signifiait-il que Valentina s'apprêtait à négocier quelque chose avec elle ? Mais qu'allait-elle lui demander, et qu'allait-elle exiger en échange ?

452

« Pourquoi Atu ne devrait-il pas assister à cette conversation ? » dit-elle avec autant d'autorité dans la voix que l'exigeait la situation. Dans cet endroit, on ne pouvait pas décider arbitrairement d'exclure Atu de quoi que ce soit, et Valentina devait le savoir.

La jeune femme essuya une goutte de sueur sur son front et elle se redressa.

« Shirley n'a pas compris le rêve. À vrai dire, elle ne comprend rien. Mais elle m'a aidée à me souvenir, et grâce à elle, j'ai compris que j'avais vu certains événements auxquels j'avais attaché moins d'importance qu'ils n'en avaient réellement.

— De quoi parlez-vous, Valentina ? Qu'avez-vous vu ?

— J'ai vu beaucoup de choses, quand j'y pense, répondit-elle, rompant le contact avec le regard inquisiteur de Pirjo et fixant des yeux le mur derrière celle-ci. Avant que je raconte mon rêve à Shirley, elle venait de me parler de son amie, celle avec la ceinture, et du départ soudain de Jeanette. Et en entendant cette histoire, grâce au rêve que j'avais fait, j'ai relevé un détail dans son histoire.

— Quel détail, Valentina ? » demanda Pirjo en souriant. C'était son seul moyen de défense, pour l'instant. La douleur dans son abdomen qui pulsait, juste en dessous de la surface, le coup de fil de Simon Fisker, et maintenant ceci, elle était agressée de tous les côtés à la fois.

« Shirley m'a dit quelque chose à propos de son amie Wanda qui m'a rappelé le jour où Malena est allée à l'hôpital. »

Pirjo secoua la tête, elle haussa les sourcils, perplexe et étonnée devant le rapprochement que Valentina faisait entre ces événements.

« C'est bizarre, je trouve, que Malena ait disparu le lendemain de son admission à l'hôpital. Est-ce que vous saviez, au fait, qu'elle était mon âme sœur, Pirjo ? Je vous assure, c'est ce qu'elle était pour moi. Nous avions énormément en commun, Malena et moi. C'est très bizarre qu'elle ne m'ait rien dit avant de s'en aller. Peut-être qu'elle n'était pas en état de parler à qui que ce soit ? C'est ce que je me suis dit.

— Et vous aviez raison de penser cela, Valentina. Les médecins disent qu'elle a signé une décharge et qu'elle est partie avant le jour prévu pour sa sortie. Peut-être a-t-elle eu une sorte de baby blues, je ne sais pas. Mais quel rapport y a-t-il entre le départ de Malena et votre rêve, Valentina ? C'est elle, l'ange ?

— C'est ce que j'ai cru au départ, mais les ailes de l'ange étaient noires, ça ne colle pas. » Elle baissa légèrement les yeux, mais les garda fixés sur le mur. « C'est déjà arrivé, Pirjo.

— Qu'est-ce qui est déjà arrivé, Valentina ?

— Que l'un de nous disparaisse sans prévenir.

— Oui. Malheureusement. Vous pensez à Claudia, je suppose ? Claudia s'est noyée, Valentina. Ils ont retrouvé son corps sur une plage en Pologne. Elle était tellement déprimée que nous ne pouvions plus rien pour elle.

— Ce n'est pas à elle que je pense, mais à une fille qui était dans le même groupe que moi. Iben Karcher. Cette Allemande qu'Atu aimait beaucoup.

— Écoutez, Valentina. Je ne sais pas ce que vous essayez de me dire. Iben était une drôle de fille, et il faut dire que nous accueillons ici les gens les plus étranges. Nous apportons à nos disciples la paix de l'âme et une nouvelle compréhension du monde, mais nous ne pouvons pas faire plus pour eux. Nous ne pouvons pas aider tout le monde, et Iben nous a quittés de son plein gré.

— C'est ce que vous dites et c'est ce que j'ai toujours cru, mais il y a ce rêve... »

Pirjo soupira. « Allons, dites-moi ce qui vous tracasse, Valentina.

— Shirley m'a parlé de cette ceinture que Jeanette a trouvée au grenier de l'Écurie des sens. C'est le bâtiment le plus foncé du centre.

— Oui, c'est exact, mais je ne vois toujours pas où vous voulez en venir. Il est juste un peu plus rose. Rose ou blanc, je ne vois pas où est la différence.

— C'est la pièce de mon rêve, celle où l'ange disparaît, et l'ange aux ailes noires, c'était vous, Pirjo. Je vous ai vue ce jour-là. Je vous ai aperçue depuis la plage quand vous êtes entrée avec votre scooter jaune dans l'Écurie des sens. C'est lui qui a laissé ces taches jaunes dans mon rêve quand les murs ont disparu. Et je sais que c'est le jour où Malena a perdu son bébé. Nous sommes plusieurs à vous avoir cherchée partout ce jour-là, alors que c'était l'heure de la méditation, parce que Atu voulait que vous alliez à l'hôpital avec Malena. J'étais contente de voir que vous étiez rentrée : tout allait s'arranger et Atu serait rassuré. Vous étiez belle quand je vous ai revue ensuite dans la salle commune. J'avais le sentiment qu'un ange salvateur était de retour parmi nous. J'étais sûre, à partir de ce moment, que vous alliez venir en aide à Malena, à l'hôpital. Du moins, c'était ce que je croyais.

— Pourquoi dites-vous que vous m'avez vue ? Et qu'est-ce que cela a d'exceptionnel ? Je me souviens très bien de ce jour-là, Valentina. Je ne me sentais pas bien et j'étais montée à la pointe nord pour méditer. J'allais beaucoup mieux après, d'ailleurs. Ensuite j'ai garé mon scooter dans l'écurie sur une brusque impulsion parce que la batterie avait besoin d'être rechargée. Ce n'est pas plus compliqué que ça. Et évidemment que j'ai aidé Malena quand je suis allée la voir, comment pouvez-vous imaginer le contraire ? Elle avait le choix de revenir parmi nous pour que nous prenions soin d'elle, ou de rester à l'hôpital jusqu'à ce qu'elle soit complètement remise.

— Vous savez ce qui est bizarre aussi, Pirjo ? C'est cette histoire avec l'amie de Shirley. Shirley m'a dit quel jour exactement son amie avait quitté Londres et il n'était pas très difficile de calculer qu'elle a dû arriver ici au moment où Malena a fait sa fausse couche. Je le sais, car c'est un jour que je n'oublierai jamais, Pirjo. »

Celle-ci hocha la tête, l'air grave, à présent. « La coïncidence est étrange, en effet. » Elle pinça durement les lèvres et réfléchit. « Mais personne ne sait où cette Wanda Phinn est allée. Je ne serais pas surprise qu'elle ait raconté des craques à son amie Shirley et qu'elle soit en ce moment…

— C'était vous, l'ange ! Et la grande salle était l'Écurie des sens, et les ailes noires le signe qu'il était arrivé quelque chose qui ne supporterait pas d'être révélé au grand jour. Je me trompe, Pirjo ? Je vous dis tout cela maintenant parce que vous avez toujours été là pour moi quand j'avais besoin de vous. »

Pirjo sourit. « Merci, Valentina, j'apprécie vraiment. Je ne sais pas ce que je dois croire. Votre rêve est surprenant. Vous me laissez un peu de temps pour y réfléchir ? Je devrais peut-être en parler avec quelqu'un. Je suis d'accord avec vous pour penser qu'il a une signification, et qu'il mérite qu'on s'y attarde. Moi aussi, j'ai fait un rêve, figurez-vous. Sauf qu'il ne s'agissait pas d'un ange mais d'un grand oiseau avec des ailes bicolores. Rouges près du corps et grises au bout des plumes. »

Valentina la regarda d'un air sceptique. Elle plissa les yeux et leva la tête pour la regarder en face.

« C'est ce que j'ai voulu dire tout à l'heure quand j'ai parlé d'étrange coïncidence, Valentina. Car la nuit qui a suivi la fausse couche, je l'ai passée à me tourner et me retourner. Je me suis réveillée baignée de sueur et je me suis tout rappelé. Je me suis souvenue de cet oiseau rouge et gris qui criait au-dessus de l'Écurie des sens, avant de survoler notre enclos circulaire et de disparaître au-dessus de la mer. Et maintenant que je vous entends parler de votre rêve et de Shirley, il me semble que les couleurs de l'oiseau rappelaient les couleurs de la ceinture. Vous ne croyez pas ? »

Valentina eut l'air franchement désorienté.

« Maintenant que j'y pense, l'oiseau était sûrement Shirley. Elle a peut-être une raison de semer la discorde parmi nous. Vous croyez que c'est possible ? A-t-elle dit quelque chose qui puisse être interprété comme des ondes négatives dirigées contre l'académie ? Avez-vous senti chez elle des énergies qui ne seraient pas en phase avec les nôtres ? »

Valentina secoua la tête, très déstabilisée à présent.

« Est-il possible qu'elle ait inventé cette histoire d'amie disparue ? Qu'en pensez-vous ? Après tout, que savons-nous de Shirley ? Pas grand-chose, en fin de compte. »

À nouveau Valentina secoua la tête, plus lentement que tout à l'heure.

« Je ne sais pas quoi penser, Pirjo. Je suis un peu perdue. Excusez-moi pour tout ce que je viens de vous dire. C'est juste que je suis encore très bouleversée que Malena nous ait laissés tomber comme elle l'a fait. Et comme j'avais fait ce rêve et que Shirley s'est mise à me raconter l'histoire de cette Wanda, qui… »

Pirjo se leva, elle fit le tour du bureau et elle posa une main légère et réconfortante sur l'épaule de Valentina qui tremblait.

Quand elle fut sortie de la pièce, Pirjo s'appuya lourdement au bord de la table. Les poings fermés.

Si la police de Copenhague arrivait jusqu'ici, ce qui n'était probablement qu'une question de temps, il ne devait rester personne dans cette académie pour les faire douter du fait que tout ce qui se passait ici n'était guidé que par des âmes pures dans le respect de l'éthique la plus irréprochable. Il fallait que ceux qui dirigeaient ce centre, elle, Atu et leurs plus proches disciples, puissent prouver qu'ils œuvraient et avaient toujours œuvré pour le bien. Il devait être évident pour ces policiers qu'en aucun cas l'un d'entre eux n'aurait pu causer du tort à qui que ce soit, ni récemment, ni par le passé.

Et ne serait-ce que pour cette raison, il était exclu que Valentina et Shirley se trouvent encore dans les parages quand ils arriveraient. Quel que soit le prix à payer pour l'éviter.

Elle se redressa et posa deux mains apaisantes sur son ventre. « Maman va prendre soin de papa et de toi, mon amour, promit-elle. Elle ne laissera personne te faire du mal, tu peux lui faire confiance. »

Car Pirjo ne se faisait pas d'illusions. Valentina n'était pas un problème. Il était facile de l'envoyer à l'étranger sous prétexte d'une mission quelconque. Mais Shirley pouvait s'avérer dangereuse. Surtout si elle commençait à se faire des amis. Et surtout si elle continuait à s'accrocher à ses hypothèses et à ses soupçons.

On toqua à la porte.

L'électricien qui était venu vérifier le tableau électrique du chauffage solaire dans la salle de contrôle au fond du corridor était inquiet.

« C'est la merde », se contenta-t-il de déclarer. Il avait de bonnes raisons d'être contrarié car il était responsable du fonctionnement de toute l'installation électrique, et c'était la troisième fois qu'il était obligé de changer l'onduleur. Sa dernière intervention était si récente qu'il restait encore par terre des outils et des câbles.

Il les poussa sous la banquette fixée au mur afin de ne pas se prendre les pieds dedans. Il n'aurait pas besoin de clé à molette pour ce qu'il avait à faire. Ni d'un gros marteau en caoutchouc.

« En fait, l'installation n'aurait jamais dû être posée dans ce local. Vous savez, vous, pourquoi trois des murs ont été habillés de métal ?

— Bien sûr. Cette pièce était à l'origine la chambre froide de la maison de maître. Les bêtes à viande étaient suspendues à des crochets au plafond et je présume que les murs étaient recouverts d'acier inoxydable par souci d'hygiène. »

Il hocha la tête.

« Oui, vraisemblablement. Quoi qu'il en soit, il va falloir les enlever, parce qu'ils font masse. Ou en tout cas, il se passe quelque chose de bizarre.

— Il y a un problème avec l'installation électrique ? »

Il lui expliqua le problème dans les grandes lignes : il se situait soit dans le boîtier électrique, soit dans l'onduleur.

« J'ai tout le temps un signal de perturbation dans cette pièce et j'avoue que je ne comprends pas pourquoi, dit-il. En tout cas, le transformateur envoie tellement de courant dans vos circuits électriques qu'un disjoncteur classique ne parvient pas à détecter les courts-circuits. Ce n'est pas un problème quand il fait gris comme aujourd'hui et que les capteurs génèrent peu d'électricité. » Il montra par le velux les nuages sombres qui s'amoncelaient dans le ciel. « Mais dans quelques jours, où le temps devrait se mettre au beau, vous allez voir ! J'ai bien peur que nous soyons obligés de repenser toute l'installation. Il va falloir que j'en parle à mon patron. »

Il ouvrit le boîtier électrique, puis l'onduleur, et se gratta la nuque après avoir examiné l'ensemble pendant quelques minutes. « Là, comme ça, je ne vois rien qui cloche. Vos panneaux solaires produisent une quantité phénoménale d'électricité alors qu'il n'y a même pas de soleil aujourd'hui, constata-t-il. C'est toujours ça. Mais votre courant continu est très variable. Je vais faire quelques réglages pour que ce soit moins violent. Mais surtout, ne vous amusez pas à bricoler ça vous-même, Pirjo. »

Comme si ça avait pu lui venir à l'esprit.

« Parce que vous pourriez vous blesser gravement si le bon Dieu, là-haut, au-dessus des nuages, décidait d'allumer sa lampe à fond.

— Qu'est-ce qui pourrait arriver ?

— Ce qui pourrait arriver ? Le soleil n'a pas d'interrupteur, le courant arrive directement des boîtiers de dérivation, alors à votre avis ? Disons que ça dépend du temps qu'on passe avec les câbles dans la main. » Il rigola.

Pirjo hocha la tête et regarda longuement les boîtiers et les disjoncteurs. Et si la solution au problème était ici ?

Pirjo sourit intérieurement en regardant le corps volumineux et les bras musclés de l'électricien au travail. Elle regarda monter l'aiguille du régulateur. Le soleil avait réapparu et la température de la pièce était en train d'augmenter, comme elle pouvait le constater à la tache de transpiration qui se formait entre les omoplates de l'artisan.

Elle suivit des yeux la tache jusqu'à la taille de l'homme.

« J'aime bien la ceinture que vous portez. Où est-ce qu'on peut se procurer ça ? » lui demanda-t-elle pour changer de sujet.

Il se retourna, les deux mains sur la boucle et le sourire aux lèvres.

« Ah, ça ? Je l'ai trouvée sur Internet. J'aimais bien que la ceinture fasse penser à une grosse fermeture éclair, ça me faisait marrer. J'achète toujours mes vêtements de travail et mes accessoires en ligne. »

Pirjo hocha la tête.

Un tas de nouvelles possibilités venaient de s'ouvrir à elle.

33

Le chemin de terre conduisant à la ferme se révéla être un ultime défi pour la voiture de service et la mâchoire d'Assad qui faisait des bonds tel un yoyo affolé. Le long des profondes ornières remplies d'eau s'alignaient à intervalles réguliers de petits dolmens gravés de runes et de symboles celtes et norrois colorés, donnant au lieu une atmosphère magique.

Ils furent donc presque déçus de tomber finalement sur une ferme danoise traditionnelle avec ses quatre corps de bâtiment. Ils n'y avait ni porte viking, ni murs en chêne massif, bref, rien qui évoque l'ancienne culture nordique. Seule la pancarte à l'entrée indiquait aux visiteurs qu'ils ne devaient pas s'attendre à être accueillis par des fermiers traditionnels.

« EINHERJER-GÅRD », disait l'enseigne.

« Excusez-moi, ça veut dire quoi ce qui est écrit là-haut ? » demanda Carl à une femme qui passait le porche au moment où ils arrivaient. Il y avait longtemps qu'il n'avait pas vu quelqu'un comme elle, les seins nus sous son T-shirt et les cheveux en bataille à la mode des années soixante-dix.

« Salut, répondit-elle en leur tendant la main. Les Einherjer étaient des guerriers du Walhalla dans la mythologie nordique. Ils avaient pour mission de protéger les dieux contre les géants. On ne pouvait pas choisir un nom plus adapté pour nous qui avons tous été soldats, ou épouses de soldats, en Afghanistan sur la base de camp Bastion. Au fait, je m'appelle Gro, dit-elle. Je vous attendais. Nous avons été prévenus par la pépinière holistique de votre arrivée. J'avoue n'avoir aucune idée de ce qu'est la pépinière holistique. Bue, mon mari, sera là d'un instant à l'autre. »

Le mari en question était un grand gaillard costaud, mais en dehors d'une longue natte au milieu de sa barbe et d'une impressionnante collection de tatouages qui s'enroulaient autour de ses bras nus et réapparaissaient dans son cou sous la forme d'une flamme, il ne ressemblait en rien à l'idée que Carl se faisait du chef de ce qu'on appelait communément un *blótlaug*, une communauté qui vénère les dieux nordiques. Il ne portait ni casque viking à cornes, ni peau de mouton, mais une simple tenue de fermier, un bleu de travail et l'inévitable paire de bottes en caoutchouc vert.

« Je ne connais pas personnellement l'homme dont vous me parlez, dit-il quand ils lui eurent exposé le but de leur visite. Mais Søren m'a un peu parlé du temps où il était à Bornholm, dans la mesure où il peut s'en souvenir. Une époque passionnante que j'aurais aimé vivre, si je n'avais pas été trop jeune. » Il rit et les entraîna à l'autre bout de la cour, sous un deuxième porche conduisant derrière la ferme.

Carl regarda autour de lui. Qui eût cru qu'un décor danois aussi normal se cachait au bout de cette allée bordée de pierres à haute charge symbolique ? Ici tout était d'une banalité affligeante. Fosse à purin, tas de fumier, engins agricoles cabossés conduits par des hommes qui ne ressemblaient ni à Rambo ni à Thor, le dieu du Tonnerre.

« Tous ceux que vous voyez ici sont des membres de notre *blótlaug*. Nous ne faisons pas partie de la Forn Sidr[1], si cela vous parle, mais nous avons créé notre propre communauté en fonction de notre idée personnelle de l'Ásatrú. Et bien que je sois "le bon" de cette communauté, ici nous sommes tous égaux. »

Carl sourit poliment. Il n'avait pas la moindre idée de ce que cet homme était en train de lui raconter.

« Mais vous fêtez quand même le Blót, n'est-ce pas ? demanda Assad contre toute attente.

— Oui, quatre fois par an, aux solstices et aux équinoxes. Nous buvons une petite corne d'hydromel, que nous distillons nous-mêmes. Vous pourrez en rapporter une bouteille ou deux si vous voulez ! »

Carl acquiesça sans conviction. Il savait ce que c'était que l'hydromel. Et il savait aussi que c'était dégueulasse.

« Je vous garantis que c'est autre chose que la merde qu'on trouve dans le commerce, précisa Bue, comme s'il lisait dans ses pensées. L'un d'entre vous a vu Søren quelque part ? » lança-t-il à ses sujets.

---

1. Forn Sidr : principale « Église » regroupant les croyances néopaïennes en Scandinavie.

Un type désigna une petite maison avachie, à l'abri d'une haie.

« Sa cheminée fume, je suppose qu'il est chez lui. Il en bouge rarement, il faut dire », expliqua Bue.

Carl hocha la tête. « Mais pourquoi vit-il ici ? Il n'a pas fait l'Afghanistan, je suppose ?

— Non, mais son fils Rolf était avec nous au camp. C'était un bon soldat, mais téméraire et malchanceux. Il a été tué par une mine antipersonnel. Quand nous sommes rentrés, Søren nous a rejoints par pure désespérance. Je vous préviens, il est un peu spécial. »

Assad se tourna vers les membres de la communauté qui s'étaient regroupés derrière eux. La pluie avait recommencé à tomber, ce qui ne les affectait nullement. « Vous êtes tous d'anciens soldats, si j'ai bien compris. Mais ici, qu'est-ce que vous faites ? »

Bue avait dû entendre cette question un milliard de fois.

« Nous avions déjà fondé un *blótlaug* au camp. Il nous a paru évident de faire la même chose ici. Je suis adepte de l'odinisme, ou de l'Ásatrú si vous préférez, depuis que je suis enfant. Quand j'étais au combat, je tenais le coup grâce à mes rituels. Les gens voyaient que je m'en sortais mieux que la plupart au quotidien et il n'a pas fallu longtemps pour que nous soyons un certain nombre à trouver notre équilibre dans cette croyance. Lorsque vous vous battez contre un mouvement fondé sur des convictions aussi fortes que celles des talibans, vous êtes très démuni si vous n'avez pas foi en quelque chose, surtout quand votre vie est menacée et que vous êtes loin de chez vous. Alors nous nous sommes accrochés à nos racines nordiques. Vous comprenez ? »

Il leur désigna quelques planches posées au-dessus d'un fossé boueux sur lesquelles il fallait passer pour accéder à la masure de Søren Mølgård et poursuivit, à l'intention de Carl :

« Sans cette foi qui nous unit, je suis certain que beaucoup d'entre nous ne seraient jamais rentrés au Danemark, ou en tout cas, pas en un seul morceau. Nous sommes désormais une famille, et la communauté des Ásatrú s'étend dans tout le pays. Je vais d'ailleurs être interviewé sur Radio 24/7 dans quelques jours. Je crois deviner que vous faites partie de la frange de la population danoise qui a un peu de mal à se situer par rapport à ce que nous sommes. Vous êtes le bienvenu sur le plateau, si vous voulez. Comme ça, les auditeurs qui appellent l'émission en direct pourront entendre votre avis et vous pourrez poser toutes les questions que vous voudrez. Avec un peu de chance, vous tomberez sur quelqu'un qui pourra vous aider à trouver l'homme que vous cherchez, si Søren ne peut pas.

— Oh, je ne sais pas si… », hésita Carl. Participer à une émission de radio en direct avec un Ásatrú pour le bien d'une enquête ? Il voyait d'ici la tête de la préfète…

« Alors comme ça, vous êtes dans l'armée de métier ? dit Assad.

— La majorité d'entre nous, oui. Pour ma part, j'étais capitaine. Je ne suis pas le seul officier du *blót-laug*, mais ceux qui sont venus s'installer à la ferme sont généralement de simples soldats.

— Capitaine ! Alors j'imagine que vous avez dû bourlinguer dans les endroits où ça chauffe !

— C'est le cas, en effet », répondit-il avec un sourire aimable. Puis, tout à coup, une ride creusa son front, comme s'il essayait de mettre le doigt sur un souvenir sans toutefois y parvenir.

Assad se tourna vers la maison de Mølgård. « Il nous surveille de la fenêtre. Vous l'avez prévenu qu'on venait ?

— Malheureusement, non. Je n'ai pas eu le temps. »

Carl se dit qu'il aurait préféré que cette épave aux yeux rougis de Søren Mølgård ait été au courant de leur visite. Le pauvre homme eut l'air complètement terrifié quand Bue les annonça comme deux inspecteurs de l'hôtel de police de Copenhague.

Il jeta des regards affolés autour de lui dans son petit salon bas de plafond qui sentait le haschich à plein nez, visiblement mal à l'aise, vérifiant sans doute qu'il n'avait laissé traîner aucune substance compromettante.

« Je vois que vous aimez bien fumer un petit chilom de temps en temps ? lui dit Carl, histoire de faire sortir le loup du bois.

— C'est vrai, mais je ne deale pas, si c'est ce que vous croyez. Je fais pousser un peu derrière la bicoque, mais c'est juste pour ma consommation personnelle...

— Détends-toi, Søren, le coupa Bue. Ils ne viennent pas des Stups, ils sont de la Crim. »

Le gars avait déjà l'air passablement abruti par le produit de sa plantation, mais quand il entendit le mot

« Crim », son cœur sembla s'arrêter. Une réaction assez normale, quand on y pense.

« La police criminelle ? » Son regard devint flou et il se mit à hocher la tête comme quelqu'un qui vient de comprendre quelque chose, le visage grave. « Cela concerne Rolf ? demanda-t-il tandis que ses lèvres se mettaient à trembler. Il a été tué par l'un de ses camarades, c'est ça ? »

Ce type était visiblement très dérangé.

Il lui demandèrent de s'asseoir et lui exposèrent la raison de leur visite, ce qui n'eut pas l'air de le rasséréner.

« Je ne comprends pas. Je ne connais personne du nom d'Alberte, à part la chanteuse. Pourquoi me demandez-vous ça ?

— Nous vous avons également demandé si vous saviez où se trouve Frank et ce qu'il fait en ce moment. »

Il s'adressa à Bue et haussa les épaules. « Je ne crois pas que je viendrai travailler aux champs, aujourd'hui. J'ai un peu mal aux bronches, tu comprends ?

— Pas de problème, Søren, mais je trouve que tu devrais répondre aux questions de ces policiers. »

Il eut l'air perplexe. « Frank ? Oui, c'est comme ça qu'il s'appelle. Et c'était un vrai connard, je crois, mais je n'en suis pas encore complètement sûr.

— Que voulez-vous dire ? » Carl fit un signe de tête à Assad qui leva son calepin et son stylo pour montrer qu'il était prêt à prendre des notes.

« Il fallait toujours qu'il décide tout. Ça m'a fait chier, alors je me suis cassé.

— Quand ça ?

— Quand on est revenus dans le Seeland. Il voulait aller en Suède ou en Norvège pour y démarrer une activité qui rapporte. Un centre d'enseignement. Non mais franchement, vous me voyez, moi, au fin fond de la forêt, ou en pleine cambrousse ?

— Un centre d'enseignement ? C'est-à-dire ?

— Un endroit où il pourrait tout décider tout seul.

— Et vous savez où est Frank maintenant et comment il se fait appeler ? »

Il fit signe que non et chercha sans les voir les cigarettes qu'il avait sous les yeux.

« Vous croyez que ça vous aiderait à vous rafraîchir la mémoire de tirer un peu sur un joint ? » lui demanda Assad. Bue secoua la tête, l'air de dire que ça n'allait pas arranger son amnésie.

« Frank ne s'intéressait qu'à Frank, continua Søren. Le reste, il n'en avait rien à foutre.

— Y compris les femmes ? »

La question déclencha un long soupir. Il eut l'air de penser que c'était une réponse en soi.

« Vous vous souvenez s'il avait une relation avec quelqu'un là-bas ?

— Une relation, ha ! Il couchait avec toutes les filles de la communauté. Ce n'était pas des "relations", c'était juste comme ça.

— Vous vous rappelez leurs noms ? »

Il ferma les yeux à moitié. Impossible de voir s'il réfléchissait ou s'il sombrait.

« Elles avaient toutes sortes de noms débiles », marmonna-t-il avant de s'endormir pour de bon.

470

« Je suis désolé », dit Bue en leur tendant à chacun une bouteille de soda en plastique sans étiquette contenant une boisson ocre, alors qu'ils prenaient congé près de la voiture. « À vrai dire, j'ai rarement entendu Søren répondre à autant de questions. Il a les neurones à moitié bousillés. On s'est souvent demandé si c'était à cause de tous les joints qu'il a fumés dans sa vie, ou à cause des autres substances qu'il consomme. Quoi qu'il en soit, je crains que son cerveau en ait pris un coup. »

Carl acquiesça. Il pensait à Sammy et à Ronny. Une association d'idées qui n'avait rien d'étonnant, d'autant plus que l'enterrement et le périple dans le Vendsyssel étaient prévus pour le lendemain.

« Je vous réitère ma proposition de venir participer à mon émission de radio, lança Bue. Ça pourrait marcher. Ce serait bien le diable s'il n'y avait pas au moins un auditeur qui sache quelque chose sur la personne que vous cherchez. »

34

Samedi 10 mai 2014

Deux femmes pleuraient, assises au premier rang. Il ne s'agissait ni de la femme de Ronny, qui n'était pas venue, ni de la sœur de Ronny, ni même de la fille du fermier voisin qui, pour une raison inexplicable, avait toujours rêvé d'être à lui, mais de deux autres femmes qui, à intervalles réguliers, levaient les yeux vers le cercueil et qui, au même rythme, pêchaient un mouchoir posé sur leurs genoux pour s'éponger les yeux.

« Vous savez qui sont ces dames ? » demanda Carl aux gens autour de lui. Mais aucun ne put lui répondre. Personne d'autre dans l'assemblée n'avait pleuré, ni pendant les psaumes, ni pendant la courte oraison funèbre pleine de bons sentiments rédigée par Ronny lui-même, et maladroitement débitée par le pasteur à la demande posthume du défunt, par testament.

« Ce sont des pleureuses, murmura Assad. Moi aussi, ça m'a intrigué. »

Carl fronça les sourcils. Des pleureuses ?

« Il paraît que Ronny a écrit dans son testament qu'il voulait qu'on embauche des femmes pour venir pleurer à l'église. D'après lui, c'est la tradition. Donc, elles sont là. »

Carl haussa les sourcils et regarda le cercueil. Il était fabriqué dans un bois exotique tirant sur le rouge, et il devait peser un âne mort. Il n'était qu'à moitié couvert de fleurs. L'allée centrale n'avait pas été décorée. Vingt-deux personnes seulement assistaient à l'office, dont deux avaient été louées pour l'occasion, et une n'était venue que pour tenir compagnie à Carl.

C'est une coutume qui remonte à l'Ancien Testament de faire venir des pleureuses, songea Carl. C'est plutôt bien vu de ta part, Ronny, parce que je ne vois pas qui t'aurait pleuré si elles n'avaient pas été là. Tu te vantais partout d'avoir tué ton propre père. Tu as marché sur les gens toute ta vie. Tu as triché et menti et mis tout le monde dans la mouise, alors qui voudrait te pleurer ? Ta mère ? Elle aussi est morte depuis longtemps, ce ne serait pas toi qui l'aurais tuée, par hasard ? Ton débile de frangin toujours bronzé, qui ne pense qu'à ce que ta mort va lui rapporter ? Non, franchement, Ronny, sur ce coup-là, je te tire mon chapeau. Embaucher des pleureuses ! Respect !

Le regard de Carl se perdit dans le vague pendant que l'organiste changeait de registre et plaquait des accords sonores sur son instrument, avec pour effet immédiat d'optimiser la performance des pleureuses.

Et quand viendrait son tour d'être là-haut dans ce cercueil ? Y aurait-il quelqu'un pour verser une larme ? Son beau-fils Jesper qui se fichait de tout ?

Son ancienne petite amie, Mona ? Son ex-femme, Vigga ? Pas ses parents, qui seraient probablement morts depuis longtemps ! Son frère, totalement incapable de sentiments, accompagné de sa dernière conquête ? Non, sûrement pas lui.

Hardy, alors ? S'il était encore en vie et que quelqu'un veuille bien se donner la peine de l'emmener à l'enterrement, il serait là, lui, non ? Il aurait bien un peu de peine ? Morten pleurerait, il pouvait compter sur lui. Aussitôt qu'on présenterait le cercueil, il se jetterait dessus en hululant, les yeux bouffis de larmes. Mais d'un autre côté, Morten réagirait exactement pareil en voyant un chiot en train de lécher un chaton sur YouTube. Ça ne comptait pas vraiment.

Et puis il y avait Assad.

Il se tourna vers lui qui, consciencieusement, essayait de suivre les paroles du psaume. Touché, Carl posa affectueusement la main sur son avant-bras. Oui. Lui, il serait là. Et il serait peut-être le seul.

Assad interrompit ses vocalises. « Pourquoi est-ce que vous me touchez le bras, chef ? Vous voulez me dire quelque chose ? » murmura-t-il.

Carl sentit un sourire frémir aux commissures de sa bouche. Il avait failli se trahir.

Le restaurant Hedelund était l'endroit où Carl avait tenu le premier et le seul discours de son existence. Jeune communiant aux cheveux lissés à la brillantine, la voix tremblante, il avait remercié ses parents pour la réception et pour le magnétophone. Ils avaient souri, sa mère y était allée de sa petite larme et ça avait été tout.

Des années plus tard, en cette journée pluvieuse, ils étaient rassemblés dans la même salle, avec buffet de petits-fours et boissons à volonté, à faire comme si le temps n'avait pas passé et comme si les circonstances n'étaient pas lugubres.

Ronny avait été conduit au crématorium, une sage précaution, de l'avis de Carl. Avec lui, vivant ou mort, on ne pouvait jamais savoir quand la foudre allait tomber.

Carl regarda les gens dans la salle. Qui Ronny avait-il choisi pour lancer la bombe ? Qui allait se lever dans un instant, un morceau de papier à la main, et lire les horreurs posthumes que son cousin Ronny avait probablement écrites à l'intention de ceux qui lui survivraient ? Quand ce salopard allait-il pouvoir commencer à se gausser dans l'au-delà du sale tour qu'il avait joué aux différents membres de sa famille, et à son cousin Carl au premier chef ?

« C'est un jeune homme sympathique, ton nouvel équipier, vint lui dire sa mère en regardant Assad, pris en sandwich entre la vieille tante Adda et son amie d'un âge tout aussi vénérable. Tu dis qu'il s'appelle Assad ? Tu ne trouves pas ça étrange comme nom par rapport à ce qui se passe en Syrie ? »

Carl haussa les épaules. « Je crois que c'est un nom assez commun au Moyen-Orient, maman. Mais tu as raison, il est bien. Sinon, ça ne ferait pas… » Il compta sur ses doigts. « … près de sept ans que nous travaillons ensemble. »

Plusieurs personnes autour d'eux dodelinèrent de la tête pour marquer leur assentiment. Sept ans, c'était long, même dans le Vendsyssel, sûr que ça devait être un bon gars. Du coup, personne n'osa évoquer ni ses origines, ni la couleur de sa peau, même s'ils en mouraient tous d'envie. Dans le Vendelbo, on était comme ça. Taiseux.

Quelqu'un tambourina de son couteau sur sa bouteille de bière et un cousin du côté de la mère de Carl se leva.

« Le notaire de la famille m'a demandé de lire devant vous une petite lettre que Ronny a jointe à son testament. »

Le moment était venu. Carl avala sa salive.

L'homme déchira l'enveloppe.

« Ce n'est pas très long. Ronny a dû vouloir éviter de nous déranger dans nos agapes. D'ailleurs, que diriez-vous de trinquer pour remercier le personnel de Hedelund pour cet excellent repas, et de porter un toast à Ronny qui a mis la main à la poche pour nous offrir ce bon moment ? »

La plupart des convives rirent poliment et trinquèrent, Carl s'abstint.

« Bon, alors, voilà ce qu'il nous dit :

Chers amis, chers tous. Depuis le tout nouveau temple bouddhiste où je repose, je tiens d'abord à vous remercier d'être là. J'ai toujours aimé faire la fête, comme vous le savez. Je vous invite donc à lever votre verre pour un rapide toast. »

Le cousin fit une courte pause, trop courte pour que les convives aient le temps d'obéir à cette invitation.

« Comme certains d'entre vous le savent peut-être, je détestais cordialement mon géniteur. Chacun des mots que cet homme a prononcés dans son existence n'a servi qu'à me conforter dans l'idée que sa place était en enfer. »

Certains commencèrent à se tortiller sur leur siège. En particulier le père de Carl qui se mit à donner des coups de fourchette sur la nappe, les yeux braqués sur le lecteur de la lettre.

« Vous pensez peut-être que ce n'était qu'un vœu pieux. Mais je peux me féliciter, quant à moi, d'avoir fait en sorte qu'il se réalise. Oui, j'ai tué mon père, je tiens à le dire ici, en toute franchise. »

« Tu ne veux pas arrêter de lire ces conneries ! » s'écria le père de Carl tandis qu'un malaise général envahissait l'assemblée.

« Vas-y, lis ! » dit quelqu'un d'autre dans la salle. C'était Sammy, le frère de Ronny, qui s'était à moitié levé de sa chaise. « J'ai le droit de savoir. C'était mon père aussi !

— OK, alors je continue », dit le grand cousin avec un regard embarrassé vers le père de Carl. « Je peux, Gunnar ? Puisque Sammy me le demande ? »

Tout le monde se tourna vers Gunnar. Paysan, tanné comme du vieux cuir, fatigué jusqu'à la moelle des os, mais toujours droit et solide comme le roc. Carl vit son grand frère poser la main sur le poing fermé de leur père, une chose que lui n'aurait jamais osé faire. Mais les deux hommes assis au bout de la table étaient taillés dans le même bois, l'un éleveur de visons, l'autre fermier, des hommes qui ne demandaient jamais un service à personne et qui en rendaient rarement. Ils faisaient une belle paire, tous les deux.

Carl se prépara à accuser le coup. Dans un instant, ce serait vers lui que tous les regards se tourneraient. Il ne s'agissait pas d'une intuition, en l'occurrence, mais d'une certitude.

« Bon, j'y vais, reprit l'homme. Ronny écrit ceci :

J'ai décrit dans mon testament les circonstances exactes de sa mort, et je ne vais pas vous embêter avec ça, mais je tiens tout de même à remercier de tout mon cœur mon cousin Carl pour... »

Il le savait. Tous les regards ou presque se posèrent sur lui.

« ... m'avoir permis de me débarrasser de mon petit papa. C'est pourquoi je vous demande à tous de lever votre verre en son honneur : je ne doute pas qu'il soit présent aujourd'hui, connaissant ma tante Tove. Carl, je ne te remercierai jamais assez, car tu m'as rendu un immense service. »

Carl secoua la tête et écarta les bras. « J'ignore de quoi il parle. Il avait une tumeur au cerveau, ou quoi ?

478

— C'est tout ce qu'il a écrit ? rugit Sammy.

— Non, ça vient, dit le cousin avant de reprendre :

Carl était mon meilleur ami. Il m'a appris le karaté, et c'est grâce à lui que j'ai su comment paralyser mon père en lui administrant un seul coup. Je l'ai laissé s'écrouler dans la rivière et je suis parti sans me retourner, c'était simple comme bonjour. Carl a sciemment fermé les yeux sur ce meurtre, et je lui en suis infiniment reconnaissant. Pour cette raison, je souhaite lui léguer tout ce qui restera une fois que mon épouse aura eu la part qui lui revient. »

L'ambiance dans la salle de restaurant se fit glaciale. Tout le monde semblait retenir son souffle. L'insupportable silence d'avant la tempête. La tornade tournait autour de Carl à une puissance maximale. Mais dans quelques instants, il ne serait plus dans l'œil du cyclone et toutes les forces de l'enfer s'abattraient sur lui pour le détruire. Il n'avait nullement l'intention de les attendre sans rien faire.

« C'est un tissu de mensonges et c'est monstrueux ! gueula-t-il en regardant tour à tour les visages burinés d'oncles et de tantes et d'autres prétendus membres de sa famille qu'il ne connaissait ni d'Ève ni d'Adam. Je me rappelle cette journée comme si c'était hier, vous pouvez me croire, et c'est un souvenir effroyable. Je n'ai rien vu de ce qui s'est passé, parce que je discutais plus loin avec deux jolies campeuses qui s'étaient arrêtées au bord de la route avec leurs vélos. Je n'ai tourné le dos à rien du tout, parce que je ne regardais pas du tout dans cette direction. Je suis aussi choqué que vous par ce que je viens d'entendre.

— Attendez ! s'écria le lecteur. Ce n'est pas fini !

Et si Carl prétend autre chose, il ment. Nous sommes aussi coupables l'un que l'autre. Vous pourrez d'ailleurs lire l'épisode en détail dans mes mémoires, que j'ai d'ores et déjà fait parvenir à plusieurs grandes maisons d'édition. »

Carl retomba sur sa chaise. C'était une victoire par K-O. Comment voulez-vous vous défendre contre la parole d'un mort ? Et quel serait le prix à payer s'il n'y parvenait pas ? Sa famille lui tournerait le dos, sans aucun doute, ce qui restait dans le domaine du supportable. Mais si la chose était rendue publique ! Sa carrière serait anéantie et, pire encore, il perdrait sa réputation. Un homme qui entre dans la police alors qu'il est complice d'un meurtre ! Un enquêteur qui ne vaut pas mieux que ceux qu'il fait mettre sous les verrous !

« Venez », entendit-il derrière lui.

Carl leva la tête. C'était Assad, en veste noire et les cheveux bien disciplinés.

Il recula doucement la chaise de Carl. « Venez, chef, on s'en va. Ne vous laissez pas faire. »

Mais à l'instant où Carl se levait, le frère à moitié taré de Ronny se jeta sur lui. Il sentit ses côtes craquer sous l'impact de son épaule massive. La pogne aux phalanges tatouées de Sammy lui percuta la mâchoire. Et tandis que, sonné, Carl tombait en arrière, il sentit un bras le retenir dans sa chute pendant qu'un autre passait devant son visage et atteignait le front bronzé de Sammy, dans un bruit qu'il n'était pas près d'oublier.

Des protestations et des cris résonnèrent dans la salle tandis qu'Assad le traînait vers la sortie et que Sammy s'écrasait sur une table qui se brisa sous son poids, dispersant assiettes, verres et couverts sur le sol.

En quelques secondes ce fut la Berezina. C'était à prévoir !

« Qu'est-ce qu'on fait, maintenant, chef ? demanda Assad alors qu'ils roulaient sur Bredgade, et passaient devant l'église où Carl avait fait sa confirmation et où venaient de se tenir les obsèques de Ronny.

— Je ne peux pas partir comme ça. Il faut que je parle avec mon frère ou avec mes parents. Je ne peux pas les laisser avec ces soupçons. »

Au rond-point d'Aalborgvej, il demanda à Assad de prendre la nationale vers le nord.

« Quand tu verras l'hôpital à droite, tu prendras la première à gauche. On s'arrêtera un peu avant la ferme, et tu te gareras au bord de la route, je déciderai de ce que je veux faire quand les autres arriveront. »

Il regarda tristement vers la ferme tandis qu'Assad stationnait sur le bas-côté. C'était là qu'il avait été élevé. Là qu'il avait appris à faire la différence entre le bien et le mal et à se battre contre l'injustice. Là qu'il avait été blessé à la cuisse par une fourche, et là encore qu'il avait montré à son frère qu'on n'est pas forcément le plus faible sous prétexte qu'on est le plus jeune. Là qu'il avait eu son premier chien, et que son père lui avait donné un coup de fusil. C'était là qu'il avait connu sa première éjaculation, dans une meule de foin, un vieux numéro du magazine érotique *Variété* sur les genoux.

« Johannegården », la ferme de ses parents, l'endroit où sa vie avait commencé.

Ils attendirent une petite demi-heure en silence, avant que le 4×4 roulant à fond de train dans les ornières pleines d'eau n'apparaisse dans le rétroviseur.

« Je te parie qu'ils ne s'arrêteront pas », dit-il en sortant de la voiture et en se plantant au milieu du chemin de terre.

Il entendit parfaitement le cri d'Assad qui tenta de le mettre en garde quand il leva la main pour stopper le véhicule de ses parents qui lui fonçait dessus. Il entendit aussi les jurons de son père et de sa mère dans la cabine du pick-up alors que la voiture s'arrêtait à quelques centimètres de ses tibias.

En revanche, il refusa d'entendre les supplications de sa mère qui lui demandait de rentrer chez lui quand il ouvrit brutalement la porte côté conducteur. Car c'était hors de question.

« Je vais vous le dire encore une fois, droit dans les yeux et de manière concise, de façon à ce que vous vous le mettiez dans le crâne une bonne fois pour toutes : je n'ai rien à voir avec ce dont Ronny m'accuse dans sa lettre répugnante. Je suis au contraire aussi bouleversé que vous, en premier lieu parce que j'aimais son père plus que j'ai jamais aimé personne dans ma vie. Alors je vous le dis maintenant pour ce que ça vaut, et puisqu'on ne pourra jamais rien y changer : Birger Mørck m'a donné plus de confiance en moi et plus de courage qu'aucun d'entre vous, et je l'aimais et le respectais pour cela. Ton frère était un homme plein d'humour et de bon sens, papa. Tu aurais eu beaucoup à apprendre de lui, et nos relations auraient été moins bizarres qu'elles ne le sont devenues aujourd'hui si tu avais pris un peu exemple sur lui.

— Tu as toujours été comme ça, répliqua son père avec du mépris dans la voix. Révolté, opposé à toute forme d'autorité, provocateur. »

Carl retint la repartie acide qui lui brûlait la langue et dit simplement, si doucement qu'ils l'entendirent à peine : « Pourquoi crois-tu que j'étais comme ça, papa ? Tu n'as toujours pas compris ? Parce que tu ne faisais rien pour me rendre autonome. Mon oncle Birger, lui, le faisait, et c'est pour ça qu'il me manque encore aujourd'hui. Voilà ce que j'ai à dire pour ma défense. Et s'il te reste encore un minimum de jugeote, je trouve que tu devrais me laisser tranquille, maintenant.

— Tu as labouré le champ alors que je te l'avais interdit, tu as frappé ton grand frère, tu as laissé tomber l'exploitation. »

Carl hocha la tête. « Et tu n'as pas l'impression que mon frère Bent a fait la même chose ? Être éleveur de visons à Frederikshavn, ça en jette quand même plus que d'être fermier à Brønderslev, je te signale. Et si tu crois qu'il a l'intention de prendre ta suite quand tu passeras l'arme à gauche, je te conseille d'avoir une conversation sérieuse avec lui avant que maman se retrouve toute seule face à ce problème. Pourquoi aurais-je eu envie de reprendre la ferme, à l'époque ? Est-ce que tu me l'as demandé une seule fois ? Non, je ne crois pas.

— Je te le demandais à ma manière. Un flic comme toi aurait dû être capable de le comprendre, il me semble.

— Le frère de Ronny arrive ! » le prévint Assad, toujours au volant de la voiture de service.

Carl tourna la tête vers la route. Le pick-up du cousin était à son image. Phares antibrouillard de tous les côtés. Jantes extralarges et chromes partout, le tout monté sur une vieille guimbarde qui ne valait pas la moitié de ce qu'avait coûté le tuning. Un signe extérieur du plus éclatant complexe d'infériorité qu'on puisse imaginer.

« Je t'appellerai, maman », dit Carl en remontant en voiture. S'ils se dépêchaient, ils auraient le temps de faire demi-tour et de tourner sur la route de Sjerritslev avant que Sammy se soit mis en travers pour leur couper la route.

C'est alors que se produisit une scène à laquelle ils ne s'attendaient pas. À cinquante mètres d'eux, Sammy freina si brusquement qu'une gerbe d'eau éclaboussa son pick-up jusqu'au toit de la cabine. Son cousin en sortit et se mit à hurler à pleins poumons : « Il n'y avait rien à hériter ! » Puis il éclata d'un rire hystérique. « Ronny ne possédait pas un kopeck. Tout était au nom de sa femme. Tu n'auras rien, Carl, pas une couronne ! Tu peux rentrer chez toi à Copenhague-les-Bains et te bouffer les rognons, sale flic. » Et il se plia en deux de rire, presque au point de se casser la figure au milieu du chemin.

Si Carl en avait eu le courage, il l'aurait arrêté pour conduite en état d'ivresse.

« C'est bizarre quand même. Votre père avait l'air de vous soupçonner de l'avoir fait. Pourquoi ? demanda Assad une fois qu'ils eurent regagné la route principale.

— J'ai bien peur qu'il m'ait toujours cru coupable. Quelquefois, on s'accroche à ce qui nous arrange, tu ne crois pas, Assad ? »

Son assistant hocha longuement la tête, mais il ne répondit pas.

« Il faut tourner ici », dit Carl au bout d'un moment en se faisant la remarque que le trajet s'était déroulé sans heurt. À aucun moment Assad n'avait eu une conduite dangereuse. Pas une fois il n'avait freiné avec brusquerie, ni doublé de façon hasardeuse.

« Dis-moi, Assad. Tu as pris des cours de conduite récemment ?

— Je prendrai ça pour un éloge, chef », se contenta-t-il de répondre.

Carl était bien convaincu de n'avoir jamais entendu ce mot-là dans la bouche d'Assad. Cet homme le surprendrait toujours.

35

Samedi 10 mai 2014

Après que Shirley s'était confiée à Valentina et que celle-ci lui avait raconté son rêve, elles s'étaient éloignées l'une de l'autre, et ça n'avait pas été du fait de Shirley.

« Tu ne veux pas qu'on se voie ce soir pour bavarder un petit peu ? » lui avait-elle proposé les jours suivants, mais après plusieurs refus, elle avait saisi le message.

Le rêve de Valentina l'avait marquée et Shirley avait recommencé à regarder la ceinture sur le rebord de la fenêtre, avec un intérêt renouvelé et renforcé. Était-il réellement absurde de penser que cette ceinture pouvait être celle de Wanda ? La dernière fois qu'elles s'étaient parlé, avec Valentina, celle-ci avait mentionné plusieurs autres épisodes troublants et inquiétants survenus à l'Académie de naturabsorption.

Pourquoi Valentina avait-elle si brusquement pris ses distances avec elle ? Ce revirement soudain donnait à Shirley le sentiment qu'elle avait subi des pressions extérieures.

Serait-elle allée voir Pirjo ? Improbable puisque c'était elle que le rêve de Valentina accusait. Valentina s'était montrée également très préoccupée par la disparition soudaine de Malena, peu après que Pirjo lui avait rendu visite à l'hôpital.

Valentina et Pirjo avaient-elles passé un accord ? Shirley avait tendance à le croire en voyant qu'à présent, lors de la grande réunion, Valentina choisissait de s'installer du côté opposé à celui où elle-même se trouvait, tout près de la porte où Pirjo faisait son entrée.

On sentait qu'un lien s'était créé entre les deux femmes, qui allait au-delà de ceux que tissait habituellement le bras droit d'Atu avec les autres disciples.

En outre, quand Shirley croisait Pirjo, elle sentait son regard se poser sur elle d'une manière différente. Ses yeux observaient mais ils ne cherchaient pas le contact. Pirjo ne lui parlait plus du tout, à vrai dire. Elle lui faisait parfois un signe de tête ou esquissait un sourire, mais ça s'arrêtait là.

Shirley avait souvent songé qu'elle devrait en parler à Atu, mais toutes les audiences avec Atu passaient par Pirjo, alors comment faire ?

Il lui arriva de penser que Pirjo la haïssait. Et si c'était le cas, Shirley savait que son avenir était compromis à l'Académie de naturabsorption.

Elle était face à un terrible dilemme. Car aussi inconfortable que soit sa position actuelle, et quels que soient les moyens employés par Pirjo pour la rendre plus précaire encore, Shirley était fermement déterminée à rester au centre, coûte que coûte. Que pourrait-elle faire d'autre ?

Rentrer à Londres et affronter le chômage, les médiocres conditions de logement, reprendre ses mauvaises habitudes et commettre les mêmes erreurs – rencontres de hasard et sexe sans amour avec des hommes à côté desquels elle n'avait pas envie de se réveiller ? Non, c'était hors de question. Personne ne l'attendait là-bas, de toute façon. Hormis ses parents, personne ne devait même s'être aperçu de son départ. Et il fallait voir les choses en face, ses parents n'avaient pas envie de la voir non plus, ils le lui avaient clairement fait sentir. Depuis qu'elle était ici, elle leur avait écrit au moins dix fois et la seule réponse qu'elle avait reçue de leur part, c'était une carte postale disant que tant qu'elle s'obstinerait à vivre au milieu des hérétiques, elle pouvait s'abstenir de leur donner des nouvelles.

Déterminée à ne pas se laisser chasser, Shirley essaya de capter le regard de Pirjo lors du grand rassemblement du samedi, de façon à lui faire comprendre qu'elle avait besoin de rétablir le contact. Elle y parvint l'espace d'un court instant, pendant lequel Pirjo la regarda droit dans les yeux et sans animosité.

Shirley crut même déceler un sourire furtif sur son visage. Il dura exactement une demi-seconde.

Mais Shirley sentit un froid glacial la traverser lorsqu'elle vit le sourire de Pirjo se figer.

Elle avait tout à coup eu l'impression de se trouver en face d'une femelle araignée qui vient de sentir sa toile vibrer.

La maison était située de l'autre côté de la ville, et si près du rivage qu'il ne faudrait attendre ni le réchauffement climatique ni une montée des eaux pour que la mer la prenne un jour. Elle était dans un état d'abandon qui la rendait impropre à une utilisation à l'année. Ce ne serait pas une grosse perte si elle venait à disparaître.

« Ça sent le crottin de chameau, fut le commentaire d'Assad en découvrant les lieux.

— C'est l'odeur de la mer du Nord et des algues que tu sens. Et parfois, l'odeur est bien pire qu'aujourd'hui. »

Assad attira son attention sur un individu qui venait d'émerger sur le pas de la porte et qui essayait, malgré son dos voûté, d'afficher une certaine autorité.

« Je te présente Johannes Tausen, authentique professeur de théologie émérite.

— Ça veut dire quoi, émérite ?

— Ancien, ex, retraité, si tu préfères.

— Excusez-moi, je vous salue de la gauche », dit le professeur en leur serrant la main d'une griffe nouée par les rhumatismes. Carl ne put s'empêcher de regar-

der l'autre main qui était encore pire, totalement inu-
tilisable, en fait. Ça faisait peine à voir.

« À part les douleurs, on s'habitue », dit-il en les
invitant à entrer.

En tremblant, il leur versa une tasse de thé qui fleu-
rait bon l'earl grey et s'assit face à eux, aussi attentif
que s'il s'était agi de résoudre le mystère de la Création. Et quand il prit la parole après avoir pris connaissance de la raison de leur visite, Carl réalisa que ce
n'était pas loin d'être la vérité.

« J'ai donné quelques conférences à l'Université
populaire, au cours de l'automne 1995. Tout le monde
avait la possibilité de venir les entendre.

— "De la mythologie des étoiles à la chrétienté",
c'est ça ? intervint Carl.

— C'est ça. Elles ont attiré un public nombreux, en
raison du sujet controversé. De nos jours, le thème fait
débat un peu partout et il ne suscite plus de polémiques.
Au départ, c'était une série de théories publiées par
une jeune scientifique américaine qui avaient suscité
mon intérêt. Des théories audacieuses qui avaient été
à l'origine d'un certain nombre de débats au sein de
la faculté américaine de théologie. J'avais trouvé sa
démarche assez rafraîchissante. Je me suis laissé dire
qu'il existe une vidéo sur YouTube qui explique plus
ou moins les mêmes théories que les miennes. L'émission est intitulée "Zeitgeist", je crois. Je ne l'ai pas
vue, parce que je n'ai pas Internet ici. Mais j'arrive
assez bien à m'en passer. »

Il poussa le sucrier vers Assad et suivit avec intérêt
l'usage intensif qu'en faisait ce dernier. « Il y en a

encore dans la cuisine, si vous voulez », dit-il, plein d'admiration.

Assad leva poliment la main. Il avait sa dose.

« Je crois que je me souviens de l'homme dont vous parlez. Vous devez savoir que s'il n'avait pas de quoi offusquer un public danois, même à l'époque, le sujet avait tout de même attiré de nombreux sceptiques et surtout leur contraire. C'est un thème qui peut vite devenir dogmatique. Je crois que c'est ce qui est arrivé à la jeune femme que j'évoquais précédemment et je crois malheureusement que c'est aussi ce qui s'est passé avec Frank.

— Vous vous rappelez son nom de famille ? »

Il sourit. « Vous devriez déjà trouver admirable que je me rappelle son prénom ! Non, nous n'utilisions pas nos noms de famille. Il devait être inscrit dans la liste de mes étudiants, mais j'avoue ne l'avoir jamais regardée de près.

— Une liste ? Est-ce qu'elle existe encore ?

— Oh là là, non. Je n'ai pas pour habitude de stocker de la paperasse.

— Croyez-vous que l'Université populaire les conserve ?

— Cela m'étonnerait. Si elle les garde dix ans, c'est le bout du monde. Je ne serais pas surpris qu'elle s'en débarrasse avant.

— Le nom de Frank Skotte vous évoque-t-il quelque chose ?

— Skotte ? » Il réfléchit quelques instants. « Non, ça ne me dit rien. C'est comme ça qu'il est censé s'appeler ? »

Carl haussa les épaules. « C'est le seul nom que nous ayons pour l'instant. Mais il n'y a pas de Frank Skotte au Danemark d'après les registres de l'état civil. »

Le professeur sourit à nouveau. « Alors, c'est que ce n'est pas le bon nom. »

La tête de Carl oscilla un peu. Logique. « Comment était-il, ce Frank ?

— Ce garçon ne ressemblait pas à tout le monde. Je crois pouvoir affirmer que ce cours fut pour lui une sorte de révélation. Dans ma carrière j'ai rarement eu affaire à un élève qui posait autant de questions. On se souvient toujours de ces élèves-là. Nous, les enseignants, aimons bien quand on nous renvoie la balle.

— C'était lui ? » demanda Assad en lui tendant la photo de l'homme au combi Volkswagen.

Le théologien plissa les yeux avant de chercher à tâtons ses lunettes sur la table et de les chausser.

« Cela remonte à dix-huit ans, au moins, mais oui, ça pourrait être lui. »

Ils lui laissèrent tout le temps qu'il fallait.

« J'ai l'impression que c'est lui. Je le revois plus nettement que tout à l'heure, à présent. Il doit y avoir une raison. Il n'est pas impossible que ce soit lui, en effet.

— Nous le recherchons par rapport à un accident qui s'est produit à Bornholm, il y a plusieurs années, et nous vous serions très reconnaissants de toute information supplémentaire qui pourrait nous permettre de retrouver sa trace », dit Carl.

Johannes Tausen fronça les sourcils, ce qui eut pour effet de dessiner des rides sur la peau fine de son front. On voyait que le vieil homme avait peur de dire des choses inexactes, au risque de faire du tort à quelqu'un par erreur. Carl avait observé cette expression des milliers de fois.

« Pouvez-vous nous raconter simplement ce qui vous passe par la tête ? Je vous promets que nous trierons vos informations avec discernement », dit Carl, bien conscient que c'était un mensonge. Ce qui était dit était dit.

« Je vois, dit le professeur, déglutissant plusieurs fois. Dans ce cas, je crois me rappeler l'avoir entendu dire un jour que mes conférences avaient changé sa vie. Qu'après, il avait eu une vision plus claire de ce qu'il devait faire de sa vie.

— C'est-à-dire ?

— Je vais vous faire un court résumé du thème de ces conférences, proposa-t-il. Vous en déduirez ce que vous voudrez. Il y a une grande part d'extrapolation. Je n'ai pas eu beaucoup l'occasion de pratiquer cet exercice par la suite, mais j'avoue que cela m'avait beaucoup amusé. »

Les yeux du vieil homme se mirent à briller. Sans doute parce qu'on lui offrait une opportunité d'enseigner à nouveau, ou alors parce que ce qu'il s'apprêtait à dire avait une place particulière dans sa mémoire.

« Vous connaissez les signes astrologiques, n'est-ce pas ? Le Lion, le Scorpion, la Vierge, etc. Douze signes connectés aux saisons, mais aussi à la rotation de la terre. Les horoscopes attribuent à ces signes une influence, assez contestable selon moi, qui correspond cependant à certaines réalités du monde, en tout cas si l'on considère uniquement l'hémisphère Nord. Le Verseau est le signe de la renaissance avec les pluies du printemps, par exemple.

— Moi, je suis Lion, déclara Assad. Et c'est aussi la traduction de mon prénom, c'est rigolo, hein ? » ajouta-t-il.

Le professeur hocha la tête. « Les douze signes forment un cercle autour de la terre qu'on appelle le zodiaque. En une année, le soleil décrit un large tour en suivant ce cercle pendant que la terre, elle, tourne sur elle-même en l'espace de vingt-quatre heures en suivant un cycle bref entre les quatre points appelés le levant, le zénith, c'est-à-dire le point le plus haut dans le ciel, le couchant et enfin le nadir, qui est le point le plus bas. Vous me suivez ? »

Carl acquiesça. Cela paraissait assez évident. « Moi j'appelle ça le matin, le midi, le soir et la nuit », dit-il, laconique.

Le professeur sourit, indulgent. « D'un point de vue astronomique, ce schéma correspond aux solstices d'été et d'hiver et aux deux équinoxes. Si on trace les deux axes entre le zénith et le nadir et entre le levant et le couchant, on obtient une croix traversant les arcs solaires, connue communément sous le nom de croix du Soleil. »

Il baissa la tête et leva les sourcils. Ils allaient maintenant savoir où il voulait en venir.

« Certains appellent cette croix le "Soleil crucifié". On l'a retrouvée gravée sur des pierres découvertes sur les lieux de vie de civilisations primitives, ce qui a constitué un point de départ pour connaître leurs religions et leurs coutumes, toutes fondées sur les astres. »

La bouche sèche, il sortit tant bien que mal une minuscule réglisse de sa boîte jaune et la mâcha quelques secondes avant de pouvoir recommencer à parler.

« En résumé, de nombreuses religions sont issues des histoires inspirées à l'humanité par les constellations célestes, et c'était là le thème principal de ces conférences. Le soleil qui est en forme de cercle à l'instar du zodiaque est une très vieille étoile, et il n'est pas surprenant qu'avec sa merveilleuse énergie vitale il soit devenu l'incarnation de Dieu, de la Création, de la lumière de l'univers et le sauveur de l'humanité. De nombreuses religions à travers le monde ont utilisé les signes du zodiaque et l'astre solaire pour en faire des dieux et autres figures mythologiques. Mes conférences tendaient à démontrer que ces légendes sont parfaitement identiques à travers les âges et dans la plupart des religions.

— Les Égyptiens vénéraient le dieu Horus », dit Assad.

Le vieil homme pointa son doigt crochu vers lui. « Exactement, l'ami. Vous avez tapé dans le mille. Trois mille ans avant Jésus-Christ, on vénérait Horus, la divinité de la lumière, et Seth, qui incarnait l'ombre. La légende veut que Horus, le bon dieu, gagne chaque matin son combat contre Seth, le méchant dieu qui de manière un peu simpliste représente la nuit. Dans d'autres religions, on les appelle Dieu et le diable.

Mais mille cinq cents ans avant Jésus-Christ, les hiéroglyphes qui nous en parlent racontaient aussi en détail un tas d'autres histoires qui vous étonneraient sûrement. Figurez-vous que la plupart des personnages de l'Ancien Testament étaient décrits dans leurs moindres détails déjà à cette époque. Moïse dans son panier d'osier, connu en Égypte sous le nom de Mises, en Inde sous celui de Manou et en Crète sous celui de Minos, par exemple. Les hiéroglyphes relatent l'histoire du Déluge, qu'on retrouve également dans l'un des premiers chefs-d'œuvre littéraires de l'humanité, l'*Épopée de Gilgamesh*, qui est supposé avoir régné deux mille six cents ans avant Jésus-Christ. Les juifs pratiquants viendront sans doute vous dire qu'ils ont le monopole de ces histoires, mais le plus drôle, si j'ose m'exprimer ainsi, c'est que le Nouveau Testament regorge également d'histoires similaires à celles qu'on peut lire dans les hiéroglyphes égyptiens.

— Vous voulez dire l'histoire du Christ prophète, suggéra Assad. Les Rois mages, l'étoile du Berger et tout ça ? »

Carl était sidéré. Ayant été élevé dans le Vendsyssel, où on apprend la Bible dès sa plus jeune enfance, il n'était pas anormal qu'il se souvienne de son catéchisme, mais qu'Assad, un musulman, connaisse aussi bien l'histoire chrétienne, avait de quoi surprendre.

Le professeur brandit à nouveau sa main gauche toute recroquevillée vers Assad. Un geste qu'il avait dû faire souvent au cours de sa longue carrière d'enseignant.

496

« Absolument ! Et Horus, que nous avons cité précédemment, était né d'une vierge le 25 décembre. Sa naissance fut annoncée par une étoile au levant. Il reçut l'hommage de trois rois. Il commença à enseigner à l'âge de douze ans, fut baptisé à trente, eut douze compagnons ou disciples avec qui il voyagea et fit des miracles. Il fut trahi par Typhon, il fut crucifié et enterré et ressuscita le troisième jour. » Il se tourna vers Carl. « Ça ne vous rappelle rien ?

— Nom de Dieu, dit Carl, machinalement.

— Le juron est de circonstance, je dois dire, commenta le professeur avec un sourire.

— Et quel est le rapport avec Frank ?

— Patience, ce n'est pas tout. Quand on fait le tour des personnages les plus éminents dans l'histoire des religions, on s'aperçoit qu'ils ont de nombreux points communs. Je vous ai exposé les similitudes entre la vie d'Horus et celle du Christ, eh bien, figurez-vous qu'on retrouve les mêmes similitudes dans d'autres religions : la date de naissance, les rois, l'étoile, les disciples, les miracles, la trahison, la crucifixion, la mort et la résurrection, pour ne citer que les points essentiels. On raconte la même histoire à propos du dieu Attis en Grèce et du dieu Mithra en Perse mille deux cents ans avant Jésus-Christ, de Krishna en Inde neuf siècles avant Jésus-Christ, de Dionysos en Grèce cinq cents ans avant Jésus-Christ. Mais aussi dans d'autres lieux comme l'Hindoustan, les Bermudes, le Tibet, le Népal, la Thaïlande, le Japon, le Mexique, la Chine et l'Italie. Et ma liste n'est pas exhaustive.

Chaque fois, c'est la même histoire avec d'infimes altérations. »

Le mot « altération » sembla laisser Assad perplexe.

« Des changements, des ajustements, tu comprends, Assad ? »

Il fit signe que oui mais garda sur le visage cette expression que Carl ne parvenait pas à interpréter.

« Ce Frank que nous recherchons m'a donné l'impression d'être un adorateur du soleil ou quelque chose dans ce goût-là, hasarda Carl. Mais peut-être que je me trompe. Où est-ce que vous le situeriez dans ce contexte ? »

Le professeur leva encore une fois son doigt déformé. « Patience, monsieur Mørck, patience. J'y arrive. »

Il pêcha une nouvelle petite pastille de réglisse dans le minuscule paquet. « Je suis désolé, on m'a enlevé une glande salivaire d'un côté ; cancer. Alors il faut que je stimule régulièrement celle qui me reste pour qu'elle produise de quoi m'humecter la bouche. Ces réglisses sont formidables. Servez-vous, je vous en prie. »

Il poussa la boîte vers eux. Carl accepta, par politesse.

« Le sujet est complexe. Je pourrais tenir des heures. » Il le portait sur son visage, il n'y avait aucun doute à ce sujet. « Mais ne vous inquiétez pas. Ce à quoi je voulais en venir, c'est que les points de convergence entre les histoires de toutes ces religions sont toujours liés à des phénomènes astronomiques, et souvent astrologiques. Examinons l'épisode de la naissance, par exemple : né d'une vierge le 25 décembre, déniché par les trois sages, les trois rois qui suivent l'étoile vers le levant. Voyons d'abord l'explication astronomique. Vue de l'hémisphère Nord, l'étoile la plus lumineuse de la galaxie en décembre est Sirius, qui se trouve dans l'alignement des trois supergéantes de la ceinture d'Orion, également appelées… ?

— Les Rois mages », proposa Assad.

L'index déformé ne se fit pas attendre. « Exactement. Les Rois mages se trouvent donc dans l'alignement de l'étoile la plus lumineuse de la galaxie, et ces trois rois pointent vers le bas et le levant précisément le 25 décembre. Voilà pourquoi on dit que les Rois mages "suivent" l'étoile vers l'est, vers le soleil levant, symbole de vie et sauveur de l'humanité. Au-dessus brille la constellation de la Vierge, aussi appelée la Maison du pain. Si maintenant nous regardons l'endroit où se trouve le berceau du Christ dans notre foi judéo-chrétienne, la ville de Bethléem, et que nous traduisons ce mot hébreu, nous découvrons qu'il veut justement dire…

— La maison du pain ? s'empressa de répondre Carl, devançant pour une fois Assad.

— CQFD. Intéressons-nous maintenant à un autre point commun entre les différentes religions : la croix et la crucifixion. Cherchons les explications astronomiques. Les 22, 23 et 24 décembre, le soleil est, comme chacun sait, à son point le plus bas de toute l'année. Nous, les gens du Nord, y sommes particulièrement sensibles, parce que ce sont les jours les plus sombres et que les anciens interprétaient cette absence de lumière comme un signe de la mort elle-même. Car comment être sûr que le soleil se lèvera de nouveau ? À la même période, très exactement le 22 décembre, il y a deux mille ans, la petite constellation de la Croix du Sud apparut très vive dans le ciel. Trois jours après, Dieu soit loué, si j'ose dire, le soleil recommençait son ascension vers le nord. Le soleil lui-même, symbole de la puissance divine, est resté suspendu comme mort sous la croix et il est ressuscité. Et une fois de plus, notre Jésus-Christ partage cette destinée avec la plupart des autres dieux du soleil.

— Est-ce que ce sont des sujets dont on discute ouvertement au sein de la faculté de théologie ? s'enquit Carl.

— Couci-couça », fit Johannes Tausen de sa main la moins mauvaise. « La chose est évidemment connue, mais ces explications astronomiques de fond ne sont pas réellement admises dans les études théologiques.

— C'est surprenant », dit Carl en se demandant à quoi allaient lui servir ces nouvelles connaissances. Il aurait aimé savoir tout ça pour le sortir au pasteur qui leur faisait cours de catéchisme dans son enfance. Le brave homme aurait probablement avalé son dentier.

« Je pourrais vous citer de nombreux autres phénomènes qui montrent un rapport direct entre les constellations stellaires et les histoires de religions. Mais je vous ai promis de ne pas m'égarer, dit Tausen en fermant les yeux comme pour se concentrer. Je conclurai simplement en ajoutant que si l'on considère Jésus comme la personnification du don de la vie, le fils du soleil sur Terre, dit-il sans rouvrir les yeux, on se rend compte que la représentation du Christ, la tête auréolée d'une couronne de rayons lumineux, une croix derrière lui, ressemble à s'y méprendre à la croix solaire du zodiaque. Jésus est le fils de Dieu, la lumière de l'univers luttant contre les forces de l'obscurité. Et si l'on veut entrer dans les détails, la couronne d'épines n'est qu'une ombre autour de sa tête créée par les rayons du soleil passant à travers la canopée. » Il ouvrit les yeux et regarda ses visiteurs. « Je comprendrais que vous puissiez trouver cela difficile à admettre. Ça l'est aussi pour moi qui suis théologien et croyant. Mais comme je vous l'ai dit, il ne s'agit là que d'un rapide condensé d'une série de conférences et il est possible qu'aujourd'hui, j'aie pris un peu trop de raccourcis. »

Assad resta impassible, mais le scepticisme a de nombreux visages.

« C'est assez… incroyable…, dit doucement Carl. Une théorie comme celle-là déstabiliserait n'importe quelle communauté religieuse. »

Le vieux professeur sourit. « Nullement. Il suffit de rassembler toute l'humanité autour de cette histoire comme étant la seule qui soit vraie. Le fait qu'elle se répète encore et toujours ne peut être qu'une preuve supplémentaire de sa véracité. N'oubliez pas que l'homme a besoin d'un sauveur et d'une figure fédératrice. Moi en tout cas, c'est ainsi que je vois les choses.

— Et c'est ce que Frank se disait, n'est-ce pas ? demanda Assad.

— Vous avez parfaitement compris mon propos. C'est exactement à cela que je voulais en venir.

Puisque la plupart des religions connues semblent être liées aux mouvements du soleil et des étoiles et qu'elles s'en sont inspirées depuis le commencement de l'humanité, cela signifie que toute vie sur terre et dans l'univers est une conséquence de l'interaction de ces constellations, et qu'il suffit de les observer pour comprendre l'infini et Dieu lui-même, si nous le voulons. »

Il resta un petit moment sans rien dire, les yeux dans le vague, comme s'il venait d'avoir une nouvelle révélation.

« À mesure que je vous parle, je réalise que je me souviens d'une partie de ce que Frank m'a dit l'une des dernières fois où nous nous sommes parlé. »

Carl retint son souffle.

« Il a dit quelque chose comme ça : "Pour pouvoir appréhender le surnaturel dans son ensemble, accepter tout ce qu'on ne comprend pas, il suffit de se soumettre à la seule chose dont on est sûr, c'est-à-dire que le soleil nous donne la vie, et la nature notre pain quotidien. Horus fut le premier dieu du Soleil, croire en lui répond au besoin instinctif de l'homme qui est de vénérer le soleil, de traiter la nature avec respect et d'en prendre soin. Nous ne le faisons pas suffisamment aujourd'hui, mais il est grand temps que nous nous y mettions." Et il me semble qu'il a ajouté : "Et le plus vite possible."

— C'est la dernière phrase qu'il vous a dite ?

— Oui. Enfin après, il m'a remercié, bien entendu.

— Et vous pensez qu'ensuite, il a embrassé une sorte de religion nouvelle ? demanda Assad.

— C'est assez probable, oui. »

Assad se tourna vers Carl : « Ce n'est pas la première fois qu'on nous dit ça, hein, chef ? »

En effet, les témoignages de Bornholm allaient aussi dans ce sens. L'homme qui cherchait des pierres de soleil et Beate Vismut, la femme non voyante, l'avaient senti, eux aussi.

« Rappelle-moi, Assad, ce que Beate Vismut a dit à Rose à ce sujet ? »

Il feuilleta son calepin une trentaine de secondes tandis que Carl et le professeur attendaient en le regardant faire. « Voilà, c'est là. Elle a dit que Frank était un cristal pur, qu'il avait vu la lumière véritable, qu'il s'était miré dedans et qu'il ne pourrait plus vivre sans elle.

— Vous voyez, dit le professeur, c'est ce que je vous disais. L'homme que vous cherchez vit selon ces préceptes. Il vénère Horus comme étant la représentation du soleil et de la nature.

— Croyez-vous qu'il se prenait pour le nouveau messie et que vos conférences lui ont fourni le moyen d'étayer son discours ? » demanda Carl.

Le vieil homme fronça les sourcils. « Peut-être pas quand même. Mais on ne peut jamais savoir, n'est-ce pas ? »

37

Dimanche 11 mai 2014

Pirjo se réveilla avec un mauvais pressentiment, comme avant un examen qu'on n'a pas assez préparé, ou le lendemain d'une dispute au cours de laquelle des paroles irrémédiables ont été prononcées.

Elle regarda l'heure et décida de se lever. Dans moins d'une minute, le réveil allait sonner de toute façon. Il était trois heures cinquante-neuf, trois quarts d'heure avant le lever du soleil.

Elle entendit le pas d'Atu dans le couloir. Comme tous les jours, il était en route pour la plage. Et malgré de lourds nuages de pluie, il allait prier en accueillant les premières lueurs du jour.

Comme lui, Pirjo avait ses rituels du matin.

Elle commençait par réveiller les nouveaux élèves. Puis elle les accompagnait dans la cour centrale, pour une séance de purification où ils se douchaient tous ensemble avant d'aller se laisser sécher à l'air libre sur la terrasse, face au soleil levant.

Les nouveaux arrivants retournaient ensuite dans leurs bungalows où ils prononçaient quelques incantations brèves et silencieuses vers la voûte céleste.

Les disciples et les résidents intérimaires étaient déjà à l'œuvre dans leurs différentes fonctions. Le rôle de Pirjo était de faire le tour des chambres pour s'assurer que tout le monde était prêt. Il arrivait que certains oublient de se réveiller ou qu'ils soient souffrants. Pirjo devait faire attention à ce que la cérémonie de l'Éveil ne soit en aucun cas perturbée par quelque retardataire. Atu avait clairement exigé que les fautifs s'occupent à autre chose en attendant, mais il arrivait de temps en temps qu'un pensionnaire tente de se faufiler malgré tout.

Ce matin-là, trois personnes étaient malades. Elles avaient vomi toute la nuit. Pirjo alla chercher du thé vert pour les deux premières et elle laissa la troisième dormir, ce qui souvent s'avérait être le meilleur des traitements. Elle se retrouva donc dans le couloir à une heure où elle aurait déjà dû être en chemin pour l'enclos circulaire et surprit deux hommes en conversation.

Ils avaient tout leur temps pour arriver à la séance et marchaient dans le couloir d'un pas tranquille. Malgré la pénombre, elle reconnut la silhouette et la voix de deux anciens. Le premier était le responsable des cultures sous serre et l'autre s'était vu confier la tâche de construire un nouvel enclos circulaire orienté au nord. On ne pouvait pas leur tenir rigueur de prendre leur temps, car comme tous les jours, ils avaient devant eux une lourde journée de labeur.

« Tu trouves qu'on devrait aller voir Atu ? demandait le premier.

— Je ne sais pas, dit l'autre.

— On ne peut pas aller voir Pirjo, ce serait un peu comme de prendre parti, je trouve.

— En même temps, s'il s'est réellement passé de mauvaises choses ici et que Pirjo y a pris part, comment veux-tu que nous retrouvions notre sérénité ?

— Je ne crois pas que Pirjo ait quelque chose à voir avec ça. C'est Shirley qui détruit l'harmonie ici, pas Pirjo.

— Tu as sûrement raison. Alors tu crois que ce serait une mauvaise idée d'aller voir Atu pour lui demander de faire taire la rumeur ?

— Oui. J'en suis sûr. Shirley n'est pas à sa place. Tout ira bien quand elle sera partie. »

Pirjo resta immobile jusqu'à ce que les deux hommes sortent par la porte au bout du couloir.

« Tout ira bien quand elle sera partie », c'est ce qu'ils avaient dit. Et en ce qui la concernait, le plus vite serait le mieux.

Elle prit le couloir qui conduisait à son bureau, dépassa la porte des appartements d'Atu et ouvrit la dernière, celle qui menait dans la salle de contrôle de l'installation d'énergie solaire.

Il ne lui fallut pas plus de deux minutes pour dévisser les cosses, ouvrir l'onduleur et dénuder les câbles.

Elle se félicita d'avoir bien observé les gestes de l'électricien.

Le temps avait été couvert au lever du jour, mais aussitôt que le soleil passa la ligne d'horizon, les nuages se dispersèrent et le paysage se révéla dans toute sa splendeur.

Atu attendait comme à l'accoutumée à sept mètres au-dessus du sol sur la plate-forme dressée au milieu de l'enclos circulaire, les cheveux mouillés, tourné vers l'est, absorbé dans la contemplation des miroitements du soleil levant à la surface de l'eau.

Avec ses cheveux brillant d'une nuance dorée et sa robe jaune flottant dans la brise matinale, il était beau comme un dieu.

Il se tourna vers ses disciples et tous le regardèrent dans un silence religieux.

« Levons nos bras et saluons le soleil », dit-il.

Trente-cinq paires de bras se tendirent vers la mer et tous se tinrent ainsi immobiles, jusqu'à ce qu'Atu les invite à respirer profondément douze fois puis à glisser leurs mains le long de leur corps afin de libérer les énergies encore retenues par la nuit.

« Je vous sens, et je vous vois. Abanshamash, Abanshamash », murmura-t-il en tendant les bras en avant, ses manches amples battant comme des drapeaux. « Je vous vois, continua-t-il. Je vous vois et vos esprits me font signe. Vous êtes prêts. Aujourd'hui est le cent trente et unième jour de l'année et il est long de neuf heures et vingt-deux minutes. Dans trois jours la lune sera pleine et le soleil gagnera en puissance. Les hélianthèmes, les potentilles et les orchidées fleurissent. Nos serres sont pleines de haricots, de concombres et d'oignons. Les pommes de terre nouvelles et les asperges seront bientôt sur nos tables. Rendons grâce.

— Horus, Horus, entama la foule en un chœur parfait. Nous sommes tes serviteurs et te rendons grâce pour la force que tu nous donnes. Laisse-nous marcher dans tes pas et cultiver ta terre pour que demain nos enfants puissent eux aussi se nourrir à ton sein. Fais que nous soyons prêts quand tu hibernes et que jamais nous n'oubliions ton existence. »

Puis le chœur s'arrêta aussi soudainement qu'il avait commencé. Comme chaque fois.

Atu tendait vers eux ses bras écartés. « N'oubliez pas qu'un guide est là pour nous, mais gardons-nous de prêter aux dieux une quelconque existence. Vivons au contraire avec la conviction que nous ne savons rien de l'infiniment grand et concentrons-nous sur ce qui est à notre portée. Au lieu de vouloir toujours plus, apprenons à nous contenter de peu. Apprenons à sentir la nature et à nous soumettre à elle, souvenons-nous que l'être humain n'est qu'une petite parcelle d'un tout, et que l'individu ne peut être grand que dans sa capacité à être humble. »

Ensuite il baissa les yeux et regarda l'assemblée.

Il y avait une grande tendresse dans ses yeux quand il croisa le regard de Pirjo. Les mains sur son ventre, elle songea qu'elle aurait dû ressentir un grand bonheur à cet instant. Au lieu de ça, pour la première fois dans une de ces réunions, elle avait un sentiment de vulnérabilité et d'inquiétude.

Si elle n'agissait pas très vite, elle allait perdre le contrôle.

Elle étudia les visages des nouveaux pensionnaires l'un après l'autre. Tous ces naïfs qui dès la première séance se mettaient à respirer plus fort et plus profondément simplement parce que Atu s'adressait à eux et qu'ils se sentaient privilégiés. Elle ne pouvait pas prendre le risque de fragiliser leur dévotion. Quand, dans six mois, elle se tiendrait ici devant eux avec l'enfant d'Atu dans les bras, il faudrait qu'elle leur apparaisse comme celle qu'elle était en ce moment, pure, irréprochable, une icône. La mère de l'enfant d'Atu, le fils du rédempteur.

Atu leur souriait à présent comme un père sourit à ses enfants.

« J'informe les nouveaux arrivants que nous allons maintenant tous ensemble effectuer une série d'exercices de Naturabsorption. Quand nous aurons terminé, je vous demanderai de monter me rejoindre en compagnie de vos tuteurs. Vous avez probablement déjà compris que les voies spirituelles que vous avez choisies jusqu'ici n'ont aucune importance dans cet endroit ? Vous n'êtes pas ici pour cultiver votre connaissance de vous-même ou pour travailler sur les questions auxquelles d'autres mouvements spirituels s'intéressent. Vous n'êtes pas là pour que votre esprit et votre conscience soient au cœur du débat ni pour vous soumettre à un dogme ou à un credo quelconque. Vous êtes seulement là pour apprendre à *être*. Pour nous, Horus est le Grand Tout parce que Horus représente à lui seul toutes les réponses à la question que des gens très intelligents se posent depuis des milliers d'années : d'où venons-nous et surtout, pourquoi sommes-nous sur cette terre ? Il vous arrivera peut-être de penser que nous sommes tout autant dans la pensée magique que les autres mouvements spirituels que vous connaissez. Mais dans ce cas, essayez de vous souvenir que les gestes que nous faisons et les mots que nous disons quotidiennement ne sont que des rituels. Notre rôle, dans ce centre, est d'apporter la paix dans vos âmes à l'aide de méthodes simples. Invoquer Horus est juste une façon de remercier la vie et les présents que la nature nous donne. Quand vous parviendrez à faire cela avec sincérité, vous sentirez naître en vous les seules qualités humaines qui soient vraiment utiles : l'amour de son prochain, la compassion, la paix de l'esprit. Vous pourrez sans crainte envisager l'avenir et vous aurez la force de regarder en arrière et d'accepter le passé sans regret ni tristesse. »

Il leur demanda de s'asseoir par terre.

« Toute connaissance se fonde sur la rencontre entre ce que nous savons et ce que nous ignorons, c'est pourquoi… », commença-t-il.

Quand cette partie de la séance fut terminée et que les nouveaux furent montés sur l'estrade, le visage plein d'espoir, quand les autres partirent vaquer à leurs occupations, Pirjo prit Valentina à part.

« Oui ? dit celle-ci, apparemment peu désireuse de se laisser entraîner où que ce soit.

— J'ai de bonnes nouvelles, Valentina. Nous avons eu des nouvelles de Malena. »

La jeune femme recula d'un pas et porta une main à sa poitrine.

« Malena ! s'écria-t-elle, l'air extrêmement soupçonneux.

— Elle nous a téléphoné ce matin, avant la réunion. Je ne crois pas qu'elle se soit rendu compte de l'heure qu'il était ici, à Öland, mais ça n'avait pas d'importance. Elle nous a raconté qu'elle vivait maintenant au Canada, dans une ville qui s'appelle Sutton. Un trou paumé au Québec avec une rue principale et une épicerie où elle trouve toutes les spécialités françaises qu'elle aime tant. Elle nous a dit qu'elle était toujours en déplacement, qu'elle voyageait de ville en ville et qu'elle gagnait sa vie en écrivant des lettres en français pour les gens. Elle voulait juste nous faire savoir qu'elle allait bien. Et c'est vrai que je lui ai trouvé une très bonne voix.

— Ah oui ? » dit Valentina, sceptique. Elle espérait évidemment autre chose. Un message personnel, peut-être.

« Je vois à quoi tu penses, Valentina, dit Pirjo avec un sourire. Elle nous a bien sûr demandé de te faire passer un message. Elle te remercie pour ton amitié et tout ce que tu lui as enseigné. Elle te fait dire qu'elle est parfaitement heureuse, maintenant.

— Amitié, elle a utilisé ce mot-là ?

— Absolument. Et elle l'a prononcé avec beaucoup de chaleur. »

Enfin le visage de la jeune femme se fendit d'un large sourire. « Et elle va revenir bientôt ?

— Je ne lui ai pas posé la question. Peut-être. Si elle en éprouve le besoin. Je suis sûre qu'elle se remanifestera très vite. »

Valentina avait le regard vide tandis qu'elle s'efforçait de changer son émotion en soulagement. « Même si je ne suis pas sûre d'être sincère en le disant, je suppose que c'est bien pour elle, si cela la rend heureuse, n'est-ce pas ? »

Pirjo la prit par le bras. Elle savait qu'elle avait son attention et sa confiance à cet instant. Ses cinq minutes de recherche sur Internet pour trouver une ville francophone à l'autre bout du monde avaient porté leurs fruits.

« J'ai une autre bonne nouvelle pour toi », dit-elle.

Valentina passa une main sur sa gorge. Une autre bonne nouvelle ? Pour elle ?

« Nous avons une mission à te confier. Tu vas partir en voyage. »

« Pouvez-vous venir me voir un instant, Shirley, s'il vous plaît ? Il y a une chose dont je voudrais m'entretenir avec vous. Il s'agit de votre avenir. »

La femme lissa sa toge sur ses hanches, un geste qu'elle avait gardé de son ancienne vie. Une vie où elle avait passé son temps à rentrer son ventre.

« Intéressant ! » dit-elle.

Vous ne croyez pas si bien dire, songea Pirjo en jetant un coup d'œil autour d'elle. Le couloir de l'administration était désert, l'accueil également, et, mieux encore, le soleil dardait maintenant ses rayons par les velux.

Je vais la laisser entrer la première. Je me demande combien de temps ça va prendre, se dit Pirjo. Si la première décharge la paralyse et qu'elle perd connaissance, je n'aurai pas la force de la remettre debout. Mais à ce moment-là, je n'aurai qu'à aller chercher un câble assez long pour la raccorder au tableau. Ça devrait marcher, enfin je crois. Elle ne se sentait plus très sûre de son plan tout à coup. Et si les fusibles lâchaient ? Et s'il y avait un court-circuit ?

Elle ralentit le pas. Son idée lui semblait délirante, à présent. Mais comment faire autrement ? Il fallait que cette femme disparaisse.

« Entrez dans mon bureau, Shirley, je vais vous faire part d'une idée que nous avons eue, Atu et moi. Oui, je vous en prie, passez devant. »

Elle désigna à Shirley la chaise qui se trouvait à côté de la porte de la salle de contrôle du système de chauffage solaire.

« Ah ! Quelqu'un a encore laissé cette porte ouverte. Ce vacarme est agaçant. Vous voulez bien aller la fermer, Shirley, vous seriez gentille.

— Qu'est-ce qu'il y a là-dedans ? » demanda Shirley, les sourcils froncés. Pirjo se demanda si c'était de la méfiance ou simplement de l'intérêt.

« C'est le local de contrôle de notre installation photovoltaïque.

— C'est vrai ? » s'exclama-t-elle avec un enthousiasme inattendu, repoussant la chaise sur laquelle elle allait s'asseoir.

Pirjo attendit un instant avant de la suivre. « Je peux vous montrer à quoi ça ressemble, si vous voulez », dit-elle en enfilant un gant de caoutchouc à la main droite tandis que Shirley pénétrait dans le local.

Pirjo jeta un coup d'œil au manomètre. Bien que la journée soit à peine commencée, la production d'électricité était déjà importante. En levant la tête vers le velux, elle vit que le ciel s'était déjà bien dégagé.

« Je suis désolée, il y a un peu de désordre aujourd'hui. Notre électricien a dévissé les cosses des batteries, il faut faire attention », la prévint-elle, prête à pousser la main de Shirley au milieu de la salade de fils.

« Que voulez-vous qu'il m'arrive ? dit l'Anglaise, nullement impressionnée. Il n'y a pas beaucoup de puissance, et on ne s'électrocute pas avec du courant continu. À moins d'être suicidaire et de se brancher directement à l'installation avec un fil électrique connecté à la fois au moins et au plus. Là, on a une bonne chance de cuire de l'intérieur. Un peu comme dans un four à micro-ondes. »

Pirjo, qui allait passer à l'acte, s'arrêta net.

Shirley la regarda avec l'air de savoir de quoi elle parlait. « Saviez-vous, Pirjo, que la première chaise électrique était censée fonctionner avec du courant continu, et que c'est ce Thomas Edison qui a prévenu les autorités que le courant continu ne serait mortel qu'au bout d'une longue et insoutenable séance de torture ? C'est lui qui suggéra d'utiliser le courant alternatif. Incroyable, non ? Edison en personne. Le courant continu a juste pour effet de piquer un peu. Au milieu de la journée, quand le soleil est au maximum, c'est autre chose. Vous ne voulez pas que je remette ces cosses en place ? Ce n'est pas complètement sans danger, si quelqu'un joue de malchance. »

Pirjo était sidérée. « Euh… si… merci, je veux bien. Comment savez-vous tout cela, Shirley ?

— Mon père est électricien. De quoi croyez-vous qu'il parlait à table, les rares fois où il daignait passer un peu de temps avec sa famille au lieu de traîner au pub avec ses copains ? »

Pirjo la regarda, l'air circonspect. Son père était électricien ? N'avait-elle pas omis de le mentionner en remplissant son formulaire d'inscription ?

« Oh, et puis non, laissez tomber, Shirley. L'électricien s'en occupera quand il reviendra. Je vais fermer cette porte à clé pour éviter que quelqu'un se blesse en attendant. »

Les deux femmes revinrent s'asseoir dans le bureau et Pirjo décida de passer au plan B.

« Écoutez, Shirley, dit-elle après une assez longue pause. Nous avons malheureusement pris la décision de ne pas vous accepter comme pensionnaire permanente à l'Académie de naturabsorption. Je le regrette car je sais à quel point vous devez être déçue. » Pirjo s'attendait à des protestations immédiates mais il n'y en eut aucune.

Au contraire, Shirley resta à la regarder fixement, les traits figés, en tordant ses mains boudinées sur ses genoux. À en juger par sa lèvre inférieure tremblotante, elle ne s'attendait pas du tout à cette nouvelle.

« Oui, je sais, c'est embêtant. Mais nous n'avons vraiment plus de place disponible. Sinon, il y aurait peut-être eu une chance. En tout cas, pour l'instant, c'est impossible, Shirley, je suis navrée.

— Je ne comprends pas, la chambre de Jeanette est toujours disponible, non ? dit-elle avec une petite note d'espoir dans la voix.

— C'est vrai, Shirley, mais vous savez bien que Jeanette va revenir. »

Elle resta un long moment immobile. Les mains étaient calmes, à présent. Le regard n'était plus perdu.

« Vous savez aussi bien que moi que c'est un mensonge, Pirjo », dit-elle brusquement, cinglante.

Celle-ci était sur le point de lui expliquer la situation de Jeanette, mais l'explication resta coincée dans sa gorge. L'Anglaise avait jeté le gant et le duel était inéluctable.

« Je ne comprends pas pourquoi vous êtes désagréable et de quel droit vous m'accusez de mensonge, Shirley. J'avoue que cela me blesse énormément, dit-elle. Je crois devoir vous rappeler que je suis la directrice administrative de ce centre et que la décision concernant votre avenir ici m'appartient, quoi que vous fassiez et quoi que vous disiez. Alors est-ce qu'on ne pourrait pas…

— Vous pouvez me raconter ce que vous voulez, moi je sais que vous mentez. Et je ne m'en irai pas ! » Elle hurlait.

« Je vois. Je vais choisir d'ignorer cette dernière phrase, répliqua Pirjo d'une voix glaciale. Je vais vous faire une proposition…

— On commence à avoir des doutes à votre sujet, Pirjo. Vous ne tromperez bientôt plus personne. Vous vous faites passer pour une personne bienveillante à l'écoute des autres, mais en réalité, vous vous moquez de nous. Vous me faites penser à ces hommes qui reculent votre chaise au restaurant en s'imaginant que ça leur vaudra un bon pour vous peloter les seins. Face à des gens dans votre genre, non seulement on se sent minable, mais on a aussi l'impression de se faire manipuler. Et personnellement, Pirjo, j'ai un problème : je ne supporte pas de me sentir manipulée.

— De manière générale, vous ramenez tout à vous, Shirley. C'est peut-être même la raison pour laquelle nous allons avoir des difficultés à vous trouver une place chez nous. »

À ces mots, Shirley se leva brutalement et pointa sur Pirjo un doigt accusateur. Toute sa corpulente personne tremblait de rage.

« Si vous croyez pouvoir m'empêcher de parler en me chassant d'ici, vous vous fourrez le doigt dans l'œil ! »

Pirjo plissa les yeux. « Je ne comprends pas ce que vous dites.

— Et voilà, c'est reparti, vous cherchez encore à me manipuler. M'empêcher de raconter à tout le monde ce qui est arrivé à Wanda Phinn, bien sûr. » Elle serra les lèvres et essaya de se contrôler, mais sa colère et toutes les pensées qu'elle ressassait depuis des semaines la firent éclater en sanglots.

Pirjo se détendit. Ces larmes lui prouvaient que c'était encore elle qui avait la main.

« Enfin, Shirley, c'est toujours cette histoire de ceinture qui vous tracasse ? Venez avec moi de ce côté du bureau, je vais vous montrer quelque chose. Vous allez voir que vous vous trompez sur toute la ligne et que vous avez tort de ne pas me faire confiance. »

Comme elle ne semblait pas vouloir s'exécuter, Pirjo tourna son écran d'ordinateur vers elle.

« Regardez ce que j'ai trouvé sur Internet. Je me suis sentie obligée de faire cette recherche après notre conversation à propos de cette ceinture. » Elle cliqua sur un lien et la page du site « Fashion Belts » apparut à l'écran.

« Toutes ces ceintures ressemblent beaucoup à celle que Jeanette a trouvée dans le grenier, vous ne trouvez pas ? » Elle agrandit une photo. « Rayures obliques rouges et grises. » Elle ouvrit la page d'un deuxième site. « Cette marque-là propose des ceintures en tous points identiques à celle que vous avez offerte à votre amie pour son anniversaire. C'était probablement *la* ceinture à la mode il y a six mois, Shirley. Très banale, vous voyez ? »

Shirley ricana. Ses yeux brillaient. Elles marchaient toutes deux sur le fil du rasoir. Pirjo n'avait pas le droit à l'erreur. Elle devait convaincre Shirley qu'elles étaient dans le même camp.

« Je sais à quoi vous pensez. Vous pensez que ces ceintures sur Internet sont neuves, et que ces photos n'expliquent ni la rayure sur le cuir, ni la trace de la boucle. Mais regardez ce que j'ai trouvé aussi. »

Elle ouvrit plusieurs pages sur lesquelles les femmes vendaient les vêtements de leur propre dressing, et sur deux d'entres elles étaient proposées des ceintures à peu près semblables à celle de Wanda Phinn.

Il avait fallu une nuit entière à Pirjo pour les trouver.

« Là, celle-là a une rayure et un trou un peu plus large que les autres, exactement comme la ceinture que vous m'avez montrée. Il s'agit d'une usure tout à fait normale, vous voyez ? »

Les larmes de Shirley se mirent à couler librement tandis qu'elle regardait fixement l'écran de l'ordinateur, triste et soulagée à la fois.

Pirjo la laissa pleurer pendant qu'elle réfléchissait à la situation.

À cet instant précis, la femme était décontenancée et déçue, et elle ne savait plus que penser, mais dans deux jours, elle aurait retrouvé ses esprits. Qui sait si elle ne déciderait pas là-bas, à Londres, de se mettre à la recherche de cette Wanda. Qui sait si elle ne ferait pas de cette quête une espèce de mission. Et dans un mois ou deux, quand elle aurait remué ciel et terre pour la retrouver, qu'elle aurait parlé avec des dizaines de personnes, y compris avec les parents de Wanda Phinn, quand elle aurait compris que son amie avait bel et bien disparu, alors, elle se remettrait à gamberger.

Ses soupçons ne s'en trouveraient-ils pas renforcés ? C'était à craindre.

Bien sûr, elle aurait besoin de preuves solides pour pouvoir mettre en cause Pirjo et le centre. Mais en admettant que le timing soit en sa faveur ? En admettant que la femme lance son offensive au moment où la police danoise viendrait fouiner dans le secteur ? C'était peu vraisemblable, mais tout de même. Pirjo pensait au serment qu'elle avait fait à l'enfant qui grandissait dans son ventre et qui la bombardait de coups de pied.

Elle ne laisserait jamais personne lui faire du mal.

Elle regarda longuement Shirley et posa une main sur la sienne. « Nous sommes pareilles, Shirley. Moi non plus je n'aime pas que les gens vous laissent tomber. Qu'ils vous jettent comme un mouchoir usagé avec un total cynisme et se comportent comme si vous n'aviez jamais existé pour eux. Vous ne pouvez pas savoir à quel point je vous comprends, Shirley, lui dit-elle quand enfin leurs regards se croisèrent. Écoutez, continua-t-elle, je vous propose que nous oubliions ce qui vient de se passer. Je sais que vous êtes déçue que nous ayons décidé de ne pas vous accueillir dans notre cercle le plus intime. Vous ne m'avez pas laissé le temps de vous le dire, mais nous avons une offre à vous faire. Je vous explique. Aujourd'hui, Valentina s'est vu proposer une mission. Elle va rejoindre notre bureau de Barcelone pour y recruter des élèves. Peut-être pourriez-vous faire la même chose à partir de notre bureau de Londres ? Vous pensez que ça pourrait vous intéresser ? Ce serait formidable et je crois que vous excelleriez dans cette tâche. »

Pirjo sourit prudemment. Si l'idiote devait tomber dans le panneau, c'était maintenant.

« Je sais que vous serez au chômage en rentrant en Angleterre. Le travail dont je vous parle est rémunéré, bien entendu. Sous forme d'avance sur recettes, certes, mais nous avons beaucoup de candidats à Londres, ce qui peut tourner à votre avantage. Vous pourriez habiter le petit appartement de fonction qui va avec le poste, un autre avantage non négligeable. Qu'en pensez-vous ? Ça pourrait être passionnant, non ? »

Shirley restait muette.

« Mais avant ça, il faudrait que vous passiez par un processus de purification identique à celui auquel Valentina s'est soumise l'année dernière. Il requiert une période de quarantaine d'une durée d'un mois environ pendant laquelle vous devrez vous couper de toute préoccupation matérielle et employer vos énergies à vous laisser pénétrer par la Naturapsorption. C'est ce que nous appelons la Neutralisation. Si vous êtes d'accord sur le principe et que vous avez envie d'accepter ce travail, je ne vois pas d'obstacle à ce que nous commencions immédiatement. »

Pirjo étudiait attentivement le visage de son interlocutrice. Souvent, les expressions revêtaient la sincérité de la réponse à venir. Des rides pouvaient par exemple se former au coin des yeux chez quelqu'un qui calculait froidement ses options, le sourire ironique indiquait généralement le même état d'esprit et on ne pouvait pas faire confiance aveuglément à une personne qui présentait ce genre de réactions. Il ne fallait pas non plus compter sur quelqu'un qui faisait une réponse trop brève. En revanche, si une émotion précédait la réponse, on pouvait considérer que le terrain était solide.

En ce moment, les traits de Shirley étaient complètement flous. Il était impossible de savoir à quoi elle pensait. Son expression pouvait aussi bien annoncer un accès de colère qu'une reddition totale.

Pirjo attendit. Le moment était décisif. Les deux femmes ne se quittaient pas des yeux. L'espace d'un instant, Pirjo crut que Shirley allait se lever et sortir en claquant la porte mais au contraire, sa bouche s'affaissa comme si elle allait se remettre à pleurer.

Pirjo sut que la partie était gagnée.

« Est-ce qu'Atu est d'accord pour cet arrangement ? demanda Shirley timidement.

— Bien sûr, il y a longtemps que nous avons eu cette idée. Je suis convaincue qu'avec la douceur qui se dégage de vous et la franchise qu'on lit sur votre visage, vous allez nous amener de nombreux élèves. »

Le sourire arriva à ce moment-là. Ni trop grand, ni trop discret et exactement quand il le fallait.

« Dans ce cas, j'accepte, merci beaucoup », dit-elle simplement en détournant les yeux. Parce qu'elle avait honte de son accès de colère et de ses accusations ou simplement pour embrasser une dernière fois du regard un endroit qu'elle ne reverrait pas de sitôt.

Pirjo sourit.

Elle n'avait pas idée à quel point la suite des événements allait lui donner raison.

Elle n'était pas près de revoir cette pièce.

Ni celle-ci, ni aucune autre, d'ailleurs.

38

Carl leva un regard lugubre vers l'écran de télévision où un animateur hilare et un chef cuisinier volubile et jovial tentaient d'expliquer à la nation comment confectionner un filet mignon au piment d'Espelette mariné dans du vinaigre balsamique et drapé d'une salade de chou chinois aux graines de sésame. Il regarda tristement ses œufs brouillés et le porridge trop épais de Hardy. De quel droit la chaîne TV2 osait-elle s'en prendre dès sept heures du matin aux pauvres célibataires qu'ils étaient, en les agressant avec ce genre d'utopie ?

Furieux, Hardy louchait sur la cuillère que Morten essayait de lui faire avaler.

« Tu sais bien que le gruau favorise le déclenchement des mouvements péristaltiques, Hardy. Sois gentil d'ouvrir la bouche et d'arrêter de faire cette tête. »

L'ancien policier consentit à avaler l'horrible plat et poussa un long soupir. « Si tu avais mangé autant de bouillie que j'en ai bouffé ces sept dernières années, on verrait qui serait en train de râler en ce moment ! Et ici, je citerai mon ami Assad : "On dirait un comprimé de crachat de chameau, alors."

— Hein ?

— Je dis que j'ai l'impression de rouler une pelle à un chameau consentant. » Hardy aurait voulu éclater de rire devant la réaction de Morten, mais il manqua d'air.

Carl posa son journal et jeta un coup d'œil à l'écran de son téléphone qui venait de s'allumer. L'appel venait de l'hôtel de police.

Plusieurs fois, il tourna les yeux vers Hardy en écoutant le message. Son ancien équipier avait tout de suite compris de quoi il retournait, il le voyait sur son visage.

« C'est à propos de notre affaire, n'est-ce pas ? dit-il quand Carl reposa son portable sur la table.

— Oui, l'enquête progresse. »

Morten posa la main sur l'épaule de Hardy. Tout le monde savait à quel point cette vieille affaire de meurtre au pistolet à clous continuait de le miner.

« Suite à une perquisition je ne sais où, on pense avoir mis la main sur l'arme qui a tué Anker et qui a failli nous tuer aussi, dit Carl. Lars Bjørn veut faire une conférence de presse parce que l'arme a coûté la vie à un policier danois. »

Hardy ne fit pas de commentaire.

« Dans une demi-heure », reprit Carl.

Hardy ne disait toujours rien.

« Putain, Hardy ! » Carl lisait la douleur dans ses yeux. « Même si ça fait mal de penser à cette satanée arme, c'est quand même bon de savoir qu'il reste un peu d'espoir que cette enquête se termine un jour, et que le coupable sera jugé pour tout le mal qu'il a fait. »

Carl alla se placer derrière la chaise roulante de Hardy et le serra contre lui.

« Ils nous envoient une voiture pour que tu puisses venir aussi. Tu veux ? »

Hardy secoua lentement la tête. « Pas avant que tout soit terminé, dit-il. Je ne suis pas un animal de foire. »

Lars Bjørn donna la parole à Janus Staal, le responsable de la communication à la préfecture de police. Janus remercia les journalistes de leur présence, il donna l'ordre du jour, puis se pencha vers Carl.

« Tu n'as pas réussi à convaincre Hardy de t'accompagner ? »

Carl secoua la tête.

« Je le comprends, mais c'était une idée de Lars Bjørn. Un homme dans son état, ça fait de bonnes images.

— Qu'est-ce que c'est que ce cirque ? » chuchota Carl en regardant autour de lui. La pièce grouillait de tout ce que le pays comptait de reporters et le caméraman de TV2 News avait déjà commencé à filmer. L'expert en affaires criminelles de la radio nationale danoise tendait son micro et quelques journalistes de la presse à scandale, *Gossip* en tête, avaient pointé le bout de leur nez de fouille-merdes.

« Ce n'est pas mon enquête, Janus, alors qu'est-ce que je fous ici ? Qu'est-ce qui s'est passé ? »

Staal montra l'horloge murale. « On commence dans vingt secondes, Carl, tu vas comprendre. C'est bien que tu aies pu venir.

— Ah bon ? » Carl posa sa serviette par terre à côté de sa chaise.

« Je vous remercie d'être venus aussi nombreux », répéta Lars Bjørn en guise de préambule. Il présenta ensuite Carl Mørck à l'assemblée, puis son directeur de la communication et enfin le vice-commissaire Terje Ploug, qui avait repris l'enquête après la fusillade à Amager où Carl et ses équipiers s'étaient fait tirer dessus.

Puis il se tourna vers un homme qui paraissait familier à Carl, sans qu'il parvienne toutefois à mettre un nom sur son visage, ni à se rappeler où et dans quelles circonstances il l'avait rencontré.

« Et voici Hans Rinus, qui a dirigé l'enquête sur une affaire similaire à Rotterdam en Hollande. Carl Mørck, qui a agi comme consultant sur l'enquête hollandaise, va vous faire un compte rendu de ce qui s'est passé là-bas. Je te laisse la parole, Carl. »

Ah oui, maintenant il se souvenait de lui. C'était ce flic qui avait traversé une scène de crime au pas de charge avec des péniches aux pieds, et autant de finesse d'analyse qu'un politicien danois dans un bon jour. Qu'est-ce que c'était que ce guet-apens ?

« Soit », dit Carl en haussant les épaules, avant de leur faire un court résumé de sa visite là-bas suivi d'une description des deux hommes tués avec un pistolet à clous chargé avec des pointes Paslode de

90 mm et la bouche truffée de cocaïne d'une qualité plus que douteuse.

« N'ayant pas pu établir de lien direct entre ces assassinats et ceux perpétrés au Danemark, nous avons décidé de laisser l'affaire de Schiedam à nos confrères hollandais et elle a pu être traitée comme une affaire locale.

— Ce qui fut une erreur, intervint Terje Ploug, insinuant très clairement qu'elle n'était pas de son fait. Mais Hans Rinus va maintenant vous en dire plus à ce sujet et c'est la raison de votre présence aujourd'hui. Il s'avère en effet que les balles qui ont tué Anker Høyer, causé les blessures ayant conduit à la tétraplégie de Hardy Henningsen – qui, encore profondément traumatisé par cet épisode, n'a malheureusement pas pu être présent parmi nous aujourd'hui – et ont été tirées sur Carl Mørck le 26 janvier 2007, c'est-à-dire il y a plus de sept ans, proviennent de la même arme, une arme qui est maintenant entre nos mains. »

Un murmure traversa les rangs des journalistes lorsqu'il brandit un gros pistolet semi-automatique posé jusque-là sur ses genoux. Carl tourna très lentement les yeux vers l'arme, tandis que la pression augmentait à l'intérieur de son crâne et que plusieurs personnes dans la salle se levaient.

« Qu'est-ce que ça vous fait de voir cette arme, Carl Mørck ? » lui cria l'un des reporters.

Lars Bjørn demanda aux gens de se rasseoir et de se calmer.

527

Ce que ça lui faisait ? En ce moment, le canon de l'arme était pointé droit sur lui. C'était de ce même canon qu'étaient sortis cinq des projectiles de 9 mm qui avaient détruit la vie de plusieurs personnes, lui inclus, et ils lui demandaient quel effet ça lui faisait ?

Il tendit sa main gauche vers l'arme et la détourna de lui du bout de l'index. Au moins vingt-cinq appareils numériques se déclenchèrent dans la seconde.

Terje Ploug posa lourdement le pistolet sur la table. « Il s'agit d'un FAMAS G1, une variante du Beretta 92 que vous connaissez sans doute mieux et qui avait été fabriqué à l'origine pour équiper la gendarmerie nationale française. C'est un automatique, relativement lourd. Le numéro de série a été limé. De nombreux pistolets de ce modèle ayant disparu au fil des années des arsenaux militaires, il est impossible de connaître l'histoire de cette arme. En revanche, ce que nous savons avec certitude, grâce à une étude balistique, c'est que c'est bien celle qui a été utilisée dans la fusillade dont furent victimes nos trois collègues en 2007. »

Janus Staal pressa un bouton sur le clavier de son ordinateur et une photo du pistolet ainsi qu'une liste de ses caractéristiques apparurent sur un écran derrière eux.

Carl avait l'impression que son front s'était transformé en un bloc de glace et que tout le reste de son corps était en ébullition. Ils auraient pu lui épargner ça, merde.

Lars Bjørn prit la parole. « Si nous avons convoqué la presse aujourd'hui, c'est bien sûr pour faire comprendre au public que l'assassinat de policiers dans l'exercice de leurs fonctions demeure une priorité absolue et que nous continuerons inlassablement à traquer ces meurtriers tant qu'ils n'auront pas été traînés devant les tribunaux. Nous souhaitons également aujourd'hui faire savoir publiquement que nous détenons désormais la preuve que les tristement célèbres meurtres au pistolet à clous de Schiedam en Hollande, d'Amager et de Sorø sont liés, contrairement à ce que nous pensions au départ. Je laisse la parole à M. Hans Rinus. »

L'homme s'éclaircit la gorge. Carl se le rappelait parfaitement à présent. Son anglais était pire que le danois d'Assad quand ils s'étaient rencontrés la première fois.

« Merci », dit-il dans un pseudo-danois avant de se mettre à massacrer une langue qui se voulait de l'anglais.

« Je suis police dans le sud Hollande et les meurtres de Schiedam sont à moi. Longtemps ce n'était pas sûr qui avait tué et nous encore pas sûrs, mais maintenant nous sait que, hmmm, comment je dire, que homme est même que veut police au Danemark. »

Il y avait longtemps que Carl n'avait pas entendu quelqu'un parler aussi mal la langue de Shakespeare.

Lars Bjørn sourit avec indulgence et posa une main sur le bras de Hans Rinus. « Et nous tenons à vous remercier pour votre excellent travail », lui dit-il d'abord en anglais, avant de poursuivre en danois. Dieu soit loué.

« Il y a trois jours, Daniel Jippes, un collégien de douze ans qui faisait du vélo le long du canal de Meeldijk à Vriesland, une ville de banlieue au sud de Rotterdam, a trouvé un cadavre dans le canal à un endroit où celui-ci passe sous la piste cyclable à travers une grosse canalisation. »

Il fit un signe au responsable de la communication qui lança une nouvelle diapositive. Cette fois il s'agissait d'une photo de l'endroit cité, imprimée à partir de Google Earth. Des platanes, le canal s'engouffrant dans le cylindre en béton où avait été découvert le corps, la piste cyclable qui passait sur une digue au-dessus du tunnel. Le tout extrêmement vert. « Park Braband », disait le texte en dessous de la photo.

« Le corps était celui d'un homme. Il avait une corde très serrée autour de la cheville droite. L'autre extrémité de la corde avait été tirée en travers de la piste cyclable, puis repassée dans le tunnel en dessous de la piste, et enfin attachée au poignet gauche de la victime. »

Janus Staal projeta une photo sur laquelle on distinguait vaguement la corde sur la digue et ce qui devait être le cadavre dans le tunnel. C'était tout ce que la presse aurait comme photo du défunt.

« L'homme s'est débattu. Plusieurs de ses blessures le prouvent. La police scientifique estime qu'il a été ligoté alors qu'il était couché sur la piste cyclable, que *son* ou *ses* assassins l'ont ensuite fait descendre dans la canalisation en le tirant par la corde qu'ils avaient fait passer à l'intérieur, et qu'il est mort noyé. »

530

Carl ne comprenait pas très bien. Pourquoi ne pas le tuer proprement ?

« Il n'est pas exclu qu'il ait fait quelques allers-retours d'un bout à l'autre du tuyau avant que ses agresseurs se décident à s'en aller et à le laisser mourir.

— On l'a probablement torturé pour lui soutirer une information », intervint Terje Ploug. Lars Bjørn lui jeta un regard noir.

« Il n'est pas impossible en effet qu'on ait cherché à lui faire avouer quelque chose. »

Les journalistes avaient commencé à lever la main mais le directeur de la communication les arrêta avant qu'une pluie de questions déferle sur les intervenants.

« Je n'ai pas le temps de vous répondre aujourd'hui, mais un compte rendu des faits vous sera distribué à la sortie. »

La salle bourdonna d'un grondement contrarié. Carl comprenait leur déception. Comment pondre un papier intéressant quand tout le monde dispose des mêmes informations au départ ?

« Nous avons identifié la victime », annonça Terje Ploug tandis que la photo d'un homme à moitié chauve, la quarantaine, les yeux bleus et sur les lèvres un sourire tordu de tête à claques, s'affichait sur l'écran.

Il était élégant. Les lunettes de soleil Ray-Ban sur la tête, la chemise blanche et la veste style Hugo Boss dénonçaient le type d'homme qui veut montrer qu'il sait où il va dans la vie. Il devait être moins fier quand on l'avait traîné dans cette canalisation.

« L'homme est de nationalité danoise mais il vit aux Pays-Bas. Il s'appelle Rasmus Bruhn, il a quarante-quatre ans et a été plusieurs fois condamné. Ces dernières années, il a travaillé comme journaliste sous le nom de Pete Boswell. »

Carl fronça les sourcils. Qu'est-ce qu'il venait de dire ?

Ploug regarda l'assemblée. « Certains d'entre vous se souviennent peut-être que c'est le nom qu'on avait attribué au cadavre découpé en morceaux retrouvé dans une caisse enterrée sous une cabane à Amager le jour où elle a été démolie. Cabane qui n'était autre que celle dans laquelle trois policiers danois s'étaient fait tirer dessus à l'époque. »

Carl était aussi déconcerté que les journalistes. « Qu'est-ce qui vous avait fait croire à ce moment-là que le cadavre était celui de Pete Boswell ? lança un reporter.

— Nous avions reçu un témoignage anonyme, répondit Lars Bjørn. Nous en avions d'ailleurs reçu plusieurs et avions privilégié cette piste à cause d'un tatouage de lys sur l'épaule droite du mort. Nous avons omis de publier ces informations pour diverses raisons, mais surtout parce que les médecins légistes avaient mis un certain temps à vérifier ce détail, en raison de l'état de décomposition avancé du cadavre. Il ne s'agissait que d'une supposition mais nous avons considéré qu'elle était plausible. C'est une chose qui arrive fréquemment lorsque nos sources souhaitent rester anonymes. Vous, journalistes, êtes mieux placés que quiconque pour le savoir. On se doit de traiter ces informations avec la plus grande prudence. Et

532

l'avenir a prouvé que ce tuyau-là était malheureusement percé. »

La main de Carl se crispa autour de son paquet de cigarettes. C'était mieux que rien, de sentir qu'il était là, au fond de sa poche. Il aurait eu tant de choses à discuter avec Terje Ploug et Lars Bjørn. Mais il n'en avait tout simplement pas la force.

« Nos collègues hollandais ont fait des recherches sur le passé de cet homme, et plusieurs choses sautent aux yeux. Pour commencer, son métier de reporter de presse écrite lui permettait d'agir facilement comme courtier et en l'occurrence, nous pensons plus particulièrement au trafic de pierres précieuses. Mais son réseau était si étendu qu'il pouvait aussi aisément avoir eu pour rôle de mettre les gens en contact ou simplement de transmettre des renseignements. Il a beaucoup voyagé en Orient et au Moyen-Orient et également en Afrique et aux Caraïbes. »

Ploug hocha la tête à l'intention de leur collègue hollandais. « Et à présent Hans Rinus va nous dire ce qui est ressorti de l'examen légal du corps et de la perquisition effectuée au domicile de Rasmus Bruhn. »

Suivit une longue explication compliquée, quoique le sens général soit assez clair. Le cadavre devait être dans l'eau depuis plusieurs jours. La langue pendante avait perdu sa couleur bleue et l'iris était déjà délavé. On avait trouvé des traces d'ongles à l'intérieur du tunnel et la boue au fond indiquait que l'homme avait lutté pour tenter de s'extraire de la canalisation. Il était habillé dans un style jeune pour son âge, et n'avait aucun papier sur lui, hormis une carte de visite qui malgré un séjour prolongé dans l'eau était encore lisible et les avait conduits à son domicile rue Haverdreef dans le quartier de De Akkers, à une faible distance au nord du lieu du crime. On avait retrouvé à son domicile un pistolet chargé, couvert de ses propres empreintes digitales, une demi-livre de cocaïne de qualité médiocre et plusieurs carnets de notes remplis de noms, dont certains correspondaient à des membres de sa famille au Danemark. Ces personnes habitaient plus précisément à Sorø et l'une d'elles s'était révélée être le plus jeune des deux hommes qui avaient été tués avec un pistolet à clous dans un garage de cette même ville. Quant à son oncle, il n'était autre que l'homme que Carl, Anker et Hardy avaient découvert à Amager, une pointe Paslode dans la tempe.

Carl se tourna vers Lars Bjørn qui, impassible, suivait la succession des illustrations de Janus Staal à l'écran.

Cette série d'informations ouvrait de nouvelles perspectives dans l'enquête et aurait dû apporter à Carl une sorte de soulagement. Au contraire, il sentait monter en lui un irrépressible sentiment de colère et il grinçait des dents.

Depuis combien de temps Lars Bjørn savait-il tout cela ? Combien de fois, à mesure que de nouveaux éléments lui parvenaient, avait-il décidé de ne pas tenir Carl au courant ? Pourquoi n'était-il pas venu le voir, lui, en premier ?

Et tandis qu'autour de lui tous élaboraient un scénario et imaginaient des mobiles dont ils ne savaient strictement rien, Carl rongeait son frein.

Qu'espéraient-ils avec leurs hypothèses sans fondement ? Des bons points et des images ? Était-ce ainsi que Lars Bjørn espérait prouver que, bien que parachuté de nulle part, il avait à la fois une âme de chef, de l'énergie et un esprit de synthèse ? Était-ce sa façon de démontrer qu'il était le digne successeur de Marcus Jacobsen ? Cet homme qui n'avait même pas permis à Carl d'exposer son avis de recherche pendant quelques minutes dans une émission de télévision consacrée aux enquêtes policières.

« Quelqu'un a-t-il quelque chose à ajouter ? » demanda Lars Bjørn, s'adressant soudain à ses collaborateurs. Carl avait dû avoir une petite absence, car le policier hollandais s'était rassis sans qu'il s'en aperçoive.

Carl se baissa et ramassa sa serviette.

« Oui, dit-il. Moi. »

Il fouilla quelques secondes dans le fond du sac avant de dénicher ce qu'il cherchait.

« Je travaille en ce moment sur une autre affaire de meurtre dans laquelle nous aimerions interroger un homme à propos d'un délit de fuite. Un mètre quatre-vingt-cinq, fossette au menton, voix rauque, yeux bleus, traits harmonieux, sourcils sombres, incisives larges avec une petite tache blanche sur l'une des deux. Parle couramment le danois. »

Il évita de regarder Lars Bjørn, mais remarqua que Terje Ploug lui jetait un regard inquiet lorsqu'il brandit la photo du type devant la caméra de TV2 News.

« Il s'agit de cet homme-là. Remarquez le combi Volkswagen bleu ciel avec un pare-chocs plus large que d'ordinaire et, ce que vous ne pouvez pas voir sur cette photo, un signe Peace & Love sur le toit. Nous savons que l'homme en question s'appelait Frank, mais que depuis, il a changé son nom pour quelque chose de plus exotique. »

Bjørn le prit par le bras avec une force étonnante pour le rond-de-cuir qu'il était. « Merci, Carl Mørck, mais ce n'est pas le sujet du jour… »

Carl se dégagea de son emprise. « Cet homme séjournait sur l'île de Bornholm en 1997 et il a participé à des fouilles archéologiques ayant permis la découverte d'enclos circulaires sacrés. Ce sont des plates-formes posées sur d'énormes pilotis qui servaient à adorer le soleil et à donner en offrande des pierres et des ossements d'animaux. Nous savons qu'il est lui-même un adorateur du soleil et pensons qu'il pratique encore cette religion de façon active aujourd'hui. Pour tout renseignement, merci de vous adresser au départem…

— Merci, Carl Mørck ! l'interrompit Bjørn en levant les mains à l'intention des journalistes. Nous parlerons de cette affaire lorsque nous disposerons de plus d'éléments. Je vous remercie encore pour votre présence aujourd'hui. En ce qui concerne l'affaire du pistolet à clous, nous reviendrons vers vous dès que l'enquête aura avancé du côté danois. En attendant…

— … directement au département V. Le numéro de téléphone est celui qui se trouve en dessous de la photo. » Carl le montra de l'index. « Nous attendons *votre* appel ! » Carl tendit la main vers la caméra avant de placer cette fois la photo juste devant l'objectif.

Il aurait bien aimé sortir d'autres documents de sa sacoche, mais il se dit que s'il voulait avoir encore du travail le lendemain, il avait intérêt à en rester là.

Carl laissa le tirage sur la table de la salle de conférences, mais Bjørn eut le temps de le subtiliser avant qu'un journaliste ne puisse s'en emparer.

« Dans mon bureau. Maintenant ! » ordonna-t-il à Carl.

39

Dimanche 11 mai 2014

« *A penny for your thoughts*[1], Shirley », dit Pirjo. Elle la prit par le bras et se pencha vers elle. C'était agréable. « Tu es contente ? lui demanda-t-elle.

— Contente ? Oui, je crois », répondit Shirley.

Tout cela était tellement étrange. Il y a neuf mois à peine, elle montait l'escalier d'une maison luxueuse du quartier le plus huppé de Chelsea, Wanda à ses côtés, excitée comme une gosse avant Noël. Ce qu'elle avait vécu ce jour-là lui avait laissé une impression extraordinaire, comme si l'expérience de la Natur-absorption lui avait fait faire un grand pas. Rien à voir avec un énième stage de gestion du stress ou une séance de spiritisme. Cette soirée l'avait amenée à se remettre profondément en question. Elle avait écouté avec attention les pensées d'un grand homme et eu réellement envie de suivre ses conseils et de changer sa vie de manière radicale. Ensuite, dans son appar-

---

1. Expression anglaise : « Une petite pièce pour savoir ce que tu penses. »

tement minuscule, Wanda et elle avaient longuement évoqué l'effet incroyable que leur avait fait Atu. Shirley avait senti dans son corps et dans son âme à quel point sa philosophie répondait à ses attentes. Pour Wanda, il s'était avéré que cette rencontre était allée encore plus loin. Son amie avait été littéralement subjuguée.

Et à présent, elle, Shirley de Birmingham, allait jour après jour gravir cet escalier car elle avait été personnellement choisie par Atu pour accueillir de nouveaux élèves. Pour être celle qui veillerait au bien-être d'Atu lors de son prochain séjour au bureau de Londres.

Bien sûr qu'elle était contente. Et pourtant. Elle savait que certaines questions étaient restées sans réponse, et pas des moindres. Où était Wanda ? Elle qui voulait changer son destin, où était-elle, à présent ?

Et elle, Shirley ? Cette « promotion » était-elle ce à quoi elle aspirait il y a quelques heures encore ? Non. Ce qu'elle voulait, c'était être acceptée à l'Académie de naturabsorption comme pensionnaire permanente. Et en même temps, Pirjo avait-elle complètement tort en disant qu'elle n'était pas faite pour ça ?

Quand elle pensait à toutes les paroles injustes, tous les soupçons et tout le poison qu'elle avait déversés dans ce havre de lumière, elle était forcée d'admettre que Pirjo avait raison.

Alors pourquoi lui confiaient-ils cette mission, et comment pouvaient-ils lui accorder leur confiance ? Qu'avait-elle fait pour la mériter ?

Elle se mordit la lèvre et regarda Pirjo. Comment avait-elle pu imaginer qu'une femme si pure, si virginale, ait pu faire ce dont elle l'avait accusée ? Et de quoi l'accusait-elle, d'ailleurs ? Elle ne le savait pas elle-même. Elle savait seulement que Wanda avait disparu et qu'une ceinture qui ressemblait à la sienne était tout à coup apparue ici. Pourquoi faire peser sur ces gens extraordinaires le poids de ces théories absurdes ?

Surtout maintenant qu'ils lui proposaient ce poste à responsabilités.

Shirley saisit d'une main ferme la poignée de la petite valise que Pirjo l'avait aidée à préparer et se retourna pour dire au revoir à sa petite chambre. Elles sortirent ensemble dans l'air marin et se dirigèrent vers le lieu où Shirley allait être purifiée.

À présent, elle était déterminée à faire tout son possible pour mériter la confiance d'Atu et de Pirjo et à travailler de toutes ses forces pour élever son âme à hauteur de la tâche qu'on lui confiait. À partir de maintenant, elle serait aussi irréprochable et loyale que les meilleurs disciples. Elle se le promettait.

Elle posa une main sur le bras de Pirjo. « Oui, je suis contente. Mais le mot est trop faible pour décrire ce que je ressens. »

Pirjo sourit. « Alors, ne dites rien, Shirley, je le vois sur votre visage. »

Elle lui montra, à quelque distance de là, un groupe de bâtiments en construction, de différentes tailles. C'est là que se trouverait bientôt le deuxième centre, avec son cercle sur pilotis, sa salle commune et sa cantine. Ils pourraient ainsi doubler les effectifs des élèves, expliqua Pirjo. Les pensionnaires du premier centre ne seraient mélangés à ceux du deuxième que pour le rassemblement du matin. C'était un projet d'envergure.

« Ils ont déjà presque terminé l'estrade », expliqua-t-elle en montrant à Shirley le nouvel édifice au milieu d'une prairie verdoyante. Elle hocha la tête avec satisfaction. « Quand ils auront terminé, dans un mois environ, l'équipe de construction s'attellera aux finitions des maisons que vous voyez là, et de la salle commune. Pour l'instant, il n'y a que le local de purification, c'est-à-dire l'endroit où vous allez séjourner, qui soit entièrement fonctionnel. Vous allez voir, c'est une maison très agréable. En tout cas, personne ne s'en est plaint jusqu'ici. Peut-être parce que vous avez l'honneur d'être la première à l'utiliser ! » Pirjo rit doucement.

Et c'était un véritable privilège, Shirley le sentait bien. Malgré tout, elle dut s'arrêter un instant sur le seuil pour se ressaisir quand Pirjo ouvrit la porte d'une salle au plafond cathédrale, entièrement lambrissée.

« C'est beau, hein ? dit Pirjo. Regardez cette ouverture au plafond, ces murs en bois clair, ce carrelage avec ses différentes nuances de gris et ce soin du détail. C'est fantastique, vous ne trouvez pas ? Et la maison est équipée d'un système solaire photovoltaïque.

— C'est magnifique », dit Shirley à voix basse. Elle avait parfaitement vu tout ce que Pirjo venait de décrire, mais elle avait remarqué aussi qu'en dehors du velux situé à six ou sept mètres de haut, il n'y avait aucune autre ouverture dans la pièce. Elle allait devoir passer plusieurs semaines sans voir ce qui se passait dehors. Sans voir d'autres couleurs au quotidien que ces murs blonds et ces carreaux gris.

« C'est un peu vide », dit-elle, vaguement inquiète.

Pirjo lui tapota délicatement l'épaule. « Vous allez y arriver, Shirley, j'en suis sûre. Ici, les sens trouvent le repos. Quand votre séjour sera terminé, vous repenserez à ce moment comme à l'un des meilleurs de votre existence. Alors détendez-vous, lisez les textes, méditez les paroles d'Atu et son enseignement et pensez à votre vie. Vous verrez que le temps passera très vite. »

Shirley hocha la tête et posa sa valise sur une étroite couchette. À part ça, il n'y avait dans la pièce qu'une chaise en bois brut et une table ronde en pin. Au moins, elle aurait un endroit pour étaler ses patiences.

« Les toilettes et la douche sont ici. Quand vous aurez soif, vous prendrez l'eau ici, également, expliqua Pirjo en lui désignant une porte. Nous vous apporterons de quoi vous changer, des serviettes propres et des draps une fois par semaine. Et comme nous tous, vous aurez à manger trois fois par jour. Je viendrai probablement moi-même vous servir, mais il se peut aussi que ce soit quelqu'un de la cantine. » Elle sourit et prit la main de Shirley dans laquelle elle déposa un petit livre à la couverture bleue, écrit à la main.

Shirley l'ouvrit avec déférence et frôla une page d'un doigt qui avait la légèreté d'une plume.

« Cela ne ressemble pas à l'écriture d'Atu, dit-elle.

— C'est normal, c'est moi qui l'ai rédigé. Atu me l'a dicté mot à mot. Vous trouverez dans ces pages toutes ses recommandations sur les rituels de purification, dit Pirjo. Ils sont faciles à comprendre, comme l'est toujours la parole d'Atu, mais si pour une raison ou une autre vous aviez des questions, il est possible qu'Atu vienne vous rendre visite pour vous faciliter le chemin de la compréhension. »

Shirley ouvrit de grands yeux étonnés. Atu faisait-il vraiment ce genre de choses ?

« Dans ce cas, je vais avoir besoin de beaucoup d'explications. » Elle haussa les épaules et sourit de sa propre plaisanterie.

Pirjo sourit aussi. « Je pense que nous pouvons commencer, vous êtes d'accord, Shirley ? »

Celle-ci hésita un peu. « Oui. Mais que se passe-ra-t-il si je ne vais pas au bout de la purification ? Je pourrai m'arrêter en cours de route ?

— Pourquoi pleurer avant d'avoir mal, Shirley ? Je suis sûre que vous êtes capable d'aller jusqu'au bout. Sinon, Atu ne vous aurait pas choisie. Il sait ce genre de choses. Il vous voit, Shirley. »

Shirley sourit. Atu l'avait choisie ? C'était merveilleux.

« Donnez-moi votre montre, Shirley. Si vous la conservez, vous allez la regarder tous les quarts d'heure, au début. Je préfère vous épargner cela. »

Shirley retira sa montre et la lui tendit. Elle se sentait encore plus nue à présent que le temps lui avait été enlevé.

« Je pense juste à une chose, Pirjo. Que se passera-t-il si je tombe malade ? Non pas que j'en aie l'intention, bien sûr, précisa-t-elle avec un sourire. Mais si cela arrivait, est-ce que je pourrais prévenir quelqu'un ? Est-ce que quelqu'un m'entendra dehors, si je crie ? »

Pirjo fourra la montre de Shirley dans sa poche et lui caressa la joue. « Bien sûr, ma chère. Portez-vous bien jusqu'à ce qu'on se revoie, d'accord ? »

Elle lui dit au revoir et ferma la porte derrière elle. Donna deux tours de clé. Un seul aurait peut-être suffi.

Et Shirley se retrouva seule.

40

Lundi 12 mai 2014

« Est-ce que tu es devenu complètement cinglé, Carl ? » entendit-il derrière lui en traversant l'accueil.

Tous les regards étaient braqués sur lui. Certains avaient l'air de penser : « Je ne voudrais pas être à sa place », d'autres, la plupart, semblaient se dire : « Quel imbécile », quant à la nièce de Bjørn, derrière le comptoir, elle se permit d'éclater de rire. Il s'occuperait de son cas en ressortant.

« Tu es à *ça* d'une mise à pied, Carl », dit Lars Bjørn quand il pénétra dans le bureau d'angle du chef de la brigade criminelle, matérialisant le « ça » par un espace de l'épaisseur d'une feuille de papier à rouler entre ses longs doigts osseux.

Suivit un long discours sur l'absence de loyauté, l'insubordination et le manque de respect pour l'excellent travail de ses collègues. Carl ne moufta pas. Il se demandait juste combien de téléspectateurs avaient eu la bonne idée d'être scotchés devant TV2 News à une heure aussi ridiculement matinale.

« Tu entends ce que je dis, Carl ? »

Carl Mørck daigna enfin lever les yeux vers son patron. « Oui. Je t'écoute. Et j'aimerais bien savoir si toi, tu trouverais loyal, respectueux et plein de tact d'avoir été tiré du lit sans préavis, jeté sous le feu des projecteurs et confronté à l'arme qui a détruit la vie de plusieurs de tes amis, et la tienne par la même occasion.

— Ne change pas de sujet, Carl. Tu as ignoré l'ordre de ton supérieur hiérarchique et je vais très sérieusement réfléchir à des mesures punitives.

— Tu pourrais par exemple commencer par améliorer mes conditions de travail et me remercier de prendre autant à cœur la résolution des affaires sur lesquelles nous travaillons dans cette maison. Ce qui, je le souligne en passant, n'est pas le cas de tout le monde. » Il tourna les talons et mit le cap sur la porte, comme pour signifier à son interlocuteur qu'il n'avait plus envie d'entendre ses conneries.

« Une seconde, Carl Mørck. » Lars Bjørn était pâle, mais sa voix était posée et glaciale. « La différence entre nous est que c'est moi qui ai le pouvoir de décider de ce que tu fais entre ces murs quand toi, tu n'as que celui d'obtempérer. Et je te préviens que si tu te permets de m'humilier en public encore une fois, ou de me parler comme tu viens de le faire, tu vas retourner dans le trou paumé d'où tu es venu, d'accord ? J'ai entendu dire qu'il reste trois postes à pourvoir au commissariat d'Ølsemaglegård. »

Quand il put enfin sortir du bureau du patron, la nièce était toujours là, toutes dents dehors et fossettes en prime.

Carl s'approcha du comptoir et il la regarda, l'œil noir.

« Ma petite chérie. J'ose espérer que si vous exposez ainsi vos ravissantes dents à la porcelaine parfaite, c'est pour me faire comprendre que l'épisode vous a plu, que vous avez adoré voir votre tonton Bjørn monter dans les tours et que cela vous a divertie qu'il perde la face. Parce que dans le cas contraire…

— C'est exactement ça, répliqua-t-elle en souriant de plus belle. Je me suis éclatée. Quand je vais raconter l'histoire à ma mère, elle va adorer. Elle non plus ne peut pas le blairer.

— Votre mère ! Les sourcils de Carl firent le grand écart.

— Mon père est le frère de Lars, et il est comme lui. C'est pour ça que mes parents ont divorcé. »

Lis, la reine sans couronne de la réception, posa une main douce mais autoritaire sur l'épaule de la jeune fille. « Bon, tu vas pouvoir aller te rendre utile en bas, Louise. Catarina, que tu remplaçais, ne va pas tarder à arriver. »

La nièce et Lis gratifièrent Carl d'un large sourire. Il n'en fallait pas plus pour transformer ses jambes un peu raides en deux asperges trop cuites.

Le remplacement de la stagiaire par la titulaire n'avait pas de quoi le réjouir, en revanche. À la place de Miss Alerte-à-Malibu vint s'installer Ilse, la louve des SS en personne, avec son front brillant, ses cils humides, ses cheveux gras et son regard capable de doucher toute joie de vivre à cent mètres de distance.

« Arrêtez de me regarder comme ça », disaient ses yeux. Carl battait en retraite et renonçait à son flirt coutumier avec la belle Lis quand la louve l'interpella :

« Figurez-vous que ce n'est pas marrant la ménopause, monsieur J'ai-le-pantalon-qui-fait-des-bosses. Vous n'avez qu'à demander à notre chère psychologue maison, si vous ne me croyez pas. »

Carl fronça les sourcils. Ah bon ? C'était pour ça que Mona était comme ça ? Elle était en pleine ménopause ?

Il baissa les yeux vers sa braguette. Le pantalon qui fait des bosses ! Est-ce qu'elle avait l'esprit mal tourné ?

Il sentit son téléphone vibrer dans sa poche arrière. Il le sortit et lut le nom qui s'affichait sur l'écran allumé. Hardy.

« J'ai tout vu sur TV2 News, déclara-t-il.

— Hmm. J'ai pris un sacré savon, mais au moins j'ai pu lancer mon avis de recherche.

— Tu as saisi ta chance et tu en assumeras les conséquences. Mais je parlais surtout de la conférence de presse. Le macchabée dans le tuyau de drainage, Rasmus Bruhn, le nom ne te dit rien ?

— Que dalle. » Il leva les yeux vers Mme Sørensen qui commentait son langage en levant les yeux au ciel.

« Je ne comprends pas, Carl. Mais ça m'inquiète.

— Qu'est-ce que tu veux dire ?

— Je me demandais pourquoi tu n'avais fait aucun commentaire quand ils ont montré le visage du mort avec le rétroprojecteur. »

Carl s'éloigna du comptoir. « Un commentaire ? Quel commentaire ? Je ne l'ai jamais vu de ma vie, Hardy.

— Bien sûr que si. Tu as même mis le feu à son permis de conduire en pleine rue.

— J'ai fait quoi ? » Carl agita la main à l'intention des filles derrière le comptoir et s'engouffra dans l'escalier. « Il va falloir que tu me rafraîchisses la mémoire, là, Hardy, je ne m'en souviens plus du tout. C'était au cours d'une arrestation ?

— Arrête tes conneries, Carl. Anker, toi et moi étions au café Montparnas en train de manger des travers de porc à volonté. C'était le jour de ton anniversaire en 2005. On voulait t'organiser une fête mais Vigga venait de te quitter. Tu étais en train de pleurnicher sur ton sort quand un type bourré est venu s'asseoir à côté de nous et a commencé à emmerder Anker.

— Continue.

— Il était rond comme une queue de pelle et il s'est mis à déblatérer un tas de trucs qu'Anker semblait être le seul à comprendre. Anker lui en a mis une et toi, tu t'es interposé. Avec l'aide d'un serveur, nous l'avons fait sortir dans la rue et le type s'en est pris à nous et a commencé à nous agresser avec ses clés de voiture.

— Et moi je les lui ai prises, je m'en souviens vaguement, maintenant. Je les ai confiées au serveur, après ?

— Oui. En disant que le gars viendrait les chercher quand il aurait dessaoulé.

— Et ensuite il m'a donné un coup de poing dans la gueule. Ça y est, ça me revient.

— Tant mieux, Carl. Le contraire m'aurait embêté. » Il y avait du sarcasme dans la voix de Hardy et Carl n'aimait pas ça. Est-ce qu'il le soupçonnait de mentir délibérément ? « Et pour te venger, tu lui as pris son permis de conduire et tu y as mis le feu avec ton briquet Ronson.

— C'était cet homme-là ? Tu en es sûr ?

— Sûr et certain. »

D'un hochement de tête, Carl salua au passage Bente Hansen qui descendait l'escalier, l'une des meilleures investigatrices de la brigade criminelle. Elle s'était un peu empâtée après sa dernière grossesse, constata-t-il avec regret. Elle avait eu un faible pour Anker à une époque. Il y a longtemps. Tout cela semblait si loin, à présent.

Il essaya de se concentrer. « Hardy, tu te rappelles m'avoir dit il y a un certain temps maintenant que tu soupçonnais Anker d'avoir eu quelque chose à voir avec la fusillade à Amager ?

— Oui. Et plus ça va, plus j'en suis convaincu. Il n'y a qu'un seul petit détail qui m'échappe.

— Lequel ?

— Tu le sais très bien.

— Comment le saurais-je ?

— Quand tu as brûlé son permis de conduire, Rasmus Bruhn a pointé le doigt sur toi. Tu ne te souviens pas de ce qu'il a dit ?

— Non.

550

— Il t'a crié : "Ça, tu vas me le payer… Carl !" Il connaissait ton nom, et je peux t'affirmer qu'il n'avait pas été cité une seule fois pendant cet épisode. »

Carl ferma les yeux et s'appuya contre le mur. Pourquoi Hardy ne lui avait-il jamais dit ça ? S'il lui en avait parlé tout de suite, Carl aurait certainement pu lui donner une explication.

« Réfléchis un peu, Hardy. Si Anker et cet homme avaient quelque chose à voir ensemble, il a pu mentionner les noms de ses collègues.

— Il ne connaissait pas le mien, Carl. Il m'a demandé de m'écarter. Il m'a gueulé : "Reste en dehors de ça, tête de con."

— Écoute, Hardy. Tu déconnes complètement, là. Je ne connais pas ce type et je ne l'ai pas non plus reconnu aujourd'hui, d'accord ? Cette histoire de permis de conduire ne date pas d'hier, et contrairement à toi, il y a un tas de nouvelles choses qui viennent m'encombrer la tête… »

Un soupir lui répondit de l'autre côté de la ligne et Hardy raccrocha.

Merde ! Pourquoi lui avait-il dit un truc pareil !

« Mon héros ! » s'exclama Rose lorsqu'il tomba sur elle dans le couloir. Elle devenait folle, ou quoi ? Les bâtons d'encens d'Assad, l'excitation sexuelle de Gordon et toutes ses idées farfelues avaient-ils fini par griller les fusibles de son cerveau ? Car, sans risque de se tromper, c'était bien de l'admiration qu'elle lui témoignait en ce moment.

« C'était vraiment courageux de votre part, Carl. Nous avons déjà reçu plusieurs appels suite à votre petite performance. L'un d'eux est assez prometteur. Assad est justement en train de parler à la bonne femme. » Elle tourna la tête vers le bureau où il prenait des notes, le téléphone coincé entre l'épaule et l'oreille.

« Super. C'est une bonne nouvelle. Elle a reconnu le type ?

— Non, mais je crois qu'elle a reconnu le combi.

— Qu'est-ce que tu me racontes ? Il doit y avoir des centaines de fourgons comme celui-là.

— Pas avec un signe Peace & Love sur le toit. »

Carl alla rejoindre Assad dans le cagibi qu'il partageait avec Gordon. « Passe-la-moi », chuchota-t-il. Assad refusa en agitant sa main libre.

Gordon, assis de l'autre côté de la table, se pencha vers lui. « J'ai branché tous nos téléphones sur nos ordinateurs respectifs », chuchota-t-il. Il désigna un câble assez fin reliant la sortie audio du téléphone au PC. « Il suffit de cliquer sur la flèche en bas de l'écran pour que l'ordi enregistre l'appel », dit-il en désignant la flèche en question. Cela paraissait relativement simple et Carl le félicita d'un hochement de tête.

« J'ai autre chose pour vous », annonça-t-il. Il poussa vers Carl un bout de papier sur lequel était écrit :

1/ Salon de l'ésotérisme et des thérapies alternatives, du mardi 13/05/2014 au vendredi 16/05/2014, de 12.00 à 21.00, parc des expositions de Frederiksborg, Hillerød.
2/ Laursen descend vous voir dans votre bureau quand vous voulez.

Carl hocha la tête et Assad raccrocha.

« Hé ! Qu'est-ce que tu fais, Assad ? Je voulais lui parler.

— Désolé, chef. Elle est infirmière en chirurgie, elle appelait de son travail et elle n'avait pas beaucoup de temps. Elle s'appelle Kitte Poulsen, c'est rigolo comme prénom, hein ? Elle habite Kuala Lumpur et la seule émission qu'elle regarde, c'est TV2 News, en podcast, pendant sa pause déjeuner. On a eu beaucoup de chance. »

Kuala Lumpur ? Tu parles d'une chance !

« Elle pense que le Volkswagen était celui de son père. Il paraît qu'il était militant pacifiste dans les années quatre-vingt. Il s'appelait Egil Poulsen. Il y a longtemps qu'il est mort, mais sa femme habite encore leur ancienne maison et Kitte prétend avoir vu la camionnette pour la dernière fois quand elle est rentrée pour Noël. C'est une épave au fond de leur jardin de Brønshøj. »

C'était tout simplement extraordinaire. Ce que la moitié des habitants de Bornholm et la majeure partie de leurs effectifs de police n'avaient pas réussi à faire en dix-sept ans, le département V y était parvenu en moins de quinze jours. À peine une heure après la conférence de presse, le poisson avait déjà mordu à l'hameçon. Il allait adorer annoncer ça à Bjørn.

Ce fut tout juste si Carl n'éclata pas de rire.

« Elle connaissait Frank ? demanda-t-il.

— Non, mais d'après elle, tous les dossiers contenant les noms de ses camarades militants et les actions auxquelles il avait participé se trouvent encore dans la bibliothèque de son ancien bureau. On vérifiera.

— Allons-y, Assad ! Tu as l'adresse ?

— Oui, oui. Mais du calme, chef. On va devoir attendre demain.

— Pourquoi ?

— Parce que la veuve est partie rendre visite à sa fille en Malaisie et qu'elle est en ce moment à bord d'un avion de la British Airways sur le chemin du retour. Elle atterrit demain à Kastrup à midi cinquante, on pourrait aller la chercher à l'aéroport, par exemple.

— OK, Assad, super. Gordon, tu peux appeler Laursen et lui dire que je suis dans mon bureau. Il est le bienvenu quand il veut. »

Il n'avait pas terminé sa phrase que le téléphone d'Assad, celui de Gordon et tous les autres téléphones du département se mettaient à sonner. La journée promettait d'être sportive.

Carl se frotta les mains de satisfaction.

Cent quatre-vingts coups de fil plus tard, Carl ne fanfaronnait plus. Et Rose encore moins.

« C'est n'importe quoi, dit-elle sur le pas de sa porte tandis que la sonnerie de son téléphone retentissait de nouveau. On reçoit des appels de toutes sortes de crétins, je vous jure qu'ils vont me rendre cinglée. Il y en a qui appellent parce qu'ils veulent acheter le fourgon, si on le retrouve, d'autres pour nous demander la marque de la voiture ancienne qu'on voit au premier plan. Les gens sont totalement sans-gêne, stupides et insupportables. On ne pourrait pas juste décrocher le combiné et le laisser sur la table, Carl ?

— Tu n'as rien appris d'intéressant pour l'instant ?

— Rien du tout.

— OK. Alors transfère tous les appels sur la ligne de Gordon et va me chercher Assad. »

Vingt secondes plus tard, un rugissement venant du bureau d'Assad apprit à Carl que Gordon venait de comprendre qu'il s'était fait piéger.

« J'ai une ou deux missions à vous confier, dit Carl au couple mal assorti qui se tenait devant lui. Quelqu'un a laissé un message il y a un instant qui confirme que le fourgon de Brønshøj est bien celui qui porte un signe Peace & Love sur le toit. Écoutez ça. » Il lança l'enregistrement sur son ordinateur.

Une femme à la voix grave commençait par s'éclaircir la gorge. « Allô, bon, mon nom est Kate Busck, pas Bush, même si je chante aussi bien qu'elle. » Elle partit d'un rire un peu rauque qui évoquait plutôt Rod Stewart ou Bryan Adams. « Je me souviens très bien de ce combi Volkswagen avec son signe sur le toit. Il se trouvait entre autres à la manifestation devant l'ambassade américaine en 1981. Il nous servait de secrétariat. Je crois qu'il appartenait à un dénommé Egil. Egil Poulsen, il me semble. Mais il est mort, maintenant, d'après ce que je sais. Il avait peint un signe Peace & Love sur le toit. Si vous voulez, vous pouvez le voir sur une affiche qu'on avait fait faire à partir d'une vue aérienne des ambassades américaine et russe à Copenhague. Ce qui est assez marrant et symbolique, c'est que ces deux ambassades ne sont séparées que par un cimetière. » Elle rit à nouveau.

Carl stoppa l'enregistrement. « L'appel a duré cinq minutes mais après elle parle d'autre chose. Apparemment, elle avait tout son temps, grogna-t-il. Je vais te demander de la rappeler, Assad, et de voir si éventuellement elle en sait un peu plus. Peut-être ce Frank était-il bénévole à l'une de ces manifestations. Peut-être est-ce comme ça qu'il a rencontré Egil Poulsen. Il ne devait pas être bien vieux dans les années quatre-vingt, alors c'est peu probable, mais on ne sait jamais. »

Assad acquiesça. « Moi aussi, j'ai eu un appel. J'ai tout enregistré là-dessus », dit-il en montrant son smartphone. Ah bon ? On pouvait faire ça, aussi ?

Il pressa le bouton « play » et une voix grinçante de bonne femme, du genre de celles qu'on ne supporte pas d'écouter plus d'une minute, se lança dans un concert de récriminations.

« Ah ça, je peux dire que je la connais, cette saleté de voiture, cancanait-elle. Ça fait je ne sais combien d'années qu'elle est garée derrière la haie de notre jardin et qu'on est obligés de supporter la vue de cet amas de tôles rouillées et de ces vitres dégoûtantes tous les hivers. J'ai demandé des centaines de fois à Egil de nous débarrasser de cette horreur, mais est-ce qu'il a trouvé le temps de le faire avant de mourir, non, évidemment. Parce qu'il se fichait complètement de ce genre de choses. Mais peut-être que vous, vous allez l'enlever de là, maintenant ? Car je suppose que si vous la cherchez, c'est qu'elle a été mêlée à une affaire criminelle. Ça ne m'étonnerait pas. Je compte sur vous pour y mettre bon ordre, n'est-ce pas ? Sinon, à quoi servirait la police ? Ah oui, j'oubliais. La bâche qui était dessus s'est envolée pendant la dernière tempête et elle est venue se poser sur la haie. À un endroit où on ne peut pas l'attraper, bien sûr. Et ce que je vous raconte là date de… attendez que je me souvienne, 2003, ou peut-être un peu plus tard, je… »

Assad stoppa l'enregistrement.

Carl se tourna vers Rose.

« Toi, je voudrais que tu ailles voir les parents d'Alberte à Hellerup. Ils ont appelé le secrétariat tout à l'heure pour dire qu'on leur avait renvoyé les dessins que leur fille avait réalisés pour cette exposition. J'ignore pourquoi la secrétaire a choisi de les renvoyer aux parents, alors que c'est nous qui les lui avons demandés. Les Goldschmid semblaient assez bouleversés par ces dessins, et ils voudraient que nous venions les chercher le plus tôt possible. Dis-leur que nous en ferons des copies si, à un moment donné, ils décident de les récupérer. »

Elle regarda l'heure à sa montre. « Si je dois faire ça maintenant, je ne reviendrai plus au bureau aujourd'hui. »

Il s'en remettrait.

Quand ses assistants furent partis, Carl décrocha discrètement son téléphone et posa les pieds sur la table. Rose absente, c'était l'heure de fumer une cigarette.

Il alluma l'écran plat, zappa sur TV2 News et tomba sur sa propre tronche et sur celle d'un Lars Bjørn au teint de rouquin qui s'est malencontreusement endormi sous le soleil de tropiques.

« Tu es plutôt beau gosse, Carl », dit-il en se voyant à l'image. Il devrait peut-être se recycler en présentateur télé.

Il quitta l'écran des yeux et son regard alla se promener sur le panneau d'affichage et les divers éléments de piste qui s'y trouvaient. Coupures de journaux, photos et agrandissements de différentes parties de la carte de Bornholm, fixés avec des punaises de couleur.

Tout semblait si clair quand on le voyait affiché là. Une photo du lieu de l'accident, la salle communale de Listed, l'emplacement de l'école d'enseignement pour adultes, endroits et personnes ayant un lien avec l'enquête. L'histoire simple d'une jeune fille percutée par une voiture et d'un homme qui avait consacré une partie de sa vie à découvrir qui était au volant.

Malheureusement, quand on essayait de faire la synthèse de tout cela, on se retrouvait avec un tas de questions. Il était établi que la jeune Alberte était partie à vélo de bonne heure ce matin-là pour se rendre sur une route isolée à distance de l'école, à un endroit qu'elle connaissait. Mais pourquoi à cette heure-là ? Apparemment, il s'agissait d'un lieu de rendez-vous habituel et il était à peu près certain qu'elle s'y rendait pour rencontrer un homme dont elle était follement amoureuse. Mais pouvait-on affirmer toutes ces choses ? Ou bien n'étaient-elles que des hypothèses ?

Comment connaissait-elle l'heure du rendez-vous ? En étaient-ils convenus la veille ? Ou bien se voyaient-ils tous les jours à la même heure au même endroit ?

Carl fouilla dans son tiroir de bureau pour y trouver un compas et se leva de son fauteuil.

Alberte faisait beaucoup de vélo et quelqu'un leur avait dit qu'elle adorait les paysages de Bornholm. Qui est-ce qui leur avait raconté ça, déjà ? Il prit une longue bouffée de sa cigarette, en général cela l'aidait à réfléchir. Comme ça n'avait pas marché, il en prit une deuxième. Le gardien de l'école, peut-être. Oui, ça devait être lui. C'était lui aussi qui leur avait dit qu'Alberte s'absentait rarement plus d'une demi-heure. C'était assez remarquable de sa part d'avoir observé cela, quand on y pense.

Carl regarda la photo de la fille. Elle était belle, jeune et forte. Il n'était pas absurde de considérer qu'elle était capable de rouler à une allure de vingt kilomètres à l'heure.

Pour avoir le temps de faire l'aller-retour en une demi-heure, la distance entre l'école et l'endroit où ils se rencontraient ou se laissaient des messages ne pouvait pas avoir été de plus de cinq kilomètres, voire moins, en fonction du temps qu'elle passait sur place.

Il prit son compas, le régla sur un écartement correspondant à une distance de cinq kilomètres d'après l'échelle de la carte, posa la pointe au centre de l'école et traça un cercle autour.

L'arbre se trouvait bien dans le cercle et il pouvait parfaitement correspondre au lieu de rendez-vous et à un endroit qu'ils auraient pu utiliser comme boîte aux lettres. Un endroit tout à fait romantique au demeurant.

Carl se gratta la nuque. Ce n'étaient que suppositions et la vérité pouvait être tout à fait ailleurs. La seule véritable question était de savoir pourquoi Alberte se trouvait là. Si elle venait y rencontrer quelqu'un, ils s'étaient nécessairement donné rendez-vous avant, oralement ou par écrit. Elle pouvait aussi y être allée ce matin-là pour voir si son amoureux lui avait laissé un message. Auquel cas, elle aurait été bredouille puisque la police n'avait rien trouvé, ni sur la jeune fille, ni sur les lieux. Ou alors, le message avait été récupéré, mais pas par elle.

Non. Il y avait trop d'inconnues. Ça ne servait à rien de s'acharner. Il regarda en soupirant le cercle qu'il avait tracé sur la carte. Que faisais-tu là-bas à cette heure matinale, Alberte ?

« Salut, mon pote ! » dit une voix depuis le seuil de la pièce.

Carl se retourna. Tomas Laursen le regardait, deux mugs dans une main.

« Pourquoi as-tu décroché ton téléphone ? Comment on fait pour te joindre ? »

Carl raccrocha son téléphone et cinq secondes plus tard, il se remettait à sonner.

« Pour ça ! répliqua-t-il. La ligne a été transférée sur les postes de travail d'Assad et de Gordon. Le pauvre Gordon est obligé d'enregistrer tous les appels auxquels il n'arrive pas à répondre lui-même.

— Vous avez eu des touches ? »

Carl fit la moue. « Quelques-unes, oui. Pas mal, en fait.

— Tu peux dire à Assad d'arrêter de chercher la photo de ce panneau de contreplaqué.

— Ah oui ? Le labo l'a retrouvée ?

— Non. » Il s'assit et posa un mug devant Carl. « Il n'est plus très chaud, mais goûte-moi ça. C'est du Jamaica Blue Mountain. Je suis sûr que tu n'as jamais bu un truc pareil. »

Le parfum était fantastique. Carl but une gorgée et roula des yeux. Le café était fruité, aromatique et presque sans amertume.

« Ne deviens pas dépendant, ce n'est qu'un échantillon. Il coûte un bras. Ce serait donner de la confiture aux cochons de le servir là-haut. » Il rigola. « Bon, revenons à nos moutons. Les experts ont fini par remettre la main sur toutes les pièces de l'ancien dossier. Ils confirment que le débris était du contreplaqué, mais après pas mal de discussions au labo, ils ont exclu l'hypothèse que le panneau trouvé dans l'eau puisse être le même que celui qui a projeté Alberte Goldschmid dans l'arbre. Les trous décrits par Habersaat ne correspondent pas au montage sur un pare-buffle du genre de celui qui a été monté sur le combi, sauf en passant des crochets au travers de ces trous. Mais dans ce cas, sur quoi est-ce qu'on aurait fixé les crochets ? Le labo n'y croit pas. Si ça avait été dans la fente où se trouve le joint d'étanchéité sous les essuie-glaces, le pare-brise et le panneau auraient obligatoirement volé en éclats au moment de la collision, et les techniciens de l'époque auraient forcément trouvé des débris sur place. À part ça, les techniciens estiment que le pare-buffle à lui seul n'aurait pas permis de projeter la jeune femme dans l'arbre. Si je résume, c'est un autre objet qui a servi à expédier la gamine dans l'arbre.

— Bref, nous ne sommes pas plus avancés », commenta Carl.

Il s'alluma une cigarette de consolation et en proposa une à Laursen.

Enfin quelqu'un qui partageait ses vices au lieu de lui taper sur les doigts.

41

Dimanche 11 mai et lundi 12 mai 2014

Durant la première heure, Shirley douta.

Adulte, elle avait été livrée à elle-même la majeure partie du temps, mais elle avait toujours été un être sociable. Et même quand on est seul, il y a un tas de manières de s'occuper et de ne pas souffrir de la solitude. Quand Shirley était chez elle et que ses amies n'étaient pas disponibles, elle écoutait la radio, regardait des sitcoms à la télévision, parlait au téléphone ou observait la vie des gens par sa fenêtre. Ici, au centre, elle avait aussi trouvé des amis avec qui elle passait des moments agréables de temps à autre. Pas très excitant, mais suffisant.

Mais dans cette salle de purification, il n'y avait rien de ce qu'habituellement elle employait pour se distraire. Aucun contact, aucune occupation, uniquement la petite bible bleue de la Naturabsorption, un jeu de cartes et un carré de ciel où elle pouvait voir passer les nuages. Tout cela demandait un temps d'adaptation.

Au milieu de tout ce vide, elle commença à réfléchir, un phénomène nouveau pour elle. Ce n'était ni à ses tâches quotidiennes, ni à des questions urgentes et pratiques qu'elle pensait, mais à la sensation abstraite et extraordinaire d'être soudain privilégiée.

J'ai été désignée, réalisa-t-elle tout à coup. Ils m'ont choisie, *moi*, pour être leur ambassadrice à Londres, c'est merveilleux ! Selon le manuel d'Atu, dès le dixième jour, elle serait libérée de toute idée triviale ou superficielle. Le vingtième jour, elle se sentirait purifiée et à la fin de son séjour elle renaîtrait comme un être comblé, en phase avec la nature et la philosophie de l'existence selon Atu.

C'était la raison de sa présence dans cette pièce lambrissée, vide et austère, se rappela-t-elle. Elle avait été désignée ! Désignée ! Quel joli mot et quel compliment, elle ne s'était jamais sentie « désignée » auparavant. Pointée du doigt, oui. Parce qu'elle était trop grosse, trop bête, trop habillée ou pas assez, mais jamais comme il fallait.

Montrée du doigt et *désignée*. Quelle énorme différence il y avait entre ces deux formules.

Shirley se rendit compte à sa grande surprise qu'elle était presque heureuse. Elle continua de l'être jusqu'à ce que son ventre se mette à gargouiller. Le soleil avait disparu du puits de jour au plafond.

Sa nourriture n'aurait-elle pas dû lui être apportée depuis longtemps ? Elle aurait bien aimé avoir sa montre, à présent. L'heure où les disciples se rassemblaient autour de la collation de l'après-midi et celle de la méditation collective n'étaient-elles pas largement dépassées ? Si, elle le sentait autant dans son âme que dans son estomac.

Pourquoi Pirjo ne se montrait-elle pas ?

À la nuit tombée, elle se dit qu'elle avait dû mal comprendre. Elle devait sans doute passer par une journée de jeûne, comme une sorte de sas.

Ayant accepté ce principe, elle se plongea dans la bible d'Atu et lut lentement et consciencieusement tout ce qu'il disait sur ce qu'elle pouvait attendre de cette période de purification, et surtout quels rituels il lui fallait accomplir pour tirer le meilleur profit de cet isolement volontaire.

Volontaire ! Elle allait devoir réfléchir un peu à ce mot-là. L'avait-elle voulu ? Oui, en quelque sorte. En tout cas, personne ne l'avait forcée. Elle était venue dans cette pièce volontairement.

Shirley poursuivit sa lecture mais ne trouva rien dans la description d'Atu qui lui semble correspondre à ce qu'elle était en train de vivre. Il n'était question ni de jeûne, ni de service de repas, ni de blanchisserie, ni d'aucune autre question pratique.

Cela commença par l'étonner.

Ensuite cela l'inquiéta.

Et quand elle arriva à la page trente-cinq, elle comprit qu'elle avait un gros problème.

À cette heure-ci, ils repartent de la plage après la salutation au soleil face à la mer, songea-t-elle quand les rayons lumineux ricochèrent sur la vitre tout là-haut.

L'équipe de construction affectée au nouvel enclos circulaire n'allait pas tarder à arriver. Ils travaillaient à plusieurs centaines de mètres d'elle, mais en criant assez fort, elle réussirait sans doute à attirer leur attention.

Assise sur la banquette, elle hochait la tête pour elle-même. Elle se demandait comment analyser la situation. Elle avait accusé Pirjo de faits graves, et elle se retrouvait enfermée ici. Était-ce une sorte de vengeance ? Ou plutôt une épreuve comme celles que Dieu jugea bon de faire traverser à Moïse ou à Abraham, un défi comparable aux quarante jours dans le désert ou aux malheurs de Job ? Avaient-ils voulu éprouver sa loyauté envers l'Académie de naturabsorption et sa foi en ses préceptes ?

Elle plissa le front. Pourquoi disait-elle « ils » ? N'était-ce pas uniquement l'œuvre de Pirjo ?

Shirley se mit à chantonner en regardant les nuages qui voguaient au-dessus de sa tête et en se balançant doucement. Un moyen de se consoler auquel l'humanité avait eu recours à tous les âges, face aux plus cruelles épreuves. Le chant des galériens quand ils se tuaient à ramer sur le fleuve Don. Le blues et les gospels des esclaves dans les champs de coton et la berceuse de la mère à son enfant malade.

« Pour faire fuir le chagrin, il faut chanter, disait sa mère chaque fois qu'elle se disputait avec son père. Et en chantant assez fort, en plus, on a une chance de faire fuir le gars en même temps », ajoutait-elle avec humour. Elle n'avait pas tort.

Shirley sourit. « Tu chantes à ton aise, toi qui n'as pas d'impôts à payer, disait le paysan au rossignol », répliquait son père quand il était de bonne humeur.

Et puis un jour, le chant s'était tu dans la maison.

Shirley fredonna doucement pendant un quart d'heure, puis elle s'interrompit, tendit l'oreille, quêtant un signe de vie à l'extérieur. Mais elle n'entendait ni coups de marteau, ni cris venant du chantier, et si elle ne les entendait pas, ils ne l'entendraient pas non plus.

« Pour combattre la faim, il faut du chant et des rires », disait aussi son père quand elle avait été consignée dans sa chambre et privée de dîner. Elle chanta à tue-tête pendant au moins une heure.

Pour oublier sa faim, elle avait bu des litres d'eau dans le lave-mains des toilettes. Elle avait lutté contre les pensées négatives qui l'assaillaient sans cesse et lu le manuel d'un bout à l'autre à plusieurs reprises. Elle avait accompli les rituels, dit ses mantras et récité ses prières à Horus, elle avait répété à haute voix les préceptes de la Naturabsorption et s'était plongée si profondément dans la méditation qu'elle crut avoir dormi.

Au bout de trente-six heures à ce régime, elle commença à appeler au secours.

Et quand ses cordes vocales déclarèrent forfait, elle arrêta.

42

Lundi 12 mai 2014

« Voilà, j'ai interrogé cette Kate Busck ! »

Carl cligna des yeux une ou deux fois. Il avait eu une absence ou quoi ?

Il vit qu'il avait un pied dans le tiroir du bureau et l'autre dans la corbeille à papier. Effectivement, il devait s'être assoupi un instant.

« Kate Busck ? » Il plissa les yeux, hocha la tête en regardant Assad pour se donner le temps de revenir à la réalité. Est-ce qu'il ne venait pas de rêver de Mona ? Et qui diable était Kate Busck ?

« Kate est cette femme qui connaissait le propriétaire du Volkswagen, Egil Poulsen, celui qui militait pour la paix », lui rappela Assad sans qu'il lui ait rien demandé.

Il était devin ou quoi ?

« J'ai scanné et envoyé par mail la photo que nous avons. Je lui ai expliqué qu'il était très important que nous retrouvions l'homme qui était dessus. Elle l'avait sous les yeux sur son écran d'ordinateur pendant qu'on parlait ensemble.

— Bonne idée. Et alors ?

— Elle se souvenait d'un gamin qui les aidait à distribuer des tracts pendant les manifestations. Un beau garçon qui parlait de paix à longueur de journée, paraît-il. Il s'appelait Frank, mais tout le monde l'appelait "l'Écossais". Elle ne sait pas pourquoi, parce que en tout cas, il parlait parfaitement le danois. » Assad fit une longue pause, le temps de laisser Carl décanter l'information. Ce nom de Skotte n'était donc pas une pure invention.

« Elle l'aurait reconnu sur la photo alors qu'elle ne l'avait vu que tout jeune, tu trouves ça plausible, toi ?

— Oui. » Carl s'étira. « C'est bien, Assad, merci. Espérons qu'il y aura quelque chose d'intéressant chez la veuve d'Egil Poulsen ! » dit-il en tripotant son paquet de cigarettes. « Tu veux bien aller me chercher Gordon, s'il te plaît ? »

Il tira sur sa cigarette du réveil.

Tous ces indices allaient-ils les mener à Frank ?

Et ensuite ?

Gordon avait l'air totalement épuisé. Si fatigué que ses jambes interminables semblaient sur le point de plier sous son poids. Cela tenait du miracle qu'un petit cœur d'à peine trois cents grammes soit en mesure de véhiculer du sang dans un organisme aussi grand. Il n'y avait rien d'étonnant à ce que, parfois, la tête soit moins irriguée et les jambes un peu lourdes.

« Assieds-toi, Gordon, on t'écoute. Qu'est-ce que tu as pour nous ? »

Il dodelina de la tête en se repliant en accordéon sur une chaise.

« Je ne sais pas très bien quoi dire. » Il sortit ses notes. « Je pourrais commencer par vous raconter que j'ai réussi à joindre cinq autres élèves de l'école et qu'ils n'avaient rien à ajouter à ce que nous savions déjà. Ils m'ont tous renvoyé vers Inge Dalby dont ils se figuraient qu'elle en savait plus qu'eux étant donné qu'elle avait la chambre voisine de celle d'Alberte. »

Carl leva les yeux vers la fenêtre. Tout ça pour ça. Il se demanda s'il avait confié ce travail à la bonne personne.

« Et les autres ? Il t'en reste encore combien à joindre ? »

Il eut l'air tout malheureux. « Un peu plus de la moitié, je crois.

— OK. On va s'arrêter là, alors, dit Carl brusquement et peut-être un peu trop durement. Qu'est-ce que tu as d'autre ? J'ai entendu le téléphone sonner presque toute la journée. »

La grande perche inspira profondément et poussa le soupir d'un être cruellement éprouvé. « J'ai parlé avec... » Il ouvrit son bloc-notes et se mit à compter les lignes du bout de son crayon.

« On s'en fout, dit Carl. Ça a donné quoi ? »

Gordon n'entendit pas la remarque et continua de compter. Il était vraiment temps que tout le monde aille se reposer.

« ... En tout, quarante-six personnes. » Il leva les yeux, espérant un minimum de compassion. Il croyait peut-être qu'il était le premier à se crever le cul pour aller à la pêche aux informations. « Mais sur le lot, il y en avait quand même une qui avait quelque chose à dire. J'ai son numéro, si vous voulez la rappeler. » Il tendit un morceau de papier à Carl sur lequel était inscrit un nom : Karen Knudsen Ærenpris, et un numéro de téléphone. « Elle connaissait l'homme que nous recherchons, ajouta-t-il, contre toute attente.

— Assad ! Viens ici tout de suite ! cria Carl.

— Ils habitaient dans une communauté ensemble, leur expliqua Gordon quand Assad les eut rejoints. Elle se trouvait à Hellerup. C'était une de ces colocations post-hippies avec bouffe macrobiotique, bourse commune et fringues partagées. Ils avaient baptisé la maison Ærenpris et ils ont tous pris ce nom comme nom de famille. D'après ce que j'ai pu comprendre, elle est la seule à l'avoir conservé par la suite. La communauté n'a pas très bien marché, apparemment.

— Tu veux dire qu'elle a été dissoute ?

— Oui, il y a quinze ou seize ans, déjà. »

Carl soupira. Il commençait à avoir envie de travailler sur des affaires qui se passaient ici et maintenant. « Bon, et à quelle période notre homme a-t-il vécu là-bas ?

— Elle n'en était pas très sûre, parce qu'il n'y est pas resté longtemps, mais elle situe cela en 1994 ou 1995, ce qui correspondrait assez bien, puisqu'il semble qu'il ait fêté ses vingt-cinq ans avec eux. »

Carl et Assad échangèrent un regard. Cela confirmait le calcul qu'ils avaient déjà fait. Frank devait avoir dans les quarante-cinq ans aujourd'hui.

« Allez, Gordon, accouche. Comment s'appelait-il ? » dit Assad en trépignant d'impatience.

L'asperge fit une grimace qui ne l'avantageait pas.

« Euh… en fait, elle ne s'en souvenait pas. Nous nous sommes mis d'accord sur le fait qu'il s'appelait Frank, mais elle n'était pas sûre du nom de famille. Elle se rappelait juste que ce n'était pas un nom à consonance danoise. Peut-être Mac quelque chose parce qu'ils l'appelaient toujours "l'Écossais", mais elle n'était même pas certaine de l'avoir jamais su. Son nom, je veux dire.

— Merde ! » s'exclama Carl. Les yeux sur le morceau de papier, il composa le numéro de la femme. « Elle a intérêt à être chez elle maintenant ! »

Elle l'était. Carl se présenta et mit le haut-parleur. Elle leur répéta à peu près ce qu'elle avait dit la première fois. L'information décisive qui allait changer le cours de cette enquête ne serait pas facile à lui soutirer, en admettant qu'elle la détienne.

« Qu'est-ce qu'il faisait ? Il avait un travail ?

— Je crois qu'il faisait des études. Il avait peut-être une bourse, je ne sais pas.

— Quel genre d'études ? Il allait en cours la journée, ou le soir ?

— Pas le matin en tout cas, parce que le matin, il était occupé avec l'une d'entre nous.

— Que voulez-vous dire ? Vous parlez de sexe ? »

Elle rigola. Assad aussi. Carl le fit taire d'un geste. Il ne pouvait pas se tenir tranquille ? Au moins jusqu'à la fin de la conversation ?

« De quoi voulez-vous que je parle ? C'était un beau mec et on lui laissait le droit de nous prendre toutes à tour de rôle, moi y comprise. » Elle rit à nouveau. « Le gars avec qui je sortais à l'époque n'en savait rien, bien sûr, mais ça a quand même réussi à mettre la pagaille et à créer des tensions. C'est pour ça qu'il a fini par se faire virer. Et je pense que c'est aussi pour ça que mon mec a fini par se tirer et que la communauté a été dissoute. »

Carl lui demanda de décrire Frank plus précisément et de leur dire quel genre d'homme il était, mais cela ne leur apprit rien de nouveau. Sa description correspondait parfaitement à celle qu'en avait faite Inge. Il n'avait aucun signe particulier et aucune tare visible, il était grand et beau, très gentil et charismatique.

« Il n'y en a pas beaucoup des comme ça, au Danemark, on aura vite fait de le retrouver, ironisa Carl. Pouvez-vous nous parler de ses centres d'intérêt ? De quoi parlait-il, le plus souvent ?

— Il savait très bien parler aux femmes. C'est pour ça qu'il a eu la partie facile avec nous.

— Qu'est-ce qu'il disait, par exemple ? » Allez ! Donne-moi quelque chose ! songeait Carl en lui-même.

« En ce temps-là, tout le monde se préoccupait de la situation dans les Balkans et la plupart des mecs étaient passionnés par le sport. Le Tour de France, tout ça, dit-elle. Mais Frank pouvait tout aussi bien s'emporter contre les essais nucléaires à Mururoa que nous parler de trucs de filles comme le mariage du prince Joachim avec la princesse Alexandra. »

Carl claqua des doigts à l'intention de Gordon. « Atoll de Mururoa », formèrent ses lèvres. Gordon tourna vers lui l'ordinateur portable de Carl et se mit à pianoter.

« Il vous parlait de Mururoa, vous en êtes sûre ?

— Tout à fait. Il avait peint des banderoles et il avait essayé d'emmener toute la communauté à une manifestation devant l'ambassade française de Copenhague. »

« 1996 », mima Gordon en réponse à la question muette de Carl.

Bingo. Ils avaient enfin une année précise.

« Je crois savoir qu'il s'intéressait aussi beaucoup à la théologie, je me trompe ? » lança Carl.

Un silence lui répondit à l'autre bout du fil. Elle réfléchissait, ou quoi ?

« Vous êtes encore là ? s'enquit Carl.

— Maintenant que vous me le dites, c'est vrai. Il a failli nous rendre cinglées avec ses théories sur les religions qui auraient toutes la même origine. Il n'arrêtait pas de parler des étoiles, du soleil, des constellations, tout ça. Nous étions une communauté holistique, pas un centre spirituel, et ses discours ont fini par nous lasser. Je crois qu'il avait suivi un cours à l'université qui lui était monté à la tête. Si je me rappelle bien, il voulait qu'on bâtisse un temple solaire derrière la maison. » Elle rigola. « Quand il a commencé à se lever à l'aube pour saluer le lever du soleil et à psalmodier dans le jardin, un des gars de la communauté en a eu marre d'être réveillé aux aurores et a voulu lui casser la gueule, arguant qu'il avait un boulot, *lui*. Il s'est rendu compte à ses dépens que Frank avait un sacré tempérament. Il s'en est pris plein la gueule, je peux vous dire. Frank n'était pas du genre à se laisser faire.

— Je vois. Vous diriez qu'il avait un profil de psychotique ?

574

— Que voulez-vous que j'en sache, je ne suis pas psychiatre !

— Vous savez très bien ce que je veux dire. Était-il froid, calculateur et égocentrique ?

— Froid, sûrement pas. Mais calculateur et égocentrique, oui. Mais qui ne l'est pas, de nos jours ? »

C'était la deuxième fois qu'on lui faisait la même réponse à cette question.

« Vous voulez dire qu'il avait des raisons de se défendre ? Savez-vous s'il s'est montré violent à d'autres occasions ?

— Pas à ma connaissance.

— Est-ce que vous aviez un bail en tant que locataires ?

— Non. Je ne sais même pas qui avait loué la maison au départ. Je crois que c'était un type qui habitait là bien avant nous. On versait tous de l'argent sur un compte qui servait à payer toutes les dépenses. Il y avait sans cesse des gens qui partaient et d'autres qui arrivaient, c'était plus pratique de faire comme ça. »

Après cette conversation, Carl faillit demander à Assad de lui préparer un café ou un thé pour se remettre. Il pédalait dans la choucroute. Comment avait-il pu se laisser entraîner là-dedans ? Si tous les témoignages qu'ils récoltaient devaient se révéler aussi stériles, ils feraient aussi bien d'arrêter de prendre les appels qui continuaient d'arriver sur le poste de Gordon.

« Allez, chef, on a quand même réussi à avoir une année de naissance ! dit Assad en posant ses fesses sur le coin du bureau de Carl. Il est né en 1971 et maintenant, il a quarante-trois ans.

— Oui. Bien sûr. Et nous savons aussi qu'il mesure un mètre quatre-vingt-cinq et un tas d'autres choses sur son apparence qui correspondent à des milliers de gens que nous pourrions rencontrer dans la rue n'importe où. Nous avons aussi un certain nombre de renseignements sur sa personnalité et nous connaissons ses centres d'intérêt, alors peut-être que si nous avons une chance incroyable, nous allons contre toute attente réussir à mettre la main dessus. Mais vous savez quoi ? Ça nous ramènera inévitablement à la même question : et ensuite ?

— Et ensuite, quoi ? demanda Gordon, émergeant de sa léthargie.

— Nous savons un tas de choses, nous avons un signalement assez précis, nous allons bientôt connaître son nom. Et la visite à Brønshøj sera peut-être le coup de pouce qui nous permettra de compléter le tableau, et ensuite, quoi ?

— Coup de pouce ?

— C'est une expression, ça veut dire aider à progresser d'un seul coup, Assad. »

Il hocha la tête, l'air dépité. « Vous avez raison, chef.

— Je ne comprends pas. De quoi est-ce que vous parlez ? demanda Gordon.

— Ce que nous voulons dire, c'est que même si nous avons la chance inouïe de le retrouver, nous ne pourrons rien prouver, rien du tout. Parce que tu te doutes bien que lui ne va pas nous avouer, comme ça, pour nous faire plaisir, qu'il a tué Alberte !

— Sauf si on lui casse les deux bras », proposa Assad.

Ils soupirèrent de concert et se levèrent. Il était temps de rentrer à la maison.

Carl raccrocha son téléphone qui se remit instantanément à sonner. Il garda les yeux fixés dessus quelques longues secondes avant de prendre l'appel. Son intuition lui disait que cette fois, ce ne serait pas vain.

La voix au bout du fil était désagréablement familière. « Bonjour, monsieur Mørck. Martin Marsk à l'appareil, du quotidien *Formiddagsposten*. Suite à la conférence de presse d'aujourd'hui, nous aimerions savoir si vous êtes à nouveau sur l'affaire des meurtres au pistolet à clous ?

— Je ne le suis pas.

— Est-ce que vous ne devriez pas l'être ? Ne serait-ce que pour obtenir justice au nom de vos équipiers, voire de les venger ? »

Carl ne répondit pas. Les venger ? Il le prenait pour Clint Eastwood ?

« Apparemment, vous n'avez pas envie de répondre à cette question. Mais pouvez-vous au moins me dire quelles seront les suites de cette enquête ?

— Aucune, en ce qui me concerne. Je vous invite à appeler mes collègues du deuxième étage. C'est Terje Ploug qui est en charge de cette affaire et vous le savez très bien, Martin.

« — Alors peut-être pourriez-vous me donner des nouvelles de Harry Henningsen ?

— Je vais vous donner un petit conseil, monsieur le journaliste Martin Marsk. La prochaine fois que vous aurez envie de vous faire passer pour un professionnel sérieux et compétent, relisez vos fiches. Il ne s'appelle pas Harry, mais Hardy, putain ! Et si vous voulez des nouvelles de *Hardy* Henningsen, vous n'avez qu'à lui en demander. Je ne suis pas un central de renseignements. Ni pour les gens qui sont en pleine possession de leurs moyens, ni pour les autres.

— Vous voulez dire que Hardy Henningsen n'est pas en pleine possession de ses moyens ?

— Ta gueule, connard. Pardon, *monsieur* Connard, ça ne vous ennuie pas que je vous tutoie ?

— Oh ! Tout doux, monsieur Mørck. Alors dites-m'en un peu plus sur cette histoire de combi Volkswagen. Si vous voulez l'aide de la presse, il faut nous donner quelques cartouches. Il y a une récompense à la clé ? »

Aucun de ses collaborateurs n'avait décroché son téléphone et ça sonnait de tous les côtés. Qu'est-ce que ce serait si la presse faisait monter la sauce ?

« Non, pas de récompense. Dès qu'il y aura du nouveau, je vous rappelle.

— Vous ne le ferez pas, alors vous feriez aussi bien de cracher le morceau. »

S'il n'avait pas craint la réaction de Lars Bjørn, Carl n'aurait pas hésité.

« Puisque vous insistez, je vais ajouter un dernier mot : salut. »

Carl pensa à Hardy pendant tout le trajet jusqu'à chez lui. Il voyait son visage, ce visage qui avait oublié comment sourire, un visage marqué par l'adversité et le malheur. Si Carl voulait que ça change, il devait se résoudre à parler sérieusement avec lui de cette foutue affaire, et c'est ce qui lui posait un tel problème. Il savait qu'il le fallait. Mais étrangement, Hardy, qui était quotidiennement confronté à cette terrible réalité, était également mieux armé que Carl pour la regarder en face.

Chaque fois que l'épisode remontait à la surface, son corps était traversé par un courant électrique incontrôlable. Il avait déjà craqué à plusieurs reprises. Mona avait parlé de dépression nerveuse et de stress posttraumatique. Carl se fichait de savoir comment ça s'appelait, du moment que ça voulait bien le laisser tranquille.

Et voilà que Hardy et lui allaient devoir en rediscuter, et sur un nouveau registre cette fois. C'était indispensable mais pour Carl ce serait un supplice.

Son mobile sonna. Il s'apprêtait à refuser l'appel quand il vit le nom de Vigga sur l'écran.

Carl gonfla les joues et expira très lentement avant d'activer le Bluetooth.

Dès les premiers mots, il comprit que son ex-femme était remontée à bloc. Il savait malheureusement déjà de quoi il retournait.

« J'ai rendu visite à ma mère, hier. Le personnel m'a dit qu'il y avait une éternité que tu n'étais pas venu, et franchement, ce n'est pas sympa de ta part. »

Il ne connaissait qu'une seule phrase qu'il détestait plus que celle-là et c'était : « Ça me fait beaucoup de peine. » Bref, il se sentait déjà poussé dans ses retranchements.

Et ce n'était vraiment pas le jour.

« Tu m'obliges à te rappeler notre accord, Carl, continua-t-elle, déterminée.

— Ce n'est pas la peine, Vigga.

— Ah bon ? Tu trouves que ce n'est pas la peine ? Alors laisse-moi quand même te dire que…

— Je suis garé sur le parking de la maison de retraite. »

Il vérifia à quelle hauteur de Hillerødvej il se trouvait, et constata que la sortie Bagsværd était justement la prochaine. Il avait une sacrée chance, pour une fois.

« Je sais que tu mens, Carl. Je vais les appeler pour leur demander.

— Je t'en prie, j'ai la conscience tranquille. J'ai même apporté des chocolats. Tu sais bien que j'ai toujours respecté nos accords, Vigga. Mais j'étais à Bornholm ces derniers temps. Excuse-moi d'avoir oublié de te le dire.

— Des chocolats ?

— Anthon Berg. Les meilleurs du monde. »

Ceux-là au moins, il était sûr de les trouver à la supérette Superbest.

« Tu me surprends, Carl. »

Il était temps de changer de sujet.

« Alors, est-ce que ton Gurmakal te traite correctement ? demanda-t-il. Il y a un moment que je n'ai pas vu Jesper et je n'ai pas eu les derniers ragots sur toi et ton petit épicier.

— D'abord il n'est pas petit et ensuite il s'appelle Gurkamal, Carl. Et pour répondre à ta question, non, il ne me traite pas bien et non, je n'ai pas envie d'en parler, pas maintenant en tout cas. Et si tu es assez naïf pour attendre quoi que ce soit de Jesper, je te signale que moi non plus, je n'ai aucune nouvelle de mon fils.

— C'est vrai qu'il a une petite amie, maintenant. Alors nous, on ne compte plus.

— C'est ça. » Sa voix devenait un peu épaisse, il se dit qu'il valait mieux changer de sujet encore une fois. Il ne voulait pas se mêler de ses affaires.

« Écoute, Vigga, je rentre dans le bâtiment, là. Porte-toi bien, et je suis sûr qu'avec Gurm… Gurkamal, les choses vont s'arranger. » Il s'engagea sur la bretelle de sortie. « J'embrasserai ta mère pour toi, salut ! »

Pendant quelques secondes, il se sentit rasséréné. Il avait géré la crise. Vigga était neutralisée. Mais tandis qu'il achetait les chocolats et qu'il mettait le cap sur la maison de retraite, il se sentit brusquement envahi par le sentiment que tout aurait pu être différent. Il eut l'impression que le passé, posé sur sa cage thoracique, était en train de l'étouffer. Et cette sensation n'avait rien d'agréable.

L'ex-belle-mère de Carl était égale à elle-même, sauf peut-être les cheveux, dont seulement la moitié étaient encore noir corbeau. Le personnel de la maison de retraite avait dû renoncer à les teindre, ou peut-être était-ce elle qui avait enfin admis qu'elle n'avait plus trente ans.

« Qui êtes-vous ? » demanda-t-elle quand il s'assit sur le fauteuil réservé aux visiteurs.

Alors, c'en était là ? La démence était installée.

« C'est moi, Carl, ton ancien gendre.

— Je vois bien que c'est toi, imbécile. Mais qu'est-ce que c'est que cette tenue ? Je ne t'ai jamais vu aussi négligé. »

Si même une mégère à moitié aveugle, folle à lier et d'un âge canonique le lui faisait remarquer, il devait y avoir du vrai. Merde, alors !

« Qu'est-ce que tu m'apportes ? demanda-t-elle carrément, la main tendue.

— Du chocolat », répondit-il, sortant la boîte du sac de supermarché.

Elle regarda la taille de la boîte d'un air circonspect. « Pff, le format économique. Je ne toucherais jamais à un truc pareil, même si on me l'offrait. »

Pourquoi est-ce que je m'emmerde à venir ici ? se dit-il, connaissant la réponse. S'il ne le faisait pas, il était convenu contractuellement avec Vigga qu'il devrait lui verser une compensation en espèces sonnantes et trébuchantes, une grosse compensation.

« De chez Anthon Berg, bien entendu », ajouta-t-il, un peu vexé, ce qui déclencha un frémissement dans ses doigts avides. Dix secondes plus tard, elle s'était jetée sur les chocolats.

Au bout du troisième, elle posa la boîte sur la table devant eux, ce que Carl prit pour une invitation à se servir. Mais comme il tendait la main vers un chocolat fourré à la pâte d'amandes, la vieille dame lui donna une tape.

« On n'est pas en train de faire un concours à qui la videra le premier ! lui dit-elle, autoritaire. Qu'est-ce que tu m'as apporté d'autre ? »

Heureusement qu'il ne venait pas trop souvent.

Il fouilla dans sa poche de veste où traînaient en général un tas de choses intéressantes. Un billet de dix ou un ouvre-bouteille. Qu'est-ce qu'on ne ferait pas pour obtenir que son ex-belle-mère dise du bien de vous ?

La statuette en bois sculptée par Bjarke était toujours au fond de sa poche. Il faudrait qu'il pense à la poser sur l'étagère avec les autres affaires de Habersaat. Sous la statuette, il sentit un objet qu'il ne parvint pas tout de suite à identifier.

Il l'exhuma et reconnut le pendule que lui avait donné Simon Fisker lors de la visite dans son exploitation herboricole. Il ne brillait pas beaucoup mais il ferait l'affaire.

« Tiens, Karla, c'est un pendule. Un objet magique qui…

— Ça va, je sais ce que c'est qu'un pendule. C'est pour communiquer avec les esprits et tout ça. Mais que veux-tu que j'en fasse ? Je n'ai pas besoin de ces conneries pour parler aux morts. Je leur parle tous les jours, aux morts. Cette nuit, j'ai discuté avec Winston Churchill et tu sais quoi ? C'est un homme absolument charmant. Beaucoup plus gentil qu'on ne le croit.

— Je suis ravi de l'apprendre. Mais ce pendule a d'autres pouvoirs. Entre autres, il est capable de prédire l'avenir. Tu peux lui demander tout ce que tu veux, il te répondra. Tu le tiens comme ça, et ensuite tu poses ta question. Il faut juste s'entraîner un peu avant. »

Elle semblait sceptique, alors il lui fit une démonstration et demanda au pendule s'il allait faire beau demain. Comme il fallait s'y attendre, le machin refusa de faire ce qu'on attendait de lui et il dut l'aider un peu.

« Tu vois, il tourne, ce qui veut dire qu'il va faire beau. Essaye, toi, Karla. Qu'est-ce que tu voudrais savoir ? »

Elle prit l'objet à contrecœur et le laissa pendre au bout de ses doigts.

« Est-ce qu'on aura des choux farcis la semaine prochaine ? » demanda-t-elle après une minute de réflexion.

Malheureusement, le pendule resta désespérément immobile.

« Ça ne marche pas, ton bidule. Tu m'apportes des trucs minables, je le dirai à Vigga.

— Attends, Karla, j'ai une idée. Tu vas lui poser une autre question. Je crois me souvenir qu'il ne répond pas quand on lui demande des choses sur la nourriture. Demande-lui si Vigga viendra te voir demain. »

Elle le dévisagea comme s'il avait perdu la tête. Qu'est-ce qu'elle en avait à faire que sa fille vienne la voir ou pas ?

Elle regarda dans le vague un moment, les yeux un peu voilés, puis elle sourit.

« Ça y est, je sais. Je vais demander si le nouvel infirmier va bien vouloir me baiser sauvagement. »

On aurait dit que le pendule devenait fou.

Carl espéra qu'elle trichait.

Quand Carl rentra chez lui, il trouva Hardy assis dans la pénombre.

Morten avait laissé un mot sur la table de la cuisine.

« Il est de mauvaise humeur. J'ai essayé de le faire picoler mais il s'est refermé comme une huître. Vous vous êtes disputés ? »

Carl poussa un soupir. « Hardy, c'est moi ! dit-il en brandissant le message de Morten sous son nez. Est-ce que ça veut dire que tu vas me laisser boire seul ? »

Hardy haussa les épaules et refusa de le regarder.

« Allez, dis-moi ce que tu as à me dire et finissons-en. »

Sa voix ne devait pas avoir beaucoup servi depuis qu'ils s'étaient parlé au téléphone ce matin. « Je ne te comprends pas. On te donne l'opportunité de rouvrir cette affaire et tu ne la saisis pas. Pourquoi ? Tu ne sais pas à quel point c'est important pour moi ? »

Carl attrapa le joystick du fauteuil roulant et tourna Hardy de façon à ce qu'ils soient face à face. « Terje Ploug a repris l'enquête. Elle est en cours, tu l'as bien vu, non ?

— L'ordre de tes priorités est étrange, Carl, et je n'aime pas ce que ça m'inspire. Pourquoi une fille qui s'est fait renverser par une voiture il y a vingt ans devrait-elle t'empêcher de prendre en charge un problème qui nous concerne directement ? Est-ce que c'est parce que tu crains que certaines choses se sachent ? » Il leva les yeux vers Carl. « Tu as peur des conséquences, Carl ? C'est ça ? Je t'ai bien vu à la télévision. Tu t'en fous complètement. Tu n'as même pas accordé un regard à l'arme qui a servi à nous tirer dessus. Pourquoi, Carl ?

— Ce que je vais te dire va peut-être te paraître un peu dur, Hardy, mais toi tu es paralysé physiquement et moi je le suis moralement. Je ne *peux* pas penser à cette affaire. Pas pour le moment. »

Hardy détourna les yeux.

Ils restèrent quelques minutes ainsi, face à face. Puis Carl renonça. Ce n'était pas le jour.

Il se leva et soupira. Hardy avait peut-être raison. Peut-être devait-il laisser Assad et Rose s'occuper de l'affaire Alberte et demander à rejoindre l'équipe de Terje Ploug, en admettant qu'ils veuillent de lui.

Il alla se verser un verre dans la cuisine et accrocha sa veste sur le dossier de sa chaise. Quand il s'assit, il sentit que quelque chose lui rentrait dans le dos. Il passa son bras derrière lui et repêcha l'objet dans sa poche.

C'était encore la statuette qu'il avait trouvée sur la table basse chez Habersaat. La statuette que Bjarke avait lui-même sculptée, à en croire Oncle Sam.

Et à force de la regarder, il finit par se dire que Habersaat ne gardait pas cette statuette au milieu de son salon par hasard.

Plus il la tournait et la retournait, plus il l'examinait, plus il en venait à se convaincre qu'elle présentait une ressemblance frappante avec l'homme qu'ils recherchaient.

« Merci, Simon, c'est gentil de ta part de m'avoir prévenue. Je ne sais pas du tout pourquoi la police veut parler à Atu ni pourquoi c'est assez important pour qu'elle diffuse un avis de recherche à la télévision. Tu es vraiment sûr que tu as reconnu Atu sur cette photo ? » La main sur la poitrine, elle arrivait à peine à respirer.

« Oui, j'en suis sûr. Le policier qui est venu nous interroger à la ferme a brandi la photo devant l'objectif. J'ai reconnu Atu et aussi le combi. »

La voiture, oh, mon Dieu, la voiture aussi !

« Il a donné un assez bon signalement d'Atu. Il a toujours sa tache sur la dent de devant ?

— Non, il l'a fait enlever il y a plusieurs années déjà.

— Enfin, maintenant tu es prévenue. J'espère que ça ira. Ils ne tireront rien de moi, en tout cas. Je vous dois bien ça.

— Merci encore, Simon. »

Elle raccrocha très lentement le téléphone. Les policiers étaient sur leur piste, mais étaient-ils encore loin, ou bien devait-elle s'attendre à les voir frapper à la porte d'un instant à l'autre ?

Reprends-toi, Pirjo, tu n'as rien à craindre. Qu'est-ce qu'ils savent, au juste ?

Elle se remémora les événements. Que pouvaient-ils prouver ? Rien du tout. Ils savaient peut-être que la fille avait eu une aventure avec Frank, et alors ? Ce n'est pas interdit ! Ils avaient séjourné quelque temps du côté d'Ølene et ils étaient repartis. Leur départ n'avait aucun rapport avec la mort d'Alberte.

Pirjo regarda la porte d'Atu. Fallait-il lui en parler, ou s'abstenir ? S'ils devaient faire front ensemble, il valait mieux l'informer maintenant.

Elle secoua la tête. Pourquoi le mêler à ça ? Pourquoi le perturber alors que tout allait si bien en ce moment ? Ils n'avaient jamais évoqué cette histoire avant, alors pourquoi le feraient-ils à présent ? Il était assez grand pour se défendre et elle saurait garder ce à quoi elle tenait.

Avant tout, elle devait protéger l'enfant qui grandissait en elle. Cet enfant au destin supérieur, qui naîtrait pour être adoré. Rien n'empêcherait cela, ni la police, ni Shirley.

Elle regarda par la fenêtre. Tout était calme. C'était encore l'heure de la méditation. Mais dans dix minutes, tout le monde allait se rassembler dans la salle commune pour entendre les instructions d'Atu sur le programme de la semaine. À cette occasion, Pirjo avait prévu de leur parler de Malena, de Valentina et de Shirley. Pour Malena, elle leur raconterait la même chose que ce qu'elle avait dit à Valentina, et elle leur demanderait de se réjouir tous ensemble du fait qu'elle aille bien. Elle leur passerait ensuite le bonjour de Valentina, qui se trouvait en ce moment même à l'aéroport Kastrup de Copenhague, et qui dès demain dirigerait leur bureau de Barcelone. Elle leur dirait que le poste s'était brusquement trouvé vacant et qu'ils avaient décidé de lui donner sa chance, à condition qu'elle l'accepte au pied levé.

Elle leur expliquerait que l'avenir allait apporter beaucoup d'opportunités comme celle-là, à mesure que l'enseignement de la Naturabsorption se répandrait dans le monde. Ils devaient savoir que les préceptes d'Atu allaient prochainement être traduits en italien et qu'il était question d'ouvrir bientôt un bureau à Assise, ou peut-être à Ancône, parce que ces deux villes étaient proches de la Croatie, un pays dans lequel ils envisageaient également de s'implanter à l'avenir.

Les élèves l'écoutaient et la salle était chargée d'ondes positives.

Pirjo portait fièrement son ventre de femme enceinte, le soleil brillait dehors tandis qu'elle s'adressait aux disciples. On avait fait une belle moisson de tomates dans les serres et Atu leur avait fait un cours magistral merveilleux. Ils pouvaient tous se féliciter de l'avancée de l'enseignement du maître dans le monde, et chacun devait y voir la confirmation qu'ils avaient fait le bon choix en venant ici au bon moment.

Pirjo sourit à Atu qui, assis sur son piédestal, l'écoutait avec les autres. Ils n'avaient parlé ensemble ni de la nomination de Valentina, ni de la traduction en italien, ni de l'installation d'un nouveau bureau au bord de l'Adriatique, mais ce n'était pas nécessaire. Pirjo était l'architecte de leur entreprise et il en était l'esprit. Il paraissait satisfait de ce qu'il venait d'entendre.

« Avec notre enseignement, nous pouvons apporter la paix dans le monde, disait-il souvent à Pirjo. Toutes les religions n'en feront qu'une, l'homme aura plus de temps pour s'occuper de son prochain, il se fondra avec le Grand Tout et apprendra à vivre avec la nature, ses caprices et ses bienfaits. »

Plus vite elle enverrait des missionnaires dans le monde, plus elle consoliderait la position d'Atu, ce qui était aussi dans l'intérêt de l'enfant, qui lui donnait en ce moment des coups de pieds un peu trop violents à son goût.

« J'ai aussi un message à vous faire passer de la part de Shirley, dit-elle plus doucement, s'adressant particulièrement à ceux qu'elle avait eu l'occasion de voir en sa compagnie. Shirley nous a quittés hier, quand je lui ai annoncé que nous n'avions pas l'intention de l'accepter comme membre permanent de notre famille. »

Un murmure se fit entendre dans les rangs. Ils étaient un peu plus étonnés qu'elle ne l'aurait voulu et elle craignait que certains posent des questions. Elle n'allait pas leur en laisser la possibilité.

« Shirley est un être attachant, chaleureux et hors du commun. Elle nous manquera beaucoup. Hier, je lui ai posé une série de questions et je lui ai proposé une liste de tâches dont elle pourrait s'acquitter, avant de décider de son avenir parmi nous. Lors de cet entretien, il est apparu de façon très inattendue que Shirley avait une idée très précise de son avenir dans ce centre. Elle avait l'intention de supplanter plusieurs d'entre vous dans leurs fonctions, parce qu'elle s'estimait plus compétente. Elle s'est révélée dévorée par l'ambition et affectée d'un caractère égocentré qui cadre mal avec notre mode de vie. Je lui ai demandé de se soumettre à une période de purification, mais elle a refusé et s'est mise en colère. Peut-être y en a-t-il parmi vous qui l'ont entendue crier dans mon bureau. J'ai failli appeler à l'aide parce qu'elle ne se contrôlait plus. À un moment j'ai même cru qu'elle allait me frapper. J'ai réussi à la calmer, mais je me suis vue obligée de lui demander de faire ses valises et de rentrer chez elle. J'ai dû lui rembourser une partie de sa cotisation, sinon je pense qu'elle n'aurait jamais accepté de s'en aller. »

Elle regarda l'auditoire qui, comme elle s'y attendait, avait l'air profondément choqué par un tel comportement.

« J'aurais aimé qu'elle puisse dire au revoir à ceux d'entre vous avec qui elle a médité, comme nous nous devons de le faire, consciencieusement et en phase avec la Naturabsorption, mais elle était dans tous ses états et ne pensait plus qu'à s'enfuir. Elle était si fâchée qu'elle n'a pas accepté de se faire raccompagner sur le continent. Voilà dans quel état d'esprit je l'ai quittée.

— Nous sommes pleins de gratitude pour l'immense sollicitude dont a su faire preuve Pirjo », dit une voix derrière elle. Atu s'était levé. « Et nous la remercions pour son courage. »

Il descendit de son estrade pour venir à ses côtés, posa une main sur sa taille. « Nous te devons beaucoup, Pirjo, lui dit-il avant de se tourner vers l'assemblée. Quelqu'un a-t-il quelque chose à dire à propos du choix de Shirley et du chemin qu'elle a décidé de prendre ? »

Personne ne prononça un mot.

Pirjo resta un long moment à regarder les disciples travailler au nouvel enclos circulaire. Tous ses sens étaient en éveil. Plusieurs centaines de mètres séparaient le chantier de l'endroit où Shirley était enfermée pour la deuxième journée consécutive. Une fois encore, elle eut la confirmation que l'endroit était suffisamment isolé. Pour qu'un son traverse les murs de la maison et arrive jusqu'au chantier, il aurait fallu qu'il émane d'une corne de brume. Et tant que ces hommes restaient à leur poste, il n'y avait aucun danger. Cependant, l'un d'eux s'était éloigné tout à l'heure en direction de la maison, probablement pour soulager un besoin naturel. D'autres l'imiteraient, c'était probable.

Un stupide concours de circonstances pouvait donc amener une oreille attentive à entendre crier au secours, et ça, elle devait l'éviter à tout prix. Selon ses calculs, d'ici quatre à cinq jours, Shirley aurait perdu la force de crier. Et elle mettrait au moins vingt jours à mourir. C'était très long. Beaucoup trop long, elle s'en rendait compte, à présent.

Elle frappa dans ses mains, et les muscles tendus des ouvriers se relâchèrent. Tous les hommes se tournèrent vers elle pour l'écouter.

« J'ai un nouveau travail pour vous, ce chantier-ci attendra une petite semaine. C'est à l'autre bout du centre. Je vais vous distribuer des vélos bientôt pour pouvoir vous envoyer comme missionnaires auprès des habitants de l'île. Il serait bon que nous resserrions nos liens avec eux. J'ai déjà commandé les bicyclettes, et il va falloir leur construire des abris. Les matériaux arriveront demain et vous pourrez commencer à y œuvrer. » Elle les regarda d'un air interrogateur. « Alors, qu'en dites-vous ? Vous êtes d'accord ? »

Elle leur fit un large sourire qui se révéla contagieux.

La main sur le ventre et d'un pas tranquille, elle marcha dans l'herbe haute vers la maison dans laquelle Shirley allait mourir. Il fallait qu'elle la tue. Mais comment ? Qu'arriverait-il si pour une raison ou pour une autre on retrouvait le corps avant qu'elle ait eu le temps d'en disposer ? Qu'arriverait-il si Shirley avait laissé quelque part une lettre qui l'accusait ? Cela n'avait rien d'impossible et c'était son principal sujet d'inquiétude.

Son deuxième sujet d'inquiétude était le poids de cette femme. Même si elle mourait de faim, elle serait toujours relativement corpulente et Pirjo allait devoir la traîner sur une distance considérable pour la faire disparaître. Comment ferait-elle, dans son état ? Et à quel moment allait-elle pouvoir le faire sans qu'on la voie ?

Il n'y avait qu'une solution : attendre que Shirley meure de faim. Ensuite, elle enfoncerait la porte à coups de pied et elle placerait la clé dans la main de Shirley pour faire croire qu'elle s'était laissée mourir.

Mais Pirjo ne pouvait pas se permettre d'attendre vingt jours. C'était pour ça qu'elle retournait à la maison. Pas pour la tuer, mais pour couper l'eau.

Dans son souvenir, le robinet général se trouvait quelque part à l'arrière du bâtiment. Il y avait deux avantages à fermer ce robinet. D'abord, cela contribuerait à faire mourir Shirley plus rapidement et, ensuite, si Pirjo était contrainte de passer au plan B, cela augmenterait ses chances de succès.

Car sans eau, si tout à coup la maison se mettait à brûler, Shirley ne pourrait ni éteindre, ni calmer l'incendie. Ce serait peut-être ainsi que les choses allaient se terminer. Un peu d'alcool et une allumette à un moment où tout le monde se trouvait loin du centre. Tout n'était qu'une question de timing.

Ni la police, ni les pensionnaires de l'académie ne trouveraient d'indices pour l'accuser.

Et Pirjo était prête à tout pour protéger ce qu'Atu et elle avaient bâti.

44

Mardi 13 mai 2014

« Mais bon Dieu, Gordon, qu'est-ce qui t'est arrivé ? Tu es tombé de vélo, ou quoi ? »

La grande gigue toucha par réflexe son visage tuméfié, horrible à regarder, un vrai carnage. L'orgie de couleurs était surréaliste. Si sa paupière droite enflait encore un peu, elle allait éclater.

« Non ! » Son œil valide regarda Carl d'un air désolé. « Je me suis battu, dit-il, sans avoir l'air d'en tirer aucune fierté.

— Toi ? » Carl examina ses bras maigres, son dos voûté et sa poitrine concave. Un unique coup de poing dans l'estomac aurait dû suffire à mettre fin à un combat avec lui. Qu'avait-il pu se passer ?

« Ça a commencé parce que l'autre a riposté quand je l'ai frappé. »

Carl fit un effort pour sourire à la blague éculée. Mais peut-être parlait-il sérieusement ?

« En fait, hier soir, à la sortie du boulot, je suis passé devant le bar Byens Bodega dans la Niels Brocks Gade. Il y avait un tas de drapeaux danois sur le trottoir et j'ai vu que plusieurs de nos collègues buvaient un coup en terrasse, alors je leur ai demandé si quelqu'un fêtait son anniversaire.

— Jusque-là, ça paraît assez inoffensif.

— Au départ, oui, mais ensuite ils ont commencé à dire du mal de vous et à se moquer du département V. Ils ont dit que vous étiez un fouteur de merde et une honte pour l'hôtel de police, à cause du show que vous avez fait devant les caméras de télévision. Ensuite, ils ont dit que ça ne les étonnait pas que vous n'ayez pas envie de parler de l'affaire des meurtres au pistolet à clous, vu qu'il y a sept ans, quand c'est arrivé, vous vous étiez comporté comme un lâche. »

Touché, coulé.

« Et toi, qu'est-ce que tu as fait ? » demanda Rose, debout, les bras croisés, à la porte du bureau. Elle semblait très détendue et Carl en déduisit que, soit elle avait fait des folies de son corps la nuit dernière, soit elle avait du nouveau.

« J'ai collé une baffe au type, que voulais-tu que je fasse ? C'était quand même de mon département et de mon patron qu'il parlait, *goddamnscheisse* ! »

Eh ben merde alors… ! Carl regarda la réaction de Rose. Elle souriait.

Gordon était brusquement devenu un homme à ses yeux.

Rose avait effectivement du nouveau, en l'occurrence, quatre esquisses de « la main fort talentueuse d'Alberte », ce furent ses mots.

« J'ai également une copie de la liste des dessins qui devaient être montrés à l'occasion de cette exposition à l'école, qui n'a finalement jamais eu lieu. Les élèves avaient donné à leurs œuvres des noms et des numéros. Ceux d'Alberte portent les numéros 23 à 26. »

Carl lut rapidement la feuille que lui tendait Rose. Beaucoup de dessins avaient des titres comme : « Falaises sur la côte est », « Soleil sur Gudhjem » ou « Brume sur la forêt d'Almindingen ». Quant à ceux d'Alberte...

« Ah oui, quand même », commenta Carl. Pas étonnant que Rose affiche cet air entendu. « Des titres pour le moins érotiques, il me semble », ajouta-t-il en imaginant la tête des parents. Ils avaient dû avoir un choc.

« Les dessins le sont aussi », dit Rose en les étalant sous les yeux de Carl.

Le premier, intitulé « Délicate caresse sur peau sensible », montrait un très gros plan d'une langue effleurant un téton.

« Je crois que c'est un téton d'homme, dit Rose en faisant remarquer quelques poils frisés autour de l'aréole.

— Eh ben dis donc ! Plutôt salace pour une jeune juive de dix-neuf ans. » Carl prit le deuxième dessin entre les mains. « Comme celui-là, d'ailleurs. » C'était aussi un gros plan. Deux bouches entrouvertes en plein baiser, avec salive coulant des commissures. Il s'appelait « Abandon ».

« Il semble qu'elle ait été particulièrement stimulée au moment où elle les a réalisés », dit-il en

598

examinant le troisième. Ce dernier représentait une femme nue, en pied, regardant intensément le spectateur, un bloc à dessin dans une main et un crayon dans l'autre.

« Ça doit être Alberte en train de se regarder dans un miroir, vous ne croyez pas ? » suggéra Carl. Le portrait était extrêmement détaillé et le modèle à couper le souffle. « S'il avait été exposé, elle se serait fait lyncher par toutes les femmes de l'école », poursuivit-il. Il comprenait à présent pourquoi Kristoffer Dalby, le gardien et tous les autres lui avaient prêté une telle attention.

« Qui vous dit que ce n'est pas ce qui s'est passé ? » dit Rose.

Carl jaugea son assistante. Avec elle, on ne pouvait jamais savoir si c'était du lard ou du cochon.

« Je pense que vous allez trouver le dernier dessin particulièrement intéressant, Carl. »

Il retint sa respiration. Le dessin représentait lui aussi Alberte dans le plus simple appareil, mais à l'arrière-plan apparaissait le visage d'un homme, et c'était le meilleur portrait qu'ils aient vu jusqu'ici du dénommé Frank.

Carl se tourna vers la photocopie sur le mur. Enfin, ils disposaient d'une image nette du personnage.

« Le dessin s'appelle "Avenir". Regardez le visage d'Alberte, Carl. »

Effectivement, il y avait une différence. Son visage avait l'air plus doux que sur le dessin précédent, mais il est vrai que la situation aussi était différente.

« Les premiers datent peut-être d'avant sa rencontre avec Frank ? »

Rose acquiesça. « Je crois, oui. Sur le quatrième dessin, elle a un visage comblé et l'élu de son cœur se tient derrière elle. Elle semble étrangement sereine pour quelqu'un d'aussi jeune.

— Comme si elle était déjà prête à s'engager avec lui.

— Il faut évidemment envisager la possibilité qu'elle ait fait son portrait de mémoire. Auquel cas nous ne pouvons pas être complètement certains de sa ressemblance, dit Rose.

— C'est vrai. Mais elle peut aussi s'être dessinée d'après son reflet dans la glace et l'avoir dessiné lui d'après modèle dans un deuxième temps. Et si c'est ce qu'elle a fait, nous pouvons considérer que le portrait est fidèle. »

Ils regardèrent la photo d'Alberte sur son panneau d'affichage. Elle avait un bon coup de crayon, sans aucun doute.

« Quoi qu'il en soit, je crois que nous avons un dossier très complet sur cet homme, à présent, conclut Rose. Seulement, j'ai du mal à comprendre comment il a pu la laisser faire son portrait. Vous croyez qu'il ignorait que c'était pour une exposition ? »

Carl haussa les épaules. « Peut-être qu'il n'a jamais vu le dessin.

— En tout cas, c'est dommage que vous soyez déjà passé à la télévision, Carl, sinon, vous auriez pu montrer ça à la place. Mais si j'ai bien compris, il y a peu de chances qu'on vous laisse recommencer. »

Carl et Assad n'eurent que dix minutes à attendre dans le hall du terminal 3, avant qu'une charmante dame frisée comme un caniche, âgée d'environ soixante-quinze ans, passe le sas de la douane. Elle correspondait très exactement à la description de la veuve d'Egil Poulsen, le propriétaire du combi Volkswagen.

Elle semblait épuisée par les vingt heures de vol, mais s'arrêta malgré tout lorsqu'ils s'adressèrent à elle.

« Dagmar Poulsen ? » s'enquit Carl. Après quoi il fallut cinq bonnes minutes d'explications avant qu'elle accepte de profiter du transport gratuit jusqu'à Brønshøj.

« Bien sûr, vous n'avez pas pu me prévenir, alors vous allez devoir vous accommoder de l'état de la maison », dit-elle en ouvrant la porte sur une odeur sure de plantes en décomposition, et plus de poussière sur les surfaces planes que ne le justifiaient vingt jours de vacances en Malaisie.

« Egil a souvent pensé à se débarrasser du tas de ferraille, dehors, sans mettre son projet à exécution. Et maintenant, dans l'état où il est, il ne peut plus rouler, et c'est encore plus compliqué. »

Elle leur montra à travers la baie vitrée une vieille palissade mangée par la végétation. « Le fourgon se trouve derrière », précisa-t-elle.

On distinguait à peine l'épave sous les broussailles et les lambeaux de bâche accrochés à la carrosserie.

« On tire à la courte paille pour décider qui rentre fouiller là-dedans ? »

Assad montrait du doigt le pare-brise cassé à travers lequel étaient entrés des tombereaux de feuilles qui pourrissaient à présent sur ce qui avait été jadis une banquette avant.

« Tu veux tirer à la courte paille, Assad ? » Carl sourit. « Tu connais l'histoire du chameau qui croyait savoir voler et qui se jeta d'une falaise ?

— Non. Pourquoi ?

— Parce que lui non plus n'était pas très malin. »

Assad fronça le nez. « Bref, c'est moi qui grimpe dans la cabine pour voir ce que je trouve dans la boîte à gants, et vous qui montez à l'arrière, c'est ça ? »

Il eut droit à une tape sur l'épaule. Il n'était pas si bête, finalement.

Carl réussit après quelques efforts à faire coulisser la portière latérale, en s'efforçant d'ignorer les jurons et les malédictions poussées par Assad tandis qu'il se frayait un chemin au milieu des feuilles pourries.

Il n'y avait pas beaucoup de lumière à l'intérieur, les fenêtres étant à la fois fumées et encrassées. Il attendit quelques instants pour s'habituer à la pénombre et peu à peu une montagne de cartons apparut. Il en ouvrit plusieurs, dans lesquels des colonies de souris avaient élevé des générations de petits et tenta de se faire une idée de leur contenu. Il s'agissait en majorité de prospectus appelant à participer à diverses manifestations pour la paix, semblables aux autocollants sur les parois du fourgon. Exactement comme Inge Dalby le leur avait décrit.

« Marche pour la paix », disait un poster en dessous duquel était posé un cartable en cuir ressemblant à celui que Carl portait pour son tout premier jour de classe.

Il l'ouvrit. Là aussi, les souris s'en étaient donné à cœur joie. Mais Carl découvrit un petit classeur intact, dans lequel étaient rangés des prospectus annonçant toutes sortes de manifestations, comme le congrès du Conseil mondial de la paix qui s'était tenu au parc des expositions du Bella Center et les défilés de Pâques sur plusieurs années.

Il ne trouva nulle part les noms des militants.

« Tu as quelque chose, Assad ? »

Un gémissement lui répondit.

« Alors, ça valait le coup ? leur demanda Dagmar Poulsen qui était sortie les attendre sur la terrasse.

— Non, pas vraiment, sauf que nous avons pris des photos du fourgon. À l'intérieur, il y avait surtout des nids de souris. Assad a trouvé ceci dans la boîte à gants. » Il fit signe à Assad de montrer sa trouvaille.

La main de Mme Poulsen bondit jusqu'à sa poitrine. Un long orvet desséché flanquerait la trouille à n'importe qui quand on ne s'y attend pas.

« Il a dû rester planqué là bien tranquillement à vivre de bébés souris, jusqu'au jour où il a fait une indigestion, dit Carl avant de changer de sujet. Croyez-vous que votre mari ait conservé la liste des activistes avec qui il militait en ce temps-là ? Votre fille semblait le penser. »

Elle secoua la tête. « J'ai tout jeté à la mort d'Egil. Un jour, je me suis dit que le militantisme de base avait pris assez de place comme ça dans notre vie. »

Assad respirait profondément. Il ne s'était pas encore remis de l'histoire de l'orvet.

« Jette-le dans les fourrés, Assad », lui conseilla Carl. Puis, s'adressant à la femme : « Vous ne connaîtriez pas par hasard un jeune homme à qui votre mari avait prêté son combi à l'époque ? Il s'appelait Frank et on le surnommait "l'Écossais". »

De façon inattendue, elle se figea, et sa main vola à nouveau jusqu'à sa poitrine.

Ils eurent même l'impression qu'elle rougissait.

« Il s'appelait Brennan, Rose. Frank Brennan. Et Dagmar Poulsen a failli mourir en prononçant son nom. Elle avait couché avec lui. Elle aussi. Il avait la santé, ce garçon.

— Fantastique ! s'écria-t-elle, mais elle n'avait pas tellement l'air de le penser. Vous avez évidemment lancé une recherche et vous l'avez trouvé, n'est-ce pas ? » dit-elle, sarcastique.

Carl s'abstint de répondre. Mais elle était vraiment très perspicace. « Moui, on y travaille. À part ça, Dagmar Poulsen nous a répété tout ce que nous savions déjà sur lui, aussi bien en ce qui concerne son apparence physique que sa personnalité. Elle nous a confirmé qu'il s'était servi du combi à partir du printemps 1997. Il ne l'avait pas emprunté, mais loué. La femme pense que Poulsen lui réclamait de l'argent parce qu'il avait découvert leur aventure et qu'il le trouvait beaucoup moins sympathique, tout à coup. Mais elle ne l'a jamais su avec certitude, parce qu'ils n'en ont jamais parlé ensemble, son mari et elle.

— Quand l'a-t-il rendue à son propriétaire ? La voiture, je veux dire, demanda Rose.

— Autour de Noël, la même année. Et Poulsen était furieux contre lui parce que le pare-chocs était enfoncé. Dagmar se souvient qu'ils se sont disputés et, après ça, ils ne l'ont plus jamais revu.

— Vous avez inspecté l'avant de la voiture ? Vous avez vu la bosse ? »

Carl lui colla son Samsung sous le nez et fit défiler les images. Vingt photos de l'avant d'un véhicule complètement mangé par la rouille et un pare-chocs qui traînait par terre. Ils l'avaient retourné et avaient effectivement remarqué une petite bosse, mais rien de flagrant.

« Bref, vous n'avez rien appris d'intéressant. Heureusement que Gordon et moi avons quelque chose ! »

Elle les entraîna dans le cagibi d'Assad où le pauvre Gordon, recroquevillé derrière le bureau, ressemblait à un contorsionniste.

Le jeune homme les regarda d'un air fatigué. Rose avait dû profiter de l'absence des deux autres pour le remercier de sa bravoure et le consoler de l'œil au beurre noir que lui avait valu son combat pour l'honneur du département.

Honte à celui qui oserait s'en offusquer.

« Alors, Gordon ? » lui dit Assad, les sourcils dansant le fandango, mais il l'ignora. Il avait vraiment pris confiance en lui.

« Le type qui avait fait les photos du rallye rétro-mobile à Bornholm nous a appelés. C'était un passionné, et il était intarissable. Il a insisté pour venir nous montrer sa collection de photos de voitures anciennes. »

Même pas en rêve, songea Carl.

Rose sourit, contente d'elle. « Il n'a pris que quatre photos le jour du rallye et nous les avons déjà toutes. D'ailleurs, il y a des années qu'il espère récupérer un jour ces quatre clichés. Il ne sait pas comment ils sont arrivés entre les mains de Habersaat, mais il suppose qu'il a dû les oublier à une exposition organisée par le Club rétromobile, au théâtre de Rønne. Il travaille toujours à l'Instamatic, comme nous l'avions deviné, et il n'a pas gardé les négatifs. Gordon a donc poliment refusé de le rencontrer. »

Dieu soit loué.

« Si je résume, vous n'avez pas de quoi vous vanter non plus, ironisa Carl, sans grand effet.

— Si, parce que nous avons eu un autre appel beaucoup plus intéressant de la part de quelqu'un avec qui nous avons pris rendez-vous.

— D'accord. Mister Brennan en personne, je suppose ? »

Ce sarcasme glissa sur Rose comme le premier.

« Le type se fait appeler Kazambra et nous avons fait une recherche sur lui. » Elle poussa vers Carl une brochure sur laquelle était écrit en gros caractères d'imprimerie : « THÉRAPIE PAR L'HYPNOSE ».

Carl fronça les sourcils, ouvrit la brochure et lut l'argumentaire.

« Vous avez du mal à arrêter de fumer ? Vous manquez de confiance en vous ? Vous avez peur en avion ? Le vertige ? Vous souffrez d'incontinence ? Vous êtes nerveux ? »

Il ne manquait que l'énurésie, l'aquaphobie, l'arachnophobie et une centaine d'autres calamités. Apparemment, il soignait tout, sans exception.

Carl poursuivit sa lecture.

« Albert Kazambra a la solution à tous ces maux et à beaucoup d'autres. Deux ou trois séances efficaces et inoffensives, au cours desquelles votre problème sera isolé et traité sous hypnose, suffiront à vous faire retrouver le chemin d'une plus grande liberté personnelle. Débarrassez-vous de vos soucis en venant me rendre visite dans ma clinique où vous serez reçu avec discrétion et pris en charge par notre aimable secrétaire médicale.

— C'est ce type-là qui a appelé ? » Carl montrait en couverture la photo d'un homme aux cheveux gris qui les fixait d'un regard pénétrant. On sentait l'intervention de Photoshop.

Carl examina les prix. « Trois sessions de trente minutes : sept mille cent dix couronnes. Résultat garanti ou argent remboursé », sans préciser de quel résultat on parlait.

« Ce n'est pas donné », fit remarquer Carl en s'étonnant un peu des cent dix couronnes ajoutées au chiffre rond. Sept mille, c'était déjà un bon prix, non ?

Les yeux de Rose brillaient. « Il dit qu'il a connu Frank. Et il sera présent au Salon de l'ésotérisme et des thérapies alternatives qui se tient en ce moment au parc des expositions de Frederiksborg à Hillerød. Nous avons rendez-vous avec lui là-bas dans l'après-midi. »

L'hypnose ! Kazambra ! Rien que le nom ! La dernière fois que Carl avait rencontré quelqu'un qui se prétendait capable de pratiquer l'hypnose, c'était il y a trente ans, dans une salle des fêtes d'Øster Brønderslev où un dénommé Humboldt était venu se produire et avait annoncé qu'il allait mettre tout le public dans un état de transe.

Il n'y était jamais arrivé. Il avait commencé par leur demander de sauter en l'air sur commande et Carl avait sauté aussi haut qu'il pouvait, histoire de ne pas être le seul à rester planté sur sa chaise. Quand le type avait ordonné au public de s'endormir, Carl n'avait pas voulu obtempérer et il avait regardé les autres qui, assis les yeux mi-clos, avaient tous l'air d'être en train de se demander s'ils étaient les seuls pour qui ça ne marchait pas.

Les gens avaient besoin de se faire rouler dans la farine.

Il dit à Assad. « Tu devrais peut-être casser ta tirelire et voir si tu peux te débarrasser de ta phobie des orvets momifiés ? »

Bizarrement, le projet n'eut pas l'air de le séduire.

Rose, en revanche, semblait prête à toutes les expériences. « Il fait un prix "Salon". Deux séances pour quatre mille cinq cents couronnes. Ça fait environ cinq cents couronnes de réduction. Je crois que Gordon envisage de venir aussi. À cause de sa phobie existentielle, comme il l'appelle. »

Une phobie existentielle ? Bon Dieu, mais c'est bien sûr ! Carl avait du mal à effacer le sourire de son visage.

Devant le parc des expositions, un homme déambulait avec une pancarte sur laquelle il avait écrit : « L'ésotérisme est une escroquerie ! Ne vous laissez pas embobiner ! »

« On vous exploite et on cherche à endormir votre capacité de jugement. Toute cette sorcellerie vous éloigne de Dieu ! » criait-il en distribuant des prospectus de sa main libre.

Le peu de gens qui lui prenaient son tract le jetaient quelques mètres plus loin dans la poubelle devant l'entrée.

Il n'avait pas choisi l'endroit idéal pour rallier des sympathisants à sa cause. Il aurait dû s'en douter.

Ils présentèrent leur carte de police, mais elle ne suffit pas à convaincre les contrôleurs de les laisser entrer gratuitement.

« Essayez de nous empêcher d'entrer et vous risquez d'avoir droit à un séjour à l'ombre gratuit, au pain sec et à l'eau », dit Rose.

L'argument était gonflé et les contrôleurs contrariés, mais ils les laissèrent passer.

Le parc des expositions de Frederiksborg était plus vaste qu'il ne le paraissait vu de l'extérieur, et le nombre important d'exposants donnait l'impression d'entrer dans l'antichambre de l'enfer.

« Il est au stand 49 E, dit Rose. Nous n'avons rendez-vous que dans vingt minutes. Je vais faire un tour de mon côté. »

Carl la regarda d'un air affolé. Vingt minutes dans cet endroit lui semblaient insurmontables.

Assad et lui parcoururent les allées en regardant les gens flâner avec l'air de chercher quelque chose sans savoir quoi. Pourtant, cela paraissait évident. Tous étaient là dans l'espoir de trouver un moyen rapide, simple et si possible bon marché de se sentir mieux. Ils cherchaient un raccourci vers le bonheur, la satisfaction, l'harmonie et la santé, et surtout vers la connaissance de soi. Peut-être certains cherchaient-ils un accès vers l'au-delà et une méthode pour percer les secrets de l'univers. La question était de savoir où ils allaient trouver la réponse, car l'offre était énorme et les possibilités infinies.

Ils passèrent lentement devant des individus pleins d'espérance installés dans divers petits stands où on leur faisait faire des choses étranges. L'expérience était assez inédite pour un homme qui avait grandi dans une ferme du Vendsyssel.

Assad avait l'air enchanté et, de temps à autre, il montrait à Carl un stand qui avait attiré son attention.

Dans un box portant l'enseigne de « Poul le faiseur de miracles », un homme entre deux âges, plutôt grassouillet, exerçait son don d'imposition des mains. D'après le panneau posé à l'entrée, il pouvait guérir n'importe quoi en une demi-heure, et le client qu'il traitait en ce moment avait l'air parfaitement satisfait de pouvoir lui soumettre ses problèmes d'aérophagie et d'écouter ses conseils spirituels en même temps.

Certains chantaient des « Hummmmm, hummmm » lancinants, d'autres poussaient de petits cris gutturaux terrifiants. Il y en avait qui tenaient leurs mains en l'air à vingt centimètres du visage de leur patient pour percevoir son aura, son énergie spirituelle, la couleur de son spectre électromagnétique et son niveau de spiritualité.

Il y avait de la thérapie par le tambour, des expériences de réincarnation, de l'angéologie combinée à la lecture des tarots, des canalisations d'énergie par des maîtres ascensionnés, de la guérison par la foi et des centaines d'autres choses parfaitement incompréhensibles. Chacun de ces thérapeutes offrait sa solution spécifique à une montagne de problèmes, et tous étaient convaincus que leur méthode était la seule valable. C'était vertigineux.

Carl venait justement de repérer une buvette avec une pompe à bière en parfait état de fonctionnement, quand Rose vint brusquement se planter devant lui pour lui annoncer que l'heure de leur rendez-vous avec Kazambra était arrivée.

Il n'y avait personne sur le stand 49 E décoré d'une effigie impressionnante de Kazambra, à part une charmante et très énergique jeune femme avec qui il le partageait et dont les spécialités étaient la divination avec pendule et la détection des ondes électromagnétiques dans le sol à l'aide d'une baguette de coudrier pour y trouver de l'eau.

Carl pensa à son ex-belle-mère.

« J'aurais voulu que vous voyiez ma belle-mère hier en train de se servir d'un pendule comme celui-ci. Elle voulait savoir si elle allait se faire sauter par son infirmier, pardon, ce sont ses propres mots. Vous auriez vu le pendule, il tournait comme s'il était possédé. »

Carl éclata d'un rire gras et aperçut un peu tardivement la vieille dame qui venait de les rejoindre sur le stand. Elle avait un regard affligé. Il se dit qu'elle devait être une cliente de la jeune femme au pendule.

« J'ai vu tout à l'heure le cinéma que vous avez fait à la porte pour rentrer sans payer et j'ai vu aussi la façon dont vous regardiez les gens, ici. Vous ne devriez pas être là, dit-elle d'une voix trop douce. Comment pourriez-vous comprendre l'importance que tout cela a pour nous ? Personnellement, je suis malade. Et si je n'avais pas mes cristaux et la métaphysique pour m'aider, je ne serais plus rien. » Elle se tourna vers Rose. « Vous êtes jeune et en bonne santé alors que moi je suis vieille et usée. Les cristaux tiennent la mort à distance. Vous devriez essayer de vous mettre à notre place.

— Mais moi je ne suis pas comme… », riposta Rose, mais la femme ne la laissa pas terminer sa phrase.

« Albert m'a demandé de vous donner ceci. Il ne va pas très bien aujourd'hui et il a dû renoncer à venir au Salon, finalement. Son adresse est sur la carte. Il vous attend. »

La maison de Kazambra à Tulstrup était fraîchement rénovée et c'était la plus belle du village. Ce qui n'avait rien d'étonnant, vu les prix qu'il pratiquait.

« Je vous verrai l'un après l'autre », dit l'homme en leur ouvrant la porte d'entrée. Carl nota que ses yeux avaient ce jour-là une apparence des plus normales.

« Je crois qu'il y a un malentendu. Nous sommes venus vous interroger à propos de Frank Brennan.

— Patience », dit leur hôte, entre deux quintes de toux. Carl espéra que sa maladie n'était pas contagieuse. « Je suppose que vous savez que je ne vous reçois pas gratuitement, ainsi que nous en étions convenus avec la jeune dame ici présente.

— Je vois. Et je suppose que vous savez que la police danoise ne paye pas pour des informations », répliqua Carl avec un regard de reproche à l'intention de Rose. Qu'est-ce qui avait bien pu lui passer par la tête ?

« Pas pour les informations, bien sûr, je le comprends parfaitement. Ce que vous allez me payer, c'est une séance d'hypnose d'une demi-heure chacun et ensuite, nous parlerons de Frank. Nous sommes d'accord, n'est-ce pas ? C'est Rose, votre prénom ? »

Elle acquiesça. « Nous avons tous les trois des petites phobies dont nous aimerions bien nous débarrasser. Votre peur de l'avion, Carl. Mes mauvais souvenirs. Et toi, Assad, tu sais mieux que quiconque ce que tu aimerais combattre en premier chez toi. Personnellement, je parierais pour la peur. Ne vous inquiétez pas, Carl, j'ai trouvé un trou dans le budget. Vous n'aurez rien à débourser. »

Cette fille était dingue.

Rose commença. Puis ce fut au tour de Carl. Pendant un long moment, Carl et un Kazambra toussotant se jaugèrent d'un œil sceptique, dans une pièce aux murs garnis d'étagères en chêne massif du sol au plafond et plongée dans une semi-obscurité. C'était une agaçante guerre des nerfs où Carl luttait pour garder le contrôle pendant que Kazambra chuchotait et grommelait sans le quitter des yeux. Une situation extrêmement inconfortable pour un vice-commissaire de police avec plus de vingt ans d'ancienneté. Et puis, tout à coup, le vide.

Plus tard, tandis que Rose et lui attendaient Assad dans la salle d'attente de l'hypnotiseur, Carl s'aperçut qu'il se sentait étrangement soulagé. Comme si un poids avait été enlevé de ses épaules.

Il aurait dû être content, mais la vérité était qu'il se sentait violé dans son intimité. Que lui était-il arrivé ? Qu'est-ce que cet homme lui avait fait ? De quoi avaient-ils parlé ?

Il chercha le regard de Rose qui était tournée vers la fenêtre, silencieuse.

« À ton avis, qu'est-ce qui s'est passé ? » dut-il lui demander à deux reprises avant qu'elle se retourne mollement vers lui, comme sous l'effet d'un psychotrope.

« Pourquoi ? Il s'est passé quelque chose ? » demanda-t-elle dans une sorte de transe.

Quand Assad les eut rejoints, Carl vit qu'il n'allait pas beaucoup mieux. Tous les deux avaient l'air d'avoir besoin d'une bonne nuit de sommeil. Carl se dit qu'il s'en était finalement mieux tiré que ses deux collègues.

« Vous voulez que je commande un taxi pour les ramener chez eux ? » proposa Kazambra, quand Carl lui demanda pendant combien de temps ses compagnons allaient être dans cet état.

C'était une réponse en soi.

« Alors au revoir, Rose, au revoir Saïd, dit-il quand le taxi fut arrivé. Appelez-moi si ça ne va pas. Vous risquez de faire des cauchemars cette nuit, mais ne vous en faites pas. Demain, tout sera redevenu comme avant, mis à part les petits réglages que nous avons effectués aujourd'hui. »

« Vous, en revanche, semblez avoir bien supporté le traitement », dit-il à Carl quand ils furent seuls.

Effectivement. Il se sentait étrangement léger et détendu. Presque comme au bon vieux temps, lorsqu'il buvait de la citronnade chez sa tante par de beaux après-midi d'été. À l'abri du danger, gai, libre et insouciant.

C'était un sentiment doucement nostalgique et tout à fait surréaliste, expliqua-t-il à l'hypnotiseur.

Kazambra hocha la tête. « Ne vous imaginez pas que vous allez échapper à toute réaction. Mais chaque chose en son temps. Ce n'est pas rien, ce que vous avez traversé. Nous sommes sur la bonne voie, je vous assure. »

En temps normal, Carl aurait insisté pour savoir de quoi ils avaient parlé, et demandé à l'homme ce qu'il lui avait fait, mais en cet instant, cela lui sembla sans importance. Seule la sensation que ça lui avait laissée comptait. Et elle était excellente.

« Vous vouliez me poser des questions à propos de Frank Brennan que vous recherchez en ce moment, si j'ai bien compris. Il faut d'abord que je vous dise que je n'ai eu aucun contact avec lui depuis plusieurs années. Il est venu me voir quand il était un tout jeune homme et je dois dire qu'il m'a fait assez peur. C'est pour ça que je me souviens si bien de lui.

— C'était quand ? Vous vous rappelez ?

— Pendant l'été 1998. Ma femme Helene venait de disparaître et ce fut une triste année, que je n'oublierai jamais. »

Carl comprenait. « Je suis désolé. Vous ne vous êtes jamais remarié ?

— Non. Nous avons tous notre croix à porter, n'est-ce pas ?

— Oh oui. Vous dites qu'il vous faisait peur. Vous pouvez m'expliquer pourquoi ?

— Pour diverses raisons. D'abord parce qu'il est la seule personne que je n'ai pas réussi à hypnotiser de toute ma carrière. Et ensuite parce que ses intentions n'étaient pas claires. En général, les gens viennent chez moi pour se délester de quelque chose. Ce Frank venait pour me prendre quelque chose, mais je ne m'en suis aperçu qu'après sa deuxième visite. Il était tout simplement là pour me voler mon art, et j'ai eu le sentiment que ce n'était pas pour une bonne cause.

616

Il ne voulait pas seulement apprendre l'hypnose, il voulait trouver un outil qui lui permette de prendre le pouvoir sur les gens autour de lui. Je n'ai jamais rencontré quelqu'un avec un tel talent pour la manipulation. On le sentait tout de suite quand on voyait la femme qui l'accompagnait. Elle était comme un petit chien à ses côtés. On aurait dit qu'il l'avait déjà hypnotisée.

— Vous pouvez me la décrire ?

— Oui. Elle n'était pas du genre qu'on oublie non plus. Elle parlait le suédois avec un accent finnois, elle était petite et menue, mais aussi sèche et osseuse. Je crois qu'elle devait être blonde au naturel, mais quand je l'ai rencontrée, ses cheveux étaient teints au henné. Elle avait un regard très profond, comme si elle refoulait des choses en elle qui auraient pu générer un combat intérieur. Il m'a semblé qu'elle n'était pas en paix avec elle-même.

— Mais elle, vous n'avez pas essayé de l'hypnotiser ?

— Non, il n'en a jamais été question.

— Et alors, que s'est-il passé ?

— La troisième fois qu'il est venu, j'ai refusé de travailler sur lui et je lui ai dit que je refuserais désormais de le recevoir. J'avais acquis la conviction qu'il avait joué la comédie à chacune de nos séances et qu'il avait fait semblant de se mettre en état de transe. Et puis, entre-temps, j'en avais aussi appris un peu plus sur ce qu'il faisait et je ne me sentais pas capable de le cautionner. Je travaille dans un milieu alternatif et on y rencontre en général des gens qui veulent faire le bien. C'est le cas de la plupart, à vrai dire. Souvent, ils parviennent vraiment à aider leur prochain. J'ignore moi-même comment, mais est-ce si important de le savoir, du moment que ça marche ? En revanche, ce que ce Frank voulait faire au sein de ce milieu alternatif m'inquiétait. Quelquefois on croise des personnes qui souhaitent fonder un nouveau mouvement et rassembler autour d'eux un groupe d'adeptes et, quand ils y arrivent, leurs disciples sont en général heureux de les avoir suivis. Mais là on parle de dix fidèles, une centaine au maximum. Rarement plus. Frank Brennan était plus ambitieux. Il n'y avait pas de limite à sa soif de pouvoir. Il parlait de dissolution des religions existantes et de nouvelles voies pour l'humanité. Vous me direz que ça n'a rien de nouveau, mais contrairement aux autres, il était incroyablement organisé et déterminé dans la construction de son projet. Je pense qu'il ne serait pas venu me consulter trois fois s'il n'avait pas eu une idée précise derrière la tête. Il rassemblait systématiquement tous les outils dont il pensait avoir besoin pour mettre son plan à exécution, et rien ne semblait pouvoir l'arrêter. C'est pour cette raison que je n'ai pas souhaité continuer à travailler avec lui. »

Le vieil homme avait adopté une attitude très différente de sa posture professionnelle. Il avait presque l'air soulagé d'avoir parlé.

« Nous le recherchons activement et j'ai besoin que vous me disiez tout ce qui pourrait nous aider à le retrouver, dit Carl.

— Je sais. Comme je vous l'ai dit, je ne l'ai jamais revu. Mais je l'ai quand même suivi à distance. Je sais par exemple qu'il a fondé une sorte d'académie autour de son enseignement et qu'elle est aujourd'hui basée en Suède. »

Il prit une feuille de papier sur son bureau et la tendit à Carl.

De son écriture soignée de personne âgée, il avait écrit : « Atu Abanshamash Dumuzi. Académie de naturabsorption. Île d'Öland, Suède. »

Carl faillit l'embrasser. Jamais argent n'avait été mieux dépensé que celui dont il les avait soulagés ce jour-là.

Carl soupirait de bien-être. Il s'appelait Atu. Son prénom avait bien trois lettres.

L'hypnotiseur s'assit au fond de son fauteuil. Mission accomplie.

Carl lui serra la main. « Vous nous avez été d'une aide précieuse, dit-il. Mais puisqu'on parle de prénoms, puis-je vous demander pourquoi vous avez appelé Assad Saïd ? »

Le vieil homme baissa les yeux. « C'est vrai, j'ai commis une erreur. J'ai outrepassé mes droits. Comme vous vous en doutez, le secret professionnel fait partie de la déontologie de mon métier. Sinon, ça ne peut pas fonctionner. Mais bon, puisque le mal est fait, Saïd est le nom qu'il a utilisé pendant la séance. Saïd et un nom de famille que je n'ai pas réussi à mémoriser. »

45

Au bout de trois jours, Shirley avait épuisé toutes les explications logiques.

Elle aurait pu comprendre que Pirjo ait été malade le premier jour. À la rigueur, le deuxième. Mais au-delà, elle aurait dû faire en sorte de trouver quelqu'un pour la remplacer afin que Shirley ait ce dont elle avait besoin. Et si personne d'autre que Pirjo n'avait été mis au courant de sa présence dans cette maison ? Parce qu'elle était trop malade ? Car il n'était pas imaginable que Pirjo soit en parfaite santé et qu'elle ait simplement décidé de l'abandonner, si ?

On peut vivre trois semaines sans manger, tu ne risques rien, s'était-elle dit au début, pour se rassurer. Mais quand l'eau s'était arrêtée de couler, elle avait compris que Pirjo ne reviendrait pas. Et au fur et à mesure que les heures passaient et qu'elle récapitulait la succession des événements, elle avait commencé à avoir peur. Vraiment peur.

C'était arrivé d'un seul coup. Elle avait tourné le robinet et il n'y avait plus d'eau. Ce n'était pas juste le débit qui avait diminué, ou un problème d'air dans les canalisations. D'une seconde à l'autre, elle avait cessé de couler et les dernières gouttes s'étaient évacuées dans le lavabo et les toilettes, sous ses yeux.

Elle attendit une demi-heure avant de réessayer d'actionner d'abord le robinet d'eau froide, puis l'eau chaude, en vain.

Peut-être y avait-il eu un problème sur le chantier ? Peut-être avaient-ils accidentellement coupé une canalisation ?

Elle regarda d'un air las son jeu de patience et le manuel bleu d'Atu supposé faire d'elle une meilleure personne. Si on ne lui apportait ni eau ni aide d'ici un jour ou deux, elle n'y arriverait pas, elle le savait. Elle n'avait jamais eu la prétention d'être forte. Pas dans ce domaine, en tout cas.

En temps normal, quelques heures sans manger et sans boire suffisaient à la rendre dingue, car si quelqu'un était prisonnier de ses habitudes, c'était bien elle. Shirley avait toujours une bouteille d'eau à portée de main et une barre énergétique dans son sac.

Elle examina une fois encore les murs de bois massif. Elle avait beau chercher, il ne semblait y avoir aucun trou de vis, ni aucune tête de clou nulle part dans ces murs. Les lames avaient dû être emboîtées les unes dans les autres. Si seulement elle avait pu en décrocher une, elle pourrait facilement enlever la deuxième et accéder ainsi à la laine de verre et l'arracher. Si le mur avait été moins épais, on l'aurait entendue crier. Elle serait peut-être même arrivée à défoncer la façade en bois à coups de pied.

Elle tenta pour la millième fois ce jour-là d'avaler un peu de salive, sans succès. Puis elle essaya d'enfoncer ses ongles entre deux lattes de bois et de tirer.

Deux ongles cassés furent tout ce qu'elle y gagna. Ses ongles ne valaient pas grand-chose non plus, la vendeuse du rayon parfums au magasin Liberty le lui avait bien dit.

Elle ouvrit sa valise dans laquelle elle savait avoir une paire de chaussures et divers articles de manucure qui feraient peut-être l'affaire.

Au bout d'une minute, ses lèvres se mirent à trembler et ses mains devinrent fébriles. Chaque coin et recoin de la valise fut fouillé, et quand elle se fut rendue à l'évidence, elle resta assise, apathique, les mains sur les genoux et la valise renversée sur le sol : Pirjo l'avait aidée à faire ses bagages et, comme par hasard, ses chaussures à larges boucles n'y étaient pas, ni sa lime à ongles, ni ses ciseaux.

La conclusion de tout ça était épouvantable : il n'avait jamais été question qu'elle sorte d'ici vivante.

Shirley hocha la tête pour elle-même. Elle aurait dû écouter son instinct. Comme elle s'en doutait, Wanda Phinn était bien venue à l'Académie de naturabsorption et Pirjo l'avait fait disparaître. Mais comment ? Et où était-elle à présent ?

Le résultat d'une confrontation entre ces deux-là avait toutes les chances d'être explosif. Wanda n'était pas de nature à reculer, ni à faire allégeance à Pirjo.

Mais alors quoi ? Comment Pirjo s'était-elle débarrassée de cette rivale ?

Le pire était-il à envisager ? Le corps de Wanda était-il en train de pourrir à l'intérieur d'un autre bâtiment ? Sa pauvre amie était-elle ici depuis le début, tandis que Shirley, naïve, allait et venait sur le site sans en avoir la moindre idée ?

Plusieurs fois, elle avait failli aller voir Atu et lui faire part de ses soupçons, et aujourd'hui, elle regrettait d'y avoir renoncé. Atu aurait fait quelque chose, elle en était convaincue. Elle savait que Pirjo avait beaucoup de pouvoir, y compris sur Atu, en particulier maintenant qu'elle portait son enfant. Mais Atu était si ouvert et digne de confiance, avec son regard profond et intelligent, qu'elle ne doutait pas qu'il l'aurait écoutée, et qu'il l'aurait crue.

Et Valentina ? Qu'était-elle devenue ? Elle avait disparu subitement, elle aussi.

Une pensée affreuse traversa l'esprit de Shirley. Et si c'était elle qui avait mis Valentina en danger ? Elle lui avait fait part de ses inquiétudes concernant Wanda. Valentina avait peut-être rapporté leur conversation à Pirjo ? Était-ce à cause de cela que Shirley se retrouvait à présent dans cette prison ? Était-ce à cause des confidences qu'elle lui avait faites que Valentina s'était brusquement éloignée d'elle et qu'elle avait disparu ?

Shirley enfouit son visage dans ses mains. Elle n'arrivait plus à suivre le cours de ses pensées, elles étaient trop horribles. Si elle avait eu un peu de liquide dans le corps, elle aurait pleuré.

Alors Shirley sentit la colère monter en elle avec une force inédite. Une colère assassine. Une colère qu'elle aurait aimé ressentir chaque fois qu'on l'avait harcelée, taquinée, bousculée ou qu'on avait abusé d'elle.

Elle serra les dents et pressa les poings sur ses lèvres aussi fort qu'elle put. Elle se pinça à se faire saigner. Elle se griffa les joues jusqu'à suffoquer de douleur.

Elle avait besoin d'avoir mal pour se sentir en vie, car elle était en vie et avait bien l'intention de le rester. Pirjo allait regretter ses actes, elle en faisait le serment.

Shirley leva la tête et vit briller une étoile à travers le puits de jour.

Dans quelques heures, le soleil serait au même endroit et il viendrait réchauffer la salle de purification. Le temps avait été capricieux et humide, ces derniers jours, mais qu'arriverait-il si le soleil revenait briller dans un ciel sans nuages ? Il suffirait de quelques degrés de plus dans la pièce pour que sa soif devienne insupportable.

Elle se réveilla pour découvrir un soleil radieux et une température qui avait augmenté d'au moins huit à dix degrés par rapport à la veille.

Si ses pores s'ouvraient et qu'elle se mettait à transpirer, combien de temps allait-elle résister, alors qu'elle était déjà si cruellement déshydratée ? À quel moment devrait-elle recourir à l'ultime solution ?

Elle se leva, se rendit dans la salle d'eau et regarda la pomme de douche dont elle avait depuis longtemps déjà tété la dernière goutte.

Des images de petit déjeuner avec pain, café et jus d'orange flottèrent un instant dans son esprit. Non, d'ailleurs, pourquoi tout ça ? Le jus d'orange suffirait.

Shirley s'arracha à son mirage et sentit la chaleur l'envelopper, étouffante. Il ne fallait pour rien au monde qu'elle se mette à transpirer. Pas transpirer. Surtout pas transpirer.

Elle pensa à un long drink plein de glaçons. Aux bains de minuit à Brighton qu'elle n'avait jamais pris, parce que l'eau était trop froide, parce qu'elle se trouvait moche en maillot, parce qu'elle était seule et que les autres avaient trop à faire de leur côté pour avoir le temps de l'accompagner. Elle rêva de douces brises et d'une bruine aussi légère qu'un duvet.

Elle décida de se déshabiller complètement. Elle posa tous ses vêtements en tas sur le lavabo et sentit que sa peau respirait à nouveau.

Elle regarda son corps pâle et flasque. Elle qui avait toujours dû lutter contre un excès de poids était en train de mourir de faim et de soif. Quelle ironie !

Shirley secoua la tête. Non, cela n'arriverait pas. Elle refusait de mourir avant de s'être vengée. Elle allait régler son thermostat corporel en retirant et en remettant ses vêtements de façon à garder une température constante, quel que soit le temps à l'extérieur. Et puis, au pire, il lui restait une solution pour étancher sa soif, même si elle n'était pas très ragoûtante.

Elle regarda au fond de la cuvette des toilettes et rassembla son courage. Il y avait toujours de l'eau dans le siphon et le réservoir n'était pas vide non plus. Elle avait été prévoyante et n'avait pas utilisé les toilettes depuis que l'eau était coupée. Si elle économisait l'eau de la cuvette et du réservoir et faisait ses besoins par terre à la place, comme c'était le cas depuis deux jours, il lui restait encore huit litres d'eau à boire.

C'était répugnant. Il restait des traces d'excréments et d'urine dans le fond de la cuvette.

Ce n'est pas le moment de faire la difficile, songea-t-elle en plongeant la main dans le W-C et en la portant ensuite à sa bouche.

Elle eut plusieurs haut-le-cœur, mais quand l'eau toucha ses lèvres, elle sut qu'elle pouvait le faire.

Au moment où elle avala, elle baissa les yeux vers le fond de la cuvette et crut qu'elle allait vomir.

« Arrête ça tout de suite, Shirley ! » s'engueula-t-elle toute seule en se giflant violemment. Ça lui fit mal et ça lui fit du bien en même temps.

Et elle était encore là.

Le soleil brilla impitoyablement toute la journée du jeudi, que Shirley employa à gratter sa planche sur le mur. Elle avait ouvert une fente d'environ un millimètre et demi depuis qu'elle avait commencé. Elle se souvint d'avoir admiré l'équipe des charpentiers qui travaillait au cercle sur pilotis mais à présent elle les maudissait. La construction était beaucoup trop solide. Jamais elle ne réussirait à démonter cette planche.

Il lui vint alors l'idée de casser le tuyau de vidange sous le lavabo. Avec un tube en métal, elle pourrait sûrement faire un trou dans le mur, si elle tapait assez fort et assez longtemps.

Elle saisit la canalisation des deux mains, cala ses pieds contre le mur et tira de toutes ses forces.

Le tuyau cassa comme s'il avait été en plastique, ce que d'ailleurs il était, derrière la fine couche de peinture qui imitait l'acier inoxydable.

« Et merde ! » hurla-t-elle en fracassant de frustration le tuyau sur le sol.

Les morceaux se dispersèrent de tous les côtés.

Après plusieurs heures de vains efforts sur la planche récalcitrante, elle alla faire pipi dans un coin de la pièce. Elle voulait se coucher de bonne heure pour économiser ses forces.

Il ne sortit que quelques gouttes, d'où seraient-elles venues ? Son urine avait une odeur forte et rance. Son odeur corporelle avait changé, elle aussi, depuis quarante-huit heures. Elle n'aimait pas du tout ça.

Après avoir dormi d'un sommeil lourd pendant une heure ou deux, elle se réveilla, complètement désorientée. Elle avait de nouveau envie de faire pipi.

Ce ne fut qu'après avoir tiré la chasse qu'elle réalisa qu'elle s'était machinalement assise sur la lunette des W-C pour se soulager.

Elle se releva, effrayée, dans une demi-obscurité et regarda au fond de la cuvette. Qu'est-ce qu'elle venait de faire ? Il ne lui restait plus maintenant qu'un litre d'eau, à peine.

Cette fois, elle pleura pour de bon, mais ses yeux restèrent secs.

46

Mardi 13, mercredi 14, et jeudi 15 mai 2014

La nuit avait été atroce et la journée ne promettait guère d'être meilleure.

Carl avait dormi d'un sommeil profond, beaucoup plus profond qu'à l'accoutumée, ce qui aurait dû être une bonne nouvelle, mais quand il s'était réveillé, son cœur battait si fort qu'il s'était cru sur le point de mourir.

Il était resté un long moment la main sur la poitrine, les yeux rivés sur le portable posé sur sa table de nuit, se demandant s'il allait appeler les urgences. Mais c'était quoi déjà, leur nouveau numéro ? On ne parlait que de ça depuis des mois, surtout pour déplorer le mauvais fonctionnement du système, et voilà qu'il l'avait oublié, lui qui était policier et qui aurait dû s'en souvenir mieux que n'importe qui. Il avait honte !

Son cœur battait beaucoup trop vite, presque aussi vite que le jour où il avait eu sa première crise d'angoisse, plus de cent pulsations par minute. Mais cette fois, il ne s'agissait pas d'une crise d'angoisse, il sentait que c'était autre chose. Quelque chose qui tournait en boucle dans sa tête et dont il n'arrivait pas à se débarrasser.

Un cauchemar, peut-être.

Il se tapa la tête contre l'oreiller et s'enfonça dans le lit de tout son poids. « Hummmm, hummmm », se mit-il à bourdonner, comme il l'avait entendu faire hier au Salon, et étrangement, ça marcha. Si les gens savaient ça, ils n'auraient plus à dépenser leur argent avec des charlatans. Il sombra dans un état second entre le sommeil et la veille, fait de rêves complètement incontrôlables.

« Allô, Hardy », s'entendit-il murmurer quelque part à l'extérieur de son corps. Il se vit un téléphone à la main en train d'attendre que son ami veuille bien lui répondre. Il avait un besoin urgent de ses conseils et d'une opinion franche de sa part. « Pourquoi Anker et moi t'avons-nous tenu à l'écart, Hardy ? » disait la voix dans sa tête. Pourquoi ? Oserait-il lui poser cette question ? Oserait-il confier quoi que ce soit à Hardy ? Oserait-il *se* confier – mais à quel propos ?

« Il y a une malle au grenier, Carl », dit Jesper en rigolant, en arrière-plan, et Carl éteignit le portable, puis il le ralluma et appela Mona. Qui ne répondit pas.

Et il se réveilla.

Il tituba jusqu'à la cuisine, la tête lourde et douloureuse, comme s'il n'avait dormi qu'une heure ou s'il avait de la fièvre.

Morten et Hardy lui dirent peut-être bonjour, il n'aurait pu en jurer. Tout ce qu'il savait, c'était que ce dont il avait envie maintenant, c'était de manger les flocons d'avoine Ota que Jesper avait laissés la dernière fois qu'il était passé à la maison, et aussi qu'ils baissent le son de cette merde de programme matinal à la télé.

Après avoir saupoudré ses flocons d'avoine de cacao et de sucre, il prit une première cuillerée et le goût des petits déjeuners de son enfance explosa comme une bombe dans sa bouche. Tous ses sens étaient bouleversés. Son odorat ressuscita l'odeur de vieilles tantes et d'oncles disparus. Le bruit de ses molaires mâchant les coriaces copeaux d'avoine était multiplié par dix. La vue du paquet de céréales lui rappela la table familiale, silencieuse, pleine de haine sourde et de non-dits.

Il se rappela le jour où Ronny et lui faisaient les imbéciles dans le dos du père de ce dernier, en train de pêcher dans la rivière de Nørreå. Il se souvint comment il imitait Bruce Lee pour épater son cousin, donnant de sauvages coups de pied circulaires sautés et des coups de sabre horizontaux du tranchant de la main.

Carl faillit s'étrangler avec ses céréales. Que se passait-il ? Pourquoi ces images remontaient-elles brusquement à la surface ? Il devenait fou, ou quoi ? Son cerveau était-il en train de disjoncter ou de nouvelles connexions étaient-elles en train de se faire ? Quoi qu'il en soit, c'était très désagréable.

« Vous avez eu un appel d'une certaine Kristine, Carl », dit Gordon, la bouche de travers sur sa pauvre figure massacrée et couverte d'hématomes.

Kristine ? Ah ça, non ! Il était hors de question qu'il la revoie. Et encore moins maintenant. Que ferait-il d'une femme qui l'avait quitté pour retourner avec son ancien mari ? La pensée était absurde.

« Elle n'a pas laissé de message. Elle a seulement dit qu'elle rappellerait. » La partie du visage de Gordon qui pouvait encore exprimer une émotion se modifia. « Et Rose n'est pas encore arrivée, voulez-vous que je l'appelle ? » Il y avait de l'inquiétude dans sa voix.

Carl acquiesça. « Où est Assad ? demanda-t-il. Il n'est pas là non plus ?

— Si, il est venu, mais il est reparti en disant qu'il avait besoin de prendre l'air. Ça m'a paru bizarre, parce qu'il n'était pas là non plus quand je suis arrivé. Je crois que c'est la troisième fois aujourd'hui qu'il sort "faire un tour", et il n'est que dix heures moins le quart. »

D'accord. Alors je ne suis pas le seul à être patraque, aujourd'hui, songea Carl. Il voyait encore Kazambra en train de leur assurer que les effets secondaires seraient minimes. Il devrait peut-être lui passer un coup de fil.

« Au fait, Carl, pendant que je vous tiens. Je voudrais vous montrer une chose bizarre concernant Assad. Son ordinateur était allumé quand je suis arrivé à sept heures du matin et à voir tout ce qu'il y avait sur la table on aurait dit qu'il avait passé la nuit ici. Trois verres à thé, plusieurs sachets de cacahuètes salées et deux boîtes de halva vides, et puis ce mail de vous à propos de Atu Je-ne-sais-quoi. Je crois qu'il était sur Skype. Je sais que ce n'est pas bien d'espionner ses collègues, mais je n'ai pas pu m'empêcher d'aller voir ce qu'il y avait à l'écran. C'était des caractères arabes, mais j'ai pris une photo et je l'ai envoyée à un interprète arabe de la maison pour savoir ce qui était écrit.

— Hmmm », dit Carl, perplexe. Assad était sorti prendre l'air dans la cour ? Ce n'était encore jamais arrivé à sa connaissance.

« C'était bien de l'arabe, Carl, mais certaines tournures de phrases dans le texte n'étaient pas typiquement syriennes. Plutôt irakiennes, d'après le traducteur. »

Carl leva la tête. Il commençait à se réveiller. « Tu peux me répéter ce que tu viens de dire ? Tu as fouillé dans l'ordinateur d'un collègue ? Répète un peu et tu vas voir ce que j'en pense. »

Gordon eut subitement l'air un peu nerveux. « Je me disais simplement que ça pouvait avoir un rapport avec le boulot, vu que ça se passait dans ce bureau, vous comprenez ? Et si c'était le cas, ça concernait l'ensemble du département. Sinon, vous pensez bien que…

— Répète-moi simplement ce que tu m'as dit tout à l'heure, Gordon. »

Carl écouta attentivement. Si Gordon était capable de faire ce genre de chose à Assad, aucun d'entre eux n'était à l'abri. Et il n'aimait pas beaucoup ça. Cela dit, personne ici n'avait plus besoin d'en apprendre davantage sur Assad que lui. Et puisqu'il avait sous la main un espion comme Gordon, autant en profiter. Il pourrait toujours l'engueuler après.

« L'interprète n'a pas tout compris, mais voici la traduction approximative qu'il m'a donnée :

« "Laisse tomber, Saïd. Plus personne n'a intérêt à voir le temps rétrécir. Tu es comme une plume sur un poisson pour nous. Mets-toi bien ça dans la tête." »

À nouveau ce prénom, Saïd.

« Pourquoi croyez-vous qu'il l'appelle Saïd, Carl ? »

Il haussa les épaules, mais la question de Gordon rejoignait une longue série d'autres restées sans réponse.

« Je ne sais pas, dit-il. Il n'y avait rien écrit d'autre ? »

Carl tourna les yeux vers l'écran d'Assad. Hormis l'icône de la police, le bureau était vide.

« Il s'est déconnecté de Skype en rentrant et il a effacé le dialogue. Je viens de vérifier.

— Écoute, Gordon. Il semble que tu aies un peu de mal à comprendre les règles qui ont cours dans ce département et tu vas avoir un gros gros problème si tu recommences. Pour cette fois, je laisse passer, mais la prochaine fois que tu te permets de faire une chose similaire, je te jure que je te fais renvoyer d'ici à coups de pied au cul. Compris ? »

Le jeune homme acquiesça.

Carl pouvait malheureusement considérer cette précieuse source d'informations comme définitivement tarie.

Carl trouva Assad tout au fond de la cour dite « du souvenir », devant la niche du *Tueur de serpents*, la sculpture en bronze avec une croix gammée sur le bout du pénis que des policiers courageux avaient installée là pendant la guerre pour se moquer des nazis. On aurait cru que le petit Arabe dormait debout, mais il avait les yeux ouverts. Absents, mais ouverts.

« Ça va ? » lui demanda Carl.

Assad leva lentement les yeux vers lui.

« Je me suis renseigné sur ce centre que dirige Abanshamash Dumuzi sur l'île d'Öland, chef, dit-il. J'ai trouvé l'adresse. »

Carl hocha la tête. N'était-ce pas la percée décisive qu'ils attendaient depuis le début ? Pourquoi restaient-ils là, plantés tous les deux à se regarder en chiens de faïence, sans étincelle dans l'œil et sans enthousiasme ?

« Qu'est-ce qui nous arrive, Assad ? » demanda Carl.

Son équipier haussa les épaules. « Il vous est arrivé quelque chose de spécial, chef ? Moi, rien, à part que j'ai travaillé presque toute la nuit.

— Qu'est-ce que tu fais ici ? Gordon dit que tu as fait des allers-retours dans cette cour toute la matinée.

— Je suis juste fatigué, chef, et j'essaye de me réveiller pour qu'on puisse y aller. »

Carl plissa les yeux, hésitant à le questionner sur cette histoire de prénom.

« Rose n'est pas très en forme, Carl, elle ne viendra pas. Je ne crois pas que cette séance d'hypnose lui ait réussi. Elle a tremblé pendant tout le trajet en taxi, hier en rentrant. Et quand nous l'avons déposée, elle était en train de se balancer d'avant en arrière. J'ai essayé de l'appeler tout à l'heure, elle ne répond pas.

— Je vois. J'avoue que je ne me sens pas très bien non plus. J'ai fait des cauchemars cette nuit, et je n'arrête pas de me rappeler des trucs auxquels je n'avais pas pensé depuis des années.

— Ça va passer, chef. C'est ce que cet hypnotiseur m'a dit, en tout cas. »

Carl avait quelques doutes. « Qu'est-ce qu'on fait pour Rose ? »

Assad respira à fond. « Rose ? Elle a juste besoin de passer deux jours chez elle, tranquille. Après, ça ira. »

« Tu t'occupes d'elle, dit Carl à Gordon une fois de retour dans le sous-sol. Il faut la remettre sur pied. Quand tu auras réussi à l'avoir au bout du fil, tu lui demanderas ce que tu peux faire pour elle, et quand je dis ça, je ne pense pas à ce que tu peux faire pour toi, Gordon, on se comprend ? » Il le regarda sévèrement.

Gordon acquiesça. « J'ai vu qu'il y avait trois cent soixante-cinq kilomètres jusqu'à l'Académie de naturabsorption sur l'île d'Öland. Le GPS indique que vous avez environ quatre heures et demie de route, alors en tout, et en comptant quelques arrêts pipi, si vous partez maintenant et que vous ne traînez pas, vous y serez à trois heures de l'après-midi. Vous voulez que je les appelle pour les prévenir de votre arrivée ? »

Est-ce qu'il était le dernier dans la file d'attente, le jour de distribution des cerveaux ?

« Surtout pas, merci. Mais nous n'irons que demain, Gordon. Nous sommes un peu fatigués, aujourd'hui.

— OK. Au fait, la police de Bornholm a appelé. Ils ont bien aimé votre avis de recherche à la télé.

— Alors je trouve qu'ils devraient le dire à Lars Bjørn. Tu ne leur as pas dit que nous avions retrouvé l'homme au combi Volkswagen, au moins ?

— *My Gott, no !* Vous me prenez pour qui ? »

Carl se retint de répondre honnêtement à cette question.

« Le policier a dit aussi qu'ils avaient recommencé à parler de l'affaire à la cantine, et que l'un de ses collègues s'était souvenu qu'une personne de la famille de ce professeur qui est mort à l'école, le propriétaire du pistolet que Habersaat avait récupéré et avec lequel il s'est tué, a dit que le gars avait deux pistolets parfaitement identiques. » Il reprit son souffle. C'est vrai que c'était une sacrée tirade. « Et que le deuxième pistolet n'avait jamais réapparu ensuite, ni dans les affaires de Habersaat, ni ailleurs. »

Carl secoua la tête. Un pistolet de plus ou de moins dans le Danemark d'aujourd'hui où le moindre voyou avec un peu d'amour-propre en possédait au moins un, quelle importance ?

Ça ne tournait plus très rond sur cette terre, de toute façon.

Et dans la tête de Carl non plus.

Il monta se coucher en titubant à quatre heures de l'après-midi, et quand il se réveilla le lendemain, encore très perturbé, il appela Assad et annula le voyage.

« Je crois que c'est juste une réaction à l'hypnose, alors, tenta-t-il de le rassurer. Vous savez, chef, quand on regarde un peu trop longtemps un chameau dans les yeux, il se met à loucher. »

Carl remercia Assad pour la comparaison et retomba sur son oreiller. Il flottait dans une espèce de brouillard. Pensées et mouvements tournaient au ralenti. Il avait beau essayer de les contrôler, ils n'en faisaient qu'à leur tête. Il voulait penser à l'affaire Alberte et c'était l'image du frère de Ronny qui apparaissait, roulant à fond de train sur le chemin de terre qui menait à la ferme de ses parents. Et quand c'était à cet épisode qu'il réfléchissait, son esprit était brusquement monopolisé par le souvenir de Hardy et d'Anker pénétrant dans la cabane du jardin ouvrier, à Amager, où ils avaient rendez-vous avec leur destin. Et lorsque enfin c'était ce tragique épisode qu'il décidait d'approfondir, un torrent d'émotion et de manque venait le submerger et il voyait Vigga, Mona, Lisbeth et Kristine devant lui, et à nouveau Mona. C'était complètement dingue. Plus rien n'avait ni queue ni tête.

On frappa doucement à la porte, et avant qu'il ait rassemblé suffisamment ses esprits pour répondre, Morten entra dans la chambre avec un plateau de petit déjeuner.

« Je ne me rappelle pas t'avoir jamais vu dans cet état-là, Carl, dit-il en l'aidant à se redresser et en lui installant deux oreillers dans le dos. Tu ne crois pas que tu devrais appeler quelqu'un ? »

Carl regarda le plateau que Morten posait sur ses genoux. Deux œufs au plat qui semblaient le regarder de leurs yeux jaunes, et deux de ces toasts au pain de mie dont Morten savait pertinemment qu'il les détestait.

« Des protéines, Carl. Je crois que tu ne manges pas assez de protéines. Je suis sûr que ça va te faire du bien. »

Les protéines allaient tout arranger ? Il ne comprenait plus rien. Qu'est-ce qu'il était supposé faire maintenant ? Appeler quelqu'un ou s'attaquer à ce petit déjeuner anglais gargantuesque ? Et puis quoi, encore ? Une orgie de lait et de miel ? Un thermomètre dans le cul ?

« J'emmène Hardy à Copenhague, annonça son aimable ex-locataire. Ne nous attends pas pour déjeuner. »

Enfin une bonne nouvelle.

Quand Carl se réveilla à nouveau, œufs, toasts et rigoles de café avaient transformé son édredon en un paysage lunaire.

« Merde ! » gueula-t-il, répondant à l'appel qui l'avait tiré de son sommeil. C'était Assad.

« Je voulais seulement vous dire que Rose est là, chef. Elle fait peur à voir, mais je n'ose pas lui dire. Elle s'est mise à installer la dernière étagère. À part ça, la police de Rønne nous a envoyé le PC de Bjarke. Rose a déjà commencé à vider le disque dur. Elle vous fait dire qu'elle y a trouvé des tas de photos de mecs sexy en pantalons de cuir ouverts. Elle continuera à travailler dessus demain. Mais elle fera ça chez elle, vu qu'on sera partis tous les deux. Si vous venez me chercher à six heures, on arrivera là-bas de bonne heure. Je ne vous ai pas demandé si vous alliez mieux, au fait ? »

Six heures du matin ? Deux œufs au plat étalés partout dans son lit et un déluge de café qui était tranquillement en train de se frayer un chemin sous sa couette. Et Assad voulait savoir s'il allait mieux ?

47

Vendredi 16 mai 2014

Après avoir, par mégarde, tiré la chasse des W-C, envoyant ainsi des litres de cette eau infiniment précieuse dans les égouts, Shirley perdit brusquement ce qui permet à tout être humain de continuer à tenir debout : l'espoir. Sans espoir, il ne lui restait rien. Ne s'était-elle pas, toute sa vie, accrochée à un espoir quelconque, aussi petit soit-il ? L'espoir que ses parents l'acceptent comme elle était. L'espoir de perdre du poids. L'espoir de trouver un travail un peu gratifiant. L'espoir de trouver un jour ou l'autre un compagnon et, plus modestement, celui d'avoir une véritable amie.

Mais si elle mettait le fruit de tous ces espoirs dans une seule équation aujourd'hui, force lui était d'admettre qu'elle ne pourrait pas la résoudre. Et aujourd'hui, son ultime espoir était perdu. Il ne restait que quelques millimètres d'eau dans le fond de la cuvette. Alors que pouvait-elle encore espérer, à présent ?

Elle savait désormais que si cet enfer n'avait duré qu'une semaine, son issue imminente ne faisait en revanche aucun doute. Les statistiques sur les gens qui avaient survécu des semaines sans manger et avec une ration d'eau minime ne la concernaient pas. Mais étrangement, la mort ne lui faisait pas peur.

En dépit de la sécheresse extrême de sa bouche et de l'odeur nauséabonde de ses excréments et de son propre corps, Shirley se sentait mieux qu'hier. Ces dernières vingt-quatre heures, elle avait ressenti une sorte d'euphorie, liée probablement au fait que son corps n'avait plus d'efforts à faire pour digérer, ou à d'autres raisons physiologiques qui lui étaient étrangères. Depuis cette catastrophique visite nocturne aux toilettes, elle n'avait plus aucun besoin naturel. Elle était lasse et fatiguée physiquement, mais elle avait les idées plus nettes qu'elle ne les avait eues depuis des années. Sa réflexion était claire et rationnelle. Ses conclusions, désinhibées et sans affect. Elle savait qu'elle allait mourir. Le seul combat qu'elle avait encore à mener était de faire en sorte que les crimes de Pirjo ne restent pas impunis.

Elle avait passé des heures incalculables à essayer de dégager cette planche, afin de pouvoir accéder au mur extérieur par le trou ainsi obtenu, mais quand elle avait enfin réussi à percer un trou assez grand pour voir ce qu'il y avait derrière, elle avait dû renoncer à son projet initial. En effet, après l'habillage intérieur, elle était tombée sur une plaque en aluminium dont elle ne comprenait pas l'utilité, à part qu'elle devait être en rapport avec l'isolation du bâtiment. Un autre espoir s'évanouissait car elle n'avait aucune chance de percer l'aluminium avec les pathétiques outils dont elle disposait.

Elle fut abattue par cette découverte, bien sûr, parce qu'elle rendait sa mort plus certaine. Mais son désespoir ne dura pas longtemps, une réaction qu'elle mit sur le compte des substances chimiques sécrétées par son cerveau.

Elle décida de passer au plan suivant et alla chercher les lunettes de lecture qui se trouvaient dans la trousse de maquillage achetée au centre commercial de Wandsworth dans le vain espoir de réussir à se faire belle.

La position actuelle du soleil était parfaite. Elle ne savait pas si elle réussirait dès le premier jour ou s'il lui faudrait un jour de plus.

Elle se mit à genoux et essaya de capter les rayons du soleil dans le verre de lunette jusqu'à produire une tache de combustion sur le mur.

Quand elle était jeune, Shirley s'était persuadée qu'elle se sentirait mieux dans sa peau si elle donnait de son temps pour jouer les bons Samaritains et elle avait suivi une série de stages de premiers secours. Ces formations lui avaient permis de se rendre compte qu'elle ne supportait pas la vue du sang et elle avait abandonné le projet. Mais elles lui avaient également enseigné que les gens qui meurent dans un incendie ont rarement le temps de souffrir parce qu'ils s'asphyxient avant.

Lorsque dans un petit moment elle aurait, avec un peu de chance, déclenché un départ de feu grâce à son stratagème, elle irait se réfugier dans les toilettes et espérait que les secours arriveraient à temps pour la sauver. La salle de bains était petite et l'oxygène y serait vite épuisé. Et sinon, tant pis.

Elle prit le petit carnet de notes bleu contenant les préceptes d'Atu Abanshamash et le déchira, page après page, jusqu'à ce qu'il ne soit plus qu'un petit monticule de feuilles froissées au pied du mur, destinées à démarrer le feu.

Quand, au bout de cinq minutes, elle comprit que le verre des lunettes n'avait pas la puissance d'une loupe, elle leva les yeux vers la fenêtre du toit. Dans moins d'une heure, le soleil serait descendu trop bas pour que ses rayons entrent directement dans la pièce et elle devrait remettre son projet au lendemain. En y réfléchissant, elle se demanda si la chose était réalisable, quelle que soit la puissance du soleil. Le problème était peut-être lié aux vitres, là-haut, qui filtraient suffisamment la lumière pour lui faire perdre son effet.

Elle pinça les lèvres. Pourvu qu'elle ait tort. Elle ne voulait pas rester là, passive, à se dessécher vive. Elle ne pouvait pas accepter que Pirjo vienne un jour ramasser son corps momifié, léger comme une plume, et qu'elle s'en tire impunément.

Shirley serra les dents et tenta de mesurer la distance qui la séparait du velux. Elle l'avait tout d'abord évaluée à six ou sept mètres, mais elle était peut-être moins importante que cela, finalement.

La trousse de toilette fut à nouveau vidée sur le sol.

Elle soupesa le dentifrice, le poudrier et le stick de déodorant, mais aucun de ces objets n'était aussi lourd que son pot de crème antirides, un souvenir de l'époque où elle croyait encore à l'efficacité de ce genre de produit contre l'âge et la peau flasque.

Après un mois, elle avait compris que la seule chose que cette crème faisait pour elle était d'alléger le poids de son porte-monnaie, et elle l'avait abandonnée au fond de sa trousse de toilette. On ne jette pas une chose qui vous a coûté l'équivalent de plusieurs journées de travail.

Mais elle avait enfin trouvé une manière de justifier cette dépense somptuaire.

Lancer à une distance de moins de sept mètres en ligne droite horizontale ne posait pas de problème, même si Shirley n'avait pas eu un javelot entre les mains depuis le collège. Mais c'était une autre paire de manches de lancer un objet à la verticale avec assez de précision et de puissance pour briser une vitre capable de résister à une forte averse de grêle.

Sans compter que le pot utilisé par Shirley était en porcelaine. Si la première tentative échouait, elle risquait de ne pas en avoir une deuxième.

Elle pensa à son père, électricien chauffagiste à Birmingham, qui avait toujours eu une opinion sur tout, à part en culture générale.

« Essaye, lui disait-il. Si tu n'es pas sûre de toi, il faut faire des essais, ma fille. »

Shirley sourit. Il avait dû regretter amèrement ce conseil quand elle avait ramené trois petits copains à la maison en une seule semaine. Elle saisit le poudrier et visa. Le miroir à l'intérieur du couvercle se briserait probablement sous le choc, mais dans sa situation, elle avait d'autres soucis que de risquer sept ans de malheur.

Son premier lancer atteignit la voûte à environ deux mètres de la fenêtre. Le deuxième à un mètre seulement, le troisième n'atteignit même pas le plafond, et elle avait déjà mal à l'épaule.

Elle était trop faible. Ses muscles avaient fondu.

Elle fit une pause, décida de finir l'eau qui restait dans les W-C, s'essuya la bouche et regarda la vitre d'un air menaçant.

Elle se remémora ce que les professeurs de cricket de son école lui disaient pendant les entraînements : « Projette la moitié de ta volonté vers la cible et garde le reste pour la balle, et tu marqueras. »

Alors elle répartit toute sa volonté entre le poudrier et le velux et lança, avec toutes les forces qui lui restaient.

Un craquement se fit entendre. Elle avait tapé dans le mille. Encouragée par ce succès, elle s'empara cette fois du pot de crème et fit exactement le même geste que précédemment. Elle ne sut pas tout de suite si c'était les débris de la vitre ou du pot de crème qui cliquetèrent sur le sol en tombant, mais en tout cas, il y avait bien un trou là-haut à présent, et elle sentit le soleil caresser son visage.

Elle ferma les yeux. « Horus, Horus né sous l'étoile, fils du soleil, aide-moi, donne-moi la force que tu donnes à tes adorateurs. Guide-moi, laisse-moi te vénérer et ne jamais oublier tes vertus et le sens de ta présence », pria-t-elle.

Puis elle se mit à crier aussi fort qu'elle put, dans un ultime espoir que quelqu'un l'entende. Au bout de dix minutes, elle s'interrompit. La maison où Pirjo l'avait enfermée était trop éloignée. Malgré la percée dans la fenêtre de toit, personne ne l'entendait.

Logiquement, elle aurait dû en être triste et effrayée, mais ce ne fut pas le cas. Cela la fit rire. C'était absurde. Si elle avait su la joie qu'on pouvait ressentir à avoir faim et soif, et à quel point on pouvait se sentir libre, légère et forte, elle aurait essayé avant.

Elle s'agenouilla, reprit ses lunettes et concentra la lumière du soleil en un seul endroit, minuscule, d'abord sur le mur lui-même et ensuite sur une page froissée du livre bleu qui, lentement mais sûrement, commença à noircir.

L'année des six ans de Pirjo, il y avait eu un été exceptionnel pour la cueillette des cassis. Les bois en étaient remplis et le père de la petite fille y avait vu une source de revenus providentielle. Comme chacun sait, la cueillette sauvage est légale et gratuite et il se disait qu'en multipliant ce bénéfice net par une vente quotidienne aux très nombreux touristes venant de Tampere, il y avait moyen de gagner beaucoup de marks finnois en une seule saison. Le papa de Pirjo passait toutes ses soirées à calculer combien cela lui rapporterait s'il ajoutait au flot des touristes habituels ceux de Turku et aussi les Suédois qui venaient s'aventurer jusque-là. Il allait gagner une véritable fortune, disait-il, projetant déjà l'achat d'un fourgon et même de sa propre petite boutique. Il rêvait et rêvait mais c'était Pirjo et sa mère qui allaient ramasser tous ces cassis pour lui.

Et elles lui rapportèrent un grand nombre de seaux de baies, malgré les taons, les mouches plates et les hordes de moustiques qui leur laissaient d'affreuses piqûres. Mais les touristes restèrent chez eux, et les cassis fermentèrent.

« On va en faire du schnaps, du sirop et des confitures », dit son père, envoyant Pirjo toute seule en chercher d'autres, puisque la mère devait désormais œuvrer en cuisine.

Quand Pirjo revint avec le seau suivant, elle trouva sa mère assise dans la cuisine, les bras ballants. Elle avait renoncé. Elle n'arrivait plus à suivre et le sucre coûtait trop cher.

« Mange les cassis que tu as ramassés aujourd'hui, Pirjo, au moins ceux-là ne seront pas gaspillés », dit-elle. Et Pirjo mangea les cassis jusqu'à avoir les doigts, les lèvres et la langue si bleus qu'on n'avait jamais rien vu de semblable.

Résultat des comptes : Pirjo souffrit les jours suivants d'une constipation si sévère et si douloureuse qu'on dut faire les frais d'un médecin.

Toutes proportions gardées, c'était un peu ce qu'elle ressentait aujourd'hui. Les douleurs dans son ventre étaient inquiétantes et si elles se prolongeaient, elle devrait aller à l'hôpital.

Elle posa la main sur son ventre pour sentir si les coups de pieds du bébé étaient différents. Elle n'en avait pas l'impression, même si depuis quelques jours, ils lui avaient semblé moins violents. C'est sûrement normal, se disait-elle en regardant par la fenêtre, il a moins de place pour bouger.

Devant sa chambre, dans la grande cour, l'équipe des charpentiers travaillait depuis le matin à la construction des abris à vélos. Les matériaux avaient été livrés en temps et en heure, et plus tard dans la semaine, elle recevrait les premières bicyclettes. Elle était impatiente de voir si son idée d'envoyer des missionnaires auprès des habitants de l'île allait porter ses fruits. S'ils parvenaient à recruter ne serait-ce qu'une cinquantaine de personnes sur l'île et à leur faire prendre une part active au projet, ce serait déjà un beau résultat.

Depuis qu'elle avait coupé l'eau dans la maison où Shirley était enfermée, quatre jours s'étaient écoulés, et bien qu'elle l'ait entendue gratter faiblement à travers le mur lors de ses tournées d'inspection, la situation ne lui paraissait pas alarmante. Dans un jour ou deux, les bruits cesseraient et dans une semaine, elle pourrait considérer Shirley comme morte.

En attendant, elle allait prendre soin d'elle-même et de son enfant.

Elle se leva de sa couche et observa les hommes, dehors, qui peu à peu cessaient le travail. C'était l'heure de la grande réunion.

Elle hocha la tête, satisfaite. Cette petite construction était une bonne idée et donnait au domaine une apparence plus « finie » côté route, un endroit qu'elle trouvait trop nu et trop dégagé avant. En plantant quelques roses trémières contre les abris à vélos, non seulement elle aurait une vue harmonieuse et agréable depuis la fenêtre de sa chambre, mais le bruit de la circulation serait atténué.

Tandis qu'elle se faisait cette réflexion, une voiture portant une plaque minéralogique danoise passa lentement sur la route. L'homme qui était au volant examina attentivement les bâtiments, mais ne s'arrêta pas.

Le fait n'avait rien d'inhabituel. Les bâtiments à l'architecture particulière, le nom du lieu et ses pensionnaires déambulant dans leurs toges blanches avaient de quoi attirer les regards. Pourtant, la façon dont il observait les lieux parut à Pirjo plus singulière que d'habitude. L'âge du conducteur et l'apparence de son compagnon n'évoquaient pas non plus de banals touristes.

Son pouls s'accéléra brusquement.

Ces hommes étaient-ils les policiers danois ? Celui qui conduisait aurait pu correspondre au profil que lui avait décrit Simon, en tout cas.

Inquiète, elle resta devant la fenêtre pendant cinq bonnes minutes pour voir si la voiture revenait.

Elle quittait sa chambre pour se rendre à la salle commune, soulagée que son imagination lui ait joué des tours, quand elle aperçut deux individus, à pied, au bord de la route.

Cette fois, une décharge d'adrénaline mit tous ses sens en alerte. Le plus grand était sans aucun doute possible l'homme qu'elle avait vu au volant de cette voiture tout à l'heure et celui qui l'accompagnait était visiblement un immigré.

C'était bien les deux policiers dont Simon Fisker lui avait parlé, elle en était certaine à présent.

Je vais m'occuper de vous, vous ne perdez rien pour attendre, se dit-elle.

Elle ne savait pas encore comment.

Mais elle savait qu'elle devait les arrêter au plus vite.

48

Le ciel était resté voilé sur la Scanie et la province du Blekinge toute la matinée. La police suédoise avait été informée de leur démarche et, pour l'instant, tout allait bien. Carl et Assad n'avaient pas échangé plus de deux mots depuis leur départ de Copenhague, l'atmosphère était aussi lourde à l'intérieur de l'habitacle qu'au-dehors.

Carl pensait à Mona, mais aussi au fait qu'il était peut-être temps pour lui de se trouver un autre travail. Il se demandait si, à son âge, on le laisserait se recycler comme vigile dans une agence de sécurité où il n'aurait plus qu'à expulser d'une galerie marchande d'occasionnels jeunes voyous imbibés d'alcool.

« À quoi penses-tu, Assad ? dit-il enfin, au bout de trois cents kilomètres de silence alors qu'ils arrivaient au pont d'Öland.

— Vous savez, vous, pourquoi il n'y a pas de girafes dans le désert, et seulement des dromadaires ? lui demanda Assad.

— Je suppose que cela a à voir avec la nourriture ? »

Assad poussa un soupir. « Non, chef. Vous réfléchissez trop droit. De temps en temps, ça vous ferait du bien de penser de manière plus tordue. »

Eh ben merde, alors ! Voilà qu'il allait recevoir des leçons de géométrie cérébrale !

« La réponse est simple : s'il y avait des girafes dans le désert, elles mourraient de désespoir.

— Ah oui ? Et pourquoi ?

— Parce qu'elles sont si grandes qu'elles sauraient qu'il n'y a que du sable et encore du sable aussi loin que porte le regard. Le dromadaire, lui, ne le sait pas. Alors il continue de trotter, persuadé que l'oasis est derrière la prochaine dune. »

Carl hocha la tête. « Je comprends. Et toi, Assad, tu es comme une girafe dans le désert, pas vrai ?

— Oui, un peu. Mais ça ne va pas durer. »

L'Académie de naturabsorption était un endroit absolument idyllique qui respirait l'ordre et l'argent, avec ses bâtiments à l'architecture parfaite et la mer Baltique en toile de fond. Entre les grappes de maisons surmontées de coupoles de verre, on apercevait, non loin de la plage, une place dégagée au milieu de laquelle se dressait un cercle sur pilotis, identique, à l'exception de sa taille, à ceux qu'ils avaient pu voir sur certaines photos de Bornholm.

Un groupe d'ouvriers occupés à monter l'ossature d'une série de petites dépendances en bord de route semblait sur le point de débaucher. Carl et Assad passèrent à côté d'eux sans s'arrêter.

« Je propose qu'on aille se garer un peu plus loin, Assad. Tous ces gens habillés en blanc me font un peu trop penser à une secte et s'ils nous réservent un accueil peu chaleureux, il vaut mieux qu'on puisse dégager en vitesse.

— C'est quoi le plan ?

— Dans un premier temps, nous allons considérer Frank Brennan comme un simple témoin. Il a connu Alberte peu avant sa mort, et nous allons lui demander de nous parler de leur relation. Nous observerons attentivement ses réactions au moment où nous lui annoncerons que nous pensons qu'il était impliqué dans son accident. On verra s'il tombe dans le piège. Jusque-là, on évoque l'affaire le moins possible.

— Et s'il ne tombe pas dans le panneau ?

— Alors nous ne sommes pas près de rentrer à la maison ! »

Assad partageait l'avis de Carl. Il allait falloir la jouer fine.

Ils avaient eu leur compte en matière de séjour prolongé sur une île reculée.

À la réception, une femme assise derrière une table recouverte d'une nappe blanche leur demanda dans un suédois très pur et facilement compréhensible de bien vouloir éteindre leurs portables et de les lui remettre.

« Les personnes qui viennent nous rejoindre dans ce centre doivent avoir la possibilité de rompre entièrement avec le monde extérieur, si tel est leur souhait. Je vous promets que nous en prendrons soin », dit-elle. Inutile d'argumenter avec elle.

Ils déclinèrent leur identité et le but de leur visite : ils souhaitaient s'entretenir avec Atu Abanshamash Dumuzi à propos d'un accident survenu il y a plusieurs années. Ils firent comprendre que l'affaire était sérieuse.

« Très bien. Mais c'est l'heure de la grande réunion de notre Dumuzi. La salle commune dispose d'une pièce à l'étage d'où vous pourrez, si vous le désirez, assister à la séance, à condition de ne pas faire de bruit. Je vais vous y conduire, proposa la femme.

— Je vous en remercie. Mais je croyais que Dumuzi était un nom de famille », releva Carl.

Elle sourit. Ce n'était pas la première fois qu'on lui posait cette question.

« Nous avons tous un ou plusieurs noms d'origine sumérienne. Par exemple, je m'appelle Nisiqtu, l'Estimée, ce dont je suis infiniment fière et reconnaissante. De la même manière, le nom d'Atu Abanshamash Dumuzi est un nom sumérien qui définit ce qu'Atu est pour nous. Atu signifie "le gardien", Aban, "la pierre". Shamash est le mot qui veut dire "soleil" ou "corps céleste". Dumu veut dire "fils de" et zi, l'"esprit", "la vie" et "la force vitale". Son nom complet peut donc être traduit par : Gardien de la pierre de soleil, fils de la force vitale. » Elle leur sourit de nouveau, comme si elle venait de leur délivrer une vérité essentielle qui leur donnerait la puissance éternelle.

« Quel tas de conneries », chuchota Carl à l'oreille d'Assad tandis que la femme les conduisait le long d'une étroite coursive depuis laquelle ils dominaient une foule de trente à quarante individus au visage extatique, vêtus de blanc, assis par terre comme des flocons de neige posés sur le sol.

Ils attendirent, silencieux et recueillis, pendant plusieurs minutes. Puis une femme entra et sembla annoncer le début d'un spectacle dans une langue qu'ils ne comprirent pas : « Ati me peta babka. »

« Gardien, ouvre-moi ta porte », traduisit à voix basse la femme qui les avait accompagnés.

Carl se tourna vers Assad pour lui sourire, mais il avait l'air complètement ailleurs. Carl suivit son regard vers une porte qui s'ouvrait lentement sur un homme dans une toge jaune richement ornementée.

Un frisson parcourut Carl.

L'homme était grand, il avait des sourcils sombres, la peau claire, de longs cheveux d'un blond vénitien et une fossette au menton.

Assad et Carl échangèrent un regard.

Malgré les années qui avaient passé, il n'y avait aucun doute. C'était bien l'homme qu'ils cherchaient.

Un frémissement courut sur l'assemblée quand il écarta les bras au-dessus de leurs têtes. Il se mit à psalmodier, seul, pendant plusieurs minutes : « Abanshamash, Abanshamash, Abanshamash. » Puis, sur un signe de la femme qui dirigeait la séance, tous reprirent l'incantation en chœur.

Carl avait les yeux fixés sur la femme quand, tout à coup, mue peut-être par un sixième sens, elle tourna la tête vers lui. Une sensation étrange le traversa. Ce fut comme si un courant glacé parcourait son échine, tant le regard de cette femme était intelligent, intense et froid.

« Qui est-ce ? demanda Carl à leur guide.

— C'est Pirjo Abanshamash Dumuzi, le bras droit d'Atu, notre mère à tous. Elle porte son enfant. »

Carl hocha la tête. « Et il y a longtemps qu'elle est la compagne d'Atu ? » demanda-t-il.

Nisiqtu acquiesça et lui intima le silence d'un doigt sur les lèvres.

Carl toucha l'épaule d'Assad et lui montra la femme du doigt. Il l'avait remarquée, lui aussi.

Durant la séance qui suivit, Atu expliqua en anglais à ses disciples comment vivre en symbiose avec la nature, et comment se détacher de tous les dogmes et religions pour se concentrer sur le Grand Tout et sur le soleil qui donne la vie.

Il se tourna ensuite vers son bras droit.

« Aujourd'hui, j'ai écouté Zini, l'esprit du vent, et il m'a dit comment s'appellera notre enfant. »

« Elle doit accoucher quand ? » demanda Carl tout bas à la réceptionniste.

Elle leva trois doigts. En août, donc. Elle était dans son sixième mois.

« Si c'est une fille, nous l'appellerons Amaterasu », dit Atu. Tous joignirent leurs mains et les tendirent vers le ciel.

« C'est un très joli nom, murmura Nisiqtu. Dans le shintoïsme, Amaterasu est la déesse du Soleil. Le nom complet est Amaterasu Ōmikami, c'est-à-dire *"auguste divinité qui illumine le ciel"*. »

Leur accompagnatrice était très exaltée, à présent. « Je me demande comment il va appeler l'enfant si c'est un garçon. »

Il y avait peu de chances pour qu'il l'appelle Frank.

« Et si tu nous donnes un fils, Pirjo, il portera le nom d'Amelnaru. Le chanteur qui ira chanter la bonne parole dans le monde entier. »

Il l'invita à monter avec lui sur le podium, et quand elle se présenta devant lui, la tête baissée, il lui tendit deux petits cailloux qu'il avait dans les mains.

« Pirjo Abanshamash Dumuzi, à partir d'aujourd'hui, je te demande de veiller à ma place sur la pierre de soleil de Knarhøj, avec laquelle on peut trouver son chemin dans la plus ténue des lumières, et sur l'amulette en pierre de soleil trouvée à Rispebjerg, qui nous lie à nos ancêtres et à notre croyance. »

Puis il retira la cape qu'il portait sur son torse nu, et lui en couvrit les épaules.

La femme à leur côté se cachait à présent la bouche avec la main. Le geste d'Atu l'avait bouleversée, comme il semblait d'ailleurs avoir remué tout le monde dans la salle.

« Que vient-il de faire ? chuchota Carl.

— Il lui a demandé de l'épouser.

— Regardez le dos du gourou, chef », murmura Assad.

Carl plissa les yeux. Les tatouages n'étaient pas très grands, mais assez pour qu'il puisse les voir à cette distance. Sur une de ses épaules était tatoué un soleil et sur l'autre le mot « River ». L'étau était en train de se refermer.

La femme sur le podium se retourna vers les fidèles qui se balançaient à présent d'avant en arrière par petits à-coups réguliers tout en chantant leur mantra à l'unisson. « Horus, Horus, Horus », répétaient-ils inlassablement, et c'était presque aussi agaçant à écouter que les litanies des Hare Krishna dans Strøget, la rue piétonne de Copenhague.

Toutes les émotions du monde passèrent sur le visage de la femme tandis qu'elle recevait les louanges des disciples en tremblant. Son sourire s'élargit et ses traits se détendirent. Elle était visiblement émue aux larmes devant l'accomplissement de ce qui devait avoir été le plus grand souhait de son existence.

Puis son regard se posa de nouveau sur Carl.

Alors sur son visage se succédèrent toutes les expressions de détresse dont Carl avait pu être témoin tant dans sa vie privée que dans sa vie professionnelle. Par exemple, celle de l'accusé qui, persuadé qu'il va être acquitté, se voit condamné à une lourde peine sans sursis. Ou celle de l'amant qui réalise soudain que ses sentiments ne sont pas partagés.

La simple vue de ces deux hommes sur le balcon semblait lui avoir occasionné une douleur physique. Comme si toute la joie et le bonheur qui lui avaient été donnés la minute d'avant lui étaient brusquement enlevés.

De toute évidence, cette femme, en bas, non seulement les considérait comme des ennemis, mais savait qui ils étaient et la raison de leur visite.

Comment pouvait-elle le savoir ? Était-elle suffisamment impliquée dans ce qui s'était passé jadis pour savoir aussi ce qui risquait d'arriver dans le cas où la culpabilité d'Atu serait prouvée ?

Quelqu'un avait mentionné une femme qui avait suivi Atu pendant de nombreuses années. À la voir, Carl sut que c'était elle, et qu'elle était au courant de tout.

Dix minutes plus tard, ils furent évacués de la salle car c'était le moment où Atu s'occupait de quelques privilégiés dans le troupeau. Sa performance n'avait rien à envier à un speech d'homme politique cherchant à convaincre ses électeurs. À première vue, Atu semblait animé des meilleures intentions, mais on ne sait jamais comment les choses peuvent évoluer lorsqu'un individu tente de gagner les masses à sa cause. Il y avait dans l'histoire du monde d'innombrables exemples de graves dérives.

Et en même temps, la personnalité de l'individu pouvait être une explication en soi. Peut-être Alberte s'était-elle opposée à son grand projet ? Peut-être représentait-elle un obstacle pour lui ?

Car jusqu'à maintenant, ils n'avaient toujours pas de mobile. Ce qui ne les mettait pas en position de force.

Quoi qu'il en soit, Carl s'était maintenant fait une idée du personnage et il commençait à croire que ce voyage allait se terminer par une arrestation. Atu, alias Frank, allait enfin payer pour les faits impardonnables dont il s'était rendu coupable par le passé.

« Je vais vous demander d'attendre ici que Pirjo vienne s'occuper de vous. » Nisiqtu répondit à leur question non formulée : « Oui, Pirjo est la femme qu'Atu vient de demander en mariage. »

Elle les fit entrer dans un bureau qui avait plusieurs portes et une belle vue sur cour et sur mer. Ce n'était pas mal du tout comme job d'être adorateur du soleil, si l'on comparait la vue de ce bureau avec celle dont Carl pouvait se prévaloir dans le sous-sol qu'occupait le département V.

« Cette Pirjo ne m'inspire pas confiance, déclara Assad.

— Qu'est-ce qui te fait dire ça ?

— Je crois qu'elle est capable du pire, vous ne l'avez pas senti, chef ?

— Pas aussi précisément.

— J'ai eu l'occasion dans ma vie de voir des femmes de pouvoir, capables de déplacer des montagnes, vous savez, chef. »

Ils se levèrent simultanément quand Pirjo entra dans la pièce. Elle avait enlevé sa cape et s'était départie par la même occasion de l'attitude fière et hiératique qu'elle avait tout à l'heure.

Elle leur serra la main et leur parla dans un suédois qui laissa Assad perplexe.

« Permettez-nous de vous féliciter », tenta Carl à tout hasard.

Elle le remercia et les pria de se rasseoir.

« Que nous vaut l'honneur de votre visite ? Nisiqtu m'a dit que vous étiez de la police de Copenhague ? »

Tu le savais déjà, espèce de garce, ne nous prends pas pour des imbéciles, se disait Carl. Après le regard qu'elle lui avait lancé, rien n'atténuerait la première impression qu'elle lui avait fait.

« Nous sommes venus nous entretenir avec Atu.

— À quel sujet, je vous prie ? Atu est très occupé, de quoi devrait-il s'entretenir avec la police ?

— J'ai bien peur que cela soit une affaire entre Atu et nous, si vous n'y voyez pas d'inconvénient.

— Comme vous avez pu le constater tout à l'heure, Atu est un être très ouvert et de ce fait très vulnérable. Nous ne l'exposerons à aucune épreuve susceptible de le troubler. Cela nuirait à l'équilibre du centre tout entier.

— Vous viviez déjà ensemble à Ølene sur l'île de Bornholm ? » demanda Assad, sans tourner autour du pot. Au mépris de ce qui était prévu.

Elle le regarda comme s'il venait de lui envoyer un seau d'eau froide en pleine figure. Outrée et déstabilisée.

« Écoutez, je ne sais pas ce que vous êtes venus faire ici. Si vous voulez que je réponde à vos questions, j'estime avoir le droit d'en poser également. »

Carl haussa les épaules. Rien ne l'en empêchait maintenant qu'Assad avait lâché le morceau.

« J'aimerais voir vos cartes de police. »

Ils les lui montrèrent.

« Quel est le motif de votre enquête et quel rapport a-t-elle avec Atu ?

— Un accident de la route à Bornholm.

— Un accident de la route ? Depuis quand les accidents de la route font-ils l'objet d'une investigation ?

À ma connaissance on n'enquête que sur les crimes. Alors que voulez-vous ?

— Quelquefois on enquête sur un accident pour s'assurer qu'il ne s'agit pas d'un crime. Et c'est exactement ce que nous sommes en train de faire.

— Vous êtes bien loin de chez vous pour un tel passe-temps. De quel genre d'accident s'agit-il ? »

Carl se gratta le menton. La conversation avait pris un virage surprenant. Était-il possible qu'elle ne soit au courant de rien ? S'était-il trompé sur la nature de ce regard ?

Il essaya de se faire une idée de ce que pensait Assad. Lui aussi avait l'air décontenancé.

« Nous travaillons sur une affaire de délit de fuite routier dont la victime était étroitement liée à Atu, ou plutôt à Frank Brennan comme on l'appelait à l'époque.

— Que voulez-vous dire par "étroitement liée" ? »

Sa respiration s'était accélérée, elle était tendue, tout à coup.

« C'est un peu déplacé de vous dire cela aujourd'hui, alors qu'il vient de vous demander de partager sa vie, mais disons qu'ils avaient une liaison amoureuse, hein, Assad, on peut dire ça ? »

Son acolyte hocha la tête. Comme le chat qui surveille une souris, il observait chacun des gestes de cette femme. Carl était certain qu'il serait également capable ensuite de décrire en détail la moindre de ses expressions.

Carl tenta une offensive de charme. « Soyez certaine que nous sommes venus à... ça s'appelle comment ici, déjà ? Ah oui, Ebabbar. Qu'est-ce que ça veut dire, au fait ? »

Elle lui répondit, glaciale : « *La maison de soleil levant.* »

Un nom prétentieux, il fallait s'y attendre. Carl hocha la tête et poursuivit avec un demi-sourire. « … à Ebabbar, disais-je, après avoir longuement cherché la trace d'Atu. Je précise que nous ne sommes venus l'interroger aujourd'hui que dans le cadre d'une enquête de routine. Nous suivons de nombreuses pistes dans cette affaire, mais la tentation de faire un tour dans cet endroit de rêve était assez forte, je dois l'avouer », ajouta-t-il.

Et si vous ne nous laissez pas bientôt voir Atu, la tentation d'user de la manière forte va devenir assez irrésistible, songeait Carl. Dans quelques instants, avec un peu de chance, ils auraient mené un interrogatoire fructueux, obtenu les aveux d'Atu et ils l'auraient arrêté, et la dame ici présente n'allait pas être contente. Elle allait défendre son mâle comme une lionne, et il fallait d'urgence se débarrasser d'elle.

« Vous devez comprendre que nous faisons un travail assez particulier. Vous pourriez dire que nous sommes experts dans l'art de distinguer le secret de ce qui n'a simplement pas été dit. Car les deux choses n'ont parfois rien à voir l'une avec l'autre, vous comprenez ? »

Elle les regarda avec un sourire plein d'ironie. Carl n'aima pas ça du tout. Il avait l'impression qu'elle lisait en lui comme dans un livre ouvert.

« Alors qu'est-ce que nous cherchons aujourd'hui, le secret ou ce qui n'a pas été dit ? lui demanda-t-elle. Saurez-vous faire la différence ?

— J'ai la prétention de le croire, mais nous avons besoin de plus d'informations, intervint Assad. Pouvons-nous visiter les appartements d'Atu, en attendant ? »

Quelle drôle d'idée. Qu'espérait-il trouver ?

« Bien sûr que non. Même moi, je n'y ai accès que s'il m'y a expressément invitée.

— C'est bien ce que je pensais, répliqua Assad. La police suédoise vient souvent vous voir ? »

Elle fronça les sourcils. « Je ne comprends pas où vous voulez en venir avec ces questions idiotes et inutiles.

— Alors sachez qu'il est très probable qu'Atu cache quelque chose, aussi bien à vous qu'aux autorités, et que vous ne vous apercevez de rien parce qu'il est comme il est. Ça peut aller de la fraude fiscale au harcèlement sexuel des femmes du centre en passant par le recel. On ne sait jamais ce qui se passe dans un endroit comme celui-ci avant d'avoir vérifié, n'est-ce pas ? »

Toute personne normale se serait mise en colère après une attaque aussi grossière, qu'elle soit coupable ou pas. Mais Pirjo se contenta de les regarder avec la même indifférence que s'ils avaient été de vulgaires insectes.

« Attendez-moi là », leur ordonna-t-elle. Elle se leva, ouvrit la porte du couloir et s'en alla.

« Qu'est-ce que tu fous, Assad ? Tu vas aller dans le mur avec cette méthode, chuchota Carl à son équipier.

— Je ne crois pas. J'essaye de la stresser. Vous ne voyez pas qu'elle est aussi froide qu'un iceberg ? Si elle est comme ça, Atu doit l'être aussi. Et on va rentrer bredouilles, c'est ça que vous voulez ? riposta Assad en chuchotant lui aussi. Comme vous l'avez dit, nous n'avons aucune preuve et aucun témoin digne de ce nom. Il faut la déstabiliser et faire la même chose avec Atu, dans le cas improbable où nous… »

Carl n'aperçut le lourd marteau de caoutchouc qu'au moment où il s'abattit sur la tête d'Assad.

Il voulut bondir mais n'en eut pas le temps avant que le coup suivant ne l'assomme à son tour.

L'espace des quelques secondes qui suivirent, il eut conscience par bribes de la voir se pencher au-dessus de lui et ramasser un objet sur le sol.

Au moment où elle se relevait avec à la main la petite statuette qu'il avait toujours dans la poche, il perdit connaissance.

Pirjo tremblait de la tête aux pieds.

Elle venait de commettre une terrible erreur. Elle avait perdu son sang-froid et s'était laissé pousser dans ses retranchements et pourtant, elle ne regrettait pas son geste.

Derrière la porte de la salle de contrôle de l'installation électrique gisaient deux hommes inconscients qui venaient de gâcher le plus beau moment de sa vie. Deux profanateurs, entrés en terre sacrée au moment précis où commençait sa future existence. Peut-être les extrêmes sont-ils faits pour se rejoindre. Toute sa vie, elle avait rêvé d'un avenir comme celui-là, et à présent qu'elle l'avait à portée de main, elle ne laisserait rien ni personne se mettre en travers de sa route.

Mais que faire ? Ils n'étaient pas n'importe qui. Rien à voir avec les femmes vulnérables et naïves qu'elle avait fait disparaître. C'était des policiers et ils étaient au milieu d'une enquête dont elle ne savait pratiquement rien. Elle ignorait si d'autres personnes étaient impliquées. Et il était indispensable qu'elle le découvre afin de pouvoir évaluer le danger et décider de la suite.

Une chose était sûre, elle devait les arrêter. La question était : comment ?

Elle remarqua les taches d'un rouge sombre qui commençaient à s'étendre sur ses bras et la démangeaient.

Cela était dû à la montée d'adrénaline et à sa frustration. Elle connaissait le symptôme par cœur.

Dans une heure, Atu en aurait terminé avec ses entretiens individuels et il viendrait la trouver, s'attendant à ce qu'elle se jette dans ses bras et qu'elle exprime un bonheur sans partage.

Dans une heure.

Je dois savoir ce qu'ils savent et à combien de personnes ils l'ont répété, songeait-elle. Et puis il faudra que cela ait l'air d'un accident. Un accident surprenant mais dont personne ne pourra douter.

Elle se tourna vers la porte de la salle de contrôle. Elle pensa aux contractions qu'elle avait de temps en temps, et à ces deux hommes grands et lourds, comment les neutraliser alors qu'elle était petite et faible ? Dans des circonstances plus favorables, le plus logique aurait été de les tuer avec un outil massif. La clé à molette qui était restée dans la pièce avec eux par exemple. Mais avec un outil comme celui-là, les blessures seraient profondes et pointeraient nécessairement vers une tierce personne. Non, ce n'était pas la bonne solution.

Si seulement ils n'avaient pas été aussi déterminés, pesta-t-elle rageusement. Ils y étaient allés beaucoup trop fort avec elle. L'entrevue ne s'était pas du tout déroulée comme prévu. Elle s'attendait à des questions et à des hypothèses qu'elle aurait détricotées les unes après les autres. Elle n'aurait eu aucune difficulté à gérer ce genre d'interrogatoire. Surtout à propos d'une histoire survenue il y a aussi longtemps. Mais devant une telle agressivité, elle s'était sentie désarmée et avait eu peur. Le petit basané n'aurait pas hésité à avoir recours à des méthodes qu'un homme civilisé ne cautionnerait pas. Et elle était persuadée aussi que ces deux policiers n'auraient eu aucun mal à faire parler Atu, s'ils avaient pu le rencontrer. Et si elle n'empêchait pas cette confrontation, la vérité éclaterait au grand jour et, en cette journée miraculeuse, elle perdrait tout.

Elle observa la statuette qui était tombée de la poche du policier danois et fronça les sourcils. Quelqu'un avait sculpté le portrait de l'homme qui venait de lui demander sa main. La ressemblance avec Atu il y a vingt ans était effrayante.

Mais comment ces flics avaient-ils mis la main sur cet objet, et pourquoi l'un d'eux l'avait-il gardé dans sa poche ? se demandait-elle. Est-ce que cela faisait partie de leur stratégie ? Avaient-ils eu l'intention de poser tout à coup cette figurine devant Atu dans l'espoir que le choc lui ferait perdre ses moyens ?

Elle pouvait facilement s'imaginer leurs questions : « Oserez-vous nier que vous avez servi de modèle à celui qui a sculpté cette statuette ? Prétendrez-vous ne pas connaître une personne qui a eu autant de temps pour vous observer et reproduire votre visage avec une telle précision ? »

Ils auraient essayé de le faire craquer à l'aide de la figurine et ils y seraient peut-être parvenus.

Pirjo n'avait aucun doute sur l'identité de l'artiste. C'était forcément Alberte, cette fille qui avait tellement harcelé Atu à l'époque. Elle avait dû s'en servir comme d'une sorte de poupée vaudou, destinée à l'ensorceler et à l'enfermer dans la toile de ses exigences et de ses ultimatums.

Oui, ça ne pouvait être qu'elle. Heureusement que Pirjo avait rompu le charme et l'avait mise hors d'état de nuire. Qui sait ce qui serait arrivé, sinon ?

Plus elle pensait à cette période, plus elle haïssait ceux qui avaient ravivé le souvenir d'Alberte.

Elle serra la statuette dans sa main et eut envie de la fracasser contre le sol. Mais avant, elle regarda attentivement le visage finement ciselé et la jolie bouche, et elle interrompit son geste. Elle eut presque l'impression de retrouver Atu quand il était jeune et elle en fut émue. Tout était si simple et facile en ce temps-là.

Et si compliqué en même temps puisque finalement, tout était allé de travers.

Et tout ça à cause d'Alberte.

Elle tint la statuette contre sa joue, puis elle la fit glisser jusqu'à ses lèvres qu'elle posa sur celles d'Atu en souvenir de leur innocence.

Elle entendit un bruit derrière elle et posa la figurine en bois sur la table. C'était l'un des deux hommes qui gémissait.

En quelques secondes, elle prit une décision radicale et agit en conséquence. En entrant dans la salle de contrôle électrique, elle constata que les deux policiers étaient toujours couchés par terre, mais que l'immigré essayait de lever la tête. Elle s'occuperait de lui en premier.

Elle déroula une bobine de fil de cuivre jusqu'à lui, releva les manches de la chemise d'Assad et fit au moins dix fois le tour de ses poignets pour attacher ses deux bras solidement l'un à l'autre. Puis elle le hissa sur le banc. Elle commença par attacher ses chevilles au pied du banc, puis elle ligota ses cuisses au siège et enfin elle le suspendit par les poignets à l'un des vieux crochets de boucher sur le mur. Elle procéda de la même façon avec le deuxième. Il n'était pas beaucoup plus lourd que l'Arabe malgré leur différence de taille, mais il était tout flasque, ce qui augmentait la difficulté, d'autant plus qu'à présent, elle se sentait affreusement mal. Elle s'appuya au mur en inox et attendit que les sensations bizarres dans son ventre cessent.

Quand le malaise fut passé, elle ligota ses deux prisonniers l'un à l'autre à l'aide du câble et recula d'un pas pour juger du résultat.

Qu'est-ce que j'ai oublié ? se demanda-t-elle, en tâchant d'imaginer tous les scénarios possibles.

On pouvait les repérer grâce au signal de leurs téléphones portables, mais ceux-ci avaient forcément été éteints et récupérés à la réception. Et puis il y avait la voiture dans laquelle elle les avait vus arriver tout à l'heure. Elle devait être garée un peu plus bas sur la route, il faudrait qu'elle la déplace.

Elle prit les clés dans la poche du plus grand et continua à vérifier si tout était en ordre. Ils étaient solidement ficelés et personne n'entrait dans cette pièce à part elle. L'électricien ne devait revenir que dans plusieurs jours. Il y avait le problème de Nisiqtu qui les avait accueillis, mais n'était-ce pas Pirjo qui lui avait donné le nom de l'Estimée ?

Si Pirjo lui expliquait que les deux hommes avaient eu un regrettable accident par leur propre faute, elle la croirait.

Le basané commençait vraiment à se réveiller, il n'y avait plus de temps à perdre. Elle mesura la distance jusqu'au tableau électrique, coupa deux morceaux de câble de trois mètres chacun, enroula le bout du premier autour du pouce de l'Arabe et l'autre autour de la cheville gauche du policier danois.

Elle dévissa le couvercle de l'armoire de gestion, dans laquelle arrivaient les câbles reliés aux différents modules solaires. Sans le savoir, l'électricien d'abord et Shirley ensuite lui avaient appris comment torturer quelqu'un. Elle avait bien retenu que plus le soleil serait fort, plus le courant serait dangereux. Ses deux victimes finiraient par y succomber.

Elle alla chercher un tournevis isolé dans le fond de la boîte à outils et retira les deux fiches qui assuraient la connexion avec l'onduleur. Le courant arrivait de plusieurs panneaux solaires et c'était la solution optimale. Dès que le soleil se mettrait à chauffer, la tension électrique deviendrait énorme.

Elle relia un premier fil au pôle positif de la boîte de dérivation et le fixa à l'extrémité dénudée du câble enroulé autour du pouce de l'immigré, puis elle relia la deuxième longueur de fil au bout du câble qui entourait la cheville du Danois et la connecta au pôle négatif du tableau.

Quand elle connecta le deuxième fil électrique, les muscles du visage des deux hommes se contractèrent et leurs quatre jambes se tendirent simultanément. Le pied de l'Arabe atteignit violemment Pirjo au ventre et la douleur la fit tomber à genoux.

Ses mains se crispèrent sur son bas-ventre et elle resta à contempler ses victimes qui tressautaient, les yeux grands ouverts, alors que tout en elle lui criait de sortir du local technique au plus vite.

Elle retourna en titubant dans son bureau et s'assit en attendant que la douleur veuille bien cesser. L'espace d'un instant, la peur l'envahit, mais elle se concentra sur ce qu'elle avait à faire, regarda l'heure et se releva.

« Je vais prendre l'air dix minutes, dit-elle à Nisiqtu, à l'accueil. Il ne devrait plus rien se passer aujourd'hui, tu peux retourner tout de suite dans ta chambre. Je servirai moi-même le thé à ces messieurs à mon retour. »

Elles se sourirent. Pas de danger de ce côté-là.

Le véhicule de service des deux hommes était garé quelques centaines de mètres plus bas, un peu à l'écart de la route, mais très visible.

Elle fouilla la boîte à gants, le coffre et l'habitacle mais ne trouva aucun objet lié à l'enquête qui les avait conduits jusqu'ici.

Elle démarra la voiture et alla l'abandonner un peu plus loin, sur un chemin de traverse que personne n'empruntait plus. Soustraire cette voiture aux regards des passants lui donna le sentiment de contrôler un peu mieux la situation. Si d'autres représentants de la police devaient se présenter à l'avenir, elle leur dirait que les policiers danois étaient passés, mais qu'ils étaient repartis.

Personne ne devait venir fouiner tant que les deux hommes seraient en vie. Et une fois qu'ils seraient morts, elle déciderait si cela pouvait passer pour un accident ou s'il fallait les faire disparaître. Il serait toujours temps à ce moment-là de retirer les plaques minéralogiques de leur voiture et de faire en sorte qu'elle atterrisse en Pologne ou dans quelque autre obscure destination. Les Polonais et les Baltes qui se baladaient sur l'île en proposant aux habitants de les laisser peindre leurs maisons en rouge pourraient l'acheter pour une bouchée de pain, à condition de s'engager à la faire sortir du pays. Elle leur donnerait les plaques de leur ancienne voiture qui prenait la poussière au fond de l'Écurie des sens. Ils ne s'en servaient jamais de toute façon.

Elle retourna à l'académie en surveillant le ciel. Les nuages étaient encore lourds, mais un léger vent d'est semblait vouloir les chasser loin de la côte.

Le soleil va bientôt se remettre à briller, se dit-elle en passant la porte de l'accueil, se massant doucement le ventre. Il y avait un certain temps que l'enfant ne lui avait pas donné de coups de pied.

« Allez, mon bébé, murmura-t-elle. Tu es fatigué ? Ça a été une journée très particulière, maman aussi est fatiguée. Papa a choisi ton prénom, tu as de quoi te réjouir. Et quand tu naîtras, nous te baptiserons. Et le même jour, ton père et moi nous unirons sous le soleil au milieu du cercle sur pilotis. Ce sera un grand jour, mon ange. »

Son visage se crispa soudain. Elle avait une nouvelle contraction. C'était une sensation extrêmement désagréable, comme si quelque chose à l'intérieur se déséquilibrait.

Il y a quelque chose qui ne va pas, songea-t-elle, brusquement en nage. Il fallait qu'elle parte se faire examiner à l'hôpital de Kalmar, mais d'abord elle devait savoir contre quoi elle allait devoir lutter. Dès que les deux hommes auraient répondu à ses questions, elle partirait.

Claquant des dents, les muscles du cou tendus, ils la regardèrent entrer dans le local technique.

L'immigré tenta de l'injurier, mais les mots se déformèrent dans sa gorge secouée de spasmes.

Elle prit le tournevis et déconnecta l'un des deux fils sur le tableau électrique.

Ils retombèrent brutalement, le menton sur la poitrine.

« Estimez-vous heureux que le ciel ne soit pas dégagé », leur dit-elle tandis qu'ils relevaient lentement la tête.

Elle leva le menton vers la fenêtre de toit et les deux hommes suivirent son regard.

« Vous êtes folle, dit le plus grand. Vous allez nous tuer. »

674

Elle sourit. Ils pensaient qu'elle était folle ? Évidemment, ils ne pouvaient pas savoir ce qui était en jeu. La planète entière attendait que la bonne parole soit répandue depuis ce centre, pour qu'enfin toutes les religions s'unissent en une seule et que le monde vive en paix. Pour qui se prenaient-ils, ces petits bonshommes sans importance, pour s'accorder le droit de se mettre en travers de ce projet visionnaire ?

Son sourire se figea. « Qu'est-ce que vous savez ? » leur demanda-t-elle avant de remettre le fil dans la cosse, ce qui provoqua instantanément des soubresauts dans leurs jambes et propulsa leurs torses en arrière. Cette fois, elle prit garde de se tenir à distance.

« Pour l'instant, la décharge électrique n'est pas insoutenable, je crois. Mais ce sera beaucoup plus violent tout à l'heure, quand le soleil réapparaîtra ! »

Elle tira sur le fil et les hommes s'affalèrent à nouveau.

« Que savez-vous ? » répéta-t-elle.

Le plus grand toussa une fois ou deux avant de répondre. « Nous savons tout et nous ne sommes pas les seuls. Votre cher Atu a renversé une jeune fille, il y a de nombreuses années de cela, et il l'a tuée. À présent, son passé le rattrape. Alors, je vous conseille de ne pas aggraver votre cas, Pirjo. Relâchez-nous. Nous allons… »

Elle remit le cuivre dans la cosse et le scénario recommença. Après quelques secondes, elle mit fin à leur supplice.

S'ils ne lâchaient pas le morceau maintenant, elle ne reposerait pas la question.

« Est-ce que quelqu'un sait que vous êtes ici ? »

Le premier hocha la tête avec difficulté. « Bien sûr, qu'est-ce que vous croyez ? dit-il. Vous savez, Pirjo, il y a longtemps déjà que votre Atu est le principal suspect dans cette affaire. Un policier est mort à cause de cette enquête. Atu n'a laissé dans son sillage que la mort et le chagrin. Pourquoi le protéger ? Il ne le mérite pas. Il n'y a aucune raison pour… »

Elle lui coupa le sifflet en rebranchant le fil. Cette fois, elle revissa la cosse et elle s'en alla.

Elle n'avait plus qu'à laisser les choses suivre leur cours. Ces hommes ne lui diraient rien qui puisse la rassurer. L'immigré n'avait même pas ouvert la bouche. Il s'était contenté de la fixer de ses yeux froids, comme si un regard pouvait tuer. Elle avait fait ce qu'il fallait, elle en était sûre, à présent.

Elle levait à nouveau les yeux vers les nuages glissant dans le ciel quand brusquement la douleur dans son abdomen se manifesta à nouveau. Cette fois, on aurait dit qu'on lui plantait un couteau dans le ventre. Ou que l'enfant s'était retourné sur lui-même d'un seul coup. Comme si c'était le fœtus qui avait été électrocuté, et non les deux policiers.

Pirjo retourna avec difficulté dans son bureau, claqua la porte derrière elle et alla s'écrouler dans son fauteuil. Elle respira à fond plusieurs fois de suite pour tenter de calmer les battements de son cœur, mais en vain. Ses bras tremblaient et sa peau était glacée. Ça n'allait pas du tout. Était-ce une réaction psychosomatique à ses actes ? Cela ne lui faisait pourtant ni chaud ni froid de tuer ces hommes, mais peut-être son corps réagissait-il malgré tout ? Sa conscience était-elle en train de s'éveiller ? Était-ce une manière de l'éprouver ou de la punir ? Elle ne pouvait le croire. Elle invoqua Horus tandis que ses douleurs lui déchiraient à nouveau le ventre, et le supplia de mettre fin à son calvaire.

« Mes intentions sont pures ! » cria-t-elle.

Et la douleur cessa comme elle avait commencé.

Elle poussa un soupir de soulagement et voulut se lever, mais réalisa avec horreur que ses jambes ne répondaient plus.

Elle massa le dessous de ses cuisses pour les ranimer et se demanda pourquoi elles étaient si chaudes et si humides.

C'est alors qu'elle vit le sang.

Du sang sur l'assise du siège et sur sa toge blanche.

Du sang qui coulait le long de ses jambes, goutte après goutte, et formait peu à peu une grande flaque sous son bureau.

« Peu de temps. » C'était les seuls mots que le cerveau de Carl réussissait encore à formuler, à part ça, il n'était plus qu'un corps. Au début, il sentit comme des picotements, comme lorsqu'un membre s'engourdit, puis, très vite, tous ses muscles se contractèrent et durcirent. Même les minuscules muscles des paupières et des narines. On aurait dit que son corps se consumait de l'intérieur. La pression systolique augmenta, son cerveau explosa en courts-circuits successifs et ses poumons cessèrent peu à peu de réagir au manque d'apport d'oxygène. Plus les rayons du soleil traversaient la couche de nuages, plus le courant s'intensifiait et plus les mots « peu de temps » prenaient de sens.

Carl ne sentait même plus la présence d'Assad à côté de lui. Pendant de brefs éclairs de lucidité, il se souvenait qu'ils étaient solidement attachés l'un à l'autre. Pendant de brefs éclairs de lucidité, il se souvenait où il était.

Mais tout à coup, le courant s'affaiblit. Carl commença par haleter puis s'efforça de respirer profondément. Il sentait encore des petites décharges électriques mais ce n'était rien par rapport aux précédentes. Il regarda autour de lui, désorienté. Il y avait de la lumière dans le local. Il avait l'impression qu'il y en avait plus que tout à l'heure, alors que s'était-il passé ?

Il entendit un gémissement.

Il mit quelques secondes à faire obéir les muscles de sa nuque qui étaient encore durs comme de la pierre. Au prix d'un gigantesque effort, il parvint à tourner la tête vers Assad et vit son visage concentré et tordu de douleur.

Carl s'étouffa presque quand il voulut parler, mais les mots sortirent malgré tout.

« Que se passe-t-il, Assad ? »

Assad mit un peu de temps à répondre en ânonnant.

« Le… mur… fait… masse. »

Carl tourna la tête un peu plus. Il ne comprenait pas ce qu'Assad voulait dire. Le mur était en métal, il l'avait remarqué, mais à part ça, il ne voyait pas ce qu'il avait de spécial.

Il sentit une vague odeur de viande brûlée dans l'air. Puis il vit qu'Assad tremblait. Il avait les bras reliés ensemble et suspendus à un crochet sur le mur, au-dessus de sa tête, et avait tourné son pouce entortillé de cuivre de façon à le plaquer contre le mur en métal.

Une petite volute de fumée montait de son doigt.

« Le… courant… ne passe… plus », expliqua Assad avec difficulté.

Carl regarda le doigt dont l'ongle brunissait peu à peu et dont le bout était déjà presque noir. Le spectacle était choquant. Carl avait assez de connaissances en électricité pour savoir qu'Assad était en train de sacrifier son doigt pour les sauver. En ce moment le courant accumulé par un tas de capteurs solaires était en train de passer à travers un fil électrique enroulé autour de son pouce pour repartir ensuite dans le mur en métal.

« Le courant électrique cherche toujours le chemin le plus court pour se décharger. » Est-ce que ce n'était pas quelque chose de ce genre que lui disait toujours son professeur de physique ?

« Tu ne peux pas… tourner ta main de façon à ce que le fil soit en contact direct avec le mur, Assad ? » demanda-t-il, hésitant.

Assad secoua la tête avec raideur.

« Aaaah », gémit-il quand un nuage s'éloigna, permettant au soleil de briller plus fort au-dessus de leur tête. Pendant une seconde, la douleur lui fit lâcher le contact avec le mur en métal, ce qui envoya la tête de

Carl cogner dans le mur derrière lui et déclencha des crampes dans ses bras.

Jusqu'à l'arrivée du nuage suivant.

Assad changea de position et le courant quitta à nouveau le corps de Carl.

La souffrance d'Assad était horrible à voir. Il ne tiendrait plus très longtemps.

Carl respira profondément. « Quand le ciel sera entièrement dégagé, je veux que tu enlèves ton pouce de ce mur. Nous ne souffrirons pas longtemps, ce sera vite terminé », s'entendit-il lui ordonner. C'était une idée épouvantable et il y en avait une autre, tapie derrière la première, qui était bien pire : et s'il se trompait ? Si au contraire la souffrance devait se prolonger ?

« Mais avant de lâcher, je voudrais que tu me dises… » Carl réfléchit un instant. Avait-il vraiment envie de savoir ?

« Que je vous dise quoi ? demanda Assad, dans un gémissement.

— Saïd ? Pourquoi est-ce qu'on t'appelle Saïd ? C'est ton vrai nom ? »

Un lourd silence succéda à sa question. Il n'aurait jamais dû la poser.

« C'est de… l'histoire ancienne, chef, dit-il enfin. C'était un… nom… de code. C'est tout. Ne pensez pas… à ça… maintenant. »

Carl baissa les yeux. Les ombres étaient plus nettes sur le sol. « Le soleil est en train de sortir des nuages. Il faut que tu lâches, maintenant, Assad, tu m'entends ? »

Le corps à ses côtés frémit, mais Carl ne sentit rien. Il n'avait pas lâché.

« Allez, Assad, LÂCHE !

— Je vais... tenir le coup, répondit Assad, d'une voix presque inaudible. J'ai... l'habitude. »

50

Pirjo se pencha au-dessus de son bureau et décrocha le téléphone. Si l'ambulance arrivait rapidement, elle serait admise dans le service obstétrique de l'hôpital de Kalmar dans trois quarts d'heure.

Si Atu m'accompagne, tout va s'arranger, se disait-elle.

Un sourire effleurait ses lèvres à cette idée, quand un nouveau coup de poignard lui traversa les entrailles.

« Oh non, qu'est-ce qui se passe ? » gémit-elle à haute voix, alors qu'une nouvelle crampe la jetait en arrière sur son siège.

Elle baissa les yeux. Elle saignait abondamment.

Elle se mit à trembler de partout et soudain, elle ne sentit plus rien, plus rien du tout. La pulsation puissante de son sang, les mouvements dans son utérus, les coups de pied du bébé qui lui donnaient une idée de son état général. Tout s'arrêta.

Pirjo fondit en larmes et, à l'instar du jour où, dans sa candeur enfantine, elle avait supplié sa maman de l'aimer autant qu'elle aimait ses frères et sœurs, elle sut que ses pleurs ne serviraient à rien et que ses larmes seraient versées en vain. La vie faisait ce

qu'elle voulait et on n'avait d'autre choix que de laisser faire le destin, aussi cruel soit-il. Il ne lui fallut
qu'un instant pour parvenir à cette conclusion. D'une
seconde à l'autre, tout lui fut égal. Le petit être qui
vivait dans son ventre avait décidé que leurs chemins
devaient se séparer dès maintenant. L'accouchement
avait commencé, mais elle n'avait pas perdu les eaux,
parce que l'enfant était mort et coincé à l'intérieur.
Elle en était certaine.

Elle regarda un long moment le téléphone, sans rien
faire.

Pourquoi appeler au secours pour elle-même, alors
que tout était perdu ? Elle n'obtiendrait pas d'Atu
qu'il la féconde une deuxième fois. Elle ne mettrait
jamais au monde cet enfant destiné à poursuivre
l'œuvre de ses parents, la vie n'avait plus aucun sens
et Atu n'avait plus aucune raison de s'unir à elle dans
le cercle sur pilotis.

Et puis, il y avait ces hommes dans le local technique. Si on l'emmenait à l'hôpital, elle ne pourrait
pas déplacer leurs cadavres. L'électricien trouverait
les corps quand il reviendrait travailler dans quelques
jours.

Pirjo n'arrêtait pas de trembler. Elle n'avait jamais
eu aussi froid de sa vie, pas même pendant les longues
nuits d'hiver en Finlande.

Elle pleura. Pas sur elle-même, mais sur Atu. Quand
ils trouveraient les hommes électrocutés, ils en tire-
raient des conclusions. Ils découvriraient aussi le
cadavre de Shirley, et Atu et elle devraient répondre
de leurs actes. Elle ne pouvait pas le permettre.

Il n'y avait qu'une solution : elle devait se sacrifier pour Atu une dernière fois. Elle allait tout raconter par écrit, tandis qu'elle continuait à se vider de son sang, et elle allait s'accuser de tout. Les hommes dans la pièce d'à côté ne seraient plus là pour la contredire. Ils allaient l'accompagner dans la mort. Tant pis pour eux.

Pendant une longue minute, elle regarda avec une infinie tendresse la petite sculpture en bois que le policier danois avait apportée avec lui.

Elle posa ses lèvres sur celles d'Atu et commença à écrire.

Allons, Carl, ne cède pas à la panique. Oublie la douleur et sers-toi des instants qui te restent.

Carl tâcha de se concentrer sur ce qui l'entourait, malgré les séquelles douloureuses de la dernière vague de décharges électriques.

Le principal danger désormais venait du fait qu'Assad n'avait plus la force de tenir son pouce collé contre la cloison métallique. Et s'il rompait le contact, Carl savait ce que cela signifiait. Il ne craignait pas tant la mort que le temps qu'elle mettrait à venir. Il savait maintenant que le courant qui entrait par le pouce d'Assad et traversait leurs deux corps pour ressortir par sa jambe gauche à lui ne les tuerait qu'au bout d'atroces souffrances. D'horribles images de chaise électrique, de condamnés saignant par les yeux et de corps monstrueusement convulsés s'imposèrent à lui. Il avait déjà eu un aperçu tout à l'heure de ce qu'on ressentait quand le sang se mettait à bouillir et que le cœur menaçait de lâcher à chaque instant.

Mais leur sort semblait scellé. Comment pourraient-ils en réchapper vu la manière dont cette femme diabolique les avait ligotés ? Les câbles étaient serrés à l'extrême, les crochets dans le mur beaucoup trop résistants. La position dans laquelle ils étaient leur interdisait de bouger pour détendre leurs liens et se libérer.

« Quand… mon… pouce… aura entièrement… brûlé, ânonna Assad, … le câble… se… détachera… et si… je n'arrive… pas… à… le pousser… pour qu'il… tombe par terre… il tombera… sur moi. »

Carl voulut dire quelque chose, mais les muscles de sa gorge étaient si tétanisés qu'il ne put proférer un mot. La tristesse de voir que même sa voix lui avait été enlevée lui fit monter les larmes aux yeux.

Il ne faut pas pleurer, songea-t-il.

S'il en avait été capable, il aurait dit : « Quand cela arrivera, je t'aiderai du mieux que je pourrai. Nous ferons tout pour que ce foutu câble tombe sur le sol. »

Pourquoi les fusibles ne lâchent-ils pas ? Il n'y a personne ici ? se demandait-il en basculant la tête aussi loin en arrière qu'il pouvait pour regarder les boîtiers et les tableaux qui commandaient l'installation. C'était là-haut qu'elle avait fixé les deux fils. Si seulement il avait eu un bras libre. Une main. Alors il aurait pu…

Nuque raide ou pas, il tourna brusquement la tête vers son équipier quand il entendit l'affreux bruit de son doigt en train de griller. Il était pâle comme la mort.

Mais il tenait toujours le coup.

Pendant quelques instants, l'esprit de Pirjo s'enfuit. Elle avait les doigts posés sur le clavier mais elle restait là, sans force. Ça allait tellement vite, à présent.

Quand elle revint à elle, elle vit des centaines de « n » affichés à l'écran. Son doigt était resté appuyé sur la touche pendant son petit moment d'absence.

Elle entreprit de les effacer.

Atu ne va pas tarder à arriver, songea-t-elle. Au même moment, elle entendit s'ouvrir la porte de ses appartements. Il faut que je termine cette lettre.

Son cœur fit un bond dans sa poitrine quand elle sentit le parfum d'Atu. Si ces deux policiers n'étaient pas venus, ce moment aurait été l'un des plus délicieux de son existence. Elle arrivait presque à sentir les étreintes qu'ils ne partageraient jamais. Les caresses qu'ils n'échangeraient pas. Mais surtout, elle entendit dans sa tête les gloussements de joie que cet enfant qu'ils avaient tant désiré tous les deux ne pousserait que dans leurs rêves, et les sourires qu'ils ne verraient jamais fleurir sur sa petite figure.

Pirjo crut qu'elle allait défaillir de chagrin quand elle se retourna et vit le visage éclatant de bonheur d'Atu. Il était habillé tout en jaune, avec un pantalon moulant et un polo, et il ressemblait à un jeune homme. Elle essaya de lui rendre son sourire, mais elle en fut incapable.

Elle réalisa qu'il ne pouvait pas voir le sang à cause du bureau et se dit que c'était mieux comme ça.

« Que tu es beau, Atu », le complimenta-t-elle, s'efforçant de tendre le bras vers lui pour lui donner la main. Elle n'y arriva pas non plus.

« J'ai un truc à finir », dit-elle. Cette fois, elle réussit à sourire un peu. « J'en ai pour cinq minutes. J'arrive. »

Il fit un pas vers le bureau, intrigué.

« Quelque chose ne va pas, Pirjo ? » demanda-t-il.

Il baissa machinalement les yeux vers le bureau et son regard s'arrêta sur la statuette posée près de la main de Pirjo.

Il sursauta. On aurait dit que quelqu'un venait de le gifler et il regarda alternativement la figurine en bois et Pirjo, avec un mélange d'incrédulité, d'incompréhension et d'étonnement.

Il prit l'objet et le contempla, les traits crispés.

« J'ai déjà vu cette statuette. Où l'as-tu trouvée ? » lui demanda-t-il avec dureté.

Elle sentait maintenant l'effet de l'hémorragie, ses forces l'abandonnaient peu à peu. Il faut absolument que tu fasses un effort pour parler distinctement, se recommanda-t-elle. Parle lentement, sinon tu risques de bafouiller.

Elle mit un sourire dans son regard, ce qui n'était pas facile. « C'est vrai, tu l'as déjà vue, n'est-ce pas merveilleux de la revoir, Atu ? Mais si tu veux bien, nous parlerons de cela tout à l'heure. Je voudrais vraiment finir ce que je suis en train de faire.

— Est-ce que Bjarke est venu ici ? » lui demanda-t-il.

La question la prit de court. Elle fronça les sourcils. Qu'est-ce qu'il voulait dire ?

« Je ne sais pas qui est Bjarke », répliqua-t-elle.

Visiblement, sa réponse l'avait agacé.

« Tu le sais forcément, puisque cette statuette se trouve ici. »

Elle secoua lentement la tête. Son cœur battait très fort à présent, sans doute parce qu'il s'efforçait d'envoyer du sang oxygéné dans son organisme.

« C'est un jeune homme de Bornholm, et c'est lui qui a sculpté cette figurine. Il voulait me l'offrir parce qu'il disait être tombé amoureux de moi. »

Maintenant c'était Pirjo qui ne comprenait plus. « Je ne sais pas de qui tu parles. Tu ne m'as jamais raconté cette histoire.

— Allez, Pirjo, dis-moi ce que cette figurine fait ici. Ce n'est tout de même pas compliqué, comme question ? Tu ne l'as pas trouvée dans mes affaires, parce que j'avais refusé de l'accepter. Ce type était une plaie, j'avais horreur de ses avances. Ne nie pas qu'il est venu ici, s'il te plaît.

— Je te demande cinq minutes, Atu », redit-elle, avec plus d'insistance, cette fois. Si elle voulait avoir une chance de sauver le centre, il fallait qu'elle finisse de rédiger sa confession.

« Explique-moi ce qui est si important ! » Il allait faire le tour du bureau pour jeter un coup d'œil sur l'écran de l'ordinateur, mais elle l'arrêta dans son mouvement.

« D'accord, je vais te le dire, Atu ! Je prends tout sur moi et tu ne m'en empêcheras pas. J'assume l'entière responsabilité de tout ce que tu as fait, tu comprends ? »

Atu la regarda comme jamais il ne l'avait regardée avant. Le déplaisir fut le premier mot qui lui vint à l'esprit pour décrire son expression. Mais cela pouvait tout aussi bien ressembler à un profond dégoût.

Du dégoût ? Pour elle ? Mais ne comprenait-il donc pas qu'elle était en train de se sacrifier pour lui ?

« Qu'est-ce que j'ai fait, Pirjo ? Et quel rapport cela a-t-il avec cette statuette ? Est-ce que c'est ta façon de me dire que tu reviens sur la promesse que tu m'as faite ? Je ne comprends plus rien. »

Elle aurait voulu lui prendre la main, mais n'osait pas, de peur de s'évanouir. Elle devait éviter cela à tout prix.

« Tu as tué Alberte, dit-elle tout doucement.

— J'ai fait *quoi* ? Alberte ?

— La fille avec qui tu avais une liaison, à Bornholm. »

Elle s'attendait à ce qu'il soit choqué d'apprendre que son secret avait été découvert, mais pas à ce qu'il s'écroule contre le mur comme si ses jambes refusaient de le porter.

« Alberte ? Alberte est morte ? » Il déglutit et poussa un gémissement.

Comment pouvait-il faire semblant de ne pas être au courant ? Était-il réellement cynique à ce point ?

« Tu sais mieux que quiconque ce qui s'est passé. C'est pour ça que tu as voulu partir de Bornholm, alors pourquoi ne dis-tu pas les choses comme elles sont ? Qu'est-ce qui t'arrive ? Tu es tout pâle, Atu, qu'est-ce qu'il y a ? »

Il resta là, figé, comme s'ils avaient été dans deux pays différents, chacun parlant sa propre langue, et cela la mit en colère. Toutes ces années de non-dits entre eux et à présent que la vérité éclatait, il choisissait de se taire encore ? Elle ne le croyait pas si lâche.

« Tu me déçois, Atu. Je t'ai sauvé à l'époque, j'ai effacé tes traces pour qu'on ne sache pas que tu l'avais tuée. Je l'ai compris le jour où nous avons quitté l'île. Tu crois peut-être que je ne m'apercevais pas que tu parlais d'elle sans arrêt ? Tu n'avais que son nom à la bouche depuis des semaines. Tu crois que ça ne me faisait rien ? Eh bien tu te trompes. Et puis j'ai entendu à la radio qu'elle avait été retrouvée morte, projetée dans un arbre après avoir été percutée par une voiture. C'est arrivé la veille du jour où nous sommes partis et j'ai tout de suite su que c'était toi, Atu, et qu'on t'arrêterait si je ne faisais rien pour couvrir ton crime. Ils ont cherché la voiture dans tout Bornholm, tu le sais, ça ? Et j'ai trouvé la pancarte à l'arrière du combi, avec du sang dessus.

— Je ne sais pas de quoi tu parles, c'est complètement dingue, cette histoire. Je n'ai jamais rien su de tout ce que tu me racontes. Je ne savais pas qu'Alberte était morte. Et qu'est-ce que c'est que cette pancarte dont tu parles ?

— Quoi ? Il faut que je t'explique ça aussi ? Je te parle de la pancarte accrochée au-dessus de la maison d'Ølene : "La voûte céleste". Tu l'avais peinte toi-même, alors ne viens pas me dire que tu ne t'en souviens pas.

— Bien sûr que je m'en souviens. Je m'étais blessé sur les vis en la démontant, avec Søren Mølgård. J'avais saigné comme un bœuf. Quel rapport avec Alberte ? »

Atu excellait dans l'art de manipuler les gens. Mais croyait-il sérieusement pouvoir la manipuler, elle aussi ?

« Elle est morte, c'est vrai ? » demanda-t-il à nouveau. Il était pathétique.

Pirjo serra les dents. Elle en avait assez bavé, la moindre des choses, maintenant, c'était de faire preuve d'un minimum d'honnêteté avec elle. « Tu as fixé la pancarte à l'avant du combi pour pouvoir la projeter dans l'arbre en la renversant. Mais ne t'inquiète pas, je nous en ai débarrassé. Je l'ai brûlée, Atu, et tu devrais être reconnaissant. »

Le désarroi qu'on lisait sur son visage fit place à une froideur glaciale. « Je suis horrifié par tout ce que tu me dis, Pirjo. Totalement horrifié ! »

De nouveau, son expression se modifia. Il se mit à sourire, comme s'il avait tout compris.

« Ah ! C'était un test ? Un jeu ? Tu te moquais de moi ? C'est ça ? Bon, alors tu as gagné. Mais maintenant, dis-moi comment tu as eu cette statuette ? Il y a longtemps que tu préparais ça ? »

Ne comprenait-il donc pas à quel point il était en danger ?

« Sauve-toi, Atu ! Va-t'en avant qu'ils te trouvent », dit-elle d'une voix faible. Elle lui devait au moins ça.

« Avant que *qui* me trouve ? » Il était toujours là, souriant, comme si de rien n'était. Il ne la croyait pas, ou quoi ?

Elle respira profondément. « Les policiers ! Ceux qui sont venus ici avec cette statuette. Ils t'ont cherché pendant toutes ces années. Ils savent que c'est toi qui l'as fait. Mais je vais m'accuser à ta place, alors va-t'en. Tout est fichu, de toute façon.

— Je ne comprends rien à ce que tu dis. Quels policiers ? » Il ne souriait plus, à présent.

« Je me souviens parfaitement que tu voulais rester à Bornholm à cause de cette Alberte. Tu étais complètement obsédé par cette fille, et elle te prenait toute ton énergie. Tu n'étais plus toi-même quand tu revenais à la maison après vos rendez-vous. Tu n'avais jamais été comme ça avec les autres et cela m'effrayait. Heureusement, tu as vite compris que ta relation avec elle était incompatible avec nos projets.

— Je me rappelle cette discussion et je me rappelle à quel point tu étais jalouse, Pirjo. Ça a toujours été ton point faible. Mais je t'ai promis de me libérer d'elle et je l'ai fait, mais pas comme tu crois. Je ne sais pas pour qui tu me prends ni comment tu me vois, Pirjo. Je ne te reconnais plus. Jamais je ne serais capable de prendre la vie de quelqu'un, je préférerais encore me tuer. »

Il posa la main sur son front, réfléchissant à cette situation incompréhensible et à ce qu'il venait d'apprendre.

« Quand est-elle morte ?

— Je te l'ai déjà dit. Deux jours avant notre départ.

— C'est dingue. » Il se frappa le front avec son poing fermé, comme pour se remettre les idées en place. « Ça veut dire qu'elle a été tuée le lendemain du jour où j'ai rompu avec elle. Elle a pleuré et moi aussi. J'ai regretté ensuite, mais c'était trop tard. »

Pirjo était glacée, à présent. Ses jambes tremblaient. Ses lèvres frémissaient. Elle avait du mal à se concentrer. Qu'est-ce qu'il venait de dire ? Il avait regretté ? Il avait regretté quoi ?

« Où étais-tu, alors, ce matin-là ? L'avant-veille du jour où nous nous sommes enfuis de l'île ? lui demanda-t-elle.

— Enfuis ? Nous ne nous sommes pas enfuis. Il n'avait jamais été question que nous restions là-bas. Tu le sais parfaitement.

— Où étais-tu ?

— Comment veux-tu que je m'en souvienne ? J'avais du chagrin. Je suppose que je suis parti méditer quelque part avec la pierre de soleil, comme je fais toujours.

— Il y avait du sang sur le pare-chocs, aussi, beaucoup de sang.

— Il devait venir du renard que Mølgård a écrasé. Tu étais au courant. Je te l'avais raconté. »

C'est vrai que c'était ce qu'il avait prétendu, qu'aurait-il pu inventer d'autre ?

« Tu dis que deux policiers sont venus ici et qu'ils avaient cette figurine avec eux. Où sont-ils, maintenant ? »

Pirjo ferma les yeux à demi. Elle était exténuée, à présent.

Atu n'arrêtait pas de secouer la tête. Son esprit était en plein chaos. Pensait-il réellement pouvoir tout faire disparaître par la simple force de la pensée ? Pourquoi ne se contentait-il pas de fuir ?

Pirjo se remit à effacer les « n » à l'écran. Elle sentait qu'il ne lui restait plus beaucoup de temps.

La pièce changeait de couleur. Est-ce que c'était comme ça quand on était sur le point de mourir ? Le monde devenait-il subitement chaud et lumineux ? Elle se tourna lentement vers la fenêtre. Un reflet la fit cligner des yeux. Le soleil était en train de percer les nuages. Comme c'était beau.

Du coin de l'œil, elle le vit reprendre la statuette sur le bureau.

« C'est lui, murmura-t-il. C'est forcément lui qui l'a fait. »

Il avait presque l'air terrorisé. Et sincère. Était-il vraiment sincère ?

« Bjarke n'était qu'un grand boy-scout. Il était fasciné par ce que je faisais et je l'ai laissé m'accompagner dans mes fouilles. Sur la colline de Knarhøj, en particulier. Un jour, il a voulu m'offrir ceci, en témoignage de son amour pour moi. Évidemment, j'ai refusé. Je lui ai dit que nous allions partir. Je me rappelle maintenant qu'il a dit que tout était la faute d'Alberte. Oh, mon Dieu, qu'est-ce qu'il avait bien pu se mettre dans la tête, cet idiot ? J'avais rompu avec Alberte et je ne l'ai jamais revue. »

Pirjo sentit soudain une chaleur intense sur son visage. Le soleil brillait et on aurait dit que son bureau était brusquement sous le feu de projecteurs. Elle ouvrit la bouche et se mit à haleter. Vu la force du soleil, les deux hommes doivent être morts, maintenant, se dit-elle. Les muscles de son cou se détendirent, sa tête tomba sur sa poitrine, les tremblements cessèrent. Elle n'avait même plus assez d'énergie pour trembler.

Et si Atu disait la vérité ?

Si ce qu'il disait était vrai et si elle l'avait su dès le début, rien de tout cela ne serait arrivé.

Car il était possible qu'il dise la vérité. Elle réalisa tout à coup ce que cela signifiait.

Si Atu n'avait tué personne, comment avait-elle pu le faire ? Elle avait donc vécu sur un malentendu et plusieurs personnes avaient payé pour ça. Elle avait tué trois femmes, bientôt quatre en comptant Shirley. Elle s'était laissé dévorer et détruire par sa jalousie.

Elle entendit un rugissement, était-ce elle qui hurlait ? Elle n'en savait plus rien.

Atu disparut de son champ de vision et elle l'entendit crier dans la chaufferie :

« Mais qu'est-ce que tu as fait ! »

L'écran de l'ordinateur s'éteignit.

Elle tomba au fond de son fauteuil. Elle ne sentait plus ses membres.

« Pauvre folle ! » Atu était à nouveau debout devant elle et il hurlait.

« Ils sont inconscients, mais encore en vie. Tu as de la chance », crut-elle l'entendre dire.

Il décrocha le combiné de son bureau et se mit à taper des numéros, comme un fou. Elle l'entendit crier les mots « police » et « ambulance ».

« Est-ce que tu te rends compte qu'à cause de tes folies, je vais être soupçonné pour un acte que Bjarke a commis ? »

Elle essaya de hocher la tête. Atu ouvrit un tiroir du bureau et en sortit tous les billets de banque qui s'y trouvaient. « Tu as réduit ma vie à néant, Pirjo ! Est-ce que tu t'en rends compte ? L'œuvre de toute mon existence va être détruite si je ne convaincs pas Bjarke d'avouer son crime. »

Pour l'instant, elle avait juste besoin qu'il la prenne dans ses bras. Qu'il lui dise adieu et qu'il lui tienne la main jusqu'à la fin. Mais il ne la regarda même pas.

« Tu vas assumer les conséquences de ce que tu as fait, Pirjo, dit-il avant de tourner les talons. Voilà ce que j'attends de toi. Maintenant, je m'en vais, j'ai des choses à régler. »

Ce furent ses derniers mots.

Juste avant de lâcher prise, Pirjo entendit un remue-ménage dans la cour et les cris affolés de plusieurs pensionnaires : « AU FEU ! AU FEU ! »

51

Carl se réveilla la joue collée contre le sol en ciment. Il avait le vertige et des spasmes nerveux parcouraient son corps, son sang pulsait dans ses veines à lui en donner la nausée.

« Que s'est-il passé ? » demanda-t-il avant de vomir par terre. Personne ne lui répondit.

Ses bras tremblaient toujours, mais ils n'étaient plus attachés. Des morceaux de câble électrique traînaient un peu partout. Une pince coupante avait été jetée par terre un peu plus loin et la porte était grande ouverte.

« Assad, tu m'entends ?... » coassa-t-il.

« ... Pirjo ! Qu'est-ce que tu fais ? On a besoin de toi ! Il y a le feu ! » criait quelqu'un en suédois.

Et puis un hurlement retentit. Des pas précipités résonnèrent dans le bureau.

« Ne touchez à rien ! recommanda quelqu'un. Elle est morte ! »

Les cris firent place à des sanglots de désespoir.

Carl essaya d'appeler, mais le tumulte dans la pièce voisine couvrait sa voix.

Il essaya en vain de se lever.

La lumière venant du bureau s'obscurcit un instant, et des pas approchèrent.

« Au secours ! » cria-t-il à nouveau. Ses muscles se détendaient les uns après les autres. Son corps devenait brûlant à mesure que le sang affluait et c'était un calvaire. On aurait dit que ses veines et ses artères étaient bouchées et que le sang avait du mal à circuler.

Quelqu'un entra dans le local. « Il y a deux hommes ligotés allongés sur le sol, ici ! Il y a un gros problème, là ! » gueula l'individu.

Carl regardait d'un air angoissé son ami sans connaissance, à qui quelqu'un faisait du bouche-à-bouche.

Dehors, des gens réclamaient de l'eau et des seaux pour éteindre un incendie. On cherchait Atu, mais personne ne semblait savoir où il se trouvait.

On disait que Pirjo était morte. On l'avait recouverte avec le drap qui se trouvait sur la table de l'accueil. C'était probablement une idée de Nisiqtu, qui se tenait toute raide et pâle, le visage baigné de larmes, à côté du linceul improvisé.

Plusieurs personnes regardaient la scène, passives. Des hommes et des femmes vêtus de blanc qui avaient sans doute déjà deviné que l'histoire était terminée. Ils étaient en état de choc et semblaient avoir du mal à comprendre ce qu'ils voyaient.

« Regardez sa main », murmura une femme en découvrant le pouce calciné d'Assad.

Carl regardait avec gratitude les hommes en train de soigner son ami, qui savaient visiblement ce qu'ils faisaient. Dieu les bénisse.

« Il va s'en tirer », dit l'un.

Carl inspira longuement. Du moment qu'ils s'occupaient de lui, il allait s'en sortir.

Il trempa ses lèvres dans le verre d'eau qu'une âme charitable lui avait apporté, mais il avait du mal à avaler. Il devait faire un effort pour immobiliser sa tête qui oscillait malgré lui comme le balancier d'une horloge. Sa cheville gauche le faisait souffrir, comme si on l'avait lacérée avec une lame, et ses poumons produisaient une substance glaireuse. Cependant, en dépit de son malaise général, des douleurs et des séquelles qu'il ne manquerait pas de garder de cette aventure, il était vivant.

Assad lui avait sauvé la vie.

Pourvu que maintenant, on sauve la vie d'Assad.

Les sirènes hurlèrent un long moment devant les fenêtres. Ambulances, police, pompiers, les secours étaient arrivés en masse et ils ne chômaient pas.

Carl donna sa version des faits à un policier, dans la mesure où le lui permettaient ses cordes vocales. Pendant ce temps, deux de ses homologues suédois vérifiaient son identité et celle d'Assad par téléphone. Simple mesure de routine.

Allongé sur un canapé, Assad avait émis quelques sons inarticulés. Quand le médecin lui fit une injection, il se réveilla brusquement en regardant d'un air hagard tous ces gens qui l'entouraient.

Il eut un léger sourire en apercevant Carl qui fut à deux doigts de fondre en larmes.

Un quart d'heure plus tard, le médecin urgentiste ayant enveloppé le pouce d'Assad dans un pansement provisoire et bandé la cheville de Carl, ils vinrent prendre connaissance du procès-verbal de la police suédoise.

On les avait découverts allongés par terre dans le local technique de l'installation photovoltaïque, souffrant de blessures multiples et les jambes ligotées avec des fils électriques. On ignorait qui était venu les libérer, mais il ne pouvait en aucun cas s'agir de la femme qui s'était vidée de son sang dans la pièce d'à côté.

Le médecin demanda leur mise en observation à l'hôpital de Kalmar, tout en estimant qu'ils ne devraient pas avoir de séquelles durables de leur électrocution – mis à part le doigt d'Assad qui devrait vraisemblablement être amputé, une nouvelle qui ne parut pas affecter l'intéressé plus que ça.

Il doit être en état de choc, se dit Carl en posant un bras affectueux autour des épaules de son assistant. Il était incapable d'exprimer avec des mots la gratitude qu'il ressentait envers lui. Et sa compassion pour la douleur qu'il avait dû supporter.

« Merci, Assad », dit-il. Le mot lui parut pauvre.

Son équipier haussa les épaules et dit d'une voix légèrement hachée : « Je voulais aussi me sauver moi-même, chef, ne vous faites pas d'illusions. »

On leur demanda d'identifier la morte comme étant la femme qui les avait assommés et ligotés. La police scientifique fit des photos, le médecin légiste délivra un certificat de décès provisoire, mais il était à peu près certain qu'elle avait succombé à une importante perte de sang consécutive à un accouchement prématuré. Il posa un stéthoscope sur son ventre et, après quelques secondes, secoua la tête. L'enfant n'était malheureusement plus en vie non plus.

Les ambulanciers mirent le corps sur un brancard et l'évacuèrent.

La quantité de sang sur le fauteuil et sous le bureau était impressionnante. Comment une si petite femme pouvait-elle en contenir autant ?

« Elle a avoué vous avoir agressés. Regardez », leur dit un agent en montrant l'ordinateur posé sur le bureau.

Les aveux étaient écrits en suédois et c'était une lecture effarante.

« Qu'est-ce qu'elle écrit, exactement ? demanda Assad avec difficulté. Je ne lis pas très bien le suédois. »

Carl hocha la tête.

« C'est écrit : "J'avoue tous mes crimes. J'ai tué deux policiers dans la salle de contrôle de l'installation photovoltaïque. J'ai tué Wanda Phinn. Je l'ai enterrée à Gynge Alvar, à environ huit cents mètres de l'endroit où s'arrête la piste et à une centaine de mètres sur la droite. J'ai poussé une femme allemande devant une voiture au débarcadère du ferry à Karlskrona. Elle s'appelait Iben. J'ai noyé Claudia, dont le corps fut retrouvé sur la côte polonaise. Je n'arrive pas à me rappeler leurs noms de famille, pour l'instant. Tout a commencé avec Alberte, à Bornholm. Atu, qui à cette époque s'appelait encore Frank, a commencé à…" Ses aveux s'arrêtent là par une succession de "n". Elle devait avoir le doigt sur cette touche du clavier au moment où elle a perdu connaissance. » Carl posa son propre doigt sur le "n", qui se trouvait à exactement une phalange au-dessus de la touche espace.

« Où est Atu ? » demanda-t-il à la cantonade.

On haussa les épaules, ici et là. On supposait que le rat avait quitté le navire.

« Sa voiture n'est plus là », dit quelqu'un.

L'homme avait préféré s'enfuir avant que le sol ne se dérobe sous ses pieds.

« Je trouve que c'est un sacré aveu de culpabilité de disparaître alors que sa fiancée est en train de se vider de son sang et que la maison est en feu, dit Carl.

— Ce qu'elle écrit pourrait… être compris de plusieurs façons, alors ? » suggéra Assad.

Carl acquiesça. « Absolument. Cela peut aussi vouloir dire qu'elle veut lui faire porter le chapeau pour la mort d'Alberte. On ne peut rien dire avec certitude à partir de ce qui est écrit ici. Ce que je trouve beaucoup plus révélateur, c'est que lui choisisse de s'échapper en laissant sa dulcinée et l'œuvre de sa vie en proie aux flammes.

— Donc, il faut qu'on le retrouve. »

Carl hocha la tête. Oui, mais où ? Et quand ? D'abord on allait les emmener à l'hôpital. L'état d'Assad devait être pris au sérieux. Il avait l'air d'un zombie, ses membres étaient raides et il devait avoir des douleurs partout. Et puis il y avait sa main. Cela faisait mal rien que d'y penser.

« Nous avons lancé un avis de recherche sur Atu Abanshamash Dumuzi et sa voiture, dit l'un des policiers suédois en civil.

— Parfait. Écoutez, nous aurions besoin de nos portables et de nos clés de voiture, dit Carl. Et à part ça…

— Vous, vous n'allez rien faire du tout, le coupa le médecin. Vous allez monter dans les ambulances qui vous attendent dehors. »

Des voitures surmontées de gyrophares et une foule de gens en uniforme se découpaient dans le nuage de fumée et de vapeur qui envahissait la cour. À quelque distance de là, on voyait encore une colonne noire dans le ciel mais, d'après le chef des secours, l'incendie avait été maîtrisé.

Carl jeta un coup d'œil au cadavre qui, il y a une heure et demie encore, était une femme heureuse et souriante, avec la cape d'Atu sur les épaules et une pierre de soleil entre les mains. On n'avait pas recouvert son visage livide et un nombre considérable d'hommes et de femmes en blanc l'entouraient, tels des orphelins, pleurant à chaudes larmes.

Deux brancardiers arrivaient du lieu de l'incendie. Les gens chuchotaient sur leur passage et emboîtaient le pas aux brancardiers, sans comprendre.

« Shirley ! » s'exclamèrent quelques voix.

La femme sur le brancard était-elle en vie ? Un infirmier marchait à côté, un drap levé au-dessus d'elle, un autre tenait un masque à oxygène sur sa bouche. De temps à autre, elle tendait la main vers une personne ou une autre, essayant de les toucher au passage. Rares étaient ceux qui répondaient à son geste.

« Elle va prendre la première ambulance, la morte sera transportée dans l'autre. Les policiers danois monteront dans le véhicule sanitaire », déclara le coordinateur des secours.

On posa le brancard de la femme fortement affaiblie à côté de celui de la morte. On lui enleva le masque et on essaya de lui parler. Elle toussait, mais était malgré tout capable de répondre aux questions qu'on lui posait. Un secouriste vint lui nettoyer le contour des yeux. Ses cheveux étaient noirs de suie, comme sa peau. C'était un miracle qu'elle s'en soit sortie vivante. Les pompiers avaient dû la sauver *in extremis*.

Elle avait l'air incroyablement triste et semblait encore en état de choc. Elle ne s'attendait peut-être pas à s'en tirer.

Elle tourna les yeux vers le deuxième brancard et les cligna une fois ou deux pour faire le point.

Alors se produisit une chose si improbable que Carl fut certain que jamais de sa vie il ne l'oublierait : les yeux fixés sur la morte, la femme éclata de rire. Elle rit si fort et de manière si incontrôlée que toutes les personnes présentes sur la place se tournèrent vers elle pour la regarder.

52

Les nouvelles de l'hôpital de Kalmar étaient sans ambiguïté. Assad devait être amputé du pouce gauche, et il ne voulait pas en entendre parler. S'il fallait faire sauter ce pouce, il serait assez grand pour le faire lui-même quand *il* l'aurait décidé, disait-il.

Carl avait la nausée rien que d'y penser. Il regardait la pauvre main et se disait que si un jour ce truc à moitié calciné devait redevenir un doigt en état de marche, c'est que les instances supérieures avaient Assad à la bonne.

« Tu es sûr de toi, Assad ? » lui demanda-t-il en désignant la peau marbrée qui remontait le long du pouce vers le poignet.

Il confirma sans hésiter. Il prétendit qu'il avait déjà eu ce genre de brûlures par le passé, et qu'il s'était toujours débrouillé sans l'aide des toubibs.

Le médecin lui rappela sans ménagement ce qu'il risquait en cas de gangrène et enchaîna avec quelques recommandations sur ce qu'il ne devait faire en aucun cas si cela arrivait.

Carl voyait à la tête d'Assad qu'il avait mal, mais aussi qu'il avait décidé de ne pas le montrer. Il ne donnerait pas cette satisfaction au praticien.

On examina leurs fonctions rénales et cardiaques, ils furent soumis à divers tests neurologiques, on leur demanda de procéder à toutes sortes d'exercices musculaires et on leur posa une bonne centaine de questions avant de les laisser tranquilles.

« Nous allons vous garder ici cette nuit. L'électrocardiogramme de M. Mørck montre toujours une arythmie cardiaque. Ce n'est pas très grave et dans la majeure partie des cas, tout rentre dans l'ordre en quelques heures, mais nous aimerions refaire une EEG demain matin par mesure de précaution. »

Assad et Carl échangèrent un regard. Voilà qui n'allait pas faciliter leur projet de se lancer sur la piste d'Atu.

Le chef de service, qui était l'archétype du Suédois de bonne famille dans la force de l'âge, repoussa ses lunettes sur son nez. « Je vois que vous hésitez à accepter ma proposition, mais vous avez tort. Vous avez eu énormément de chance. Je pense que M. Hafez el Assad a tout simplement sacrifié son pouce et que son héroïsme vous a probablement sauvé la vie. Il vous a en tout cas évité des lésions plus graves. Si ça avait été du courant alternatif, et pas du courant continu, et si vous n'aviez pas eu la veine incroyable que le temps soit couvert, vous ne seriez pas ici en ce moment. Votre cerveau et votre système nerveux auraient grillé. Et dans le meilleur des cas, votre tissu musculaire aurait été gravement abîmé et vous auriez eu des douleurs bien plus importantes que celles que vous ressentez actuellement. »

Ils refusèrent de se mettre en blouse d'hôpital. Deux hommes d'âge mûr en liquette trop longue, le cul à l'air et montés sur des cannes de serin, était une vision d'horreur qu'ils préféraient éviter à leurs congénères.

« Je vous conseille d'être très vigilants dans les vingt ou trente semaines à venir sur les éventuelles séquelles qui pourraient survenir après un épisode aussi violent et aussi traumatique. Si vous remarquez des pertes de mémoire, une altération du toucher, de la vue ou de l'ouïe, vous devrez consulter dans les plus brefs délais, nous sommes d'accord ? »

Ils acquiescèrent. On ne contredit pas un médecin qui porte des lunettes sans monture.

« Encore une petite chose, dit l'homme en blouse blanche avant de s'en aller. Vos collègues sont venus déposer vos portables et vos clés de voiture et ils ont garé votre véhicule de service sur le parking de l'hôpital. »

Ah ! Enfin une information utile.

Carl eut le plus grand mal à se lever le lendemain matin. Son corps refusait d'obtempérer. Il regarda Assad qui dormait encore, couché sur le dos dans son lit d'hôpital. Il avait retiré son pansement et enfoncé son pouce malade dans sa bouche, comme un enfant qui cherche à se consoler.

Il suçait toujours son pouce trois quarts d'heure plus tard quand ils furent tous les deux assis dans la voiture, en route vers Copenhague. Sans nouvelles de la police suédoise.

« Tu crois vraiment pouvoir sauver ton doigt de cette façon ? » dit enfin Carl après avoir roulé pendant une cinquantaine de kilomètres.

Assad sortit précautionneusement le pouce de sa bouche, baissa la vitre et cracha dehors.

Puis il extirpa de sa poche un petit flacon d'huile essentielle de Tea Tree.

« J'emporte toujours ça avec moi. C'est Rose qui m'a appris ça. C'est un désinfectant. Il faut juste faire attention de ne pas l'avaler », dit-il en versant deux autres gouttes dans sa bouche et en y remettant le doigt.

« C'est une brûlure au troisième degré, Assad. Les nerfs sont morts. Ce que tu fais ne sert à rien, quel que soit le remède que tu utilises. »

Assad renouvela l'opération, cracha et se tourna vers Carl.

« Je sens qu'il est encore vivant, chef. C'est vrai qu'il est un peu noir, mais c'est juste la peau. S'il y en a une partie qui ne marche plus, je crois que c'est seulement l'extrémité, alors. »

« Allô, Carl, tu me reçois ? Nous avons reçu un message de la police d'Ystad », entendirent-ils tout à coup sur la radio. C'était un de leurs collègues de l'hôtel de police. « Le suspect a été repéré hier en train de monter sur le ferry qui fait la liaison entre Ystad et Rønne, à bord de son véhicule. »

Est-ce qu'ils avaient bien entendu ?

« Hier ? Et pourquoi n'en sommes-nous informés que maintenant ?

— Nos homologues suédois ont essayé de vous joindre avant, mais vos téléphones étaient éteints.

— Nous ne les avions pas. C'est eux qui nous les ont apportés ce matin. Pourquoi n'ont-ils pas essayé de nous appeler à l'hôpital ?

— Vous dormiez.

— Ils auraient pu nous téléphoner ce matin.

— Regarde ta montre, Mørck, il n'est que sept heures et demie. À mon avis, ils n'ont pas encore ouvert la boutique. »

Carl remercia et coupa la communication. Atu était à Bornholm ? Qu'est-ce qu'il allait foutre là-bas ? N'était-ce pas le dernier endroit où il serait allé à sa place ?

Assad cracha à nouveau par la vitre.

« Je crois qu'il est allé effacer des traces qui nous ont échappé. Il sait que nous ne pouvons pas l'épingler sans preuve. »

Hummm. Alors il n'y avait plus qu'à lui couper l'herbe sous le pied.

Carl regarda dehors. La décision qu'il avait à prendre maintenant n'était pas une décision facile. Il jeta un coup d'œil à son coéquipier en train de se battre pour conserver son pouce et se sentit légèrement honteux. Avec tout ce que son ami avait sacrifié ces dernières vingt-quatre heures pour les maintenir en vie, est-ce que Carl ne pouvait pas à son tour faire un petit sacrifice ?

« Je vais nous procurer un avion-taxi, Assad », dit-il soudain.

Les yeux d'Assad faillirent rouler hors de leurs orbites.

« Ça va aller, je crois. Et puis, qui sait, la séance d'hypnose a peut-être fonctionné ? » Il consulta le GPS. « On est tout près de l'aérodrome de Ronneby, on peut y être en une demi-heure. Je vais voir si Copenhagen Airtaxi peut nous arranger ça. »

Dix minutes plus tard, un homme charmant leur répondit qu'il était malheureusement impossible de trouver un avion disponible dans des délais aussi courts. « Vous pourriez peut-être demander à l'un de nos anciens pilotes, Sixten Bergström, leur suggéra-t-il. Il a son propre avion à l'aérodrome de Ronneby, un jet 500 Éclipse. Il n'y a que six places à bord et il vole à sept cents kilomètres à l'heure. C'est tout à fait ce qu'il vous faut. Avec une distance de cent vingt kilomètres entre les deux aéroports, vous serez arrivés à Bornholm en un rien de temps. »

Carl n'aurait jamais pensé qu'un jour il ferait une chose pareille de son plein gré. Les jambes en compote, il s'assit côté hublot dans un siège en cuir beige au confort irréprochable, et, complètement paralysé de terreur, il porta toute son attention sur les gestes du vieux monsieur en train de se préparer à faire décoller l'appareil.

« Vous voulez que je vous tienne la main ? » proposa son voisin qui avait maintenant enveloppé son pouce gauche dans un énorme pansement.

Carl inspira profondément.

« J'ai prié pour vous, chef. Vous allez voir, ça va bien se passer. »

Le dos pressé contre le dossier du siège, Carl ruisselait de sueur. Instinctivement, il leva les bras au moment du décollage.

« On va se débrouiller avec les ailes qu'on a déjà, dit le pilote en jetant un coup d'œil derrière lui. Mais c'est gentil. »

Il sembla à Carl qu'Assad retenait un sourire. Un doigt bousillé et tout le corps meurtri, il trouvait encore la force de se marrer ?

Regardant son camarade d'un air perplexe, Carl se rendit compte que le rire d'Assad était contagieux. Il est vrai que la situation était assez comique.

Il baissa les bras et relâcha les épaules. En fait, il n'avait pas peur du tout. C'était seulement son imagination.

Il éclata subitement d'un rire si sonore et si inattendu que le pilote faillit avoir une attaque. Quelle extraordinaire vengeance de la déesse Némésis c'eût été s'ils s'étaient crashés maintenant.

Ils avaient à peine décollé qu'ils durent déjà atterrir. Carl eut une pensée émue pour Kazambra et alla rejoindre le commissaire Birkedal qui les attendait sur le tarmac.

« Nous n'avons pas encore localisé le suspect. Il ne s'est enregistré dans aucun hôtel, et aucun camping n'a repéré d'individu correspondant à sa description.

— Il a donc dormi dans un bed & breakfast, dans sa voiture, ou chez un ami à lui. Vous avez une voiture à nous prêter ? »

Birkedal pointa du doigt une Peugeot 206 rouge. « Vous pouvez prendre celle de ma femme. Elle s'est tirée sans rien emporter. »

Il semblait amer. Mais il ne pouvait s'en prendre qu'à lui. Il n'aurait pas dû céder aux avances très particulières de Rose.

Ils convinrent de rester en contact toute la journée. Il était hors de question que Frank Brennan quitte l'île. Ils allaient renforcer les mesures de surveillance au départ des ferry-boats et à l'aéroport.

« Ça va aller, Assad ? » demanda Carl lorsqu'ils se furent installés dans la petite voiture. Il leva son gros pansement en guise de réponse.

Un dur à cuire, cet Assad.

« La boucle est bouclée pour Frank, alias Atu, dit ce dernier. Le voilà revenu à Bornholm, mais où croyez-vous qu'il soit, alors ?

— En tout cas, il est peu probable qu'il soit retourné sur le lieu du crime, cela n'aurait aucun sens. Je crains plutôt qu'il n'aille rendre visite à quelqu'un qui en sait un peu trop long pour son bien.

— Vous croyez qu'il pourrait tuer quelqu'un, chef ?

— C'est parce que nous pensons qu'il a déjà commis un meurtre que nous le poursuivons, non ? »

Ils avaient vu de leurs yeux un troupeau de gens vêtus de blanc en train de vénérer ce type. Une telle position de pouvoir n'était-elle pas une chose qui méritait qu'on se batte pour la conserver ?

« Inge Dalby est à Copenhague, elle n'a rien à craindre. Je pense plutôt à June Habersaat, qu'est-ce que tu en penses ? »

Assad acquiesça. « Vous avez raison. Elle n'a pas voulu nous parler de lui, alors qu'elle savait sûrement quelque chose.

— Appelle-la, Assad. Tu me passeras le téléphone quand elle aura décroché. Quelque chose me dit qu'elle n'a pas envie de te parler. »

Au bout de trente secondes, il secoua la tête. Pas de réponse.

Ils essayèrent de la joindre sur son lieu de travail à Joboland où on leur dit qu'elle était en congé maladie, ce qui n'avait rien d'étonnant avec tous les malheurs qui s'étaient abattus sur elle ces derniers temps, entre la mort de son mari et celle de son fils. Mais elle ne leur manquait pas trop, conclut la charmante dame qui leur répondit, car la haute saison touristique ne démarrait que dans cinq semaines.

Ils mirent le cap sur la Jernebanegade à Aakirkeby et la maison de June Habersaat.

« Quelqu'un est venu voir cette dame aujourd'hui, les informa un jeune homme en salopette et torse nu qui était en train de transporter des meubles dans la maison voisine.

— Qui ça ? » lui demanda Carl en se disant que cette longue barbe hirsute ne devait pas être très pratique dans son job. Il faisait penser à un instituteur des années soixante. Il ne lui manquait que la veste en velours côtelé. Mais peut-être la remettait-il quand il avait fini de travailler ? La mode était vraiment étrange de nos jours.

« Un gars un peu vieux, habillé tout en jaune. » Il rigola. « On aurait dit une pub ringarde pour une agence de voyages. Bronzé, la fossette au menton, la totale, quoi. »

Assad et Carl échangèrent un regard.

« Il y a combien de temps qu'il est passé ? » demanda Carl.

Le déménageur s'épongea le front tandis qu'il réfléchissait. « Vingt, vingt-cinq minutes, je dirais. »

Merde. Il s'en était fallu de peu.

« Et vous ne savez pas, par hasard, où se trouve June Habersaat ? lui demanda Assad.

— Aucune idée. Elle a juste dit qu'elle montait chercher quelque chose qu'elle voulait mettre sur la tombe de son fils. C'était assez bizarre. Je crois que l'idée lui est venue en voyant un truc que j'emportais dans la maison. » Il remarqua la main bandée d'Assad. « Alors, mec, on s'est pris les doigts dans le pot de confiture ? Ha-ha ! » Carl espéra qu'Assad ne comprendrait pas l'injure.

« Qu'est-ce qui lui a donné l'idée, vous croyez ? » insista Assad, son poing valide fermement serré. Il connaissait l'expression. La langue danoise n'avait décidément plus de secrets pour lui.

Carl lui prit le bras pour qu'il ne soit pas tenté d'envoyer son poing dans la figure du type.

« Je ne sais plus. C'était un des premiers trucs que j'ai rentrés. En général, on met les couettes et les vêtements au-dessus du chargement, dans des sacs-poubelle noirs, mais peut-être que c'était des journaux. Ou autre chose. »

Carl entraîna Assad vers la voiture.

« Où a-t-elle le plus de chances de trouver des objets ayant appartenu à Bjarke ? À Sandflugtvej, où il louait une chambre, on est d'accord ? »

Assad acquiesça. « Sa logeuse s'appelait Nelly Rasmussen », précisa-t-il. Excellente mémoire.

Assad dégagea son bras, fit demi-tour et retourna voir le déménageur. Il avait envie de se battre, ou quoi ?

« Vous pouvez répéter ce qu'elle a dit, exactement ? » cria-t-il alors qu'il était encore à dix mètres du barbu.

Le gars le regarda sans comprendre, une caisse sur l'épaule.

« À quel sujet ?

— Elle a dit qu'elle *montait* chercher quelque chose. C'est exactement ça qu'elle a dit ? Vous en êtes sûr ?

— Oui, je crois ! Qu'est-ce qu'on en a à foutre qu'elle ait dit ça comme ça ou autrement ?

— Elle n'a pas dit qu'elle montait en ville, par hasard ?

— Pas à moins que j'aie été brusquement frappé de surdité. »

Carl les rejoignit. « Mon collègue a raison. Il est important que nous sachions si elle allait à Listed, dans leur ancienne maison, ou à Rønne, pour chercher l'objet que vous lui avez rappelé. Est-ce que vous pouvez nous renseigner là-dessus ?

— Alors ça devait être Rønne. En tout cas, elle a regardé dans cette direction en le disant. C'est marrant que les femmes fassent ça, inconsciemment, quand j'y pense.

— Vous n'avez pas donné cette information à l'homme en jaune, n'est-ce pas ? »

Il fronça les sourcils. Il l'avait fait, donc.

« Avait-il l'air de savoir où il allait ? » demanda Carl. Bjarke n'avait emménagé à Sandflugtvej qu'après que Frank avait quitté l'île. Il ne pouvait donc pas connaître cette adresse.

« J'ai l'impression que oui », dit le jeune homme. Il tenait une page d'annuaire à la main. « Peut-être qu'il avait trouvé l'adresse là-dessus.

— On fonce », dit Carl en courant vers la voiture, ce qui n'empêcha pas Assad d'arriver avant lui.

« Zut, il n'y pas de GPS, pesta Carl en regardant le tableau de bord. C'était quoi, déjà, le chemin le plus court pour y aller ?

— Détendez-vous, Carl. Je vais trouver ça sur mon smartphone. » Assad pianota quelques instants. « C'est à un quart d'heure de route en passant par Lobbæk et Nylars. »

Carl appuya sur le champignon. « Appelle Birkedal, qu'ils envoient une voiture là-bas. »

Assad composa le numéro, gêné par la douleur dans sa main gauche. Il resta une minute à hocher la tête pendant qu'il écoutait la réponse.

« Tu leur as recommandé d'arriver discrètement ? Je ne t'ai pas entendu le dire. »

Assad fit la grimace. « Ils n'ont pas l'intention de venir du tout, chef, et vous n'allez pas aimer leur explication. Ils n'avaient pas de véhicule disponible, figurez-vous. Une histoire de surveillance au départ des ferrys et à l'aéroport.

— Pardon ?

— Il a répondu que de toute façon, nous y serions avant eux. Il paraît que "la Peugeot en a sous le capot". Ce sont ses mots.

— Il a intérêt à en assumer les conséquences si on se fait arrêter », grogna Carl, ignorant l'aiguille qui avait déjà dépassé le cent alors qu'ils étaient sur une route limitée à quatre-vingts.

« Enlève ta chemise, et laisse-la flotter par la fenêtre, recommanda-t-il en posant la main sur le klaxon et en l'y laissant. Tu as vu ça, Assad ? On vient de transformer cette guimbarde en véhicule d'intervention ! »

Dix minutes plus tard, après avoir traversé plusieurs agglomérations et dépassé des douzaines de personnes bouche bée, Carl et Assad étaient arrivés à Sandflug-tvej dans la petite fusée rouge vif avec son drapeau vert flottant au vent. S'ils s'attendaient à trouver des voitures garées devant la maison, ils furent déçus, car rien sur place ne justifiait pour le moment les risques qu'ils avaient pris.

« Appelle le commissariat et préviens-les que c'était une mission d'urgence. Ils vont recevoir des plaintes. Pendant ce temps, je vais aller voir s'il y a quelqu'un. Et profites-en pour prendre un ou deux antalgiques. Je vois bien que tu as mal. »

Nelly Rasmussen entrouvrit sa porte avec précaution. Le soulagement se lut sur son visage quand elle reconnut ses visiteurs. Quant à Carl et Assad, ils reculèrent de saisissement. Une mamma italienne en deuil n'aurait pas pu porter plus de noir. Voilette noire prête à être rabattue sur les yeux. Bas, chaussures, manteau, blouse, jupe, gants, collier, paupières, cils et cheveux, tout était d'un noir de jais. Rose en aurait été folle.

« Je croyais que c'était le taxi », pleurnicha-t-elle en sortant un mouchoir noir d'un immense sac noir, parée à tamponner ses yeux totalement secs. Il y a des vocations de comédienne qui se perdent.

« Est-ce que June Habersaat est venue ici ? »

Elle hocha la tête après une légère hésitation.

« Qu'est-ce qu'elle voulait ?

— Je serais curieuse de le savoir. Vous croyez qu'elle me l'aurait dit ? Je crois qu'elle est simplement montée chercher un magazine dans la chambre de Bjarke. Elle ne m'a rien dit, mais c'est l'impression que j'ai eue.

— Vous avez eu la visite d'un homme vêtu de jaune ? »

Elle acquiesça à nouveau, un peu effrayée cette fois.

« C'est à cause de lui que je n'ai pas ouvert tout de suite. Je n'avais pas envie de le laisser entrer chez moi une deuxième fois.

— C'était quand ?

— Juste avant que vous arriviez. Il y a cinq minutes. Là aussi, j'ai cru que c'était mon taxi.

— Qu'est-ce qu'il voulait ?

718

— Parler à Bjarke. Il était comme un fou. Il est entré sans que je l'y invite. Il criait : "Où est Bjarke ? Il est en haut ? Il doit être là puisqu'on est samedi." C'était affreux, surtout un jour comme aujourd'hui. » Elle s'épongea les yeux à nouveau.

Elle se mit à piétiner, impatiente. « Qu'est-ce qu'il fabrique, ce taxi ? Je vais être en retard.

— En retard pour quoi ? »

Elle eut l'air indigné. « Pour l'enterrement de Bjarke, qu'est-ce que vous croyez ?

— Ah ? On ne l'enterre que maintenant ?

— Ben oui. Ils l'ont gardé à Copenhague. Pour… l'autopsie. » Cette fois, une vraie larme coula.

« Cet homme en jaune, où est-il à présent ? Nous sommes à sa poursuite.

— Ça ne m'étonne pas. Il est très désagréable. Quand je lui ai dit qu'il ne pourrait pas le voir parce qu'il était mort et qu'on l'enterrait aujourd'hui, il est devenu blanc comme un linge. On aurait dit que les yeux allaient lui sortir de la tête. Il m'a dit que ce n'était pas possible avec un air complètement dément. Il a dit aussi que Bjarke avait tué une jeune fille et qu'il fallait absolument qu'il aille se dénoncer à la police. C'était horrible de l'entendre proférer de telles horreurs à propos de ce garçon que j'aimais tant. »

Carl fronça les sourcils. « Il a dit ça ? En parlant de Bjarke ? » Il se frotta le front. Il avait besoin de mettre un peu d'ordre dans ses idées.

« Oui, il a dit ça. Et ensuite il a dit que la mère de Bjarke allait devoir l'aider. Et puis tout à coup, il s'est décomposé et il m'a demandé si elle était encore en vie. J'ai failli lui dire que non, mais je n'ai pas osé.

— Elle va venir à l'enterrement de son fils, je suppose. Vous lui avez dit où avait lieu la cérémonie ? »

Elle hocha la tête.

« Chef ! cria Assad qui était encore dans la voiture. La police a découvert qu'il a dormi dans un B&B à Svaneke. Notre amie de Listed, Bolette, leur a téléphoné parce qu'elle l'a vu ce matin devant la maison de Habersaat. Elle a aussi essayé de vous téléphoner à vous. »

Carl vérifia son portable. Panne de batterie, comme d'habitude.

« Venez, dit Carl à la dame en noir. Vous allez nous montrer le chemin. Ça vous fera économiser le taxi. »

Assad dut à nouveau enlever sa chemise pour signaler l'intervention d'urgence. Nelly Rasmussen en frémit d'émotion. Il avait une sacrée toison sur la poitrine.

« Quelle église ? » s'enquit Carl, le klaxon enfoncé.

Carl répéta à Assad ce que Nelly Rasmussen lui avait raconté, pendant que leur passagère hochait la tête sur la banquette arrière.

« Je pense qu'il ment », déclara sèchement Assad.

C'était une possibilité. Atu devait être en train de faire la tournée des gens qu'il avait connus à l'époque, et cela devait bien l'arranger que Bjarke ne soit plus là.

« Il faut prévenir June », reprit Assad.

Nelly Rasmussen garda le silence.

Il n'y avait pas beaucoup de voitures garées devant le mur d'enceinte de l'église ronde d'Østerlars, et une partie d'entre elles étaient les pick-up des ouvriers du coin en train d'installer un immense échafaudage sur le site.

« Les gens ont dû laisser les voitures devant Kirkebogård, la boutique de souvenirs. Ce n'est pas possible qu'il y ait aussi peu de monde. Et je ne vois même pas le corbillard ! » s'exclama Nelly Rasmussen, émue par le parking presque désert et parce que Assad remettait sa chemise.

« Pourquoi ne sonnent-ils pas le glas ? » s'interrogea-t-elle en regardant l'heure. Elle tapa sur sa montre une première fois, puis une seconde. « Oh, non ! Elle s'est arrêtée. Nous avons raté l'enterrement. » Elle était réellement bouleversée, à présent.

« Regardez, chef », dit Assad en lui montrant une Volvo bleu marine avec une plaque minéralogique suédoise.

Ils bondirent hors de la voiture, sans attendre Nelly Rasmussen.

Elle ne s'était pas trompée. Le service religieux était terminé mais au fond du cimetière, l'inhumation était en cours et, cent mètres devant eux, un homme vêtu de jaune marchait vers le petit groupe de personnes rassemblées autour de la tombe. C'était Atu. Carl et Assad accélérèrent discrètement le pas. Ils ne voulaient pas le voir s'échapper encore une fois, mais d'un autre côté, il fallait qu'ils assurent la protection de June Habersaat. Qui sait quelle idée cet homme avait derrière la tête ?

Le pasteur était muet. Tout le monde avait fini de jeter sa petite pelletée de terre sur le cercueil. Ils virent June Habersaat s'approcher du trou et y jeter quelque chose.

Plusieurs personnes réagirent à haute voix en voyant de quoi il s'agissait.

June plongea la main dans son sac et en sortit un objet volumineux.

Au même instant, ils entendirent Atu, alias Frank, crier son nom d'une voix désespérée. Le cortège fut d'abord frappé de stupeur et, soudain, tout le monde se dispersa.

Frank était pratiquement arrivé près de la tombe. Il écarta les bras, lui dit quelques mots qu'ils n'entendirent pas. Assad et Carl se mirent à courir.

Ils voyaient à présent ce que June avait sorti de son sac. Il s'agissait d'un pistolet d'un calibre impressionnant.

Elle tira quatre ou cinq coups de feu dont le bruit se répercuta sur les murs du cimetière. Atu commença par se recroqueviller sur lui-même, puis s'écroula au bord de la tombe. C'était une exécution. Un meurtre délibéré.

Les deux policiers s'immobilisèrent. Il y avait un certain temps déjà que Carl ne portait plus son arme de service.

C'est à ce moment précis qu'elle les aperçut. Visiblement, les derniers événements avaient été un peu trop précipités pour elle car elle regarda alternativement l'homme sans vie à ses pieds, le fond du tombeau, le cortège et le pasteur qui courageusement s'approchait d'elle à présent, tentant de l'amadouer.

« Elle va se tirer une balle dans la tête, comme son mari », murmura Assad. Effectivement, elle levait le pistolet pour le poser sur sa tempe. Mais Assad n'était pas le seul à avoir deviné ce qu'elle allait faire. Le pasteur bondit en avant pour la désarmer à l'aide de sa petite pelle dans un geste digne d'un joueur de base-ball d'élite.

Elle hurla quand la pelle lui heurta la main et envoya valser l'arme. Puis elle courut sans demander son reste vers un banc appuyé au mur du cimetière, grimpa dessus, sauta le mur de pierres et continua sa course sur la route bordée de champs.

« Toi, tu lui cours après, Assad. Moi je vais chercher la voiture, cria Carl avant de se tourner vers l'assistance médusée. Et l'un d'entre vous prévient la police, d'accord ? »

Il jeta un rapide coup d'œil à Atu, couché un pied dans la tombe, les yeux grands ouverts, et à qui le pasteur était en train de tâter le pouls. Sa belle chemise jaune avait deux jolis trous à la hauteur du ventre et un autre à l'épaule. On devinait un petit morceau de peau là où la balle avait traversé. Carl savait qu'il était écrit « River » précisément à cet endroit-là.

Le pasteur secoua la tête : Atu était mort. Non que Carl en ait douté.

Quelle fin symbolique pour cet homme qui se proclamait gardien du mystère et fils du Soleil, de venir mourir dans le lieu le plus légendaire de l'île, à l'ombre d'une église ronde connue pour receler les secrets des Templiers.

Il ramassa le pistolet. Une arme en tout point identique à celle avec laquelle Habersaat s'était donné la mort. Il s'agissait sans doute du deuxième pistolet ayant appartenu au professeur de l'école, celui qu'on n'avait jamais retrouvé. Habersaat les avait donc pris tous les deux et sa femme avait réussi à lui en subtiliser un, d'une manière ou d'une autre. Un vol pour lequel son ex-mari pouvait difficilement porter plainte.

Carl se releva et il s'apprêtait à courir vers sa voiture quand Nelly Rasmussen se mit à sangloter de plus belle, le doigt pointé vers le fond du tombeau.

Au milieu des roses rouges et de quelques pelletées de terre bénite gisait un magazine dont la couverture était illustrée d'hommes fort dévêtus. June Habersaat avait trouvé ce moyen pour dire à son fils qu'elle avait enfin accepté la façon dont il avait choisi de vivre sa vie.

Mais pourquoi… tout le reste ?

Carl se mit à courir.

53

Carl ramassa Assad au bord de la route.

« June avait garé sa voiture devant la ferme, là-bas, dit-il, essoufflé, en montrant le hameau derrière lui. J'ai presque réussi à attraper la poignée de la portière, mais elle m'a échappé, alors. J'ai encore un peu de mal à me servir de mes muscles et à respirer, chef. Je suis désolé. »

Carl comprenait parfaitement. Les quelque cent mètres qu'il avait courus l'avaient mis à plat lui aussi.

« Tu as relevé le numéro de sa plaque ? » lui demanda-t-il.

Assad secoua la tête. Merde.

« Eh ! Regardez ! Elle est là-bas ! » dit-il en désignant un point devant eux.

Même à cette distance – ils devaient être à plus de cinq cents mètres –, ils pouvaient entendre June Habersaat martyriser la boîte de vitesses.

« Elle avance, sa poubelle, dites donc ! Vous ne la rattraperez jamais, chef !

— Appelle Birkedal. Dis-lui de nous envoyer du renfort. Il va bien trouver une ou deux voitures ! »

Carl poussa la Peugeot à la limite de ses capacités, tout en cherchant à comprendre ce qui avait pu amener June Habersaat à vouloir se suicider sur la tombe de son fils. Était-elle désespérée par sa mort, ou bien une raison plus profonde avait-elle motivé son geste ? Était-ce le résultat d'une longue dépression, sachant qu'elle gardait ce pistolet depuis toutes ces années ? Et pourquoi avoir assassiné Atu ? Un geste d'auto-défense ? Mais si c'était ça, alors pourquoi s'était-elle enfuie ensuite, ce qui la faisait passer pour…

« Attention ! » hurla Assad, le téléphone à la main. La chaussée devant eux était jonchée de tessons tranchants. Innombrables et traîtres culs de bouteilles capables d'arrêter n'importe quel véhicule monté sur pneumatiques.

Carl pila et roula à une allure d'escargot les cent mètres suivants. Sans la mise en garde d'Assad, les roues de la voiture auraient explosé.

« Préviens Birkedal de faire attention, quand tu l'auras en ligne. Dis-lui d'envoyer quelqu'un pour ramasser tout ça. »

Ils abordaient une ligne droite, et Carl remit les gaz.

Quand ils atteignirent les premières maisons de Gillesbo, une longue trace de freinage dans le virage en direction du sud se démarqua sur la route. Rue Åsedamsvej, ou quelque chose comme ça.

« Qu'est-ce que tu en dis, Assad ? Ce sont ses traces ? »

Assad confirma. Entre-temps, il avait réussi à avoir le planton du commissariat de Rønne. En quelques secondes, il lui expliqua la situation. Carl roulait maintenant à cent vingt-cinq kilomètres à l'heure avec une visibilité optimale des deux côtés de la chaussée.

« Là ! » cria soudain son copilote.

Carl l'avait vue aussi. Au bout de la route, la voiture noire négociait un virage serré à droite.

Après avoir suivi la même direction, la voiture avait à nouveau disparu de leur champ de vision. Avait-elle pris sur la gauche vers Almindigensvej, ou tout droit ?

« Je ne vois pas de trace de freinage, Assad. On essaye tout droit ? »

Comme Assad ne répondait pas, Carl se tourna vers lui. Le menton de son équipier reposait sur sa poitrine, il avait les mâchoires serrées. Il se concentrait pour dominer sa douleur.

« Tu ne veux pas qu'on aille à l'hôpital, plutôt, Assad ? » Pour Carl, à cet instant, June Habersaat pouvait bien aller au diable.

Assad ferma les yeux et il les rouvrit après avoir inspiré à s'en faire péter les poumons.

« C'est bon, c'est passé, on peut y aller », dit-il. Carl savait qu'il mentait.

« ALLEZ-Y, je vous dis ! » Carl obtempéra.

La forêt était devenue plus dense. Ils virent plusieurs petites routes transversales, mais continuèrent tout droit. Ils étaient sur la route de Rønne, et c'est là qu'ils iraient si cette course-poursuite devait se solder par un échec. Ne serait-ce que pour faire injecter à Assad un antalgique digne de ce nom.

Tout à coup un hurlement de pneus retentit dans la forêt, suivi d'une détonation sourde. S'il s'agissait de la voiture de June Habersaat, non seulement ils avaient choisi la bonne route mais ils n'étaient plus très loin.

Ils trouvèrent la voiture quatre cents mètres plus loin. Elle était couchée sur le flanc, comme si elle avait tranquillement basculé sur le côté, ce que démentaient deux traces de caoutchouc brûlé et un bas-côté profondément labouré, le long d'une petite aire de repos.

« Elle roulait trop vite, ses freins ont dû se bloquer quand elle a voulu s'arrêter, suggéra Assad, tandis que Carl examinait les lieux.

— Ou alors elle a cru pouvoir cacher la voiture dans les hautes herbes. »

En s'approchant du véhicule, ils constatèrent qu'il était vide. Ils regardèrent autour d'eux.

L'endroit était magnifique mais également inattendu, aussi près d'une route nationale. Un promontoire se dressait dans la forêt au milieu d'un paysage plat et marécageux.

Une rampe en bois aidait les promeneurs à accéder à une petite fortification édifiée au sommet de la butte. Une pancarte avec une flèche fixée entre deux poteaux rouges, cinq mètres plus loin, les informa qu'ils se trouvaient sur le site historique de Lilleborg.

Carl suivit des yeux la direction qu'indiquait la flèche. Un sentier conduisait jusqu'à un petit château fort et en faisait le tour.

« Elle s'est enfuie par la forêt, de l'autre côté de la route ? » demanda Assad.

« En tout cas, elle n'a pas traversé la clairière, l'herbe serait écrasée. »

Carl la scruta. Elle offrait une vue assez dégagée. Avec une demi-minute d'avance sur eux – et June ne pouvait guère avoir disposé de plus –, elle avait eu le temps de disparaître dans les bois, de monter jusqu'à la fortification par le sentier, mais certainement pas de traverser l'étendue d'herbe.

« Si elle est blessée, ce qui est vraisemblable, je ne crois pas qu'elle ait choisi de s'enfuir par la forêt. On se cogne partout dans une forêt, surtout en courant. »

Assad était d'accord. Ils optèrent pour la colline.

Moins de vingt-quatre heures auparavant, ils avaient subi un traitement pour le moins violent, et même brève, l'ascension leur en coûta. Après le premier virage, ils parvinrent à un rocher auquel ils s'appuyèrent. Ils respiraient péniblement, littéralement épuisés.

« Ce n'est pas raisonnable, Assad. On devrait être dans un lit à l'hôpital de Kalmar », dit Carl au sommet d'une deuxième montée. Ils s'étaient arrêtés cette fois sur une esplanade depuis laquelle on voyait distincte- ment le parking, vingt-cinq mètres plus bas.

Assad leva sa main bandée. Carl avait entendu aussi. Dans les westerns, c'est une brindille qui casse pour indiquer une présence, ici, c'était une très grosse branche.

« Je crois qu'elle nous attend, chef », chuchota Assad.

Ils levèrent les yeux sur une muraille en pierre de taille, que la végétation et les broussailles n'avaient pas réussi à masquer. Ils étaient arrivés au pied de

Lilleborg, une fortification dont ils ignoraient totalement la configuration.

On aurait dû regarder le plan avant de monter, se dit Carl en s'approchant d'un ravin qui descendait à pic vers le lac au bout de la lande humide. À gauche, se trouvait un chemin qui descendait vers le fond du ravin, mais ce n'était pas de là que venait le bruit. À droite, le sentier longeait la muraille d'un côté et le vide de l'autre. Une rampe métallique protégeait les randonneurs d'une éventuelle chute.

Assad s'efforçait de dissimuler sa douleur que l'effort devait amplifier et Carl se félicita d'avoir pris la tête.

Enfin ils atteignirent le sommet. Des herbes hautes, des rochers, une table de pique-nique avec des bancs, et plusieurs murs de pierres, dont l'un présentait une ouverture par laquelle on avait une vue imprenable sur le lac. Mais pas de June Habersaat.

« Qu'est-ce qu'on a entendu tout à l'heure, si elle n'est pas là ? » se demanda Carl à voix haute.

Assad haussa les épaules, trop occupé à lutter contre la douleur.

Carl essayait de reprendre son souffle, les mains sur ses genoux. C'était lamentable. Normal, compréhensible, certes, mais lamentable. Pourvu qu'il ne reste pas dans cet état.

Carl éprouva tout à coup une immense lassitude. Cette affaire leur avait coûté beaucoup trop cher. Le pouce d'Assad, d'abord, mais aussi du temps et de l'argent. Ils avaient couru pendant des semaines aux trousses d'un homme qui venait de se faire abattre sous leurs yeux. Ils avaient tenté d'obtenir des réponses d'une femme qui avait failli les tuer et qui était morte, elle aussi. Ils s'étaient évertués à dénouer les nœuds inextricables de la longue enquête de Habersaat afin de pouvoir éclairer un père et une mère sur la mort de leur fille. Et où en étaient-ils aujourd'hui ? Nulle part. Apporter de l'eau au moulin de Lars Bjørn, c'était tout ce qu'ils avaient réussi à faire.

On finira peut-être par trouver June Habersaat, et en vie de préférence, mais Carl commençait à en douter.

La sonnerie du portable d'Assad l'interrompit dans ses sombres pensées.

« C'est Rose », dit-il en mettant le haut-parleur.

Merde. Ils allaient devoir tout lui raconter. Carl n'en avait tout simplement pas la force.

« Comment vas-tu ? lui demanda-t-il tout de suite. Oui, c'est Carl. La batterie de mon téléphone est morte. Mais Assad t'écoute.

— Salut, Assad, dit-elle. Je propose qu'on parle de moi à un autre moment, d'accord ? Je ne vais pas bien, mais je vais m'en sortir. Alors disons que le sujet est clos. Qu'est-ce que j'apprends ? Vous avez eu de gros soucis, il paraît ?

— Effectivement, ça n'a pas été une partie de rigolade, hein. Assad ?… »

Celui-ci lui fit signe de se taire. Ce n'était pas le moment de parler de sa main.

« Assad me dit de te passer le bonjour. Nous sommes à Bornholm et June Habersaat vient de tirer sur Atu et de le tuer.

— Qu'est-ce que vous dites ?

— Tu m'as bien entendu. Et nous ne sommes pas plus avancés.

— Mais vous savez au moins pourquoi elle a fait ça ?

— Elle s'est enfuie.

— Cette affaire devient de plus en plus compliquée. Moi aussi, j'ai découvert quelque chose qui change la donne.

— Tu ne ferais pas mieux de te reposer, Rose ? On est samedi.

— Très drôle, monsieur Je-fais-le-malin. Et vous, vous êtes en train de vous la couler douce, peut-être ? Bref ! J'ai fouillé dans l'ordinateur de Bjarke, expérience édifiante, je dois dire. Quarante-cinq pour cent de la mémoire est utilisée par des jeux informatiques de toutes sortes. Certains sont archaïques et je crois que cela fait plusieurs années qu'il ne s'en est pas servi.

— C'est un vieux PC ?

— Il fonctionne sous Windows 95 et c'était déjà une remise à jour d'un logiciel antérieur, si ça peut vous donner une idée. »

Nom de Dieu ! Incroyable que ce vieux machin n'ait pas depuis longtemps atterri dans quelque village africain.

« Un peu plus de cinquante-deux pour cent de la mémoire est occupée par les dossiers photo, deux pour cent par des spams et enfin il y avait un unique fichier texte. Un poème, pour être exacte.

— Un poème ?

— Oui. Un poème de lui. Le titre n'est pas très compliqué à décrypter. Il s'appelle "À Frank". Le fichier était rangé dans l'extension du jeu Star Trek 95, et j'ai eu un peu de mal à l'ouvrir. »

Eh bien ! Il avait été drôlement consciencieux, le garçon !

Elle leur lut le poème et, tout naïf et dépourvu de talent qu'il fût, son message était clair. Il parlait d'amour méprisé et de colère. Colère contre Frank qui avait bouleversé leur existence. Colère de voir sa famille détruite par Frank. Colère contre l'existence même de Frank.

« Bjarke était donc au courant pour Frank et Alberte, mais il n'en a jamais parlé à son père. Pourquoi ? » Carl secoua la tête. Ça n'avait pas de sens. « Je suis largué, dit-il.

— Élémentaire, mon cher Watson. Si vous me permettez, répliqua Rose. Pour commencer, je vous préviens que la prochaine fois qu'il faudra regarder pour le bien d'une enquête des hommes nus avec d'horribles casquettes en cuir et des ceintures à clous photographiés dans des situations très compromettantes, je passerai mon tour. J'ai dû visualiser plus de cinq mille photos, j'ai bien dit cinq mille, avec ces horreurs, avant de trouver *la* photo qui éclaire un peu cette affaire. C'est à peine croyable. Au fait, vous devriez dire à la police de Bornholm que lorsqu'on fouille un ordi, on regarde *partout*. »

De quoi se plaignait-elle ? Ce n'était pas son truc, les hommes en cuir ?

« Je vous invite à jeter un coup d'œil au MMS que je suis en train de vous envoyer. Tout de suite ! »

Ils n'eurent pas à attendre longtemps avant d'entendre un « cling » les informant que le message était arrivé.

Carl fut parcouru d'un léger frisson.

La photo avait été prise par une belle journée enneigée, au moment de Noël, à une vente de sapins tenue par des scouts. Les prix étaient avantageux, vingt couronnes du mètre. En dehors de cela, la photo n'évoquait rien de paisible.

Carl était sous le choc.

« Allô ! Vous êtes encore là ?

— Nous sommes là, répondit-il, hébété. Tu as raison, Rose, c'est une photo incroyable, bravo. Tu as plus que jamais mérité une journée de congé. »

La photo avait réellement de quoi les secouer. En un dixième de seconde, toutes les pistes qu'ils avaient suivies depuis le début devenaient caduques. La fastidieuse recherche d'un panneau de contreplaqué imaginaire, démarrée sur la base d'une stupide écharde trouvée par Habersaat. La chasse au mystérieux combi Volkswagen, sans parler de tout ce qu'ils avaient imaginé pour étayer les soupçons qu'ils nourrissaient contre Frank, alias Atu. Des jours d'investigations et d'interrogatoires inutiles, pointant dans la mauvaise direction. Ils venaient d'en avoir la preuve.

Sur cette photo, Bjarke en tenue de scout regardait le photographe avec un grand sourire. Il portait une casquette enfoncée sur son front, l'insigne des che-

valiers sur l'épaule, le couteau à la ceinture, et d'innombrables écussons sur la chemise. Il avait l'air fier
comme Artaban. Fier de ses distinctions de chef de
troupe, fier de son petit commerce, probablement
organisé pour quelque cause humanitaire, et fier du
4×4 auquel il était accoudé. Et il semblait très fier
également de son invention, une pelle à neige métallique qu'il avait sans doute lui-même fixée au pare-
buffle du véhicule tout-terrain devant lequel il posait,
et sur lequel était écrit :

GRANDE VENTE DE SAPINS
DES SCOUTS DE BORNHOLM
JOYEUX NOËL

C'était un véritable choc. Ils étaient venus à Bornholm pour protéger June Habersaat contre Frank alors
que c'était le contraire qu'ils auraient dû faire.

« Alors ? Qu'est-ce que vous dites de ça ? leur
demanda Rose.

— On en dit qu'on aurait bien aimé avoir cette
photo plus tôt ! Et au fait, Rose, c'est le même vieux
4×4 Toyota que June Habersaat conduisait il y a vingt
minutes et qui est actuellement renversé sur le bas-
côté de la route à cinquante mètres en contrebas de
l'endroit où nous sommes. Merde.

— Vous osez me dire que vous auriez bien aimé
avoir cette photo avant ? Et vous ne croyez pas que
Habersaat l'avait vue depuis longtemps ? Vous ne
croyez pas qu'il était au courant que son fils avait
monté une pelle à l'avant de son 4×4 ?

— C'était un policier, Rose. Il a passé dix-sept ans de sa vie sur cette enquête. Évidemment qu'il ne le savait pas.

— Écoutez un peu ma théorie : Habersaat soup-çonnait son propre fils depuis des années. Et s'il a travaillé avec autant d'acharnement sur cette affaire, c'était pour se débarrasser de ce soupçon, coûte que coûte. Le plus commode pour lui étant de rejeter la faute sur l'homme qu'il détestait le plus, l'amant de sa femme. Ça tient la route, non ?

— Alors pourquoi nous a-t-il demandé de pour-suivre l'enquête ? Elle aurait été abandonnée d'elle-même après son suicide.

— Parce qu'il a préféré nous laisser le sale boulot, en espérant secrètement que nous ne réussirions pas. Habersaat était dans une impasse. Peut-être allions-nous trouver Frank, peut-être allions-nous trouver la clé de l'énigme. Et dans le deuxième cas, ce serait à nous de faire en sorte que son fils aille en prison. C'était ça, le fameux dilemme de Habersaat. Il a cher-ché à couvrir son fils et fini par comprendre que c'était impossible. Bjarke était coupable. Et son père n'avait pas d'autre solution que de tirer sa révérence.

— Ce n'est qu'une hypothèse, Rose. Elle est admi-rable, mais reste une hypothèse. Si tu as raison, je vais me sentir extrêmement mal. Je te rappelle, Rose, que plusieurs personnes sont mortes dans cette histoire.

— C'est la vie », répliqua-t-elle. Elle se corrigea aussitôt : « C'est la mort, je voulais dire. »

Assad leva à nouveau une main en regardant au-dessus de l'épaule de Carl.

« C'est vraiment du bon boulot, Rose, merci beaucoup. On va te laisser maintenant, d'accord ? Assad arrive en fin de batterie aussi. »

Elle eut juste le temps de dire : « Ah, les hommes ! Ils ne peuvent pas… », avant que Carl raccroche et se tourne pour suivre la direction du regard d'Assad. Quelques marches, taillées dans la roche, érodées par le temps et presque invisibles, semblaient descendre vers un autre point de vue.

Cette fois, Carl entendit le bruit, lui aussi.

« Je vais aller faire un petit pipi par là-bas », dit Assad en se dirigeant vers la droite et en faisant signe à Carl d'aller vers la gauche.

Ils bondirent tous les deux en même temps.

Dans une petite niche d'herbe, un mètre plus bas, assise contre la paroi, se cachait June Habersaat. Aussitôt qu'elle les vit, elle les attaqua avec une grosse branche et toucha la main blessée d'Assad. Ils hurlèrent tous les deux tellement fort qu'elle lâcha son arme et alla se recroqueviller dans l'angle du mur.

Carl était fou de rage, il se rua sur elle, l'obligea à se relever et lui tordit les bras derrière le dos pour lui passer les menottes.

Elle cria de douleur et Carl remarqua que son épaule droite et plusieurs doigts de sa main droite étaient démis.

« Ça va, Assad ? »

Il tenait sa main malade avec sa main valide, mais il acquiesça.

« Alors appelle une ambulance pour elle », dit Carl.

Il conduisit doucement la femme jusqu'à la table de pique-nique et la fit asseoir.

Elle avait beaucoup maigri depuis la dernière fois qu'ils s'étaient vus, trois semaines auparavant. Ses yeux semblaient plus grands dans son visage émacié, ses bras ressemblaient à ceux d'un enfant.

« J'ai entendu ce que cette sorcière au téléphone vous a raconté, dit-elle après quelques minutes de silence. Et elle a tout faux. »

Carl hocha la tête à l'intention d'Assad qui avait déjà mis en marche le dictaphone de son smartphone.

« Alors je vous propose de nous raconter ce qui s'est vraiment passé, June. Nous ne vous interromprons pas. »

Elle ferma les yeux, probablement parce qu'elle souffrait. « J'étais contente que vous ayez réussi à chasser Atu, ou Frank, ou je ne sais pas comment vous l'appelez, jusqu'ici. Vous m'avez fait un cadeau en l'amenant devant ma porte, vous savez ? » Elle voulut rire, mais la douleur dans son épaule l'en empêcha.

Elle ouvrit les yeux et regarda Carl. « Je voulais me suicider. Bjarke et moi nous étions trop éloignés l'un de l'autre ces dernières années, et je savais que j'en étais la seule responsable. Après sa mort, il ne me restait plus que ma culpabilité, et elle était devenue trop lourde à porter.

— De quoi vous sentiez-vous coupable, June ?

— D'avoir laissé Frank prendre un tel ascendant sur ma famille. De l'avoir laissé détruire ma vie et celle de tous les miens. Bjarke n'en pouvait plus, lui non plus. Quand son père a renoncé, Bjarke a craqué.

738

— Votre fils s'est suicidé parce qu'il avait tué Alberte par jalousie. Nous avons vu le 4 × 4 et la pelle fixée au pare-buffle, il n'y a rien d'autre à dire, si ?

— Ce n'est pas Bjarke qui a renversé la petite, c'est moi.

— Je ne vous crois pas, vous essayez juste de couvrir votre fils, dit Assad.

— NON ! » Elle donna un coup dans la table, malgré ses blessures. Puis resta un long moment silencieuse à regarder la colline, le lac et la forêt de l'autre côté de la rive.

Quand on en arrive au stade où un suspect vient de faire des aveux et se referme, il n'y a plus qu'à attendre avec patience qu'il se remette à parler. Carl avait parfois passé des heures dans ce genre de situation et à cet instant, il n'y avait plus que cela à faire. Assad le savait aussi.

Au bout de quelques minutes, elle se tourna à nouveau vers Carl. Son regard semblait lui dire : « Posez-moi une question. »

Carl réfléchit. Ce n'était pas le moment de se tromper, ou elle risquait de se taire pour de bon.

« Très bien, June. Je vous crois, et je suis sûr qu'Assad vous croit aussi. Racontez-nous toute l'histoire depuis le début, avec vos propres mots. »

Elle poussa un soupir, pleura un peu, puis elle baissa les yeux et se mit à parler.

« Je suis tombée passionnément amoureuse de Frank et j'ai vraiment cru que j'allais vivre le restant de mes jours avec lui. Nous nous donnions rendez-vous à l'endroit où vous m'avez trouvée, et nous faisions l'amour dans l'herbe. Mon mari, Christian, ne savait pas me donner le plaisir que me donnait Frank. »

Elle pinça les lèvres.

« Notre histoire a duré plusieurs mois. »

Ça devait être en même temps que Frank avait eu une aventure avec Inge Dalby, songea Carl.

« Un jour, il a rompu avec moi, malgré toutes ses promesses. Et Dieu sait s'il m'en avait fait, des promesses ! Sinon, pourquoi aurais-je trompé mon mari avec qui je vivais et dont j'avais un enfant ? Pourquoi ? »

Tous deux haussèrent les épaules. C'est vrai, pourquoi ?

« Il m'avait fait miroiter une nouvelle vie, loin de cette île. Il m'avait juré que notre différence d'âge ne comptait pas pour lui. Mais il mentait, bien sûr, ce salaud ! »

Elle leva vers eux un regard lourd d'amertume.

« Je savais qu'il avait rencontré quelqu'un de plus jeune. Je sentais son parfum bon marché sur sa peau. Il avait l'odeur de cette fille sur lui quand il est venu me plaquer et, en y repensant, je me suis rendu compte que ce n'était pas la première fois que je sentais ce parfum. J'ai compris qu'il couchait avec elle depuis un bout de temps. C'est ça qui m'a fait le plus mal. » Elle renifla. « Alors je me suis mise à le suivre. C'est qu'ils se croyaient malins, les tourtereaux ! Oh mon Dieu ! J'ai même vu comment ils communiquaient entre eux en déposant des petits mots sous la grosse pierre devant l'école. Atu et moi faisions pareil. Sauf

740

que nous déposions les messages à l'endroit où nous nous retrouvions pour faire l'amour. »

C'était donc là que Frank et Alberte se laissaient des messages ? Sous ce gros caillou devant lequel ils étaient passés au moins dix fois ? Quelle ironie.

« Je suis allée une seule fois au camp d'Ølene pour demander des comptes à Frank. Ce jour-là, il m'a expliqué qu'il était amoureux d'Alberte et qu'il avait l'intention de la ramener avec lui à Copenhague. Je l'ai haï infiniment pour ça, mais je la haïssais, elle, tout autant. »

Pendant quelques instants, ils purent lire sur son visage toute l'étendue de cette haine si ancienne.

« Je devais éliminer Alberte avant que cela n'arrive. Je voulais la briser, détruire sa beauté. Il fallait qu'elle disparaisse. Peut-être Frank me reprendrait-il ensuite ? J'y ai cru longtemps. À vrai dire, j'ai attendu pendant des années qu'il revienne me chercher. J'étais folle et naïve. Plus tard, je n'ai plus voulu entendre parler de lui. Je ne voulais écouter ni mon mari, ni ma sœur, ni vous. Je voulais juste effacer Frank de ma mémoire. »

Et il l'a payé de sa vie en revenant ici quand même, songea Carl.

« J'ai emprunté la voiture de mon fils – celle qui est dans le fossé – pendant qu'il était au travail à la carrosserie d'Aakirkeby. Il la garait toujours devant la maison de ma sœur parce qu'elle lui faisait à déjeuner tous les jours, ce qui était gentil de sa part, soit dit en passant. »

Elle eut un bref sourire.

« Pour que l'impact n'abîme pas la voiture, je suis allée chercher dans le garage de notre maison de Listed la pelle à neige qu'il avait fabriquée. Je l'avais mise dans le coffre de ma propre voiture avant d'aller prendre la sienne à Jernbanegade. Ensuite j'ai juste eu à la fixer sur le pare-buffle du Toyota. Ça m'a pris deux minutes.

— Excusez-moi de vous interrompre, June, mais ça m'a vraiment tracassé. Comment avez-vous su qu'Alberte avait rendez-vous avec Frank près de cet arbre, ce matin-là ? »

Elle sourit, presque fièrement.

« C'est moi qui ai déposé un mot sous la pierre, de bonne heure le matin, avant de partir pour Aakirkeby. Je connaissais parfaitement l'écriture de Frank. Elle était très facile à imiter.

— Mais comment saviez-vous qu'elle verrait le message si tôt le matin ?

— Elle allait vérifier tous les jours, avant que les autres soient levés, même quand il n'y avait rien. C'était juste une gamine stupide. Tout cela n'était qu'un jeu pour elle.

— Assez stupide pour se laisser écraser sans rien faire, c'est ça que vous voulez dire ? »

Elle sourit à nouveau. « Non, elle attendait sur le bas-côté et j'ai fait semblant de me déporter sur la gauche pour l'éviter. Elle a souri en voyant une voiture avec une pelle à neige et une inscription qui parlait de vente de sapins, alors qu'il n'y avait pas de neige sur la route et qu'on était encore à un mois de Noël. Elle n'a plus souri du tout quand j'ai donné un grand coup de volant à droite et que je les ai envoyés valdinguer, elle d'abord et son vélo ensuite.

— Et personne ne vous a vue ?

— Il était très tôt, je vous l'ai dit. Il n'y a pas grand-chose à faire à cette heure-là, à Bornholm.

— Ensuite, vous êtes retournée à Aakirkeby et vous avez remis la voiture de Bjarke à l'endroit où vous l'aviez prise, devant la maison de votre sœur Karin ? Nous sommes allés l'interroger à la maison de retraite, comme vous le savez, mais elle ne nous a rien dit.

— Oui, c'est ce que j'ai fait. Et Karin m'a vue remettre la pelle dans le coffre de ma voiture. Elle m'a menacée pendant plusieurs années de me dénoncer à la police. Ce n'était pas moi qui étais fâchée contre elle, mais elle qui était en colère contre moi.

« Pour finir, j'ai remis la pelle à sa place dans le garage de Listed. Le lendemain, j'ai appris que Karin avait dit à Bjarke que j'avais emprunté sa voiture et qu'elle m'avait vue avec la pelle à neige. Les recherches pour retrouver Alberte avaient déjà commencé à ce moment-là.

« Nous étions tous les trois à table le soir où Christian a raconté qu'il l'avait retrouvée dans cet arbre, et que cela l'avait profondément choqué. J'ai vu sur le visage de mon fils qu'il avait tout compris. C'était affreux. Mon Bjarke était loin d'être bête, malheureusement. Il m'a détestée pour ce que j'avais fait, mais il ne m'a jamais trahie. Et il n'a rien dit à son père non plus. Et en me protégeant moi, c'est son père qu'il a trahi. C'est pour ça qu'il ne pouvait pas continuer à vivre sous son toit, quand je suis partie, quelques mois plus tard. Il a commencé par habiter un peu avec ma sœur et moi, et ensuite, il s'est débrouillé tout seul.

— Vous en avez parlé, tous les deux ? »

Elle fit non de la tête et essuya une larme au bout de son nez.

« Non. Nous parlions peu. Il s'est éloigné de moi à cause de sa sexualité, aussi. Ce n'était pas facile pour moi.

— Vous aviez du mal à comprendre son homosexualité ? »

Elle acquiesça.

« Et vous avez jeté ses journaux sur le cercueil pour lui dire que vous aviez fini par l'accepter ? »

Elle hocha la tête à nouveau. « Il y avait tellement de choses qui nous séparaient. Il fallait que ça s'arrête. Il fallait que tout s'arrête.

— Vous aviez donc compris pourquoi il demandait pardon à son père et pas à vous ? »

Elle frotta le dos de sa main blessée et pinça les lèvres avant de répondre.

« Comment aurait-il pu vivre avec l'idée que son père s'était suicidé à cause d'une affaire qu'il aurait pu l'aider à résoudre ? Je crois qu'il s'est excusé de ce qu'il n'avait pas fait, dit-elle, tandis que les larmes coulaient sur ses joues, laissant des taches sombres sur le bois sec de la table.

— Pensez-vous que votre mari soupçonnait Bjarke d'avoir tué Alberte, comme Rose l'a suggéré tout à l'heure ? »

Elle leva la tête. « Non, il était trop bête pour ça. Cette Rose est… »

Ils entendirent tous les trois en même temps le son strident des sirènes qui s'élevait au-dessus de la cime des arbres. Une d'abord, puis plusieurs. Lentement, elles gagnèrent en puissance. Les renforts arrivaient.

« Il y a deux sirènes, dit-elle en fronçant les sourcils. Il y a aussi une voiture de police ?

— Je suppose, oui. Ça me paraît inévitable, June. »

Ses grands yeux s'étrécirent. « Qu'est-ce que je risque ? demanda-t-elle.

— Ne vous tracassez pas pour ça maintenant, June, tenta-t-il de la rassurer.

— Combien ? » Elle s'adressait à Assad, à présent.

« Entre dix ans et la perpétuité, je dirais. La perpétuité est souvent réduite à quatorze ans, alors, répondit-il, sans prendre de gants.

— D'accord. C'est bien de le savoir. J'aurai soixante-seize ans quand je ressortirai, si je suis encore en vie. Je ne crois pas que j'aie envie de ça. "Si seulement il y avait un fleuve sur lequel je puisse patiner. Mais il ne neige pas ici, tout est toujours vert…" Vous vous souvenez ? Je vous ai fredonné cette chanson quand vous êtes venus me voir la première fois à Jernbanegade. C'est tiré d'une chanson de Joni Mitchell, vous le saviez ? »

Elle sourit pour elle-même. « C'est Frank qui me l'a fait découvrir. C'est lui aussi qui m'a enseigné l'art de me projeter dans les endroits où j'avais envie d'être par la seule force des rêves. Quand on fait ça, c'est qu'on ne se plaît plus là où on est. Vous voyez ce que je veux dire ? »

Ils hochèrent très lentement la tête, tous les deux. Le hurlement des sirènes se rapprochait du parking. Dans un instant, on la ferait monter dans une ambulance escortée par deux policiers. La fameuse chanson ne pouvait pas être plus appropriée au moment présent.

Elle se leva si brusquement qu'ils n'eurent pas le temps de réagir. Elle parcourut en deux secondes les quelques mètres qui la séparaient de la brèche dans le mur, dévala quatre marches et fit le grand saut dans l'éternité.

Ils se précipitèrent comme un seul homme vers la muraille, mais il était trop tard.

June gisait tout en bas. Elle avait rebondi brutalement sur un rocher et son corps désarticulé reposait sur les hautes branches d'un arbre.

Dans la même position qu'Alberte dix-sept ans auparavant.

Épilogue

Pendant quelques minutes, ils suivirent des yeux la lumière bleue des gyrophares, jusqu'à ce qu'elle se noie dans l'océan vert des arbres.

Carl examina le pansement immaculé d'Assad. Il était impeccable et bien serré.

« Que t'a dit le médecin ?

— Je lui ai montré que j'arrivais à plier le pouce, alors il m'a fait une piqûre d'antibiotiques.

— C'est tout ?

— J'arrive à plier mon doigt, Carl, c'est déjà bien ! »

Non, ce n'était pas bien. Dans quelques heures, ils seraient dans la navette de l'aéroport en route pour Copenhague. Kastrup n'était qu'à un quart d'heure du service des grands brûlés de Rigshopitalet et Carl se faisait fort de convaincre Assad de s'y rendre.

« Nous sommes d'accord sur ce que nous allons faire maintenant ?

— Oui. Nous allons à Listed. »

Ils étaient d'accord.

À mi-chemin, le portable d'Assad sonna. Il mit le haut-parleur. La femme au bout du fil se présenta comme Ella Persson, dit qu'elle appelait du commissariat de Kalmar et qu'elle était l'assistante de l'inspecteur Frank Sundström.

« Nous connaissons maintenant l'identité de la personne qui a fait venir la police et l'ambulance à l'Académie de naturabsorption d'Öland, dit-elle. En réécoutant l'enregistrement du centre d'appels d'urgence, nous avons pu déterminer qu'il s'agissait du directeur de l'académie, M. Atu Abanshamash Dumuzi. Nous pensons également que c'est lui qui vous a détachés. Personne d'autre là-bas ne semble vouloir s'octroyer le mérite de ce geste, en tout cas. L'inspecteur Sundström pensait que cette information pourrait vous intéresser. Il lui a semblé que cela vous permettrait de voir les actes de M. Dumuzi sous une autre perspective. Il souhaitait en tout état de cause que vous le sachiez avant d'appréhender ce monsieur. »

L'œil hagard, Carl regardait le paysage que le même Frank Brennan avait sillonné de long et en large voici de nombreuses années. Assad priait l'assistante de l'inspecteur d'informer celui-ci en retour que le dénommé Atu Abanshamash Dumuzi était décédé, et qu'il recevrait probablement prochainement un rapport de la police de Bornholm à ce sujet.

Le reste du trajet s'effectua en silence. Il allait leur falloir un peu de temps pour traiter cette information.

L'atmosphère de la maison de Christian Habersaat à Listed avait changé. La maison appartenait désormais au passé. C'était une maison vide, une habitation à rénover, un monument aux morts, une vague réminiscence d'une vie gâchée. Elle avait toujours ses secrets, mais elle avait perdu son mystère.

Ils purent voir à travers les fenêtres combien Rose avait été efficace. Hormis quelques cartons d'emballage et les meubles qui avaient servi d'étagères, rien n'évoquait plus le sanctuaire dédié à un crime.

Ils virent que la police avait équipé la double porte du garage d'un cadenas.

« On attend le serrurier pour entrer dans le garage par la maison, ou vous voulez que je l'ouvre ? » proposa Assad.

Carl allait demander à son équipier comment il espérait faire ça sans outils, quand il le vit glisser sa main valide entre les deux battants et tirer d'un coup sec. Le cadenas était toujours en place, mais pas le verrou. La porte du garage était ouverte, dévoilant une obscurité à laquelle leurs yeux mirent quelques minutes à s'habituer.

Rien n'avait changé depuis leur dernière visite : traces de pneus sur le sol en ciment, vieilles bouées en forme d'animaux, pots de peinture sur les étagères et cartons vides un peu partout.

Ils levèrent la tête vers les solives sur lesquelles étaient posés le mât de windsurf, les skis et les bâtons.

Ils retournèrent à la porte afin d'avoir une meilleure vue sur ce qui pouvait avoir été posé au-dessus du reste. Comme ils ne voyaient rien d'autre, ils ressortirent du garage. Et là, depuis un endroit très précis, ils crurent apercevoir un objet qu'ils n'avaient pas remarqué auparavant, posé sur la voile, appuyé au pignon, tout au fond.

« On ne peut pas y accéder sans escabeau, chef, fit remarquer Assad.

— Mais si, viens, je vais te faire la courte échelle. »

Il croisa les mains autour de la chaussure d'Assad et le souleva. Comment la minuscule Pirjo avait réussi à déplacer cet homme restait pour Carl un mystère. Il y avait de quoi se faire un tour de reins.

« Oui, dit-il simplement depuis son perchoir.

— Oui, quoi ?

— La pelle à neige est bien là. À peu près un mètre cinquante de large avec une inscription en lettres d'imprimerie à la peinture blanche. Je ne peux pas voir ce qui est écrit, mais nous le savons déjà. »

Carl secoua la tête. Comment avaient-ils pu être aussi cons. Si seulement ils avaient eu une échelle la première fois, la poursuite de Frank se serait arrêtée là.

« Prends une photo ! Pense à mettre le flash », grogna Carl. Il commençait à trouver la charge un peu lourde.

L'éclair de l'appareil explosa et Carl s'apprêta à plier les genoux pour faire redescendre son équipier.

« Une seconde, chef, dit ce dernier. Il y a un truc accroché sur le mur derrière la pelle à neige, vous pouvez essayer de me pousser un peu plus loin ? »

Carl poussa de toutes ses forces. C'était le genre de manœuvre qui risquait de mal se terminer. Il contracta ses fessiers tant qu'il put et redonna de l'élan à Assad.

« *Yes !* s'exclama celui-ci. C'est bon, vous pouvez me redescendre.

— Alors ? » demanda Carl en décontractant son dos.

Assad lui tendit une enveloppe parfaitement blanche. Elle n'était souillée par aucune saleté, aucune poussière ni aucune toile d'araignée. Aussi immaculée que si on venait de la sortir d'un tiroir.

« *À l'attention des enquêteurs* », disait l'écriture aisément reconnaissable de Habersaat.

Les deux hommes se regardèrent.

« Ouvrez-la », dit Assad. Carl s'exécuta.

Dans l'enveloppe se trouvait une feuille A4 déjà utilisée car quelque chose était imprimé au verso. Christian Habersaat avait couvert le recto d'une écriture serrée.

« *À l'attention des enquêteurs* », avait-il écrit une deuxième fois en tête de la lettre qui s'achevait par sa signature.

« Lisez-la à voix haute, chef, je n'arrive pas à déchiffrer ses jambes de sauterelle.

— On dit "pattes de mouche", Assad, mais ça n'a aucune importance. »

Carl entama sa lecture :

« *Maintenant vous savez et votre travail est terminé. Les soupçons que je nourrissais à l'égard de Bjarke se sont confirmés quand, quelques jours après la mort d'Alberte, j'ai découvert ce truc dont Bjarke s'était servi lors d'une vente de sapins de Noël. Je me souvenais vaguement qu'il avait fabriqué un acces-*

751

soire de ce genre et j'ai fini par le trouver ici pendant que toute l'île fouillait partout pour mettre la main dessus.

Mais bien qu'à cause de cet objet tout accuse mon fils, la culpabilité de l'amant de ma femme restait très plausible. Oui, j'étais au courant de leur liaison, mon réseau sur l'île est parfois très bavard et j'ai aussi pu acquérir par ce moyen la conviction que l'homme au combi Volkswagen était aussi celui qui avait donné rendez-vous à Alberte ce jour-là.

Et puis, j'ai trouvé ce fragment d'aggloméré marine sur le lieu du crime ainsi que plusieurs autres indices me permettant d'espérer pouvoir disculper Bjarke. Le besoin de vengeance et mon instinct de protection envers mon fils ont fait le reste. Je ne trouvais pas non plus de mobile au geste de Bjarke. Pourquoi aurait-il voulu tuer une étrangère qui ne lui avait rien fait de mal ? Ça n'avait aucun sens. Je savais qu'il ne s'intéressait pas au sexe opposé. C'était un grand sujet de dispute entre June et moi. Elle avait beaucoup de mal à accepter l'homosexualité de son fils. Mais je crois que nous, les policiers, avons par la force des choses plus de tolérance en matière de moralité que la majorité des gens.

Je me suis donc concentré sur l'homme au fourgon Volkswagen, et ce, jusqu'à ce que je découvre la preuve irréfutable que Bjarke avait une excellente raison de vouloir éliminer Alberte.

J'ai compris son mobile le jour où, il y a un mois de cela, j'ai dû investir la chambre de Bjarke parce que je n'avais plus de place pour stocker mes éléments *d'enquête. En retournant cette feuille, vous verrez ce que j'ai découvert dans une caisse de vieux jeux vidéo. »*

Carl retourna la feuille.

Il s'agissait d'une liste de raccourcis clavier pour le jeu Star Trek, imprimée à partir d'un blog Internet, avec des annotations au crayon. Tout en bas de la feuille on pouvait lire : « Pour Frank. »

C'était le poème que Bjarke avait composé pour lui déclarer sa flamme. Ils en connaissaient déjà la teneur.

« Lisez ce que Habersaat écrit ensuite », dit Assad.

« Ce n'est qu'après avoir trouvé ce poème que j'ai vraiment tout compris. Bjarke aimait l'homme dont ma femme était également tombée amoureuse, et il a tué Alberte parce qu'elle avait pris sa place. Il a probablement écrit ces lignes peu de temps après, sans doute au moment où il a quitté cette maison. Tout est si clair à présent que j'en ai le cœur brisé.

Je demande sincèrement pardon pour l'acharnement que j'ai mis à faire porter à un innocent la responsabilité du crime horrible de Bjarke.

Son sort est désormais entre vos mains. Je n'ai tout simplement pas le courage de m'attaquer à mon propre fils. C'est pourquoi tout s'arrête ici.

Christian Habersaat, 29 avril 2014. »

Ils restèrent un long moment sans rien dire.
Pensant la même chose.

« Il a écrit ça la veille du jour où il vous a appelé, chef », dit enfin Assad.

Carl hocha la tête.

« Il avait déjà décidé de se suicider à ce moment-là.

— Oui. C'est une petite consolation. Si seulement on avait pu lire cette lettre un peu plus tôt. Rose avait raison. Habersaat savait que son fils était impliqué d'une façon ou d'une autre.

— Oui, mais il ne savait pas que c'était sa femme qui avait commis le crime. Nous ne l'aurions jamais su non plus si nous n'avions pas mené cette investigation jusqu'ici, chef. June Habersaat aurait emporté son secret dans la tombe. »

Carl hocha à nouveau la tête. « Il faut que nous appelions Rose pour lui dire qu'elle avait raison en ce qui concerne Habersaat et que son ex-femme a avoué. »

Assad leva son pouce valide, prit son téléphone dans sa poche et composa le numéro en mettant le haut-parleur.

Il sonna longtemps sans que personne ne décroche et il faillit renoncer.

« Ici le portable de Rose, Yrsa à l'appareil, dit une voix qui n'était pas celle de Rose.

— Euh… Rose ? C'est toi ? » s'enquit Carl. Elle était retombée dans son jeu de rôles, ou quoi ?

« Non, je vous ai dit que c'était Yrsa, la sœur de Rose. À qui ai-je l'honneur ? »

Carl avait toujours un doute, mais après tout, si elle avait envie de jouer, il n'allait pas la contrarier.

« C'est Carl. Le vice-commissaire Carl Mørck, le patron de Rose, si j'ose m'exprimer ainsi.

— Oooh, répondit la voix, comme si elle venait d'entendre une mauvaise nouvelle. J'ai essayé de vous appeler, Carl Mørck, mais vous ne prenez jamais votre portable.

— Je suis désolé, je suis en panne de batterie. Qu'est-ce que…

— Rose ne va pas bien du tout, le coupa-t-elle d'une voix pleine d'inquiétude. Je suis venue la chercher il y a une heure, parce que nous avons l'habitude de nous retrouver le samedi pour prendre une tasse de thé toutes les deux. Je l'ai trouvée au lit. Elle ne m'a pas reconnue. Elle disait en boucle qu'elle avait fait tout ce qu'elle avait à faire, et que maintenant elle voulait juste en finir.

— En finir ?

— Elle s'était tailladé le poignet avec une paire de ciseaux. Elle a aussi prétendu qu'elle était Vicky, notre autre sœur. Elle disait qu'on l'avait hypnotisée pour lui faire croire qu'elle était Rose, mais qu'elle n'avait pas envie d'être Rose parce que Rose était une mauvaise fille. Elle a dit que l'hypnotiseur était descendu trop loin dans son inconscient. Elle a dit aussi qu'il n'avait pas pu l'aider parce qu'elle était une coupe et que cette coupe était déjà pleine.

— C'est épouvantable ! » Carl se tourna vers Assad qui secouait la tête.

C'était tout simplement impossible.

« Elle est hospitalisée à Nordvang, alors ne comptez pas sur elle avant un bon moment, si elle revient un jour. »

Assad proposa qu'ils se rendent à Aakirkeby pour commander des fleurs et les faire envoyer à Rose. Ils pourraient acheter un bouquet pour Alberte en même temps, et aller le déposer au pied de l'arbre.

« Vous savez qu'on va prendre la même route que June a prise ce jour-là ? » dit Assad quand ils ressortirent de la boutique du fleuriste.

« Je sais, répondit Carl. Mais cette fois, je propose qu'on roule tranquillement, d'accord ? Je crois que la voiture nous en saura gré. »

Assad lui fit un sourire plein de gratitude.

Après avoir déposé le bouquet au pied de l'arbre, ils restèrent un long moment à regarder en l'air. La première fois qu'ils avaient vu cet arbre, ses feuilles avaient à peine commencé à pousser, à présent, elles étaient d'un beau vert sombre.

« J'espère que ses parents vont enfin retrouver la paix », songea Carl à voix haute.

Assad ne fit pas de commentaire. Il devait avoir quelques doutes à ce sujet.

Ils inclinèrent la tête en hommage à une jeune femme trop belle et trop candide qui n'avait pas eu la vie dont elle rêvait. Puis ils repartirent.

Ils étaient en train de parler de Rose et de se demander ce qu'ils pourraient faire pour elle quand tout à coup ils virent l'école d'enseignement pour adultes sur leur droite.

« Arrêtez-vous une seconde, chef », dit Assad.

Il descendit de voiture, traversa la route et se dirigea vers la grosse pierre sur laquelle était gravé le nom de l'école.

« Vous ne voulez pas me donner un coup de main ? » l'appela-t-il après avoir dégagé de la rocaille au pied du gros caillou.

Carl le rejoignit et, ensemble, ils soulevèrent une pierre presque noire dissimulant une petite cavité.

« C'est là ! s'écria-t-il, triomphant. C'est là qu'ils déposaient leurs petits mots, chef ! Là que June Habersaat a laissé le faux message. »

Carl se baissa vers le trou. Dix-sept années avaient passé, et la cachette existait encore. Il gratta la terre au fond. C'était tellement bizarre de penser à tout ça.

Sa main rencontra une surface lisse. Était-ce du plastique ou un petit caillou ? Il prit son stylo dans sa poche de poitrine et l'enfonça dans le sol pour dégager l'objet. Il s'agissait d'une petite pochette, de celles qu'on utilise pour y ranger des timbres ou des recettes de cuisine. Le plastique était devenu opaque avec le temps. Étrange qu'il n'ait pas été plus profondément enfoncé sous l'humus.

« Il y a quelque chose dedans », fit remarquer Assad.

Il avait raison. Carl ouvrit la pochette avec précaution et en sortit un petit billet plié en quatre. Il était relativement bien conservé, même si le papier avait jauni et absorbé un peu d'humidité.

Carl le déplia très lentement et le tint de façon à ce qu'ils puissent lire tous les deux en même temps.

Chère Alberte,

Je te demande d'oublier ce que je t'ai dit hier. J'aimerais beaucoup te revoir quand tu auras fini tes cours ici et que tu seras rentrée dans le Seeland. Mon numéro à la communauté est le : 439032

Les deux derniers chiffres étaient effacés. Mais en dessous, on pouvait lire sans difficulté :

À bientôt. Je t'aime infiniment.
Frank

Assad et Carl se regardèrent. Frank avait dû laisser cette lettre le matin où Alberte était partie à vélo à la rencontre de son destin.

Carl posa une main sur la nuque de son assistant.

Si Frank avait laissé cette déclaration d'amour quelques minutes plus tôt, rien ne serait arrivé.

Carl poussa un soupir et sentit un bras amical autour de son épaule.

Il leva les yeux et croisa un regard brun et chaleureux que venait éclairer un doux sourire.

Au moins, ils seraient deux à partager cette terrible vérité.

REMERCIEMENTS

Merci à Hanne, mon épouse et mon âme sœur, pour son soutien permanent durant le très long processus d'écriture de « département V ». Merci à Henning Kure pour son aide à l'écriture, son travail de recherche sur le culte solaire et pour ses nombreuses idées. Merci à Elisabeth Ahlefeldt-Laurvig pour sa disponibilité et ses travaux de documentation. Merci aussi à Eddie Kiran, Hanne Petersen, Micha Schmalstieg et Karlo Andersen pour leur lecture pertinente et éclairée, et un grand merci à ma rédactrice Anne C. Andersen pour notre fabuleuse collaboration.

Je remercie de leur patience Lene Juul et Charlotte Weiss chez Politikens Forlag, ma maison d'édition. Merci aussi à Helle Skov Wacher de tenir mes lecteurs régulièrement informés, et merci aussi pour ses trouvailles. Merci à Gitte et Peter Q. Rannes, et au Centre Hald pour les écrivains et traducteurs danois, d'avoir bien voulu m'héberger pendant la rédaction de ce roman. À Søren Pilmark pour le séjour extraordinaire que nous avons fait sur l'île de Bornholm. Merci à Elisabeth Ahlefeldt-Laurvig d'avoir rendu possible la retraite laborieuse que nous fîmes, Henning Kure et moi-même, au village vacances de Tempelkrogen.

Merci à l'inspecteur Leif Christensen pour ses corrections en matière de travail policier. Merci aux homologues de Carl Mørck du commissariat de Rønne pour leur accueil

extraordinaire et leurs précieuses indications sur les spéci-
ficités du travail à Bornholm. J'ai nommé : le commissaire
divisionnaire Peter Møller Nielsen, le procureur Martin
Gravesen, l'assistant de police criminelle Jan Kragbæk et
l'inspecteur adjoint Morten Brandborg, ainsi que les gentils
fonctionnaires de police qui assurent l'accueil.

Merci à Svend-Åge Knudsen, conservateur de l'église
ronde d'Østerlars. Merci au personnel de l'école de formation pour adultes de Bornholm de nous avoir si bien accueillis, de nous avoir si gentiment fait visiter leurs locaux, et
merci aussi pour leurs délicieuses fricadelles. Je pense à
Marianne Kofoed, à Jørgen Koefoed, concierge de l'établissement, à la responsable des cuisines Karen Prætorius.
Et bien sûr un grand merci aux anciens directeurs de cet
établissement pour un après-midi sympathique et édifiant
passé en leur compagnie.

Merci à Karen Nørregaard et à Anette Elleby du centre
culturel Listedhuset pour l'intéressante conversation et la
visite guidée. Merci à Poul Jörgensen de l'atelier de verrerie Kastlösa Glashytta à Mörbylånga sur l'île d'Öland pour
la session de guitare hard rock et pour m'avoir initié aux
mystères et aux secrets de cette île et de la plaine du Grand
Alvar.

Merci à Johan Daniel « Dan » Schmidt pour avoir produit un clone parfait de mon vieux PC et accompli la
prouesse de rendre ma relation quotidienne à l'informatique
quasi indolore. Merci à Lene Larsen pour la diligence avec
laquelle elle a fait parvenir un courrier à Barcelone. Merci
à Beatrice Habersaat, mon attachée de presse en Allemagne,
pour avoir bien voulu me prêter son patronyme. Merci à
Peter Michael Poulsen, capitaine du bateau de surveillance
« Oncle Sam » pour le « changement de nom ». Merci à Kes
Adler-Olsen pour m'avoir fait découvrir le site de vidéos

« Zeitgeist ». Merci à Benny Thøgersen et à Linna Pillora pour avoir rendu mon environnement littéraire en Suède encore plus extraordinaire. Merci à Arne, Annette Merrild et Olaf Slott-Petersen pour m'avoir remonté le moral à Barcelone. Merci également à Olaf Slott-Petersen pour avoir partagé avec moi ses expériences dans le domaine de l'hypnose.

Enfin, merci à Cathrine Boysen d'Oslo de me faire partager son indéfectible joie de vivre. Il y a beaucoup à apprendre d'une femme comme elle.

PAPIER À BASE DE
FIBRES CERTIFIÉES

Le Livre de Poche s'engage pour
l'environnement en réduisant
l'empreinte carbone de ses livres.
Celle de cet exemplaire est de :
650 g éq. CO_2
Rendez-vous sur
www.livredepoche-durable.fr

Composition réalisée par NORD COMPO

Achevé d'imprimer en décembre 2017, en France sur Presse Offset par
Maury Imprimeur – 45330 Malesherbes
N° d'imprimeur : 223795
Dépôt légal 1re publication : février 2018
LIBRAIRIE GÉNÉRALE FRANÇAISE – 21, rue du Montparnasse – 75298 Paris Cedex 06